ДЕТЕКТИВ
глазами женщины

ТАТЬЯНА ПОЛЯКОВА

ЕЕ МАЛЕНЬКАЯ ТАЙНА

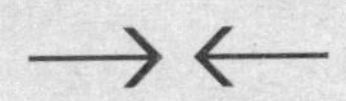

МОСКВА, «ЭКСМО-ПРЕСС», 1998

УДК 882
ББК 84(2Рос-Рус)6-4
П 49

Разработка серийного оформления
художника *С. Курбатова*

Полякова Т. В.

П 49 Ее маленькая тайна. Отпетые плутовки: Повести. — М.: ЗАО Изд-во ЭКСМО-Пресс, 1998.— 512 с. (Серия «Детектив глазами женщины»).

ISBN 5-04-001986-6

Способна ли молодая женщина, бывшая учительница литературы, объявить войну мафии? Варя Салтыкова случайно становится жертвой бандитской разборки. Чудом избежав гибели, после нескольких сложнейших операций Варвара обнаруживает в себе таинственный дар... Уехав из родного города и заработав кругленькую сумму «предательством», Варя делает пластическую операцию и возвращается домой. И вот тут-то бандиты города начинают получать сюрприз за сюрпризом. Да такие, что среди них возникает настоящая паника...

УДК 882
ББК 84(2Рос-Рус)6-4

ISBN 5-04-001986-6

ЕЕ МАЛЕНЬКАЯ ТАЙНА

ПОВЕСТЬ

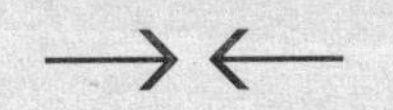

Моей подружке Ирочке.
С любовью и благодарностью.

Эта история началась в казино. Только не подумайте, что я из тех женщин, которые вечно там обретаются. Вовсе нет. На момент начала этих событий я была исключительно скромна и даже невинна (звучит довольно глупо, но я не любительница копаться в памяти, подбирая слова и выражения). В общем, несмотря на свой возраст, я была скромна до безобразия, чем нервировала подруг и настораживала маму, а к азартным играм равнодушна, да и денег у меня не было, так что мое появление в казино в тот вечер объяснялось чистейшей случайностью.

Заканчивался сентябрь, в воскресенье ожидался День учителя — святой для меня праздник, который следовало отметить. Вот я впервые в жизни и отправилась с коллегами в ресторан. Идея принадлежала Ирке Вячеславской, она так же, как я, год назад окончила институт и трудилась в нашей школе. Учились мы вместе, только Ирка на физмате, а я на историческом, но в отличие от меня подружка занималась ни шатко ни валко, большую часть времени посвящая личной жизни, однако диплом получила без труда, а теперь мечтала в очередной раз выйти замуж.

— Если в институте замуж не вышла, — поучала она меня каждое утро, — считай, пятьдесят на пятьдесят — загнешься в девках.

Ирка и замуж вышла, и успела развестись еще в институте, я же вызывала у нее жалость и недоумение.

— Ты красивая девка, — хмурилась она. — Чего ж так не везло? — И тут же возвращалась к наболевшему: — Школа — жуткое болото. В первый год не выйдешь замуж — все, засосет. Коллектив бабский, целый день торчишь на работе, к вечеру на человека не похожа... Охнуть не успеешь, а уже двадцать семь. А после двадцати семи бабы объявления в газеты пишут: «Одинокая, симпатичная, мечтает познакомиться...» — В этом месте Ирка обычно зло хмурилась, потом вздыхала и смотрела на меня с укором: — А ты, чудо природы, о чем думаешь?

Я улыбалась и пожимала плечами, хотя Иркины речи производили впечатление.

Мои родители развелись, когда мне было четыре года. Росла я в окружении женщин: мамы, ее старшей сестры и бабушки. Мужчины были для меня существами диковинными, я взирала на них с любопытством и опаской.

В школе, с пятого по одиннадцатый класс, дружила с одним мальчиком, у него было плохое зрение, иногда я сомневалась: видит ли он меня вообще? Наверное, видел, так как говорил, что я красивая. Хотя, возможно, он врал.

Встречаться с ним я стала исключительно из чувства противоречия: вдобавок к плохому зрению он шепелявил, был толстым коротышкой, любил читать умные книги и всех поучать. Дружить с ним никто не хотел. Мне стало его жалко. Жили мы по соседству, из школы он обычно брел за мной на расстоянии в пару метров, однажды я не выдержала и сказала:

— Ну чего ты там плетешься? Бери портфель и иди рядом.

Он схватил мой портфель и вроде был счастлив.

На следующий день старался не отходить от меня и даже пересел за мой стол, уговорив Димку Караваева поменяться с ним местами. Разумеется, это не осталось незамеченным. Одноклассники недоумевали. Так как недоумение они выразили в довольно грубой форме, я стиснула зубы, нахмурилась и продружила с Вовкой Воробьевым, так звали коротышку, семь лет.

Как минимум трижды в неделю мне очень хотелось его придушить.

Наконец мы окончили школу. Вовка уехал в Москву, поступил в МГУ, а я в пединститут, по соседству с нашим домом, — мама решительно заявила, что учиться в другой город меня не отпустит.

В нашей группе было пять ребят. Четыре красавца, пристроенных в институт богатыми родителями, а пятый — рыжий, с оттопыренными ушами и круглой физиономией. Взглянув на него впервые, я глубоко вздохнула.

Через две недели он начал смотреть в мою сторону с томлением, через месяц рискнул заговорить, а еще через две недели проводил домой. Разумеется, мне стало его жалко.

Где-то с третьего курса он начал строить планы по поводу нашей дальнейшей жизни, а я настороженно молчала. Примерно в это время в нашей семье случилось несчастье. Бабушка со своей старшей дочерью, моей теткой, отправились на дачу и попали в аварию. Обе скончались на месте происшествия, а мама оказалась в больнице с инфарктом. После гибели родных она до конца так и не оправилась и вскоре вышла на инвалидность. А я, запустив учебу из-за этих событий, отправилась пересдавать экзамен на дом к одному преподавателю. Он отличался повышенным интересом к студентам женского пола, масляным взглядом, некоторой игривостью и весьма солидным возрастом. Его квартиру я покинула через пятнадцать минут в состоянии, близком к истерике. И порадовалась, что мой рыжий коротышка скромен, тих и рук не распускает.

К этому моменту знакомые ребята поставили на моей особе жирный крест, охотно делились со мной секретами, беспардонно пользовались моей добротой и считали меня «своим парнем»: приглашали в походы, просили передать записки девушкам и дарили ко дню рождения хорошие книги. В целом меня это устраивало. Беспокоил только коротышка. То, что на него придется потратить очередные несколько лет, было ясно, но ближе к окончанию учебы он все чаще заговаривал о женитьбе. Я начала беспокоиться: твердо сказать «нет» я вряд ли смогу, а жить с ним в любви и согласии у меня просто не получится.

К счастью, он смертельно боялся службы в армии, поэтому после окончания института отправился в сельскую школу. Находилась она в отдаленном районе, где ощущались проблемы с транспортом, приезжал редко и неизменно заставал меня погруженной в школьные дела. Визиты становились все реже, о женитьбе он почти не заговаривал и при встрече все чаще отводил глаза. Догадавшись, в чем дело, я собралась с силами, нанесла ему неожиданный и короткий визит, застала в компании с розовощекой брюнеткой лет тридцати и с облегчением вернулась домой: вопрос о моем замужестве был снят с повестки дня.

Еще в седьмом классе я прочитала «Джейн Эйр» и начала мечтать о любви. Само собой, огромной и на всю жизнь. Теперь наблюдения за окружающими мужчинами настораживали: огромной любовью не пахло, а время шло. А тут еще Ирка. Утро она начинала фразой: «Что день грядущий нам готовит? Ничего хорошего...» — а заканчивала: «Ну вот, еще один день кобелю под хвост». Вообще обстановка в учительской располагала к беспокойству, мужчин было только трое: физрук, тихий пьяница без гроша в кармане с постоянной ласковой просьбой одолжить двадцатку, математик в весьма преклонном возрасте, усталый и издерганный, и трижды женатый физик, на досуге изготавливающий модели аэропланов, которые никак не хотели летать. Остальной учительский состав женский, причем только трое из женщин могли похвастать семейным счастьем, прочие мечтали выйти замуж или развестись, растили детей, ругались из-за нагрузки и занимали друг у друга деньги до зарплаты. «Загнемся здесь», — зловеще шептала Ирка и всячески пыталась расшевелить застоявшееся болото.

На День учителя нам выдали премию. По нынешним временам она была смехотворна, и педколлектив, вздыхая и томясь, стал прикидывать, на что ее можно потратить.

— В ресторан сходить, — тут же влезла Ирка. — В конце концов — наш праздник.

— Только с нашей премией в ресторан и идти, — хмыкнула Зойка, англичанка и мать-одиночка.

— А ты своих добавь, — съязвила Ирка.

— А то они есть.

— Зарплату дали.

— А жить на что, умница? Тебе хорошо одной, пустой картошки натрескаешься, а у меня ребенок, ему витамины нужны.

— Ну... заладила, — разозлилась Ирка. — Что за люди? Раз в году можете себе праздник устроить?

— А мне и пойти не в чем, — подняв голову от тетрадей, вздохнула Светка. — Вот в этом платье, что ли? Срамота... Девчонки сейчас так одеты, а мы в обносках... Да кто на нас в твоем ресторане посмотрит? Только комплексы наживать.

— Кончай ныть, ты баба видная, а платье — тьфу... что-нибудь подыщем.

Светка усмехнулась, но задумалась и весь день была тихой. Обычно к пятому уроку она так орет, что в стену стучать приходится, а в тот день была ласкова, дети даже перепугались и тоже затихли. В общем, тех, кому еще не стукнуло пятьдесят, идея увлекла. Стали гадать, куда пойти.

— Места заранее заказать надо, — разволновалась Зойка. — Вдруг не одни мы такие умные...

— Вот именно. Заявимся в ресторан, а там одни бабы.

— Хорош базарить! — рявкнула Ирка, радуясь, что дело сдвинулось с мертвой точки. — Я вас в такое место поведу, где мужиков полно будет.

На лицах окружающих читалось недоверие пополам с надеждой.

Меня предстоящий поход не очень волновал. Я-то знала: даже если мы окажемся там, где ошивается сотня красивых и до пятницы совершенно свободных мужиков, я непременно подберу одного — невзрачного, несчастного и безденежного.

Между тем Ирка свое слово сдержала: вывела нас в люди. В последний момент у большинства коллег нашлись срочные дела, и в ресторан мы отправились вчетвером. Ирка в сногсшибательном вечернем платье, Светка в привычном костюме с сумкой под мышкой, не знающая, куда деть руки, Зойка в моей блузке, то и дело нервно протирающая очки, и я, на редкость спокойная, потому что твердо знала: ничего хорошего мне здесь не светит.

Мы подъехали на такси к огромному девятиэтажному зданию бывшей гостиницы «Интурист». Через весь фасад горели буквы: «Казино».

— Куда это мы? — испугалась Зойка.

— А то не видишь? — Ирка грозно нахмурилась.

— Так ведь в ресторан хотели...

— Будет тебе ресторан... Сто лет в этом городе живешь и не знаешь, где чего есть... Срамота.

Ресторан в самом деле был. Огромный и почти целиком заполненный. Мне стало ясно, что Ирка сваляла дурака: мужики в ресторане, конечно, были, может, и свободные, но нас здесь вряд ли кто из них сможет разглядеть.

Подошел молодой человек в дорогом костюме, окинул нас оценивающим взглядом и без особой радости поприветствовал, после чего проводил к столу в самом центре зала. По соседству, за сдвинутыми столами, готовились отмечать День учителя наши бывшие преподаватели из пединститута, в основном женщины, возбужденные и веселые. Справа, почти в полном составе, восседал коллектив средней школы номер двенадцать.

— Они что, все с ума посходили? — ахнула Ирка, девчонки приуныли, а я начала осваивать меню. Разочарования я переношу легко, потому что заранее к ним готова. В тот вечер я намеревалась получить максимум удовольствия: на людей посмотреть, музыку послушать и съесть что-нибудь вкусненькое.

Через час девчонки решили, что нам точно не повезет, и с отчаяния приналегли на водку. Пошли разговоры по душам, и в мужской половине человечества надобность отпала. Еще через два часа мы пришли к выводу, что вечер удался, «хорошо сидим» и все такое, Ирка высмотрела парня через стол от нас и принялась ему улыбаться. Он проникся и пригласил ее танцевать. К нам Ирка больше не вернулась, отбыла через полчаса, сделав на прощание ручкой. Зойка со Светкой завистливо вздохнули и единогласно решили, что Ирке везет, а вот нам — нет и пора отправляться по домам.

Отвалив премию и часть зарплаты официанту, мы, поддерживая с двух сторон Зойку, направились в гардероб. Бог знает откуда возникли два мужичка, сильно навеселе. Зойка повисла на плече одного из них и затеяла разговор по душам. Он оказался на редкость душевным парнем, его дружок тоже, ухватил меня за локоть и пытался что-то сказать, при этом чуть не плакал: то ли от избытка душевности, то ли от количества выпитого. Я весьма кстати вспомнила, что оставила сумку в зале, и вернулась в ресторан, перепоручив плачущего парня Светке.

Сумка висела на стуле, никто на нее не посягал. И правильно: взять все равно нечего. Вернувшись к гардеробу, ни подруг, ни парней я не застала. Вышла на улицу и успела заметить, что они загружаются в такси, начисто забыв обо мне. Не могу сказать, что меня это огорчило.

Я свернула за угол, с намерением кратчайшим путем достигнуть остановки, и тут подумала, что путь мне предстоит неблизкий и не худо бы сходить в туалет. Поэтому я вернулась в ресторан. Извинилась на входе, сообщила швейцару, что оставила косметичку, а убедившись, что он, потеряв ко мне интерес, смотрит в другую сторону, быстренько свернула в коридор и заспешила ко второй справа двери с изображением дамы в кокетливой шляпке.

Туалет был пуст, это дало мне возможность рассмотреть себя в зеркало, улыбнуться, поправить прическу, подкрасить губы и с чувством выполненного долга покинуть данное место.

Я закрыла дверь, на ходу достав перчатки из сумки, сумка соскользнула с плеча, и из нее вылетел тюбик с губной помадой. Я резко повернулась направо и треснулась лбом о лоб молодого человека, который джентльменски поднимал мою помаду.

— Извините, — проблеяла я, а он засмеялся, потирая ушибленное место.

— Ерунда. В таких случаях говорят: родными будем.

Не знаю, как он, а я была бы не против того, чтобы заполучить такого родственника. Парень был года на три старше меня, высок, красив, одет в дорогой костюм, белую рубашку с галстуком, на котором сверкала булавка с бриллиантом, вроде бы настоящим, а вот обручальное кольцо отсутствовало, и это почему-то обрадовало, хотя повода для радости я не видела. Ну тюкнулась лбом с симпатичным парнем, это вовсе не значит, что мне вдруг повезет. Никогда мне не везло и сегодня не повезет. Так что есть кольцо или нет, меня это тревожит мало.

Я торопливо застегивала сумку, парень меня разглядывал, а я с тоской подумала, что пальто ношу с четвертого курса и против его булавки оно не тянет. «Ну и черт с ним!» — мудро рассудила я и, сказав еще раз «извините», гордо зашагала к выходу.

— Варя, — вдруг позвал он, а я от неожиданности замерла и вроде бы даже вытаращила глаза. Парень заспешил ко мне, широко улыбаясь.

— Я слышал, как вас называли подруги, — пояснил он, вновь оказавшись рядом. — Если честно, я за вами наблюдал весь вечер.

«Лучше б ты пригласил меня танцевать», — мысленно съязвила я, а вслух произнесла нейтрально:

— Да?

— Да. Наблюдал, но подойти не решился.

Я нахмурилась, парень явно морочил мне голову. Как-то не верилось, что такой тип может страдать застенчивостью, а про себя я точно знала: выгляжу я училкой, и ничего с этим не поделаешь. Можно, конечно, снять очки и выдать лучистую улыбку, она у меня неплохо получается, но через полчаса он все равно сообразит, кто перед ним, так что и напрягаться не стоит.

— Ну и как? — на всякий случай поинтересовалась я, неотрывно глядя на его галстук. Этот самый галстук меня и доконал: с мужчинами у меня всегда были проблемы, а в галстуке я могла припомнить только одного: нашего бывшего трудовика, уволенного за пьянство в начале зимы. Но у того галстук был похож на тряпку и вечно сбивался на сторону.

— Что как? — второй раз переспросил парень.

Увлекшись созерцанием его галстука, я начала страдать глухотой в легкой форме.

— Как наблюдение? — вздохнула я.

— По-моему, вы очень красивая.

«Возможно, — согласилась я опять-таки мысленно. — Только вот из этого заведения пойду одна».

— За красивую спасибо, — ответила я и направилась к двери. — Извините, мне пора домой.

— По-моему, ваши подруги уже отбыли.

— Точно, а я тороплюсь на последний троллейбус.

— Что, если я вас провожу?

В этом месте я пожала плечами и совсем уж хотела обрадоваться, но тут же себя одернула: «Он женат. И к тому же бабник. А кольцо не носит из хитрости». Я заспешила к выходу, а он произнес вдогонку:

— Я вас на углу буду ждать, ближе к остановке.

С этими словами парень исчез в боковом коридоре, а я, раскрасневшаяся и малость растерянная, выпорхнула из ресторана. Глубоко вздохнула и для начала посмотрела по сторонам. Парень был в костюме и исчез в коридоре. На улице холодно, а за пальто он в гардероб не пошел. Выходит, верхняя одежда пребывает у него где-то в другом месте. Значит, он из гостиницы. Приехал в наш город по делам и заодно решил развеяться. Ну и что нам светит, многоуважаемая Варвара Сергеевна? Краткий роман с заезжим ловеласом? В общем, ничего нам не светит. Так что топай на троллейбус и забудь про этого типа.

В этот момент я как раз достигла угла, и вышеозначенный тип возник передо мной точно из-под земли. А я обрадовалась и сказала:

— Привет.

Он засмеялся и тоже сказал:

— Привет, — и взял меня за локоть. Осторожно, даже с робостью и без всякого намека на нахальство. Вот тогда я и решила, что мне, пожалуй, повезло. — Где вы живете? — спросил он, я ответила, а он вроде бы порадовался: — На троллейбусе пять остановок. Что, если мы немного прогуляемся? Или на такси?

— Прогуляемся, — ответила я, радуясь, что парень хорошо ориентируется в городе. Может, он вовсе и не приезжий.

— Меня зовут Саша, — сообщил он, притормозив, и засмеялся. Я тоже засмеялась и окончательно уверилась: повезло. Знай я тогда, что это за везение, бросилась бы от него со всех ног.

Мы не спеша двинулись по проспекту. Я неожиданно для себя разговорилась, чувствуя необычайную легкость, одним словом, была в ударе. Он коротко поведал историю своей жизни. Родился, вырос и живет в нашем городе, сегодня встречался с партнером по бизнесу из Москвы, партнер малость перебрал и теперь отдыхает в гостинице, а Саша безумно рад, что в этот вечер оказался в ресторане, иначе как бы мы с ним встретились?

Чем ближе подходили к моему дому, тем отчетливее я понимала, что наконец влюбилась. И вовсе не потому, что у него дорогой костюм и он какой-то там бизнесмен, а потому, что могу болтать с ним о чем угодно, держать за руку, смеяться и в самом деле чувствовать себя красивой.

Когда мы остановились возле подъезда, я испугалась, что все разом кончится. Саша скажет мне «до свидания», запишет телефон, по которому никогда не позвонит, а потом скроется из моего двора и из моей жизни, а я подожду звонка денек-другой, потом вздохну и скажу самой себе: «Что ж, не повезло...» Мне хотелось зареветь от жалости к себе, но это было глупо, и реветь я не стала.

— Где ваши окна? — спросил он с заметной грустью.

— На пятом этаже. Вон те, видите...

— Мама уже спит?

— Мама на даче. Она у меня на инвалидности и до первого снега предпочитает жить в деревне. А я к ней езжу каждый выходной.

— Ясно. А ничего, если я напрошусь в гости? На пять минут. Телефон у вас есть? Вызову такси, уже поздно, а мне добираться на другой конец города.

— Телефон есть, и вызвать такси вы, конечно, можете.

Мы поднялись в квартиру, но бросаться к телефону Саша не спешил. Снял пальто и прошел в гостиную, улыбался так хорошо, что язвить насчет такси, а тем более выставлять его за дверь совсем не хотелось. Поэтому я пошла в кухню варить кофе, накрыла на стол и замерла на мгновение, глядя в окно. Саша подошел сзади, обнял меня, я вздрогнула, может, от испуга, а скорее от счастья, и повернулась к нему. И он меня поцеловал. Сначала один раз и очень нежно. Потом поцелуи стали жарче, а объятия теснее. «А почему бы и нет?» — решила я и махнула рукой на свое невезение.

В любом случае в ту ночь мне повезло, да так, что и не снилось. То есть я, конечно, мечтала о чем-то подобном, но через час поняла, какими дурацкими и детскими были эти мечты, на самом деле все было гораздо проще и прекраснее... В общем, я провела восхитительную ночь. С утром было сложнее.

Разбудил меня телефонный звонок. Я вскочила, с перепугу спутав его с будильником, и, только дважды тряхнув головой, сообразила, что сегодня суббота, выходной день и вскакивать по тревоге не имело смысла. Вспомнив об этом, я припомнила кое-что еще и удивленно огляделась. Постель рядом была пуста.

— Саша! — крикнула я и взглянула на часы. 7.30. Где Саша и кого угораздило звонить в такое время?

Я схватила трубку и услышала Иркин голос.

— Варька, ты как? — пьяно спросила она.

— Никак, — огрызнулась я.

— Слышь, подруга, ты одному мужику понравилась. Крутому. Познакомиться с тобой хотел, да, видно, проворонил, исчезла ты прекрасным видением. Веришь—нет, расспрашивал о тебе. Валька, официант, который нас обслуживал, он меня немного знает, так вот Валька сказал, что ты моя подруга. И этот приперся ко мне. Мужик-то... Адрес твой спрашивал. Жди в гости. Чувствуешь, какую я о тебе заботу проявляю? Цени.

— Сдурела ты, что ли? — крикнула я и бросила трубку.

После чего побежала в ванную. Свет не горел, вода не включена, и Саши там, конечно, не было. В кухне и остальных местах моей квартиры тоже. И ничто, кроме моих воспоминаний, на его присутствие не указывало.

Я немного побегала, стараясь обнаружить послание или хотя бы номер телефона, записанный впопыхах на клочке бумаги. Ничего.

В прихожей я сползла на пол и горько заплакала, но минут через десять обругала себя матерно и пошла умываться. После чего еще раз обследовала квартиру на предмет пропавших вещей. Все вещи пребывали в сохранности, и это слегка утешило: не хватало только объяснений с мамой.

Я перебралась на постель и заревела вторично, тихо и горько, и ревела до тех пор, пока не услышала звонок в дверь. От неожиданности я сначала подскочила, а потом со всех ног кинулась в прихожую. Воображение услужливо рисовало одну картину радужнее другой: Саша на пороге с огромным букетом и счастливой улыбкой и все такое прочее.

На пороге стояли трое ребят, крепких и суровых, а счастливыми улыбками даже не пахло. Только я собралась задать банальный вопрос: «Вам кого?» — как ближайший ко мне парень пнул меня ногой в живот, и я, охнув, влетела в зеркало родной прихожей, причем с такой силой, что разбила его, на пол посыпались осколки, бравые ребята вломились в квартиру, двое рассредоточились, а третий схватил меня за волосы и спросил:

— Где он?

— Кто? — в полном недоумении проблеяла я и получила кулаком в челюсть. Лишилась пары зубов и быстро уразумела, кто здесь задает вопросы.

Через двадцать минут у меня не было от гостей никаких секретов. К сожалению, их интересовал только один, но я его не знала. Парням потребовалось более двух часов, чтобы убедиться в этом. Что происходило в этот временной промежуток, мне вспоминать не хочется, скажу только, что я очень сожалела о своей живучести и боялась, что никогда не умру.

Квартиру я покинула в бессознательном состоянии. Почему они просто не оставили меня подыхать в родном доме, а, рискуя обратить на себя внимание, поволокли куда-то, ответить не берусь. Может, полутрупы в квартирах оставлять им не положено, а может, ребята были шутники, в общем, меня загрузили в машину и вывезли за город. В двух километрах по объездной дороге притормозили на мосту и сбросили мое бренное тело с очень приличной высоты. Так как я все еще пребывала без сознания, парни с чувством выполненного долга удалились в твердой уверенности, что судьба нас больше не сведет (так оно, кстати, и вышло): если через какое-то время я и всплыву, поведать миру о своих гостях никоим образом не сумею.

Однако я не оправдала их надежд. Ополоснувшись в холодной водичке, я совершенно неожиданно пришла в себя и даже каким-то образом смогла добраться до берега. Этот эпизод я практически не помню, что, впрочем, неудивительно, и склонна считать, что чудесным спасением обязана вмешательству свыше. Именно благодаря этому самому вмешательству в тот момент вблизи берега объявился милицейский патруль. Что они там делали, сказать трудно, главное, что углядели меня, вызвали «Скорую», та прибыла в рекордно короткие сроки, и я очень быстро оказалась на больничной койке, где и провалялась два месяца.

За это время меня несколько раз посещали сотрудники милиции, и я в меру сил пыталась им помочь, то есть рассказывала снова и снова про визит незваных гостей и про то, что последовало далее.

Мои воспоминания были весьма смутными, никто из соседей ничего не видел, никто из водителей при довольно бурном движении не углядел в тот день на мосту ничего подозрительного, и парней, естественно, не нашли. Зато я кое-что смогла узнать о Саше и даже полюбоваться на его фотографию, любезно предоставленную мне сотрудником милиции в целях опознания.

Александр Викторович Завражный, по кличке Монах (почему Монах — понять трудно, мой возлюбленный на одну ночь мог похвастать огромным количеством любовных похождений), так вот этот самый Монах давно и принципиально был не в ладах с законом, а к моменту нашей встречи находился в весьма прохладных отношениях с некоторыми боевыми друзьями, и они имели к нему претензии, а меня угораздило пригласить его к себе как раз в тот момент, когда бывшие друзья прямо-таки горели желанием с ним повидаться. В общем, не повезло мне.

История эта длительное время имела популярность в городе, о ней писали в газетах, болтали в троллейбусах, а на моем примере неразумных женщин предостерегали от случайных знакомств. Мне, в роли случайной жертвы бандитских разборок, было очень больно, а что еще хуже, стыдно.

Где-то дней через двадцать, когда я начала приподниматься в постели, я смогла увидеть свое лицо в зеркале и упала в обморок. Вид жуткой физиономии и последующий за сим стресс несколько замедлили период выздоровления. Врачи, отнесшиеся ко мне с большой чуткостью, утверждали, что следов практически не останется, время все залечит, челюсть мне собрали, склеили и сшили, зубы можно вставить, а глаза, слава Богу, целы. Еще две операции, и меня поставят на ноги.

Я слушала, кивала и пыталась понять, как это все могло произойти со мной?

Больницу я покинула, но дома стало еще хуже: я боялась находиться в квартире, боялась из нее выйти, боялась звонков в дверь и звонков по телефону, а также боялась смотреть в зеркало и тяготела к стенному шкафу, в темноте которого чудилась безопасность. Ночью мне снился один и тот же сон, я металась, орала и изводила соседей, потому что дом у нас панельный и слышимость хорошая.

В одно раннее утро, в самом начале весны, пользуясь тем, что мама лежит в больнице и я предоставлена самой себе, я вышла на балкон и с некоторым облегчением сиганула с него вниз. Однако прямо под балконом росло дерево, а снег еще не сошел. Ничего не сломав, я оказалась в первой психиатрической больнице, в палате номер шесть, в компании совершенно сумасшедшей девицы лет девятнадцати, повредившей рассудок на почве безумной страсти и религиозности. Она собиралась стать монахиней, но вдруг влюбилась, с любовью не повезло, и в результате она теперь прохлаждалась на соседней койке.

Мы вели с ней долгие беседы, философствовали, плохо спали по ночам и прониклись друг к другу большой симпатией. Именно сумасшедшая Валька сказала мне как-то ночью:

— Бог тебя дважды спас от смерти. Значит, ты не просто так сюда явилась, а есть у тебя на земле какое-то дело, и он, Бог то есть, в отношении тебя имеет виды. То есть не просто так на свет тебя произвели, а с какой-то надобностью. И ты с балконов сигать завязывай, а прислушайся. Бог даст тебе знак, и тут главное не ловить ворон, а внимательно слушать и строго следовать. Слышишь, Варвара?

— Слышу, — кивнула я. — У тебя диагноз какой? По секрету скажу: ты ему соответствуешь.

Однако думать о том, что Господь проявлял заботу и спасал меня, было приятно, правда, кое-что меня мучило, и я спросила Вальку не без ехидства:

— Если у Господа в отношении меня какие-то планы, почему б ему не избавить меня от неприятностей? Сделать так, чтобы всякие психи не крушили мне челюсть, и все такое, а я бы шла к намеченной цели без увечий. По-моему, пользы от меня было б несравненно больше.

— Дура ты! — рассвирепела Валька. — Он посылает тебе испытания. Неужели не ясно? Выполнить Божью волю ох как непросто, и ты должна соответствовать.

— А он тебе ничего не говорил, как долго будут длиться эти испытания? — поинтересовалась я. В ответ Валька швырнула в меня подушкой и вроде бы обиделась. Я отвернулась к стене, заметив ворчливо: —

Если у тебя с Господом есть прямая связь, намекни ему, пожалуйста, что я не люблю ждать.

— Надо иметь терпение и быть внимательной, — поучала Валька. — Вот увидишь, знак будет.

Явились ли последующие события Божьим перстом — судить не берусь. Вот так запросто, чтобы я могла понять, Господь мне ничего не сказал, но далее начались вещи удивительные и даже странные. Как именно Господь беседует с нами, грешными, я не знала, а потому вскоре поверила Вальке, что все происходящее — не иначе как Божий промысел.

А начались чудеса утром в среду. Мы готовились к обходу, Валька рассматривала потолок, как всегда, с заметным интересом, а я неожиданно для себя сказала:

— Да не бойся ты этих уколов. Смотри в сторону и думай о чем-нибудь нейтральном. А то таращишься на иглу и сама себя пугаешь.

— Откуда ты знаешь, что я боюсь? — спросила она.

— От верблюда, — хмыкнула я.

Вместо того чтобы ответить что-нибудь заковыристое, Валька переместилась ко мне на кровать, уставилась на меня пронзительно и даже дико и ласковым голосом повторила:

— Откуда ты знаешь, что я боюсь уколов? Я тебе об этом не рассказывала.

— Слезь с моих ног, больно, ноги у меня многострадальные, и их жалко.

Валька примостилась сбоку, не отрывая от моего лица горящего взора, и еще раз спросила:

— Как ты узнала?

— О Господи, — покачала я головой. — Догадалась, заметила, сообразила...

— Да? — Валька нахмурилась, подрыгала ногой, а потом сказала: — А ты знаешь, как я пошла в первый класс?

— Как все, — разозлилась я.

— Понятно, как все. А что-нибудь такое со мной случилось?

Я немного подумала, пытаясь вспомнить.

— А... ты в лужу упала, возле самой школы. Был солнечный денек, дворник с утра полил цветочки, на асфальт натекла лужа, и ты в нее угодила животом. Мама сбегала домой и принесла форму твоей старшей сестры, которая училась во вторую смену, быстренько переодела тебя в туалете, а ты ревела, потому что форма была тебе велика и вообще обидно.

В продолжение моей речи Валькины глаза разгорались все ярче, а улыбка, вначале слабая и нерешительная, стала широкой и лучезарной.

— Ну и откуда ты это знаешь? — бодро поинтересовалась она.

— Ты и рассказала.

— Как бы не так. Ничего я не рассказывала. А что ты еще про меня знаешь?

— Да все, — немного подумав, ответила я. — Это неудивительно. За месяц, который ты обретаешься по соседству, только и делаешь, что болтаешь.

— Память у меня хорошая, — хмыкнула Валька. — И про мой поход в школу я тебе точно не говорила... Да Бог с ним. Нужен пример, после которого у тебя глаза откроются.

— Какие глаза? — насторожилась я.

— Твои. Ты считаешь, что я сама все разболтала, а я знаю, что это не так. Необходим пример, который тебя убедит. О чем я точно никогда не говорю?

— Ну... о своей любви, то есть о том парне...

— Правильно. А теперь расскажи, как мы с ним познакомились.

Я нахмурилась, прикрыла глаза и прислушилась к чему-то внутри себя. Происходило нечто странное...

— Ты упала со стула в столовой, все засмеялись, ты лежала дура дурой, а он подошел и помог подняться.

— Точно, — взвизгнула Валька и даже вскочила с кровати. — Вот он — знак!

— Сейчас Татьяна придет, попрошу ее лишний укол сделать, крыша у тебя вовсю съезжает.

Валька схватила свою подушку и дважды меня ею огрела, после этого спросила в крайней досаде:

— Ну что еще надо, чтобы ты поняла?

— Ладно, уймись. Я Жанна Д'Арк, Божья избранница. Только не хочу гореть на костре. Пусть меня лучше еще раз с моста сбросят.

— Ты хоть понимаешь, что с тобой происходит? — чуть не плача, спросила Валька. — Ты можешь читать мои мысли.

— Это нетрудно, — заверила я. — Их немного, и все они глупые.

— Хорошо. Ты умная, а я дура. Сейчас придет Татьяна, попробуй на ней. Уж она-то точно не ведет с тобой душевных бесед.

Татьяна, медсестра нашего отделения, пришла минут через пятнадцать, я уставилась на нее, а Валька на меня. Она ерзала, моргала и громко сопела. Наше поведение вызвало у Татьяны легкое недоумение, потому что от нашей палаты никакого беспокойства не было и сюрпризы не ожидались, лежат себе люди тихо-мирно, не буйствуют.

Посмотрев на нас с сомнением и вроде бы успокоившись, она стала заниматься привычным делом, а я наблюдать за ней. Через пару минут я спросила:

— Вы забыли выключить утюг?

— Что? — ахнула она, нахмурилась и настороженно поинтересовалась: — А ты откуда знаешь?

— Да я не знаю, — пришлось ответить мне. — Просто вы так себя ведете, точно пытаетесь что-то вспомнить, вот я и спросила...

— Все утро сама не своя, угораздило перед уходом блузку погладить. Торопилась... убей не помню, выключила или нет.

— Выключили, — убежденно кивнула я, потому что в этот момент она вспоминала, как надевала блузку, а правой рукой выдернула шнур, вспоминала и сомневалась одновременно, а у меня повода сомневаться не было.

— В одиннадцать муж с работы приедет, позвоню...

— Ну что? — взвизгнула Валька, едва дождавшись, когда дверь за медсестрой закроется. Я пожала плечами.

— Чудеса...

— Еще какие. Это Божий дар. Говорила, у Господа на тебя виды, так и есть.

— Знать бы какие, — забеспокоилась я.

— Вставай с постели, пойдем к людям, проверим на остальных.

Весь день мы шатались по отделению. Очень скоро сомнения у меня отпали, каким-то образом я узнавала мысли людей. Что-то теплое обволакивало мозг, а потом начинало пульсировать и выпирать из общей массы... Звучит глупо, но происходило это примерно так.

Перед вечерним обходом мы вернулись в палату, и Валька принялась меня поучать.

— Ты пока помалкивай, Господь укажет, когда надо открыться, а может, и вовсе не надо, еще неизвестно, какая у тебя миссия. Только будь внимательней... не проворонь, у меня теперь вся душа изболится, вдруг ты знака не увидишь... Нет в тебе чуткости. Не будь меня рядом, ты бы так ничего и не поняла...

— Слава Богу, мой верный Санчо Панса на соседней койке и все знаки углядит.

— Неизвестно, должна я быть рядом или нет. Мне знака не было.

— Будет, — хмыкнула я. Конечно, Валька самая настоящая сумасшедшая, но мне нравилась, потому что девка она добрая. И лучше пусть болтает о Божьем промысле, чем бьется головой о стену.

— Тебе надо тренироваться, — подумав, заявила она.

— Как это?

— Знаешь, как иностранному языку обучают? Говорят с человеком только на этом языке, например, по-английски. Понимаешь?

— Зачем мне английский? — развеселилась я.

— Что ты дурака-то валяешь? Вот если б меня Господь избрал, я б зубы не скалила, а молилась и тренировалась каждую минуту.

Валька даже покраснела с досады, и я торопливо согласилась:

— Давай тренироваться.

— Я с тобой разговаривать не буду.

— Почему? — расстроилась я.

— Что ты меня изводишь, неужели непонятно? Ты со мной говоришь, а я отвечаю мысленно, и словами тебе помогать не буду. Теперь дошло?

Идея не показалась мне особенно удачной, вдруг кто из врачей заметит, что я сама с собой беседы веду, и я состарюсь в психушке, но расстраивать Вальку не хотелось, я согласилась, и с этого вечера мы начали тренироваться.

Очень скоро это занятие увлекло меня, а успехи в обучении выглядели прямо-таки фантастическими. Если поначалу для того, чтобы понять мысли человека, требовалось сосредоточиться, закрыть глаза и сидеть в тишине, то через пару дней надобность в этом отпала. Возникла другая проблема: если в комнате было несколько человек, мысли их сплетались в тугой клубок и оглушали, но и с этим осложнением я справилась относительно быстро. Могла говорить, что-то делать, смеяться или читать книгу, и вместе с тем прислушиваться.

Дни перестали быть серыми и унылыми, утро я встречала с оптимизмом и уже не смеялась над Валькиными речами о «знаке», а молча кивала и вроде бы в самом деле ждала.

Как-то во время тихого часа мы болтали, то есть это я болтала за двоих, а Валька пялилась в потолок и молчала как рыба. В самом интересном месте я вдруг решительно прервала поток ее молчаливого красноречия.

— Врешь ты все...

— Точно, — ахнула она и даже встала с постели. — А как ты догадалась?

— Не знаю как, — озадачилась я. — Знаю, что врешь, и все. То есть ты говорила правду и вдруг соврала, и это было ясно, вроде ты думаешь одно, а вместе с тем где-то рядом мысль — это неправда.

— Здорово, — захихикала Валька, хлопнула в ладоши и даже взвизгнула от неуемной радости. — Это ведь я нарочно, чтобы проверить, сможешь ты распознать или нет.

Явное сумасшествие странным образом уживалось в ней с хитростью и практицизмом.

Тренировки продолжались до того самого дня, когда Вальку выписали из больницы. Я не скрывала, что это событие ничуть меня не радует, и высказала надежду, что мы непременно встретимся, лишь только я покину данное лечебное заведение. Но Валька решительно заявила:

— Нет. Все, что Бог возложил на меня, я выполнила. Теперь ты должна быть одна.

— Ты что, получила с небес телеграмму? — разозлилась я.

— Я сон видела. Вещий. Вчера думала о тебе и о себе, конечно, и о том, что будет с нами, а ночью сон. Стоим в поле, ты и я, а перед нами две дороги. Ты пошла по одной, и я за тобой вроде, и вдруг голос: «Тебе не туда...» В общем, отправилась ты налево, я направо.

— И из-за какого-то дурацкого сна ты больше не хочешь со мной видеться? — не поверила я.

— Это не сон, а знамение, и вовсе не дурацкое. У тебя миссия, может, великая, а я, видно, в спутницы не гожусь, поэтому должна отойти в сторону, чтоб под ногами не путаться.

Я посидела, помолчала и твердо заявила:

— И куда врачи смотрят? Разве можно тебя выписывать, ты ж дура дурой.

Несмотря на мои увещевания и даже угрозы, Валька осталась непреклонной, в день ее выписки мы простились навеки и больше никогда не виделись. Хотя какие наши годы, может, еще и доведется встретиться в какой-нибудь психбольнице.

Вальку выписали, и хоть была самая настоящая весна, городские психи вели себя тихо, обострений не наблюдалось, палаты были наполовину пусты, а я так и осталась без соседки. Поэтому и обратила внимание на Дока.

Кличку он получил задолго до моего водворения здесь. Конечно, при больных никто из персонала его так не называл, но мне ведь разговоры не нужны. Док был врачом и, по-моему, наполовину психом. Со странностями, одним словом. Лет сорока, невысокий, худой, задумчивый, что называется «весь в себе», лицо интеллигентное, красивое, даже лысина выдающихся размеров впечатления не портила. Он носил очки, постоянно держал руки в карманах халата, а слушая, склонял голову набок, почти к самому плечу. Говорил мало, тихо и ласково, в отделении его все любили: не только больные, но и персонал, что было делом выдающимся, вообще-то народ здесь друг друга не жаловал.

Ко мне врачи относились чутко, а он и вовсе изо всех сил старался вдохнуть в меня бодрость и оптимизм, хотя у самого с этим было негусто. Док недавно развелся с женой, у которой, как выяснилось, уже года три был любовник. Детей супруги не имели, в общем, был он один-одинешенек и жизни особо не радовался. На жену не обижался, считал во всем виноватым себя, потому что с некоторых пор у него были проблемы, причем такие серьезные, что с ними только к врачу, а Док, как ни странно, лечиться не желал, стыдился и маялся, что мне было совершенно непонятно. Ведь сам врач и должен понимать. Но не понимал.

Так как Док, будучи на редкость одиноким, никуда не спешил, этим беспардонно пользовались все кому не лень, и работал он за двоих. Когда у него было время, заходил ко мне, и мы подолгу беседовали. К этому моменту чужие мысли мне здорово надоели: по большей части в них не было ничего интересного. И я начала тренироваться в другом направлении: училась не обращать на них внимания.

В мысли моего лечащего врача я не лезла, считая это неэтичным, зато разговаривала с ним с большой охотой. Вальки рядом не было, никто мне не талдычил об избранности, и я испугалась: а вдруг это вовсе никакой не дар, а просто я свихнулась окончательно и бесповоротно. В соседнем отделении у нас Наполеон лежит, у него что ни день, то Ватерлоо, а я вот — мысли читаю... Если я точно спятила, так лечащий врач должен был это приметить, кому и знать такие вещи, как не ему.

Я решила поговорить с Доком при первом удобном случае. Таковой подвернулся очень скоро. Док зашел ко мне вечером, во время своего дежурства, бодро улыбнулся и сел на стул, придвинув его ближе к кровати.

— Вижу, настроение у вас неплохое, — заметил он. — Может, перевести вас в третью палату к Новиковой, повеселее будет?

— Спасибо, пока не скучаю, — заверила я, помолчала немного и задала вопрос: — Леонид Андреевич, чего мне здесь кололи?

— Что? — насторожился он.

— Ну... какие лекарства?

— Обычные лекарства, — нахмурился он. — А в чем дело, Варя?

— Док, — брякнула я. — Как считаете, я чокнутая?

— Нет, разумеется. Хотя в какой-то степени все мы немного сумасшедшие. А вот Доком называть меня не стоит, я так полагаю, это сокращенное «доктор», а я врач. Разницу между врачом и доктором вы, как грамотный человек, должны знать.

— Знаю, — согласилась я. — Извините, нечаянно вырвалось, вас так все зовут, я имею в виду персонал, и мне нравится вас так называть, потому что в детстве я фильм видела «Моя дорогая Клементина» с Генри Фондой в главной роли... Не помню, кто там играл Дока... очень мне фильм нравился и этот самый Док. Потом американцы еще фильм сняли по тому же сюжету, и актеры классные, а всё не то... Может, просто детство кончилось?

— Наверное, — невесело усмехнулся он. — А фильм этот я прекрасно помню, хороший фильм. Что ж, если хотите, зовите Доком, я не против.

— Спасибо... — Я немного понаблюдала за мухой на стене и осторожно спросила: — Значит, окончательно я не спятила?

— Почему вы спрашиваете, Варя? — вроде бы забеспокоился он.

— Док, вы только санитаров сразу не зовите... дело в том, что я могу читать чужие мысли... По голове меня много раз били, и она, конечно, ослабла, вот я и решила, может, сей факт в сочетании с каким-либо лекарством дал такой эффект? Думать о том, что я попросту свихнулась, как-то не хочется.

— Вы это серьезно? — промолчав пару минут, спросил он.

— Еще бы. Хотите скажу, о чем вы сейчас думаете?

— Попробуйте, — слабо улыбнулся он, и я сказала. Док густо покраснел, извинился и ушел, но санитаров не вызвал, и это вселяло надежду.

Появился он только через два дня (правда, на обходе присутствовал, но в мою сторону вроде бы даже не смотрел), вошел, сел на стул, нахмурился и сказал:

— Это невероятно.

— Точно, — согласилась я. — Какой-то наркотик,

а, Док? Не может человек ни с того ни с сего начать читать чужие мысли.

— Травма, стресс, лекарства... Бог знает! Хотя лекарства были самые обычные.

— И я точно не спятила?

— Варя, — укоризненно покачал он головой. — Случай совершенно невероятный... Возможно, ученые смогут разобраться...

— Вы что, — перебила я, — хотите сделать из меня подопытную крысу? Вот уж спасибо.

— Но...

— Ладно, сделаем вид, что это была неудачная шутка. В целом вы меня утешили: с точки зрения лечащего врача, я не спятила окончательно, а там сама разберусь.

— Но... это так необычно...

— Чего вы боитесь? — перебила я.

— Я боюсь? — Он вроде бы удивился.

— Док, — поморщилась я. — Вы что, забыли?

— Ах да... Жутковато немного, когда знаешь, что кто-то способен читать твои мысли.

— Но ведь не это вас беспокоит?

— Возможно...

— Ясно. — Я тяжело вздохнула и наставительно изрекла: — Хорошую информацию добыть непросто, а сделать с ней что-нибудь путное и того труднее. Улавливаете, Док? Вокруг меня обычные люди, и мысли у них обычные. Конечно, у каждого есть секреты, но они вполне естественные... В общем, все довольно скучно.

— Да? — Он старательно протирал очки носовым платком, а я фыркнула и сказала:

— Док, ну какой из меня разведчик? И как вы себе это вообще представляете? Я иду в ФСБ и говорю: ребята, могу читать мысли, отправьте меня на передний рубеж, к главному недругу. По-моему, очень глупо.

— Что же тогда? — спросил он.

— Не знаю. Может, буду в цирке выступать, деньги зарабатывать.

Он засмеялся, а я немного обиделась, потому что о цирке думала серьезно.

В общем, в тот вечер мы так ничего и не решили. Ночью я спала плохо, где-то ближе к утру мне стало трудно дышать, сердце ныло и вроде грозилось остановиться, я уже хотела позвать медсестру, но передумала. Легла, закрыла глаза и тут услышала зов. Кто-то торопливо, настойчиво звал меня по имени. А потом все кончилось.

Я лежала еще некоторое время, прислушиваясь, и заплакала, потому что поняла: теперь я одна на всем свете.

Док задержался в больнице и вечером пришел ко мне. Бодро улыбнулся и сказал:

— Я на минутку, просто узнать, как дела.

— Моя мама умерла? — спросила я, он вроде бы собрался выскочить за дверь, но нахмурился, а потом кивнул.

— Мы решили, что вам пока лучше не знать об этом. Как вы... ах да... Варя, я сейчас говорю как врач и... как друг. Вам нельзя присутствовать на похоронах. У человека есть предел прочности. Вы и так... я имею в виду с вами происходят необычные вещи, не стоит рисковать. Вы понимаете?

— Конечно. Вы можете ничего не говорить, и я пойму. Хорошо, сделаем вид, что я ничего не знаю, если вы считаете, что так правильнее.

— Считаю, — кивнул он и ушел, а я стала разглядывать потолок.

Была середина мая, по стене прыгали солнечные зайчики, в палате нечем было дышать, и меня потянуло на волю.

— Док, когда меня выпишут? — спросила я.

— Хоть завтра, — пожал он плечами. — Только стоит ли торопиться?

— Не очень весело сидеть за решеткой, — хмыкну-

2 1133

ла я и, ткнув пальцем в окно, добавила: — А там весна.

— Варя, вы что-нибудь решили? — не без робости спросил он.

— Как жить дальше? Если честно, не знаю. Программа минимум: уехать из этого города туда, где обо мне никто ничего не слышал. И просто жить. Валька обещала указующий перст. Она, конечно, чокнутая, но в старину считали, что Бог глаголет устами сумасшедших. Вдруг правда? Поживу, подожду, а если он мне ничего не скажет, попробую не огорчаться.

— Варя, время все лечит, поверьте мне... Вы еще будете счастливы.

— Само собой, — кивнула я и, помедлив, спросила: — Хотите со мной, Док?

— А я тебе нужен? — грустно усмехнулся он.

— Конечно, — ответила я, сжав его ладонь в своей. Если честно, в тот момент я плохо представляла, какое применение смогу придумать Доку, но он был хорошим человеком, без паршивых мыслей и мне нравился. Человек не должен быть один, а мы идеально подходили друг другу.

Но уехали мы не сразу, кое-что надлежало сделать в этом городе. Во-первых, я сменила фамилию и стала Усольцевой, как бабушка по материнской линии. Так как моя история была хорошо известна в городе, мне в данном вопросе пошли навстречу, и все прошло без сучка и задоринки. На продажу квартиры тоже ушло время. Доку продавать было нечего, после развода с женой он жил в общежитии, куда смог пристроиться благодаря однокашнику, его личные вещи уместились в спортивную сумку, и последнее время он жил у меня. Так было удобнее.

Должно быть, мы являли собой странную парочку: сумасшедшая и врач-неудачник, но уживались прекрасно. И хоть спали в одной комнате, однако наши отношения были исключительно невинны: у Дока проблемы и у меня, после общения с тремя злобными придурками, — тоже.

Наконец пришел день, когда мы покинули город. Док подогнал к подъезду свои «Жигули», довольно обшарпанные, но резвые, мы загрузили в них два чемодана и несколько сумок. С привычными вещами я рассталась легко.

Мы прокатились по городу и выехали на объездную. Миновав пост ГАИ, Док остановился и посмотрел на меня, а я на него.

— Мы вернемся? — спросил он, и я кивнула, чтоб его не огорчать.

Дело в том, что у Дока сложилось неверное представление обо мне. Сейчас он хотел, чтобы я разразилась речью на тему: мы вернемся, и им мало не покажется (кому «им», догадаться нетрудно), однако в мои планы не входило быть русским бэтменом в юбке или кем-то там еще. Наводить в стране порядок — дело милиции, а месть меня не привлекала. Да и кому мстить? Сашке Монаху, которого я сама затащила в свою постель? Парню надо было укрыться на ночь, и он присмотрел меня. Кстати, за ночлег заплатил с лихвой: я была на седьмом небе от счастья и даже поверила, что он меня любит. Трем ублюдкам, которые так старательно надо мной потрудились? Так ведь им приказали. Надо было отыскать Сашку, а я молчала и, конечно, нервировала. Допустим, они окажутся в моей власти, ну и что, я начну им мозги ложкой вычерпывать или нарезать ремни из шкуры? Тошнота наворачивалась при одной мысли об этом. Да я ударить-то их как следует и то вряд ли сумею... Был еще тот, кто приказал, но он ведь рук ко мне не прикладывал... Сказка про белого бычка, одним словом, и по всему выходило, что виноваты во всем моя глупость и доверчивость. Сидела бы дома, вышла бы замуж за одного из коротышек и жила до старости в покое и довольстве без всяких там приключений... Так ведь не хотелось покоя... Словом, за что боролись, на то и напоролись.

Хорошо, что Док мои мысли не слышит, вот бы удивился...

Обосновались мы в соседнем областном центре, километров за триста от родного города. Сняли двухкомнатную «хрущевку». Док пристроился в каком-то Центре реабилитации, где бывшие алкаши открывали ему душу, а я дала объявление в газету: «Квалифицированная гадалка расскажет о прошлом и откроет будущее». Насчет будущего я преувеличивала, уж чего не могу, того не могу, зато с прошлым полный был порядок. А ведь человек как устроен: расскажи ему о вчерашних делах, и он тебе поверит, а уж потом лепи про будущее что попало, он все воспримет с благодарностью. Правда, я не злоупотребляла и в основном советовала быть осторожнее, предостерегала от пьянства, случайных связей и рекомендовала заботиться о детях. В общем, заслуживала медали как борец за чистоту нравов.

Медаль мне так и не дали, а вот денежки потекли рекой. Конечно, не сразу. Объявление пришлось дать трижды, прежде чем в нашей квартире появилась женщина лет сорока. Я ей очень обрадовалась, и не только потому, что она была первой клиенткой: сидеть в четырех стенах и общаться только с Доком, мысли которого я знала наизусть, порядком надоело.

С клиенткой я беседовала часа два, она заплатила много больше, чем я просила, и отбыла чрезвычайно довольная, хотя я только и сделала, что повторила ее мысли вслух, однако на нее это произвело самое благотворное воздействие: женщина успокоилась и приняла необходимое решение.

Через два дня клиентов было уже трое, потом их стало столько, что пришлось назначать время приема и повышать таксу, дабы избавиться от просто любопытствующих. Док забросил Центр и вел предварительные беседы с клиентами, многие нуждались в помощи психолога, а отнюдь не в услугах гадалки. В общем, дела наши процветали.

Как-то поздней осенью, ближе к вечеру, в квартире появились двое молодых людей сурового вида. Побеседовав с ними семь минут, я могла констатировать завидное единодушие наших взглядов по всем основным жизненным принципам и с того момента свой бизнес как бы узаконила. Парни остались довольны, а про меня и говорить нечего.

Так прошел год. Денег я заработала столько, что они вызывали томление: тратить их было некуда, жили мы скромно, Док являлся убежденным вегетарианцем и щипал салат, а я налегала на сладкое, видно, недокормили в детстве.

Док беспокоился за наши денежки и опасался грабителей, а я все пыталась решить: к чему мне мой дар, и дар ли это вообще, а не странное стечение обстоятельств? Год прошел, а я так и не решила и ничего похожего на знак усмотреть не смогла. Оттого, как водится, заскучала.

Примерно в это время в нашей квартире возник Колька Вихряй, один из моих «защитников». По делам он был накануне, а сегодня ему здесь совершенно нечего было делать, и я слегка удивилась. Рядом топтался его дружок, которого я знала плохо, помнила, что зовут Серега, а кличка Чиж или что-то в этом роде. Конечно, мне ничего не стоило слазить в его мозги и это выяснить, но понапрасну я не напрягаюсь.

В общем, они возникли в прихожей, отводили глаза и явно томились.

— Ты чего притащился? — удивилась я. Колька вздохнул и не без робости произнес:

— Варвара, ты это... погадала бы мне, а?

— Влюбился, что ли?

— Ага, — хмыкнул он и, конечно, врал. Другое его мучило.

— Ладно, пошли в комнату, — предложила я, и он пошел, его дружок тоже.

Я извлекла карты и стала их раскладывать, а потом вещать, при этом путала короля с валетом, подрывая свою репутацию. Но Кольке было не до королей, он выглядел подавленным и ждал от меня чуда. Мысли его я видела как на ладони.

Рассказав о его недавних горестях, неудачах и небольшой радости (на днях он наконец-то излечился от триппера, который появился совершенно неожиданно после краткого общения с одной симпатичной девушкой лет пятнадцати, по виду маменькиной дочкой), так вот, раскрыв ему глаза на все это и отметив на его лице глубокое удовлетворение, я перешла к насущному, то есть дню завтрашнему. Именно предстоящее завтра событие, точнее, встреча, назначенная на семь часов вечера в тихом, ничем не примечательном местечке, и вгоняла Кольку в тоску. Он сильно сомневался, что уйдет оттуда в целости и сохранности, и, между прочим, сомневался не напрасно. Я бы на его месте наплевала и не пошла, но стриженые ребятишки народ чудной, живут по своим правилам, нормальному человеку эти правила покажутся глупыми, но братва их блюдет и от неписаного закона ни на шаг. Надо сохранить лицо, или что там у них.

И Колька завтра, конечно, поедет, отговаривать смысла нет, да и без разницы мне: лишится он своей головы или она еще некоторое время будет служить ему украшением. Правда, Колька парень неплохой, то есть не хуже многих других, хоть, конечно, и не лучше.

Тяжело вздохнув, я сказала:

— Завтра тебя ждет дорога и встреча с тремя королями. Остерегайся их, потому что они смерти твоей хотят. Если после шести вечера завтра из дома не выйдешь, жить будешь долго и удача тебя не оставит, — в этом месте я еще раз тяжело вздохнула и уставилась на него. Он облизнул губы, посмотрел на меня с укором, а я решительно добавила: — Короче, из дома носа не кажешь, и все будет хорошо, высунешься — жди неприятностей.

— Как же, сиди дома... — разозлился он, а я удивилась:

— Ты чего, Коля? Просил погадать, так я гадаю. А остальное — дело не мое.

Тут я еще кое-что порассказала и, судя по всему, произвела впечатление. Зная Колькины мысли, было это совершенно нетрудно. Но он-то не знал, что я знаю, поэтому краснел, ерзал и таращил глаза.

— Все, — закончила я глазеть на двух королей и крестовую десятку. — Вопросы есть? Вопросов нет. Сеанс закончен.

— А... больше ты ничего не знаешь? — посидев пнем минут пять, робко поинтересовался он.

— Что тебе еще? — удивилась я.

— Ну... погадай еще раз... может, чего увидишь.

Он извлек из бумажника деньги и положил на стол. Сумма заметно превышала мою обычную таксу.

— Убери, — сказала я, демонстрируя обиду. — Не чужие ведь люди.

— Нет, — мотнул он стриженой головой. — Хочу, чтоб все было как положено...

Я вздохнула и еще раз разложила карты. Как на грех, выпали одни вини. Колька на них уставился и спросил:

— Хреново?

— Ну... — ответила я уклончиво, повертела в руках шестерку, отшвырнула ее, поморщившись, и сказала: — Коля, завтра вечером сиди дома... — Тумана я напускала вовсе не для того, чтобы запугать Кольку, просто ему очень хотелось услышать, чем закончится завтрашняя встреча, а я об этом не имела понятия, потому что даром предвидения меня Господь не наградил. Умный человек избегает неприятностей, именно эту мысль я и пыталась донести до Колькиного сознания. Он понял все по-своему. Тяжело поднялся, отводя взгляд, и сказал:

— Ладно, я пошел.

Дружок тосковал в кресле рядом и выглядел слегка пришибленным.

— Тебе тоже погадать? — спросила я. Парень вскочил и попятился к двери.

— Не-а...

— Правильно, — пришлось мне согласиться. — Меньше знаешь — крепче спишь.

Буркнув «до свидания», парни удалились.

Док проводил их до дверей и возник в комнате.

— Чего им надо?

— Судьбу узнать хотели. А судьба — она, как известно, злодейка.

— Что ты ему сказала?

— Посоветовала завтра вечером смотреть телевизор. Но он, конечно, не послушает.

— И что?

— Да откуда ж мне знать? — удивилась я. Док кивнул, но не поверил.

Через две недели меня вновь посетил Чиж по служебной, так сказать, надобности. Рядом с ним стоял высоченный парень с перебитым носом, ранее я его не видела и появлению в своей квартире слегка удивилась: я не люблю перемен, и парни, кстати, тоже их не любили.

— Где Колька? — поинтересовалась я.

— Нету.

— Что значит «нету»? — спросила я больше для порядка, потому что ответ уже знала.

— Похоронили. Десять дней назад. Вот такие дела...

— Жаль парня, — не очень сокрушаясь, заметила я.

Мы перешли к насущным делам. Уже перед уходом Чиж вдруг спросил:

— Это ведь виновая шестерка? Не зря ты ее в руках вертела... Ты ведь знала, что его убьют, так?

— Я знаю то, что мне карты показывают...

— Само собой... — Чиж покачал головой и виновато добавил: — Я ведь раньше не верил... ну... думал — глупость все это, гадание и все такое... и никому бы не поверил, если б своими глазами не увидел... Деньги тебе не зря платят.

— У меня дар, — серьезно заявила я. — От бабушки достался. А у нее от матери. По наследству то есть.

— Ясно, — еще разок кивнул он, после чего удалился, при этом выглядел просветленным, словно ему открылось нечто высокое.

После этого случая ребятишки в городе, не только из нашего района, но и из соседних, стали относиться ко мне с заметной настороженностью. При встрече сдержанно здоровались и были исключительно вежливы, правда, узнать свою судьбу никто из них не спешил. Док утверждает, что они считают меня колдуньей. Может, он и прав. Нет более суеверных людей, чем те, что не в ладах с законом. В общем, покойный Колька успел-таки сделать мне рекламу. Теперь в городе меня знала каждая собака и проявляла ко мне уважение (не собака, конечно, а местная шпана). Отношения у нас сложились дружеские, можно сказать — душевные. В атмосфере этой самой душевности прошел еще год. Ничего нового он не принес, если не считать денег, но они не очень радовали, потому что мы с Доком так и не придумали, куда их тратить. Правда, купили «БМВ», выглядела машина очень прилично, на этом наша фантазия истощилась. Решили было купить квартиру, получше да попросторней, но заленились: не хотелось покидать насиженное место. А народ, ждущий от меня откровений, все прибывал. Кажется, уже весь город охватили, и не по одному разу, а они все откуда-то брались. Стали приезжать клиенты из районов, иногда очень отдаленных. Когда в прихожей возникла гражданка неопределенного возраста и выдающейся комплекции, преодолевшая расстояние в двести километров, чтобы увидеться со мной, я задумалась, а потом и вовсе затосковала. Неужто дар, или что там есть, ниспослан мне для того, чтобы стать всероссийски известной гадалкой? Совсем мне этого не хочется. Неужели нет ему применения поинтереснее?

Дни шли, а я продолжала изводить себя невеселыми мыслями. Док тоже выглядел несчастным и тоже размышлял, иногда даже сожалел, что покинул родную психиатрическую больницу, где приносил явную пользу. Впрочем, Доку проще, вернуться в психушку никогда не поздно, а вот я...

В самый разгар самокопания и анализа своей судьбы, пришедшийся аккурат на Рождество, в нашем доме вновь появились незваные гости, на сей раз рангом повыше. Я читала «Иудейскую войну» Флавия и думала о том, что раньше люди жили веселее, тут в дверь позвонили. Док заспешил в прихожую из своей комнаты, а потом заглянул ко мне и стал делать какие-то тайные знаки, начисто забыв, что это совершенно лишнее. Я уже знала, что у нас дорогой гость, хозяин района, в котором мы обретались. Это именно ему мы усердно платили дань. Звали его Володя, точнее, Владимир Павлович, а кличка была довольно странной — Кума, надо полагать, производная от фамилии Кумачев. Поскольку кличка звучала двусмысленно и с намеком на неуважение, называть его так в глаза никто не решался. Для меня он был Владимир Павлович, встречались мы до сей поры дважды, оба раза в казино, где он был хозяином, а я заходила просадить часть денег, изъятых у доверчивых граждан вполне законным путем. В общем, мы были знакомы, но не настолько, чтоб он запросто навещал меня по вечерам. Я удивилась и, честно говоря, немного струхнула, но лишь до того момента, когда он возник в комнате в сопровождении доверенного лица. Ни одной черной мысли на мой счет. Я порадовалась и заулыбалась, а также принялась демонстрировать гостеприимство.

— Не суетись, — махнул рукой Кума, устраиваясь в кресле. — Я так... заглянул ненадолго.

Я затихла в кресле напротив, продолжая выказывать глубокое удовлетворение от встречи с ним. Сопровождающее лицо ненавязчиво исчезло за дверью, Док попросту не появлялся, в общем, мы сидели одни, Кума прикидывал, как половчее начать разговор, а я удивлялась и его разглядывала.

Он был старше меня года на два, выглядел внушительно и вполне пристойно. Головы по бандитской моде не брил, цепей, колец и браслетов не носил, одевался элегантно. Изъяснялся вполне грамотно, матерился только по крайней необходимости, старался быть справедливым, правда, так, как эта справедливость ему виделась, кровавые разборки не жаловал, беспредельщиков считал мудаками и сам грех убийства на душу по сию пору не брал. В общем, мог считаться вполне приличным парнем. Его уважали, коекто очень не любил, а кто-то сильно боялся. Последние несколько дней выдались тяжелыми, и Кума думал и гадал, как жить дальше.

По этой надобности и притащился, но из-за дурацкого форса попросить «погадай» не мог, смотрел на меня и силился изобрести причину, по которой он нанес мне визит. Хотя дело было не только в форсе: его сильно удручал пример Кольки Вихряя, безвременно почившего после лицезрения в моих руках виновой шестерки, но Кума даже самому себе в этом бы не признался. В общем, никуда не торопясь, мы поиграли в кошки-мышки.

— Ехал мимо, дай, думаю, зайду, — без фантазии начал он. — Ты у нас теперь знаменитость...

— Я плачу исправно, — на всякий случай заканючила я. — Расходы большие, менты цепляются, житья нет.

— Да ладно, не о том я... Просто интересно: ты вправду чего умеешь или это фокус какой?

Я вздохнула, потупив глазки и немного помявшись, ответила:

— Конечно, фокус. Тебе врать не буду.

— Да? — Он вроде бы огорчился. — А говорят, что ни скажешь, все в масть.

— Психология, — пожала я плечами. Психология его заинтересовала. Сообразив, что просто так он не отцепится, я предложила: — Могу продемонстрировать, как это делается.

— Давай.

— Начинаю с самого простого. Например, несчастная любовь. Ты криво усмехнулся, значит, таковая тебе не грозит. Финансовые проблемы. Ты хоть и знаешь, что все туфта, насторожился. Я наблюдаю, подмечаю... ну и так далее.

— А карты?

— А карты для порядка. Как же без карт?

— Значит, туфта, говоришь? — пригорюнился Владимир Павлович.

— Ага. Только ты уж, будь добр, об этом помалкивай. У меня хороший бизнес, и налоги я плачу исправно.

Кума усмехнулся, но уходить не спешил, посматривал по сторонам и томился. Мне тоже спешить было некуда, потому что сидела я в собственном кресле, а дел у меня вовсе никаких, и ожидала, решится он произнести то, о чем думал, или так и уйдет, ничего не поведав.

— Жаль, — вдруг сказал он. — Очень бы мне такой человечек пригодился, особенно сейчас. Раскинул бы картишки и сказал, чего ждать следует. — Кума засмеялся, но говорил в общем-то серьезно.

— Чего не могу, того не могу, — огорчилась я. — А врать тебе — никакого желания. Не такой ты человек, чтоб тебе лапшу на уши навешивать. — Я сделала паузу и предложила, поняв, что уходить он по-прежнему не спешит: — Хочешь выпить? Водки у меня, правда, нет, но немного коньяка найдется.

— Давай коньяк. Водку я, кстати, не жалую.

«А нам об этом очень хорошо известно», — съязвила я, правда, мысленно. Сходила в кухню и вернулась с подносом: графинчик с коньячком, бутерброды с икоркой, лимон дольками и колбаса колечками (Док хотел ее выбросить, а вот смотри-ка, пригодилась). Мы выпили и заели икоркой. Кума продолжал меня разглядывать, мысли у него при этом были любопытные, но совершенно для меня неопасные, и я расслабилась. После второй рюмки он спросил:

— Ты сама откуда?

— Издалека, — ответила я, а он опять спросил:

— А какими судьбами к нам попала?

— На машине приехала. Город мне ваш по душе пришелся, потому как никто меня здесь не знал.

— Баба ты крученая, и видок у тебя соответствует, думаю, кое-чего в жизни ты повидала, — кивнул он, а я усмехнулась.

— Физиономия моя не нравится?

— Физиономия у тебя ничего, а вот взгляд дурной. У меня есть один с таким взглядом, лет десять я его знаю, а спиной поворачиваться к нему ни в жизнь бы не стал.

— Я вообще-то тихая, — загнусила я, — и неприятностей не ищу. Живу себе спокойненько и другим не мешаю.

— Ага, — согласился он и взглянул исподлобья.

— Все-таки рожа моя тебе не нравится, — хохотнула я, а он пожал плечами.

— Говорю, нормальная у тебя рожа... — Тут и он засмеялся. — Не обижайся. Конечно, шрамы бабу не красят. Кто ж тебя так?

— Самосвал, — с легкой придурью во взгляде ответила я. — Поехала в Москву на рынок, еду, никому не мешаю, и вдруг этот алкаш навстречу. «Поцеловались» мы с ним, парнишка коньки отбросил, а мне украшения оставил, чтоб дольше о нем помнила.

— Не повезло, — хмыкнул Кума, отставил рюмку и поднялся. — Что ж, спасибо за угощение.

— Заходи, если будет желание. Хорошему человеку всегда рада.

— А Док твой, он кто, правда доктор или тоже туфта? — неожиданно спросил Кума уже возле двери.

— Док врач, психов лечил, надоели они ему, сам чуть не спятил, вот и подался со мной.

— Занятно... Пошли, Серега, — окликнул Кума охранника и сказал мне со смешком: — А про самосвал ты врешь. Не водила тебе завещал себя помнить, а вот кто? Ты часом не на любовное свидание в наш город явилась?

— С любовью у меня туго, — забеспокоилась я. — Большие проблемы по женской линии. И, Богом тебе клянусь, беспокойства от меня никому не будет. Клиенты довольны, с властями дружу, а вас очень уважаю.

— Хорошо, если так, — серьезно проронил Кума и наконец отбыл. А я задумалась.

От глубоких размышлений меня отвлек Док, возникший в комнате.

— Чего он хотел?

— Супероружие, — развела я руками. — Знать о конкурентах все и каждый их шаг наперед угадывать. Согласись, в этом что-то есть.

— Ты ему сказала? — ахнул Док, впрочем, сам в это не веря.

— Нет, разумеется. Я покаялась: фокусничаю, народ дурю. Он расстроился.

— И что теперь?

— Да ничего.

— Ужинать будешь? — поскучав немного у порога, поинтересовался он.

— Нет. Поздно уже.

Док исчез за дверью, а я подошла к окну и уставилась в темноту. Неожиданный визит Кумы навел меня на интересные мысли. Я перекидывала их и так, и эдак, они нравились мне все больше и больше. Что, черт возьми, я делаю в этом городе? Жду знака? А может, визит Кумы и есть тот самый знак, ведь наверняка не скажешь. Надо бы как-то поделикатнее поторопить Господа. Сколько же можно сидеть здесь без дела? Скучно. Доку, и тому скучно, а про меня и говорить нечего. Копайся в мыслях всяких придурков, добро бы польза какая... Польза, конечно, есть, это я малость завралась, но все равно скучно. Короче, если Магомет не идет к горе, значит, самое время горе сдвинуться с места.

Решение я приняла быстро и устремилась в кухню. Док ковырял вилкой в любимой травке и тоже смотрел в окно. Мысли в голове невеселые, последнее время он пытался от меня прятаться, твердил про себя стихи, а я позволяла ему думать, что это помогает. Док немного странный человек, он во всем ищет смысл: зачем родился, зачем учился, зачем потащился со мной? До него все никак не доходит одна простая вещь: жизнь случайна, а следовательно, бессмысленна. Над ней можно ломать голову, а можно просто жить в свое удовольствие. Это, кстати, то, чем я намерена заняться.

— Мы уезжаем, — сказала я и выдала свою лучшую улыбку.

— Куда? — Он вроде бы растерялся.

— Домой. Деньги заработали, пора их тратить.

— Ты... — Он торопливо опустил глаза, не решившись произнести слово «отомстить». Я уже давно поняла: несмотря на возраст, он романтик.

— Я соскучилась по родному городу, — врать не хотелось, а обижать его тем более.

— Когда поедем? — чуть помолчав, спросил он.

— Надо решить вопрос с квартирой, а мне выправить паспорт взамен свистнутого.

— У тебя украли паспорт? — поднял он брови, а я укоризненно покачала головой.

— Док, как можно украсть у меня паспорт? Человек только руку протянул, а я уже услышала. Паспорт в сумке лежит, где ему и положено, а я введу родную милицию в заблуждение и сообщу, что свистнули. Лишний паспорт не помешает. Тем более что я планирую выйти замуж.

Уж на что Док спокойный мужик, но глаза выпучил и даже вилку уронил.

— За кого?

— Еще не знаю. Желательно, чтобы он сразу после бракосочетания отбыл за границу. Сыскать такого будет нетрудно.

— Варвара, что ты болтаешь? — нахмурился он.

— Я посвящаю тебя в свои планы, неужели не ясно? Мы возвращаемся в родной город, народ вокруг любопытный, спросят, к примеру: откуда бабки, а я им — от верблюда, то есть от мужа, муж у меня за границей большие деньги зашибает, а я здесь живу не тужу.

— Ты надеешься, что, если сменишь фамилию, тебя не найдут?

— Кто, Док? Кто меня ищет?

Квартиру продали, паспорт я получила, и мы, погрузив нехитрый скраб в новую машину, отбыли в столицу нашей родины. Свой план я решила осуществлять поэтапно. Москва как раз и была первым этапом. Для начала я устроила Дока в приличной гостинице, а себя в больничной палате. Здесь я приобрела роскошную улыбку, наконец-то избавилась от шрамов, а также от ребра (одного я лишилась два года назад, а так как слышала, что они парные, решила, что второе мне совершенно ни к чему), в результате у меня образовалась восхитительная талия, такая умопомрачительно тонкая, что кое-кто в Голливуде, узнав об этом, хлопнулся бы в обморок. После талии взялись за бюст. Вообще-то он сам по себе был неплох, но трое уродов его малость подпортили. Благодаря чудесам современной медицины очень скоро он стал краше прежнего, чему я от души порадовалась. В мой облик были внесены еще кое-какие изменения, Бог знает что можно купить за деньги.

Больницу я покидала, мысленно визжа от восторга

и потирая руки. Доку перемены не пришлись по вкусу.

— Ты стала совсем другой, — с грустью заметил он, после того как минут пять пялил на меня глаза. Я же говорю, Док романтик, очень ему хочется кого-то спасать, быть нужным и все такое. Вот если бы я слегла с какой-нибудь каверзной болезнью или окончательно свихнулась, он бы порадовался. Сидел бы рядом, держал за руку и утешал. Но у меня на этот счет свое мнение.

Я поцеловала его и ласково пропела:

— Это я, Док, я. И я тебя очень люблю.

— Это неправда, — улыбнулся он. — Но для меня главное другое. Ты знаешь что.

— Конечно. Я тебя люблю, и ты мне очень нужен.

— Спасибо. — Он распахнул дверь машины и помог мне сесть. — Ты самая красивая женщина в мире.

— Спасибо, — передразнила я, и мы отправились в гостиницу.

Мое появление там по произведенному впечатлению напоминало небольшое извержение вулкана. Сотрудники, постояльцы и прочие праздные граждане, пока я оформляла бумаги, нарезали круги вокруг. Это радовало: денежки не пущены по ветру, и толк от операций явно был.

В номере, отослав Дока, я устроилась перед зеркалом и уставилась на себя. Внешность у меня очень удобная, завязала «хвост» на затылке, потупила глазки — красавица-скромница, маменькина дочка; прямой пробор, улыбка до ушей, в глазах веселые черти — болтушка-хохотушка, душа компании; взбила волосы в высокую прическу, взгляд в упор — роковая женщина, да и только. Пока этих трех масок более чем достаточно.

Я удовлетворенно кивнула и прилегла, решив немного поразмышлять, в каком месте лучше встретить будущего супруга. Остановилась на казино. Вот еще одна из особенностей моего характера: после памятной встречи с Монахом мне следовало бы относиться к данному публичному месту с опасением и даже страхом — по крайней мере, дурные воспоминания всколыхнуть во мне оно просто обязано, но я, как видно из духа противоречия, выбрала именно казино. И решила искать себе мужа там, предварительно отправившись с Доком на разведку. Казино должно быть приличным, а посетители людьми состоятельными. Как раз одно такое сыскалось очень быстро. Располагалось оно в здании соседней гостиницы, и мы не замедлили в нее переехать, благо средства нам это позволяли и свободные номера тоже нашлись.

Ближе к ночи Док облачился в дорогой костюм, выглядел он в нем весьма элегантно и сам себе нравился, хоть и шутил, что данный наряд придает ему облик «нового русского». Новый или старый, не скажу, но Док теперь походил на главу процветающего банка, а отнюдь не на заштатного врача из городской психушки, чему я по понятным причинам от души радовалась. Я надела вечернее платье и обрадовалась еще больше: что ни говори, а быть красивой женщиной, да еще при деньгах, очень приятно.

В казино мы вошли вместе, но, войдя, сразу разделились. Док играл по маленькой, а я шныряла между столов, приглядывалась и прислушивалась. Поначалу мое внимание привлек господин неопределенного возраста с вкрадчивыми манерами. Поторчав поблизости минут пятнадцать, я поняла, что дядька ох как непрост и держаться от него следует подальше. Вот тут я и заприметила будущего супруга. Высокий, худой, в светлом костюме, при ярком галстуке, он ослепительно улыбался, проигрываясь в пух и прах. Я устроилась поблизости, устремив взгляд в противоположную сторону. Через пятнадцать минут улыбка сползла с его лица, потом вспотели руки, а еще через полчаса взгляд остекленел, а на лбу выступили крупные капли пота. Дела у парня были хуже некуда. Вот как раз такой мне и был нужен.

К тому моменту, когда он спустил все денежки, оставив себе кое-какую мелочь, я знала о нем все, что хотела, и отправилась следом. Мы столкнулись в дверях, то есть я заспешила, пытаясь проникнуть в распахнутую им дверь, а он, пребывая в сильнейшем волнении, этого не заметил. Задел меня локтем, поднял взгляд и торопливо извинился, открыв дверь пошире.

Я улыбнулась проникновенно и даже призывно. Парень был болтун и бабник и в другое время вцепился бы в меня клещом, но сегодня женщины его не интересовали. Почти не интересовали.

— Извините, — еще раз повторил он, стрельнул взглядом, убедился, что я без спутника, и стал прикидывать, стоит ли пригласить меня в бар на последние деньги. Я решила, что стоит, и сказала:

— Вы отдавили мне ногу, с вас чашка кофе.

Он засмеялся, хоть без особого веселья, и мы пошли в бар. Там и познакомились.

Звали его Максим, и через неделю он собирался отбыть за границу, правда, мне об этом не сказал. Сидел и думал, что ему со мной делать. И шанс упустить обидно, и настроение дохлое. Я решила поднять его настроение и ласково предложила:

— Знакомство лучше всего продолжить у меня в номере.

Он вновь принялся метаться в мыслях, сначала решил, что я проститутка, но тут же передумал. И правильно. О женщинах следует думать только хорошо и уважительно. За свой кофе я заплатила сама, чем окончательно его озадачила.

— Так как насчет того, чтобы зайти в гости? — повторно задала я вопрос. — Я живу в этой гостинице, и сегодня мне скучно.

Был бы он умный, рисковать бы не стал, но умным он не был, и мой полуобнаженный бюст его тревожил. Потому, наплевав на все проблемы, парень пошел со мной.

— А у вас тут неплохо, — прогулявшись по номеру, заявил он, подошел ко мне, обнял и поцеловал с большой страстью. Страсть эта на меня особого впечатления не произвела, а вот его мысли нравились мне всё больше и больше.

— Садитесь, Максим Петрович, — кивнула я на диван, и он сел в некотором недоумении, потому что про Петровича мне не говорил, и поэтому струхнул. Я села напротив, достала из сумки пачку долларов и запечатанную колоду карт.

— Не желаете сыграть со мной, на последние?

— Я что-то не очень понимаю... — произнес он, руки его при этом дрожали.

— А чего тут понимать? Вы просадили большие деньги. Заметьте, чужие. Сегодня пробовали отыграться и спустили все. По головке вас за это не погладят, даже более того... В старину в этом случае стрелялись, но вы себя очень любите... Так что через недельку вместо вожделенной заграницы будете вы лежать под каким-нибудь мостом, причем в таком виде, что представить жутко. И похоронят вас скорее всего за государственный счет, ведь близких родственников у вас нет, значит, не скоро хватятся.

— Кто вы? — с ухмылкой спросил он, хотя перетрусил отчаянно.

— Ваша будущая супруга, если мы договоримся, конечно.

— Бред какой-то! — выкрикнул он, поднимаясь, но тут в номер вошел Док, и парень опустился на место, переводя взгляд с него на меня. Мы немного поиграли в молчанку, потом Максим спросил: — Кто вы и что все это значит?

— Если б выслушали внимательно, то уже поняли бы: я хочу за вас замуж. В качестве компенсации за моральный ущерб я выплачу ваш долг. Весь до копейки. Согласитесь, это по-Божески.

— Слушайте, я ничего не понимаю, — заволновался он, обращаясь теперь к Доку. — Если вы из разведки, то глубоко заблуждаетесь, я...

— Да мы знаем, вы не волнуйтесь так, Максим Петрович. Мне необходим штамп в паспорте и муж за границей, только и всего. Взамен вы получаете деньги, а в вашем случае это не просто деньги — это жизнь. Мне кажется, с вашей стороны будет глупо не согласиться.

— Ребята, я ничего не понимаю, — честно признался он.

— А вам и не надо ничего понимать, — хмыкнул Док, при этом он походил на акулу, безжалостную и коварную, я мысленно фыркнула, радуясь неожиданно открывшемся в моем друге актерскому таланту, а Максим сник и задумался.

Следующий час мы еще немного поиграли в вопросы-ответы, и хоть Максим вопросов успел задать превеликое множество, но информацией так и не разжился и заскучал еще больше.

Я его приободрила, как могла, после чего разговор вступил в деловую фазу.

— Но, насколько мне известно, сразу нас не распишут, нужно время...

— А деньги на что? — удивился Док. — Не забивайте себе голову, молодой человек, всякой ерундой. Ваше дело явиться вовремя в загс и сказать «да». Все остальное — наши проблемы.

— Конечно, но... Что это все-таки значит? — До чего ж любопытный попался, беда, да и только.

— Ты мне надоел, — вздохнула я, черкнула номер на бумажке и швырнула ему. — Короче, будешь и дальше Ваньку валять, я звоню вот по этому номеру и сообщаю другу Алику, что его денежки накрылись медным тазом. А теперь отгадай, сколько ты проживешь после этого?

— Это он вас послал? — пролепетал Максим. Было это совершенно глупо, я разозлилась и потянулась к телефону, а он взвизгнул: — Я согласен!

— Давно бы так, — проворчал Док. — Морочите

людям голову (это он малость погорячился, еще вопрос, кто тут кому голову морочит).

— Вы поедете со мной? — не без страха спросил Максим.

— Нет. У меня тяга к родным местам. Вряд ли мы после бракосочетания еще когда-нибудь увидимся.

— Но... — начал он, однако Док сурово перебил его:

— Ты опять за свое?

— Хорошо. А деньги? Когда я их получу?

— Ты должен вернуть их в пятницу, вот в пятницу и получишь. Это, кстати, для твоей же пользы. Парень ты азартный, как бы вторично все не спустил. Будем считать, что договорились, — подвела я итог.

— И что теперь? — спросил он в крайнем недоумении.

— Теперь ты едешь к себе домой, отдыхаешь и готовишься к церемонии. Постарайся не выходить из дома без особой надобности. Я позвоню. Да, паспорт оставь, он понадобится.

Максим положил паспорт на стол, поднялся и нерешительно произнес:

— Так я пошел?

— Всего доброго, — ответил Док.

— А мой телефон? — всполошился парень и, устыдившись, добавил: — Или вы знаете?

— Запиши, — кивнула я, он записал и торопливо вышел. А Док захохотал.

— Здорово, — сказал, когда смеяться ему надоело, и даже головой покачал, так понравилось ему происходящее. Глядишь, во вкус войдет. Но минут через пятнадцать он задумался. — Варя, а что, если он вовсе не такой дурак...

— Он трус и мерзавец. Будет сидеть у себя как мышь и ждать звонка. Но на всякий случай отсюда стоит съехать. Найдем какой-нибудь Дом колхозника, — хохотнула я. — Слава Богу, Москва — город немаленький, и бойким мальчикам понадобится время, чтобы нас найти.

Однако искать нас никто не пытался. Максим, как выяснилось позднее, сидел дома и громко клацал зубами. Док посетил загс, побеседовал с милыми людьми, и они пришли к единодушному мнению, что глупый формализм не должен являться препятствием на пути чистой любви и семейного счастья.

Через три дня я вышла замуж за Максима Петровича Осипова, в пятницу под моим чутким руководством он вернул деньги (руководство заключалось в том, что мы его негласно проводили, дабы быть уверенными, что деньги он вернет, а не заскочит по дороге в казино), а еще через день мы простились в аэропорту. Максим отбывал в Канаду. С его дурными склонностями назад он вряд ли вернется: просто не сможет собрать деньги на билет.

Вечером мы с Доком ужинали в ресторане, Док размышлял, а я к нему прислушивалась.

— Ты отдала деньги, — сказал он. В отличие от Вальки Док не любил, когда я шарила в его мыслях, и предпочитал разговаривать.

— Конечно.

— Хотя могла бы не отдавать. Какая тебе разница, будет он в Канаде или на кладбище. На кладбище даже удобнее.

— Нет, Док. Во-первых, все должно быть честно. Во-вторых, мне нужен живой муж за границей, только так я могу объяснить наличие у меня шальных денег.

— По-моему, ты сама все усложняешь.

— Возможно, но так интереснее...

— Денег у нас, кстати, осталось немного. Твой супруг стоил слишком дорого.

— Что не сделаешь ради любви, — фыркнула я и добавила: — Деньги не проблема.

— Займешься гаданием?

— Нет. Мне нужно сразу и много. Москва — хороший город, здесь у человека большие возможности.

— Не хочешь поделиться планами? — вздохнул Док.

— Да нет никакого плана. Пойдем в казино.

Казино стало для меня любимым местом проведения досуга. Так как вся моя жизнь последнее время сплошной досуг, бывала я в казино часто. Народ здесь собирался разный, непростой и даже опасный. Я очень рассчитывала, что мне повезет: надо только набраться терпения и положиться на удачу.

Так оно и вышло. Заняв привычный наблюдательный пункт за спиной сидящего Дока, я обратила внимание на молодого человека. В зал он вошел стремительно, одет был весьма скромно, на достопримечательности казино не обращал никакого внимания и явно кого-то искал. Я шагнула ему навстречу, а потом ненавязчиво пристроилась за ним. В конце концов, он отыскал, кого хотел: за столом, спиной ко мне, сидел здоровенный детина с бритым затылком. Парень наклонился к нему и произнес несколько слов на ухо. Игра тому враз стала неинтересна.

Вскоре они устроились в уголке, подальше от чужих глаз и ушей, и с азартом заговорили. Я паслась рядом, спиной к ним, и внимания не привлекала. Парни радовались не зря. Задуманное предприятие обещало быть денежным, а план был остроумный и практически безопасный. Практически... если бы рядом не стояла я. К счастью, парни ни о каком даре и прочих подобных штуках слыхом не слыхивали и поэтому радовались своей затее.

Я тоже радовалась, сумма производила впечатление, да и шататься без дела по казино мне уже порядком наскучило. Оставалась самая малость: выяснить, кто такой Лелик, и дождаться, когда ребятишки провернут свое дельце. На выяснение ушло еще минут пятнадцать. Лелик был человек небезызвестный, частенько посиживал в ресторанчике с названием «Летучая мышь» и славился дурным нравом и злопамятностью.

На следующий вечер мы отправились в «Летучую мышь», вошли и устроились в центре зала. Самого Лелика в тот вечер не было, зато по соседству от нас отдыхали несколько его ребят, вполне пристойно, кстати. Док очень переживал, что они меня приметят и начнут приставать. Они и вправду приметили, но помпезный вид Дока и мой потупленный взор навели их на мысль, что это парочка чумовых иностранцев, Бог знает как забредшая на огонек. Почему иностранцев, я так и не уразумела, изъяснялись мы на русском и даже без акцента.

В общем, поход прошел без происшествий и весьма успешно. Теперь оставалось выждать денек и попытать счастья. Помимо необходимого мне номера телефона, я узнала, что сам Лелик отсутствовал в ресторане по причине сильной гневливости, ибо не далее как два дня назад лишился больших денег. Ребятишки осторожно шептались и гадали: кто ж это такой ловкий, а главное, нахальный?

На следующий день я набрала номер, послушала длинные гудки, подождала немного и совсем было хотела чертыхнуться и швырнуть трубку, но тут в ней возник низкий мужской голос, который очень невежливо пролаял:

— Чего?

— Я бы хотела поговорить с Аркадием Михайловичем, — нежно пропела я. Небольшая пауза, затем чуть вежливее:

— А кто его спрашивает?

— Мы незнакомы, но он будет счастлив, если мы подружимся.

Парень, как видно, раздумывал: стоит послать меня коротко и конкретно или нет. А я решила добавить:

— Я по поводу денег.

— Каких еще денег? — опять залаяли в ответ, а я разозлилась и тоже тявкнула:

— Тех самых, которые у вас увели, придурок!

Я ожидала, что мы еще какое-то время побеседуем в том же духе, но тут раздался совершенно другой голос: выше, мягче и приятнее.

— Слушаю, — сказал он.

— Вы Аркадий Михайлович? — решила я уточнить.

— Да. Ну и что там с моими денежками?

— С ними, по-моему, все в порядке, лежат себе скромно в надежном месте у двоих хороших людей. Я могу сообщить вам, что это за люди и где следует искать денежки, но, разумеется, не задаром.

— Должен сказать, деточка, что играть с мной в такие игры дело опасное. Как бы тебе вовсе без язычка не остаться. Я тебя мигом отыщу, мало не покажется. — С последним я сразу же целиком и полностью согласилась, так как кое-какой опыт имела, но хохотнула и перешла на ласковое мурлыканье:

— Вы меня неверно поняли. Я хочу вам помочь. Мне случайно стало известно, что у вас исчезли деньги, и я так же случайно знаю, кто их прибрал к рукам. Было бы просто здорово, если бы мы с вами договорились о десяти процентах. Согласитесь, сумма для вас не велика, а мне по бедности большая радость.

— Если это шутка... — начал он, но голос звучал спокойно и в нем чувствовалась заинтересованность.

— Что я, дура, шутить с вами? Проценты мне вы заплатите после того, как вернете свои деньги. И не жадничайте. Я вам еще не раз пригожусь... Что скажете?

Он молчал минуты две, а я томилась, потом он хохотнул и сказал:

— А если обману? Не боишься?

— Что-то я не слышала, чтобы вы нарушали данное слово. Но если обманете, что ж... Бог с вами, потеряете верного друга, я ведь уже сказала: пригожусь.

— Что-то я не слышал о существовании верных друзей, — передразнил он, а я засмеялась:

— Я не просто верный, а десятипроцентный.

— Хорошо, — еще немного подумав, согласился он, а я объяснила, где следует искать денежки.

Поначалу он не поверил и даже начал гневаться. Воспитан Аркадий Михайлович был дурно, его словарный запас удручал, и я повесила трубку. Позвонила через час, надеясь, что он к этому моменту уже успокоился. Он не только успокоился, но и начал действовать и, как видно, обнаружил нечто, что наводило на мысль о том, что сказанное мною — не такая уж глупость. Я подробно посвятила его в план чужой операции, он слушал внимательно и, надо полагать, печалился, так как речь шла о близком друге и соратнике. В конце беседы спросил:

— Кто ты? — А я ответила:

— Если подружимся, скоро узнаете.

Договорились, что я позвоню на следующий день. Я позвонила после полудня с одного из московских вокзалов. Трубку снял сам Аркадий Михайлович.

— Здравствуйте, — поздоровалась я и поинтересовалась: — Как наши дела?

— Слушай, кто ты? — с легким подхалимством спросил он, очень уж его разбирало. Даже по голосу чувствовалось: он доволен и заинтригован.

— И все-таки, — хохотнула я, — как там наши дела, точнее, ваши денежки?

— Отлично.

— Выходит, премию я заслужила?

— Само собой. Приезжай.

— Куда? — развеселилась я.

— А куда скажешь. Хочешь, ко мне...

Вот к нему я точно не хотела.

— Вы мне очень симпатичны, но я от природы застенчива и не люблю торопиться. Поэтому пусть кто-нибудь из ваших мальчиков подъедет к одному вокзальчику и оставит деньги в ячейке камеры хранения. Номер я скажу. И очень прошу: не спешите со мной встретиться сегодня. Дама я боязливая, спугнете — больше не появлюсь. А верных друзей, даже и за десять процентов, у вас не так уж много.

— Скажи, как звать-то? — засмеялся он, а я ответила:

— Варвара, — потому как ничего опасного в этом не усмотрела.

— Ладно, Варвара. Говори, куда парня послать. Купи себе на эти бабки шмоток и заезжай в гости. Очень мне любопытно на тебя взглянуть.

«Много вас, любопытных», — мысленно проворчала я, а вслух произнесла:

— Успеете наглядеться, еще и надоем.

В общем, расстались мы по-доброму.

Парень должен был подъехать через полчаса. Док занял позицию в глубине зала, читал газету и по сторонам поглядывал. Дешевый спортивный костюмчик, ветровка, кеды, рюкзачок, кепка — вид самый что ни на есть подходящий: стоит себе человек, ждет электричку. Я отправилась к машине и облачилась в синий рабочий халат, тапки на резиновой подошве и косынку. Косынку нахлобучила на самые брови и вдобавок нацепила очки в уродливой оправе, провела ладонью по капоту машины, а потом по своему лицу: необыкновенную красоту следовало замаскировать, то есть замазать.

В таком виде я должна сойти за уборщицу, правда, прихватить ведро со шваброй я не решилась, дабы, случайно столкнувшись с настоящей уборщицей, не вызвать подозрений. Через двадцать минут я возникла в зале, делая вид, что активно интересуюсь пустыми бутылками. Док незаметно кивнул мне, значит, ничего подозрительного не заметил.

Точно через полчаса появился парень, по виду самый что ни на есть обыкновенный, с пакетом в руках. Прошел к указанному месту и через две минуты удалился. Я приблизилась и проводила его до двери. Ничего похожего на засаду. В некотором удивлении я опустилась на скамью и немного подождала. Аркадий Михайлович честно сдержал данное слово.

Я кивнула, Док отправился за деньгами, и встретились мы через десять минут уже в машине. Док завел мотор и полетел, как угорелый, все еще опасаясь погони, а я сунула нос в пакет. Пачки денег, перетянутые красными резиночками, выглядели очень симпатично, красное на зеленом прямо-таки радовало глаз.

— Получилось! — ахнул Док, покачал головой, стукнул ладонью по рулю и повторил: — Надо же, получилось!

Глаза его горели, и вообще он выглядел неплохо.

— Слушай, Док, — хохотнула я, — а ты у нас прирожденный авантюрист.

Он немного умерил свою радость, вроде бы застыдившись.

— Улыбнись, — попросила я. — Мне нравится, когда у тебя горят глаза.

— Мы здорово рисковали, — чуть помолчав, заметил он.

— Так, самую малость. Если бы кто вертелся поблизости, я бы засекла.

— Странное чувство, — покачал он головой и даже вздохнул, а я подумала, что Док действительно может войти во вкус. Это неплохо. Лишь бы не искал смысла жизни и вообще смотрел веселее. — Что теперь? — спросил он через несколько минут.

— Теперь на родину. Здесь нам больше делать нечего.

Родина встретила нас проливным дождем. Приехали мы довольно поздно, притормозили на объездной, неподалеку от поста ГАИ, и решили провести ночь в машине. Никто нас в городе не ждал, а таскаться под дождем в поисках пристанища — удовольствие небольшое.

Утром, продрав глаза, мы позавтракали на вокзале, а потом совершили обзорную поездку по городу.

За два с лишним года он мало изменился. Это вызвало грусть и удовлетворение одновременно.

Проехали мимо памятной психбольницы, Док запечалился, а я сказала:

— Думаю, назад тебя примут с радостью.

Он ничего не ответил, да мне и не надо.

В половине девятого я купила свежую газету и освоила столбцы объявлений с заголовками «Сдаю» и «Продаю». К пяти часам вечера мы уже заселялись в малосемейку с большой кухней и крохотной комнатой. Хозяйка, дама лет шестидесяти, с ярко-оранжевыми волосами и лицом бульдога, сверлила меня взглядом и больше двух часов объясняла, что я должна, а чего не должна делать. После чего удалилась, получив за квартиру за полгода вперед. Жить в этом клоповнике столько времени я не предполагала, но сегодня особо выбирать не приходилось: жизнь на колесах меня не привлекала.

Через неделю мы переехали в приличную квартиру, точнее, это я переехала, Док пока остался в малосемейке. Решено было, что жить мы отныне станем врозь. Док возражал вяло и скорее для порядка, находиться под неусыпным контролем двадцать четыре часа в сутки все-таки тяжеловато для него, меня же его постоянное присутствие слегка раздражало.

Через некоторое время он тоже поменял место жительства и устроился неподалеку от меня во вполне приличной однокомнатной квартире. Хлопоты по обустройству отвлекали от основной мысли: зачем мы вернулись? Док был уверен: отомстить обидчикам, наказать, покарать и все такое прочее. Как я уже говорила, мысль об отмщении особого энтузиазма у меня не вызывала, зато московский опыт очень порадовал. Мне хотелось наполнить жизнь смыслом, не важно, если мой смысл покажется кому-нибудь сущей нелепицей, главное, чтобы мне самой было интересно.

Начинать новую жизнь в городе, где я подвизалась гадалкой, неразумно, в Москве огромные возможности, но и трудностей выше крыши, мне нужен был средний город, не слишком большой, но и не маленький, так почему бы не вернуться в родимые места, если моим требованиям они соответствуют?

Покончив с проблемами обустройства, мы в первый свободный вечер отправились в казино. Док считал, что мы идем на разведку, в общем-то, это было почти правильно, хоть искала я не врагов, а применения своим способностям.

Казино, как всегда, порадовали. Поболтавшись в пяти разных заведениях несколько вечеров подряд, я поняла, что скучать на родине не придется. Преимущество небольшого города перед столицей было очевидно: никакой нужды в дополнительных сведениях, за пару недель я узнала почти все о тайной жизни областного центра. Но знать — это одно, а найти знаниям достойное применение — совсем другое, и я стала думать, куда знания девать.

Вот тут я и вспомнила о старом знакомом, который пару лет назад вел со мной беседы. Правда, ничем он мне тогда помочь не смог, но произвел впечатление порядочного и даже душевного человека, хотя и был ментом. Фамилия у мента была подходящая: Орлов, звали его Евгений Петрович, а по роду службы он боролся с организованной преступностью. Поразмышляв, я решила помочь ему в благородном деле. Через справочное разжилась его рабочим телефоном и как-то ближе к концу рабочего дня позвонила.

— Орлов слушает! — молодцевато гаркнул он, а я поздоровалась ласково и начала с места в карьер:

— Евгений Петрович, у меня есть интересное сообщение для вас, касается оно Сергея Теплова, вам он хорошо известен.

— Еще бы, — вздохнул Орлов, ни удивления, ни особого интереса не выказывая.

— По-моему, он вам здорово действует на нервы, — добавила я.

— Действует, — опять согласился Орлов. — Так

что ж такого, дорогая, вы хотели мне сообщить? — Судя по некоторой игривости, Орлов решил, что я одна из многочисленных подружек Теплова и пылаю жаждой мести по той причине, что дружок предпочел мне очередную красотку. Разубеждать его я не собиралась.

— Насколько мне известно, ничего серьезного на него у вас нет, но Теплова можно посадить за незаконное хранение оружия.

— Да неужто? — обрадовался Орлов и даже хохотнул, он был человеком с юмором. — Но, насколько мне известно, Теплов с «пушкой» никогда не ходит, умный, гад. И в квартире ничего у себя держать не станет.

— В машине, — перебила я. — В машине у него оборудован тайник. Надежный. Если не знать, то вряд ли обнаружишь, уж очень хитро сделан. Я сама-то не видела, но сам Теплов считает именно так. Машина оформлена на него, и за рулем он раскатывает сам, так что вряд ли отвертится.

Орлов молчал с полминуты, должно быть, приходил в себя от счастья, а я тем временем пояснила, где находится тайник.

— Надеюсь, вы не шутите? — спросил он, выслушав.

— У меня с юмором так себе...

— Если о тайнике вы узнали от Теплова, должен вам сказать, что вы очень рискуете.

— Нисколечко, — заверила я. — Можете обо мне не беспокоиться. У Теплова завтра встреча в 20.00 в ресторане «Аякс», он поедет со своим дружком Панкратовым, больше никого брать не собирались, так что...

Орлов еще немного помолчал, потом неуверенно произнес:

— Что ж... спасибо за информацию.

— Рада стараться! — по-солдатски гаркнула я в ответ

и повесила трубку. Звонила я из автомата, но все равно заспешила прочь.

Назавтра, около семи часов, я села в машину (так как теперь мы с Доком жили отдельно, мне пришлось приобрести индивидуальное средство передвижения: «Жигули» шестой модели, бежевого цвета, неброско, и бегают прилично), вот в этих самых «Жигулях» я подкатила к областному театру. Неподалеку отсюда жил господин Теплов, отправиться на встречу, миновав театр, он не мог, и я очень рассчитывала в скором времени его увидеть.

Черный громоздкий «Мерседес» появился в тридцать пять минут восьмого, до «Аякса» около двадцати минут езды, так что время Теплов рассчитал верно. Пропустив его вперед, я тронулась с места. Ничего похожего на охрану не наблюдалось, «Мерседес» был один и удалялся от меня на приличной скорости, хоть и находились мы сейчас в самом центре города.

Я уже решила, что потеряю его и пропущу все самое интересное, но тут «Мерседесу» пришлось притормозить. Возле Красной башни, стоящей как раз посередине проспекта, велись какие-то работы, желтая машина с мигалкой перегородила проезд с этой стороны, гаишник с жезлом, хмуря лоб, сортировал машины: кто-то узкой струйкой просачивался далее по проспекту, а кому-то сурово указывали в переулок направо.

«Мерседесу» указали направо. На малой скорости Теплов свернул, должно быть, во всю матерясь, потому что за ним никого больше не завернули. Уехать далеко ему не удалось. Точно из-под земли возникли две милицейские машины, заблокировав «Мерседесу» проезд, появились ребята в масках, Теплова с дружком выволокли из кабины и пристроили на асфальте. Все это я с интересом наблюдала из окна своей «шестерки», которую укрыла в самом начале переулка.

Удовольствие испортил милиционер, который возник откуда-то слева и настоятельно посоветовал про-

3–1133

валивать. Увлекательный спектакль не удалось посмотреть до конца, чертыхнувшись, я была вынуждена покинуть наблюдательный пункт. Машина с мигалкой уже отъехала от Красной башни, гаишник исчез, и движение возобновилось.

Я ехала, ухмылялась и даже хихикала время от времени. А вечером поспешила в любимое казино. Называлось оно «Венеция», располагалось в бывшем дворянском собрании и славилось тем, что собрания и сейчас частенько здесь проводились, но отнюдь не дворянские.

На входе нас с Доком тщательно обшарили глазами два симпатичных здоровячка в одинаковых костюмах. Мое появление произвело на них впечатление, в бритых головушках мелькнула одна и та же мысль. Внешне она выразилась излишней деловитостью и масляными взглядами. Я решила одарить парней улыбкой, но потом передумала: больно жирно для них, и, гордо вскинув голову, прошествовала в зал.

Народ в этот вечер был слегка взволнован, и отнюдь не игрой. Не все, конечно, но кое-кто ни о чем другом ни говорить, ни думать не мог, только о неожиданном аресте Теплова.

Он носил смешную кличку Солнце (была у него такая присказка), но, несмотря на подобное прозвище, человеком был опасным и считался необыкновенно удачливым. И вдруг такая незадача. Подробности задержания гражданам были хорошо известны, поэтому они высказывали множество предположений, которые в основном сводились к следующему: тайник менты нашли не случайно, а так как о нем мало кто знал, искать следует среди своих, причем очень близких.

Маленько потолкавшись между столами, я поняла, что в скором времени работы в моргах прибавится, а хлопот милиции должно убавиться. Мое вмешательство было подобно брошенному в воду камню — от него пошли круги по гладкой поверхности. Жизнь сразу же показалась мне заметно интереснее.

На следующий день я позвонила Орлову. Судя по голосу, он был счастлив.

— Это опять я, — сообщила незамысловато и полюбопытствовала: — Как дела у вас?

— Хорошо. А у вас?

— Отлично. У меня есть еще кое-что интересное.

— А почему бы нам не встретиться и не поговорить? — предложил Орлов. Я ничего не имела против. Чем раньше мы сведем знакомство, тем лучше. Опять же не мешало пошарить в его голове, делать это по телефону я, к сожалению, не умею, так что настала нужда в личном контакте.

Мы договорились о встрече, точнее, я просто дала ему свой адрес и сказала, что жду его вечером в любое удобное для него время.

Док, узнав об этом, пошел пятнами.

— Ты сошла с ума, — качал он головой, нарезая круги по комнате. — Ты что, не понимаешь, насколько это опасно?

— С ментом встречаться? — удивилась я. — Дядька он еще молодой, соседи решат — любовник.

— Я вовсе не об этом... если кто-то узнает...

— Ну, Док... Кто меня свяжет с Тепловым? Я чуть больше часа посидела напротив него за столом и дважды обменялась томным взором. Кому придет в голову, что его арестовали за это?

— А мент? Ведь он узнает, а что знают двое, знает и свинья.

— Кто ж ему скажет? Я не хочу опять в психушку, а если человеку сказать «я умею читать мысли», он скорее всего посоветует мне малость подлечиться. Нет, посвящать Орлова в свои секреты я не собираюсь, а вот договор о сотрудничестве на взаимовыгодных условиях нам бы очень не помешал.

— Какую выгоду ты имеешь в виду? — удивился Док, а я пожала плечами:

— Ну, наперед никогда не знаешь. Может, и мент на что-нибудь сгодится.

— Ты рискуешь, — хмуро повторил Док. — Он не дурак и захочет узнать, откуда у тебя сведения.

— Дурак или нет, скоро выясним, а наша задача такая: желание сотрудничества должно перевесить в умном менте любопытство. А с дураком — и вовсе без проблем.

— Напрасно ты так легко к этому относишься, — мысленно Док добавил еще кое-что, мол, короткая у людей память, а очень жаль...

— Послушай, — решила я немного утешить его. — Орлову я ничего объяснять не собираюсь, если кто-то в органах заинтересуется его источником информации, выкручиваться придется ему самому, иначе источник мгновенно иссякнет, ну а если заинтересуются ребятки...

— А почему бы и нет? — разозлился Док. — Продажных ментов полно, конечно, ты об этом узнаешь, но что толку, раз и они про тебя уже будут знать?

— Если у мальчиков имеются в голове извилины, они не купятся на байку мента: я месяц как в городе, знакомств в их среде у меня нет. Просто вечерами люблю просаживать в казино свои денежки, но какое это имеет отношение к беде, приключившейся с господином Тепловым? — Правда, в прошлый раз ребята на логику не напирали, а меня так и не выслушали — в этом Док, конечно, прав. Но два года назад я была чрезвычайно далека от таких дел, а сейчас у меня опыт, точнее, не опыт, а знания... Даст Бог, пригодятся. — В любом случае обсуждать все это поздно, — вздохнула я. — Я уже позвонила, уже назвалась, и он уже собрался в гости.

— Будем надеяться, что Орлов — человек порядочный, — проронил Док с таким видом, точно сильно в этом сомневался. Иногда он бывает прав.

Я сидела в кресле у окна и пыталась читать, взгляд то и дело возвращался к стрелкам часов. Хотя о точном времени с Орловым мы не договаривались, я начала нервничать. Док возился в кухне, готовил ужин, утверждая, что физическая работа его успокаивает. Я предложила ему уйти, в ответ он так посмотрел на меня и наградил такими мыслями, что я юркнула в свою комнату, замурлыкав невпопад: «Лютики-цветочки у меня в садочке...»

Док успел приготовить ужин, и мы успели его съесть, а мент все не шел.

— Может, не явится? — усомнился Док, а я удивилась:

— Шутишь? Он же должен быть любопытным... хоть немного. Работа у него тяжелая, график ненормированный, придется подождать.

Только-только я закончила лить слезы по поводу нелегкой ментовской доли, как в дверь позвонили.

— Я открою, — заявил Док почему-то шепотом. Я осталась в кресле. Док распахнул входную дверь, я прислушалась: судя по тишине, в прихожей случилась небольшая заминка. Видимо, Орлов никак не ожидал увидеть импозантного мужчину в хорошем костюме и решил, что попал не туда или того хуже: его попросту разыграли.

— Проходите, Евгений Петрович, — крикнула я, чтобы его успокоить.

— Как вы догадались, что это я? — спросил он, входя в комнату. — Даром предвидения обладаете?

— Все проще. — Я улыбнулась как можно душевнее. — К нам никто не заглядывает, а вас я ждала. Садитесь, пожалуйста, и чувствуйте себя как дома. Если желаете, можно организовать выпивку.

— Спасибо, — слабо усмехнулся он и сел в кресло напротив.

Док, войдя в комнату следом, немного поскучал у порога и исчез в кухне.

— Признаться, Варвара Сергеевна, вы меня заинтриговали. А теперь и лицо ваше мне кажется знакомым. Мы часом раньше не встречались?

— Встречались, — кивнула я, улыбаясь еще шире. — Больше двух лет назад.

Он внимательно смотрел на меня, молчал и даже хмурился. Где-то через пару минут сказал:

— Не может быть...

— Может, — хмыкнула я.

— Вы вроде бы уехали из города? А теперь вернулись?

— Да, начала скучать.

— Замуж вышли, супруг за границей, а вы к российским березам?

— Точно. Просто у меня какое-то стойкое неприятие заграницы, боюсь с тоски умереть, не годный я для эмиграции человек.

— Вы здорово изменились, — покачал он головой вроде бы с досадой. — Не узнать. Замужество на пользу пошло?

— Еще как. Ничто не красит женщину больше, чем настоящая любовь.

— Как же вы с такой любовью да врозь?

— Работа у мужчин всегда на первом месте, приходится проявлять понимание.

Мы внимательно смотрели друг на друга. Не знаю, что высмотрел он, а вот я — все, что хотела. И порадовалась. Боязнь, что с Орловым придется говорить долго, убеждать да уговаривать, разом исчезла. Заготовленная речь показалась смехотворной. Орлов был циником, причем убежденным, в законность верил, как я в обещания рекламы, а слово «справедливость» вызывало у него веселое фырканье. Бандитов он ненавидел зло и упорно по давней ментовской привычке и считал вполне искренне, что их следует вешать на фонарных столбах. Например, вдоль проспекта. Ночью взяли, утром повесили, а рядом их адвокатов, чтоб всякую сволочь не защищали. Висели бы они на фонарях на радость честным людям и для острастки всякой швали.

Таких дельных идей в его голове отыскалось много.

Людей с убеждениями я всегда уважала, может, потому, что своих не имела. Помимо этих мыслей, его занимало еще кое-что, а именно карьера. Орлов перешагнул сорокалетний рубеж, звезд с неба не хватал, ментовская зарплата вгоняла в тоску, а постоянные нагоняи от начальства раздражали. Все чаще он с отчаянием думал, что большие чины не предвидятся, знакомств нужных нет, а талантами не блещет, значит, вскорости выйдет он на пенсию, унизительную в силу мизерности суммы, и пойдет куда-нибудь охранником или, того хуже, сторожем. И будет до конца жизни считать копейки, ходить под начальством да слушать упреки жены.

Как видно, мои пристальные взгляды его немного смутили, Орлов криво усмехнулся, устроился поудобнее в кресле и сказал:

— Что ж, я весь внимание...

— Не надеетесь ли вы услышать захватывающий рассказ? — в ответ усмехнулась я. — Я ведь просто хотела возобновить знакомство... справиться о здоровье вашем, ну и поблагодарить за то, что два года назад вы отнеслись ко мне с душевной теплотой.

— И только-то? — усомнился он, а я засмеялась.

— Нет, конечно. У меня есть предложение: давайте объединим усилия, будем бороться с преступностью и одновременно делать вашу карьеру. Выйдете на пенсию генералом. Как вам такая перспектива? Вдохновляет?

— Перспектива радужная, ничего не скажешь, — развеселился он. — Но генералов за просто так не дают.

— А вам не за просто так, вам дадут за доблесть в борьбе с организованной преступностью. Три-четыре удачных дельца каждый месяц, таких, например, как вчерашнее, — и на очередную звездочку можно рассчитывать. Или у вас тоже бардак, и звездочки за доблесть не положено?

— Бог миловал, — вздохнул он, посверлил меня

взглядом и спросил: — Вы это серьезно? Я не звездочки имею в виду, а вашу осведомленность.

— Вы сами могли убедиться в моей осведомленности, разве нет?

— Смог, Варвара...

— Можно без отчества, — перебила я. — Девушка я молодая, так что не обидите.

— Варя... надеюсь, вы отдаете себе отчет...

— Конечно, — опять перебила я. — Вы ж знаете, я ученая, по-глупому на рожон не полезу...

— Думаете в одиночку осилить бандитов?

— Почему в одиночку? — обиделась я. — А вы? А прокуратура? Нет, в одиночку я бы не стала...

— И как вы надеетесь получать сведения, ведь речь идет именно об этом, да?

— Это, извините, мое дело. Ваше — бандитов и жуликов арестовывать.

— Арестовать я всегда рад, если повод есть. Ну и засадить надолго тоже, было бы за что... Много у нас в городе всякой дряни развелось. Но...

— Евгений Петрович, — развела я руками. — Опять вы за свое? Я подставляться не собираюсь, а вы человек умный, придумаете, что своим рассказать... по непроверенным данным, и все такое. Может, я выражаюсь неправильно, извините. Знания у меня о вашей работе исключительно книжные, да вот беда: детективы не люблю, так что даже с этими знаниями туго. Но вчера на вашу работу смотреть было приятно, хоть и не дали полюбоваться вдоволь: прогнали. А жаль, очень впечатляло.

— Значит, вы еще и проверить решили, как мы сработаем? — покачал он головой.

— И вовсе не проверить. Любопытство одолело.

— Черта извинительная... — Орлов поразмышлял и вновь принялся меня увещевать, но уже больше для вида: — Вы стали женщиной редкой красоты и к чужим секретам доступ имеете, из этого я делаю вывод: есть у вас друг, который любит делиться с вами секретами. По опыту знаю, такие долго не живут. У преступников контрразведка отлажена будь здоров, вашего мальчика, каким бы хитрецом он ни был, в конце концов вычислят, а он и вас за собой потянет. Что дальше, вы сами хорошо знаете. Могу только добавить: второй раз вам вряд ли повезет. В том смысле, чтобы выжить.

— Странный вы человек, — обиделась я. — Женщина жаждет послужить правосудию, а вы ее отговариваете...

— Не отговариваю, а предостерегаю, — усмехнулся он. — Обязан, между прочим.

— Ну вот, а я в книжках читала, вы народ вербуете, чтобы на вас работали. Вроде бы даже деньги платите. А я из идейных побуждений...

— Хорошо, — хохотнул он. — А чего вы хотите от меня? Неужто одни идеи и никакого интереса?

— Есть интерес, каюсь. Обмен информацией. Кое-какие сведения о ваших подопечных, только то, что способно помочь в моей работе. Как видите, ничего особенного не прошу. Что ж, по рукам?

К этому моменту в голове Орлова бродило множество мыслей, суть их сводилась к следующему: «Девка вообразила себя Матой Хари, ну и черт с ней, пусть выпендривается. Мне от этого вреда никакого. О ней можно помалкивать, если узнает что путное — явная польза, а сгорит, что ж... я предупреждал».

— Соглашайтесь, — засмеялась я. — Не пожалеете. Опять же, вы ничем не рискуете, а генералом, может, и станете, чем черт не шутит, когда Бог спит.

И мы ударили по рукам. Явился Док, принес коньяк, кое-какой закуски, и мы втроем усидели бутылочку, разговаривая мирно и с интересом, все больше о криминальной обстановке в городе. Она внушала печаль в органах и тревогу у граждан.

Док выглядел задумчивым, но в разговоре участвовал и слушал внимательно.

Уже ближе к одиннадцати, договорившись, куда и

как мне надлежит звонить, придумали разные хитрые словечки на всякий случай, наподобие пароля, и Орлов отправился домой. На мгновение у него мелькнула мысль: кто кого завербовал сегодня? Мысль эта мелькнула и исчезла, не приобретя опасного размаха, и я с облегчением вздохнула.

— Ты довольна? — спросил Док. Я мыла посуду, а он курил, стоя возле форточки.

— Я буду довольна, когда из нашей дружбы выйдет что-либо путное.

На следующий вечер мы опять отправились в казино и две недели ходили туда, как на работу. Казино были разные, и люди в них тоже, а вот мысли у этих людей совершенно неинтересные. Конечно, кое-что удалось выудить, но так, мелочевку. Беспокоить Орлова по пустякам не хотелось. Он тоже мне не звонил, и жизнь начала пугать откровенной скукой.

От этой самой скуки я стала звонить в милицию и сообщать о различных происшествиях: например, свинтили колесики у «Волги», оставленной хозяином возле подъезда по такому-то адресу, так найти их можно в гараже у гражданина такого-то, адрес также прилагался. Что характерно, в органах к моим звонкам относились не только недоверчиво, но вроде бы даже злились на подобную осведомленность. Ну свинтили колесики и свинтили, нечего тачку без присмотра бросать на всю ночь, для этого есть платные автостоянки, заявление от потерпевшего приняли, что еще надо? Я была настойчива и этим раздражала еще больше. Звонить из квартиры не рисковала, а из автомата было неудобно: мало их, и очереди большие.

Вечерами мы исправно ходили в казино, а днем я звонила. Подозреваю, у ментов вырос на меня большой зуб, и они бы его с удовольствием рванули, бросив все силы на розыск непрошеного помощника, но, как говорится, не судьба.

Я всерьез беспокоилась, что так и останусь юным другом милиции, а Орлов умрет в майорах, но тут неожиданно привалила удача. Причем, как всегда случается в жизни, не просто привалила единожды, а пошла точно рыба в нерест, только успевай звонить Орлову.

Сначала он воспринимал информацию спокойно, потом насторожился, а затем вроде бы даже испугался. Не выдержал и спросил:

— Откуда вы черпаете ваши сведения?

«Прямо из голов бандитов», — едва не брякнула я, но вовремя опомнилась.

Такой великий улов объяснялся просто: активизацией противозаконной деятельности (надо полагать, на людей весна действовала) и сменой моей штаб-квартиры, если можно так выразиться. Казино в городе было больше десятка, я-то поначалу выбирала самые приличные, и, как выяснилось, — напрасно. Отправившись однажды поздно вечером на ловлю дурных мыслей в очередное злачное место, я вдруг приметила заведение, расположенное в полуподвале древнего строения (когда-то, еще до моего рождения, здесь размещался кинотеатр). Окна были скрыты жалюзи, над дверью, массивной по виду, висел фонарь, а какая-либо вывеска отсутствовала.

— Док, давай подъедем поближе, — попросила я и ткнула пальцем в фонарь.

Мы подъехали, и вывеску я все-таки смогла разглядеть: слева от двери, неброскую, очень небольшого размера. Золотые буковки на голубом фоне сообщали, что за массивной дверью располагается казино, а также стриптиз-бар.

— По виду — притон, — заметил Док, сдерживая дрожь в голосе, злачные места он в принципе не уважал, а такие, с малюсенькой вывеской, его попросту пугали.

— Здесь ничего не сказано о том, что мы не можем войти, — возразила я, обнаружив на стене кнопку, и позвонила.

Ожило переговорное устройство, и мужской голос без намека на вежливость спросил:

— Чего надо?

— Попасть в казино, — удивилась я. — Если у вас вход по пропускам, то у меня его нет, пароль я тоже забыла, зато немного денег с собой прихватить догадалась.

Я еще не закончила своей речи, а дверь уже распахнулась. Парень лет двадцати с глазами навыкате, бритой головой и именем Витя на правой руке посмотрел на нас и кивнул.

— В казино? — переспросил он без особого интереса.

— Да, если вы не против, — раздвинув рот до ушей в дружеской улыбке, сообщила я. — Мы в первый раз. — Скромность вывески произвела впечатление.

— Проходите, — опять кивнул парень и даже добавил: — Пожалуйста.

«Чужак, — глядя на Дока, машинально отметил его мозг. — Какой-нибудь бизнесмен (далее следовал скабрезный эпитет, даже не один, а целых три), баба класс... тоже не из наших и на шлюху не похожа...» Он еще немного поразмышлял обо мне, а я успокоилась: ничего злодейского по отношению к нам не затевалось.

Тут из бокового коридора возник молодой человек в костюме, белой рубашке и полосатом галстуке, затылка не брил, а улыбался и разговаривал исключительно вежливо. Начал:

— Добрый день, господа. — Объяснил, что у них тут имеется и в какую дверь стоит войти, в какую выйти, чтобы получить максимум удовольствия, а закончил словами: — Желаю приятно провести вечер.

— Видишь, Док, — порадовалась я. — Везде цивилизованные люди, а ты не хотел идти.

Игорный зал был один и очень большой, а посетителей не так много. Кстати, называлось это чудо «У Рашели», и я пялила глаза, пытаясь углядеть эту самую

Рашель. Не обнаружила и решила, что никакой Рашели в действительности не существует, а назвали так потому, что красиво, отдает заграницей и вообще... Доку название не понравилось, а публика и того меньше, и он начал вредничать:

— Это не казино, а самый настоящий притон.

Я к этому моменту уже осмотрелась, то есть прислушалась и потому ответила с усмешкой:

— Нет, Док, это не притон. Это пещера Али-Бабы, то есть сорока разбойников. Ну-ка пересчитай их, вдруг я ошиблась.

Конечно, далеко не все собравшиеся были отпетыми головорезами, встречались вполне приличные люди, но таких было немного. У большинства карманы и подмышки оттопыривались, глаза холодно мерцали, а сотовые звонили с интервалом в полминуты. Что же касается мыслей, пир для души, ей-Богу, а не мысли!

Через полчаса я едва не кусала пальцы и вполне серьезно решила заносить информацию в записную книжку, дабы все запомнить и ничего не перепутать. Док твердо сказал:

— Ты спятила.

Я и сама поняла, что с записной книжкой в руках, лихорадочно что-то строчащая, буду выглядеть довольно подозрительно, и от этой мысли отказалась.

Похныкав немного от обиды, я решила сосредоточиться максимум на трех клиентах и извлечь из них как можно больше пользы, то есть информации.

Прицепившись, я выбрала двоих: рослого детину в ядовито-зеленом пиджаке, с огромными золотыми часами на запястье, и совсем молодого курносого парнишку с веснушками россыпью. Курносый симпатяга оказался киллером, три часа назад он в упор расстрелял человека возле его собственного дома и теперь сильно этому обстоятельству радовался, тискал девчушку лет пятнадцати с длинными рыжими волосами и обещал ей в скором времени поездку на Канары.

«На Колыму ты поедешь, — понаблюдав за ним,

решила я. — Киллер хренов, пистолет в гараже спрятал, еще радуется, что тайник надежный, как же... завтра же и найдут. И алиби у тебя дохлое, копнут поглубже — и нет никакого алиби, я и копнуть помогу...» Курносый перестал меня интересовать, и я переключилась на Зеленый Пиджак. У того было большое горе, накануне погиб друг, и не просто так погиб, а вознесся к небесам на почти новеньком «Мерседесе» Зеленого Пиджака. Если б только друг — еще полбеды, а в паре с «мерсом» утрата выглядела непереносимой. Правда, сегодня Зеленый купил новую машину (не совсем новую, а почти, это тоже обидно), на ней, кстати, сюда и приехал. Из-за этого дурацкого взрыва деньги, можно сказать, были выброшены на ветер. Одно радовало: пластмассовая хреновина, подвешенная к днищу прежней тачки, предназначалась самому Зеленому Пиджаку, так что, как ни крути, горе горем, а вроде бы повезло... Мысль о везении оборвалась, и пошли совсем другие: кто-то эту штуку подвесил? Кто подвесил, дело десятое, а вот кому это выгодно, Зеленый Пиджак знает очень хорошо (Зеленым я продолжала называть его из вредности, имя, фамилия и даже адрес, по которому он проживал, к этому моменту мне уже были известны). Он задумался о своих недругах, и в его голове быстренько созрела идея, как с ними поквитаться. Идея не блистала особой оригинальностью, но, надо отдать Зеленому должное, могла нанести врагам ощутимый урон, как материальный, так и моральный.

Через пару часов Док проиграл всю наличность, я тоже была близка к этому, и мы с чистой совестью покинули заведение.

Молодой человек с вежливой улыбкой и полупоклоном проводил нас словами:

— Всегда вам рады.

— В следующий раз проиграй побольше, — сказала я Доку уже в машине. — Чтоб люди больше радовались.

— По-твоему, я нарочно проигрывал? — обиделся он.

Док иногда жадничал и всерьез думал, что деньги, которые мы бездарно выбрасывали на ветер, пригодились бы какой-нибудь больнице, могли бы, к примеру, улучшить психам питание... В этом месте он себя одергивал и вовсе переставал думать о деньгах.

Я вглядывалась в темноту за окном, с вожделением высматривая телефон. Мне не терпелось позвонить Орлову. Звонил Док, так как Евгения Петровича пришлось беспокоить дома (рабочий день давно закончился, да и время было уже позднее или, наоборот, раннее — кому как нравится), трубку могла снять супруга и разгневаться, услышав мой голос.

Трубку снял Орлов, буркнул недовольно:

— Да, — а Док торопливо передал телефон мне, нашего бравого майора он почему-то побаивался. Я извинилась и быстренько изложила, по какой надобности звоню, но все равно это заняло много времени. Орлов слушал внимательно, ни разу меня не перебил и, только когда я замолчала, поинтересовался:

— Это точные данные?

— Шутите? — ахнула я. — Я знаю только то, что знают эти двое... Сама я шуток не люблю, уж вы мне поверьте.

— Подождите, — со вздохом сказал он. — У меня возникли вопросы, и кое-что вам придется повторить, я запишу.

Я охотно повторила все, что он хотел. Простились с теплотой в голосе.

— Не нравится мне все это, — ворчал Док по дороге домой.

— Что не нравится? Борьба с преступностью? — удивилась я. — Ты же честный человек. И гражданин. Должен всемерно способствовать...

— Ты считаешь, что таким способом можно бороться с бандитами? — нахмурился он.

— А как же еще?

— Не знаю. Но то, что ты делаешь, опасно и как-то... — Он не рискнул произнести слово, рвущееся с языка, и отвернулся, почувствовав себя виноватым. Немного погодя спросил: — Чего ты добиваешься? Хочешь всех пересажать в тюрьму?

— На такое не замахиваюсь, — хмыкнула я. — Вряд ли это возможно. Хотя это бы неплохо.

— Варвара, мы ведь не пойдем туда завтра? — вдруг спросил он.

— Завтра? Обязательно. Мне там понравилось, опять же ты не успел насладиться стриптизом, непременно загляни.

В ближайшие недели жизнь моя наполнилась смыслом, а у органов работы прибавилось: трудились мы рука об руку. Однако посещать каждый вечер притон «У Рашели» я не рисковала, да и сигнализировать Орлову обо всех новостях в ту же ночь тоже не спешила. Во-первых, нельзя человека то и дело тревожить по ночам. Ночью ему положено отдыхать. Во-вторых, какой-нибудь умник мог свести воедино мой вчерашний визит и сегодняшнюю прозорливость родной милиции. А если уж ребятишкам что-то в голову западет, разубедить их, как правило, трудно. В общем, информацию я придерживала и выдавала дозированно. Со временем вошла во вкус, ерундой не занималась, приберегая для Орлова самые лакомые кусочки.

Увлекшись, я не сразу заметила, что заведение «У Рашели» начало хиреть. То есть само заведение внешне ничуть не изменилось, а вот постоянные посетители куда-то исчезли. Обстановка стала нервозной, разговоры почти прекратились, зрачки сурового вида мужчин хищно сужались, общая атмосфера напоминала прифронтовую.

В остальных ночных заведениях наблюдалось примерно то же. Одним словом, ряды редели, причем не только из-за резко возросшего процента удачно проведенных соответствующими органами операций. Чувствуя, что происходит нечто непонятное, активно заработала вражеская контрразведка. Жертвы исчислялись десятками, положение не улучшалось, и тогда начался форменный психоз. Рвались старые связи, дружба со школы гроша ломаного не стоила, каждый верил только самому себе и то как-то неохотно.

Одно хорошо: умника до сих пор так и не нашлось, никто навалившуюся беду со мной не связывал. Не знаю, как на службе выкручивался Орлов, а вот я в казино вела себя скромно, но независимо. Если у кого-то возникал ко мне заметный интерес, я извинялась и звала Дока, от разговоров решительно уклонялась и за все время шатания по злачным местам не свела ни одного знакомства.

Док, видя, что вокруг творится такое, нервничал и своего страха больше не скрывал. Как-то вечером мы подъехали к любимому казино и обнаружили на массивной двери табличку: «Закрыто».

— Неужто они все кончились? — удивилась я.

— Кто? — вытаращил глаза мой спутник.

— Ну... — Я вздохнула и побрела к машине.

Мы поехали в другое местечко, потом в третье... публики мало, и выглядит невесело. Я тоже загрустила. Допустим, моими стараниями пересажают всех, кого можно зацепить, и что? Надо полагать, появятся другие деятели, придется ждать, когда они тоже дел наворотят, и опять сажать. Как-то это глупо, по-моему. И неинтересно.

Орлов радовался происходящему, ходил гоголем и в самом деле поверил, что помрет в генералах. Любопытен он был до безобразия и все приставал с вопросами. Как-то в досаде я послала его к черту и заявила, что он тоже не безгрешен, у меня и на него кое-что есть. Уточнять что — не стала. Он не поинтересовался, но запечалился. Ко мне начал относиться настороженно, моя осведомленность его пугала, и время от времени в голове у него появлялась мысль, что связался он со мной не к добру. А тут еще Док подлил в огонь маслица: как-то в одно из посещений Орлова принялся рассказывать о шагреневой коже (Док тяготел к классике и от безделья взялся перечитывать Бальзака). Орлов, не сумевший ранее свести короткого знакомства с Бальзаком, сначала слушал с интересом, а потом начал смотреть на меня с тоской и забивать свою голову всякой чертовщиной.

Чтобы его немного утешить, я в один прекрасный день сообщила ему, что мой бесценный источник информации пал в неравном бою с конкурентами и наша бурная деятельность прекращается до нахождения нового источника. Я взяла тайм-аут, чтобы определиться. Прежняя деятельность меня больше не увлекала, прелесть новизны исчезла. На смену одним бандитам лезли другие, конца этому не виделось, и во всем происходящем я не усматривала для себя ни радости, ни выгоды. Говоря проще, надоело мне это дело. А чем себя занять, в ум не шло. Может, опять в гадалки податься? Или в цирке выступать? Стану знаменитой, буду ездить по стране с гастролями.

Пару раз я даже забрела в церковь, в тайной надежде, что Валька была не совсем дура и мне следует ждать знака. Я смотрела на купол с ликом Спасителя и ждала озарения. Ждала довольно долго и оба раза совершенно напрасно. Сложилось впечатление, что до моих проблем совершенно никому нет дела, этой убежденности хватило для превращения моего скверного настроения в рекордно поганое.

Док не только не облегчал моих страданий, он еще больше все портил вечным брюзжанием, а главное — своими мыслями. Я уже говорила, Док просто помешан на поисках смысла жизни и, как видно, меня тоже заразил этим. Я все чаще думала, зачем мне мой дар, или что это там такое, если я знать не знаю, как распорядиться им с умом? Просто насмешка какая-то.

Пребывая в душевном смятении, я от безделья продолжала ходить в казино, Док злился, но терпел.

В тот вечер мы отправились очень поздно. Док надеялся устроить себе выходной, и я собралась было остаться дома, потому что шел дождь, по телевизору показывали смешную комедию, но неожиданно решилась и подняла Дока с дивана. Через два часа я назвала это судьбой.

Мы вошли в зал казино «Аметист», публика здесь была солидная, попадались иностранцы, и ничего интересного я здесь обнаружить не ожидала. Док бродил от стола к столу и демонстрировал мне свое неудовольствие. А я неожиданно увлеклась игрой. Через два часа рядом со мной образовалась изрядная стопка фишек, я сгребла их и отправилась получать выигрыш. Возможности своих ладоней не рассчитала, несколько фишек упало, я охнула, повернулась и... увидела рядом с собой Сашку Монаха. Хоть лбами мы не тюкнулись, но все равно стало не по себе: время словно вернулось вспять. Он собрал фишки и с улыбкой протянул их мне.

— Вам сегодня повезло? — спросил весело.

— Да, — нерешительно улыбнулась я и тут же задышала ровнее: он меня не узнал. Что неудивительно: от недостатка женского внимания Сашка не страдает, я была одной из многих, а с момента нашей встречи прошло больше двух лет. — Спасибо, — улыбнувшись чуть шире, кивнула я и направилась к окошку, он держался рядом.

— Вы здесь часто бываете?

— Иногда. — Особого интереса я не проявляла, но и суровой быть не хотела.

— Удивительно, что мы не встретились раньше, — запел он. Мысли его при этом стремительно унеслись под мой подол, однако вел он себя вполне пристойно и даже старался выглядеть джентльменом. Старательность надо приветствовать, а копаться в чужих мыслях меня никто не просит.

— Возможно, мы и встречались, просто вы не обратили внимания.

— Не обратить на вас внимания? Шутите?

— Во мне есть что-то такое, что заставляет людей бежать следом и при этом тыкать в меня пальцем? —

удивилась я. Он хохотнул, делая вид, что оценил мой юмор.

— Нет, конечно. Я хотел сказать, не заметить такую красивую женщину просто невозможно. По крайней мере, я бы точно заметил.

— Спасибо, — серьезно ответила я, получила свои деньги и направилась в бар, подав Доку знак не приближаться. Монах направился следом.

— Вы здесь одна? — спросил он, прикидывая, кто я такая и откуда взялась.

— Я не бываю одна в подобных местах, — сказала я, демонстрируя презрительное удивление.

«Вот сучка», — подумал он, а вслух произнес:

— Муж?

— Нет.

— Значит, друг?

— Угадали.

— А если я предложу вам выпить со мной? Что скажете?

Я не сразу ответила, улыбнулась вскользь, а потом сделала вид, что его замашки джентльмена произвели впечатление, засмеялась и сказала:

— Что ж... пожалуй.

— Отлично.

Мы устроились в укромном уголке и выпили.

— Самое время познакомиться, — хохотнул он. — Меня зовут Александр.

— Варвара. — Я внутренне напряглась. Нет, мое имя ничего ему не сказало, он просто подумал: «Варвара? Это Варька, что ли, дурацкое имя...»

«Ну вот, не угодила. Надо было назваться Элеонорой или, к примеру, Рашелью, ему должно бы понравиться. С Рашелью я малость загнула, а вот Элеонора была бы в самый раз. Но теперь не переиграешь, сиди в Варьках».

— Чем занимаетесь, Варя? — Сашин голос звучал впечатляюще нежно, если б я не знала его мысли, ей-Богу, обманулась бы во второй раз.

— Ничем, — отрезала я. — Просаживаю в казино мужнины деньги.

— А муж у нас кто?

— Муж у нас хороший человек, наживает деньги за границей, чтоб я их тут просаживала.

— За границей? А вы почему здесь? Извините, если лезу не в свое дело, но обычно женщины при первой возможности сматываются туда. — Он развел руками, подчеркивая удивление.

— А я вот не сматываюсь. Скука там смертная. Впрочем, здесь тоже. Наверное, скоро уеду. А может, останусь... не знаю.

— Надеюсь, что все-таки останетесь, — пропел он и сграбастал мою руку.

«Ему что, опять ночевать негде?» — подумала я и ошиблась, с ночевкой у Монаха проблем не было, да и просто проблем тоже, так, проблемки. Не далее как две недели назад, сама о том не зная, я очень ему помогла, устранила надоедливого человечка, теперь тому светило минимум пять лет, и Сашка, думая об этом, прямо-таки дрожал от счастья. В настоящий момент он прикидывал, как бы половчее за меня взяться.

В баре ему уже надоело, он жаждал более интимной обстановки, потому ухватил меня за руку и стал наглаживать ладонь, глядя на меня с большим чувством, а я мысленно вздохнула: на черта мне этот дар, только всю малину портит. Если б не он, млела бы я сейчас под Сашкиным взором и не знала, каких богов благодарить за такой подарок.

За эти годы Монах ничуть не изменился, а если и были кое-какие перемены в его внешности, так только в лучшую сторону. Модная стрижка, модный костюм, полкило золотых украшений (о вкусах, в конце концов, не спорят), глаза смотрят с озорным лукавством, зубы сияют подозрительной белизной. Стильная рубашка без галстука и двухдневная щетина сбивали с толку, ни в жизнь не догадаешься, кто перед тобой сидит. Телезвезда, да и только. Чтобы немного испортить ему настроение, я спросила:

— А чем занимаетесь вы?

— Банковским делом, — легко ответил он.

«Неужто банки грабишь?» — чуть не брякнула я и поинтересовалась:

— Наверное, самое главное в жизни для вас работа?

— Вовсе нет.

— Невероятно, что кто-то думает иначе, чем мой муж. — В этом месте мы тихо засмеялись, а Монах покачал головой: мол, все я понимаю, муж с утра до ночи сшибает бабки, а его жена злится, что лучшие годы проходят мимо, и сетует на отсутствие тепла и ласки.

— Для меня работа — это только работа, — заявил он, чтобы малость подбодрить меня. Я усмехнулась, тем самым выразив сомнение. — Сегодня здесь скучно, — сказал он, когда развлекаться с моей ладонью ему надоело. — Я знаю одно классное местечко, там сейчас веселье в самом разгаре.

— Да? И где же такое местечко?

— Неподалеку. Я на машине, так что через пятнадцать минут будем там.

Разумеется, никуда я с ним ехать не собиралась, я еще помнила о прошлой встрече, когда лишилась ребер (точнее, ребра, со вторым я рассталась совершенно добровольно), но просто послать его к черту было бы неразумно, поэтому я, немного подумав, сказала:

— Нет. Сегодня уже слишком поздно, да и вряд ли это заинтересует моего друга. Может быть, в другой раз...

— Жаль, — вздохнул Монах, и в самом деле сожалея, но надежды не терял и вновь сграбастал мою руку. Далась она ему... — Почему бы нам не познакомиться поближе? — запел он, глядя на меня с веселым озорством.

— Хотите что-нибудь рассказать о себе? — поинтересовалась я с видом полнейшей невинности, он хохотнул и заулыбался. Вообще Монах был веселым парнем.

— С удовольствием, — сказал он. — И совсем не против побольше узнать о вас.

— Обо мне неинтересно, — вздохнула я. — Все существенное я вам уже рассказала.

— А вот я совсем не уверен в этом.

Через пару минут моя нога оказалась зажатой его коленями, ладони не было никакого покоя, и, судя по взгляду Монаха, он твердо решил со мной поужинать, а также позавтракать, со всем остальным, что следует между этими двумя приемами пищи. В общем, он поставил себе целью совратить меня и даже не догадывался о том, как напрасны его старания. То место, где когда-то было ребро, неожиданно заныло, вызывая у меня крайне неприятные воспоминания.

Тут мысли Монаха скакнули в неожиданном направлении, он вдруг вспомнил какого-то Геббельса и испугался, что тот ему все испортит. Так как мне был известен лишь один человек с такой фамилией, а Сашке испортить вечер он никак не мог по причине своей давней кончины, я поначалу растерялась и лишь несколько секунд спустя сообразила, что это вовсе не фамилия, а кличка. Довольно затейливо, надо сказать. Что общего у бандита с бывшим министром пропаганды «третьего рейха»? Все-таки странная у них манера давать друг другу прозвища: если Матвеева кличут Матвей — это понятно, а вот что такое Геббельс? Или, к примеру, тот же Сашка: кого угораздило назвать его Монахом и по какой такой причине? Это что, ирония?

Пока я размышляла над хитростями чужих кличек, Сашка, сидящий лицом к двери в бар, перевел взгляд в ту сторону, кого-то увидел и едва заметно нахмурился, правда, ненадолго. Губы дрогнули в улыбке, а сам Сашка приподнялся и махнул рукой. Проявлять любопытство и оборачиваться я не стала. Подойдет, кого он там узрел, вот и посмотрю.

— Привет, — сказал Сашка, а я увидела рядом с собой парня совершенно невероятной внешности. То, что это Геббельс и есть, стало ясно без Сашкиной подсказки: лицо парня было почти точной копией покойного министра, исключение составляла прическа, в отличие от оригинала этот щеголял бритым черепом. Несуразным в его облике было то, что знаменитая обезьянья мордашка венчала мощное туловище. Шея, которую с трудом стискивал ворот рубашки, как-то странно переходила в нечто мелкое, узкое и нелепое. На первый взгляд создавалось впечатление, что у парня вовсе нет головы, и только спустя полминуты можно было понять: голова, конечно, есть, но уж очень она миниатюрная. Я сидела, таращилась на вновь прибывшего и моргала, а они с Сашкой обменялись крепким рукопожатием.

— Отдыхаете? — Геббельс посмотрел на меня не без лукавства и сказал Сашке: — Познакомь с подругой.

— Варвара, — ласково пропела я, а он представился:

— Сергей.

Ну вот, и никакой он не Геббельс, так я и думала.

Он пододвинул стул и сел между нами. Монах мысленно послал его к черту, но продолжал улыбаться, из чего я сделала вывод: Серега парень непростой и Сашке не только друг, но и скорее всего командир. Серега приглядывался ко мне с большим интересом, мысли его начинались со слов: «Во дает Монах, какую бабу оторвал, где он их только находит?» — и закончились злорадным: «Перетопчешься, Санек».

Уловив в голосе Сереги командирские нотки, в мыслях уверенность в том, что весь мир ляжет у его ног, а Сашка с красивой рожей отдохнет в чулане, я повела себя как женщина с пониманием: проявляла к гостю уважение, вела себя скромно, отвечала, когда спрашивают, и вообще наперед не лезла. В целом атмосфера за столом царила дружеская, хотя Сашка здорово злился. Во-первых, я все больше поглядывала на его дружка, во-вторых, из-за длинных ног последнего, которые он с удобством расположил под столом, Сашке пришлось оставить в покое мои колени.

В самый разгар нашей непринужденной беседы в баре появился Док, задал мне вопрос, мысленно, конечно, а я в ответ послала условный сигнал, проще сказать, поправила волосы, что на языке тайных жестов индейцев сиу и нашем с Доком означает: сваливаем. Док подошел, поздоровался с мужчинами и, глядя на меня, сказал, пряча недовольство:

— Рад, что у тебя хорошее настроение...

— Ты был так увлечен игрой. Как успехи?

— Проигрался в пух и прах. Поехали домой, уже поздно.

— До свидания, — пропела я, поднимаясь, подхватила Дока за руку, он кивнул на прощание, и мы поплыли к двери.

— О, черт! — дружно выдохнули оба типа за столом.

— Хороший улов? — спросил Док, когда мы приехали ко мне на квартиру. Время позднее, и он решил остаться здесь.

— Это Монах. Тот, что сидел напротив, с красивой рожей...

Док замер спиной ко мне и некоторое время собирался с мыслями.

— И что теперь? — спросил он осторожно.

— Посмотрим, — пожала я плечами. Засадить в тюрьму Сашку — дело несложное, только мне с того радости никакой. Вообще сажать людей в тюрьму довольно глупое занятие: столько работы и беспокойства разным людям. Конечно в отличие от Орлова я не считаю, что граждан следует развешивать на фонарях, в конце концов это неэстетично, да и с точки зрения гигиены... Нет, кажется, я придумала кое-что поинтереснее.

Я еще немного поразмышляла: стоит ли видеть в неожиданной встрече с Монахом то самое указание свыше? Так и не придя к какому-либо выводу, махнула рукой и решила считать встречу знамением.

Док в тот вечер был молчалив, поглядывал на меня исподтишка и думал. Конечно, влез на своего любимого конька, то есть месть. Заранее искал мне оправдания, точно я в них нуждалась. Он уже сообразил, что просто так я Сашку в тюрьму не отправлю, решу поразвлечься. Пялясь в потолок на диване, Док пришел к выводу, что это справедливо. Лично я в ту ночь еще ничего не решила, но встрече с Монахом радовалась: жизнь неожиданно наполнилась смыслом.

Утром я позвонила Орлову, после обеда он к нам заехал. Все-таки людей не поймешь: некоторое время назад он боялся, что наша совместная деятельность приобрела чересчур широкий размах, а теперь злился, что я не загружаю его работой, а если так, то похвалы от начальства не дождешься и мысль умереть в генералах становится проблематичной.

— У меня появилась идея, — обрадовала я его с порога. — Мне нужны кое-какие сведения. — Я перечислила какие, Орлов что-то там черкнул в своем блокноте, посмотрел на меня туманно и удалился, пообещав заехать к вечеру. Человек он добросовестный, к вечеру прибыл, и не с пустыми руками.

Мы расположились в комнате за большим столом, я заносила на бумагу то, что казалось мне наиболее важным, и при помощи Орлова пыталась разобраться в бандитской иерархии. Вчера я была права: на социальной лестнице Монах стоял чуть ниже Сереги. Тот вообще был парень довольно серьезный, Орлов объяснил, что реально составить им конкуренцию мог некто Климов Олег Николаевич, или попросту Клим. С Серегой Геббельсом, а еще в большей степени с Монахом — у них давняя неприязнь.

Этот Клим появился на сцене чуть меньше четырех лет назад и повел себя чрезвычайно нахально. Набрал в свою команду психов и дебилов, которые, не раздумывая, делали все, что им прикажут. От азиатской жестокости, с которой Клим расчищал себе место под солнцем, даже бывалые люди слегка обалдели. Однако последнее время Клим остепенился, присмирел, большинство дебилов полегли в кровавых боях, искать новых он не стал, а окружил себя ребятами, которые хорошо знали, как крепко держать в руках свой район без лишнего шума и пыли. Деятельность Клима приносила ему неплохой доход, и он, как водится, стал предпочитать стрельбе переговоры. С некоторой неохотой старшие товарищи позволили ему наживать деньги, а он в свою очередь из лихого одинокого волка стал полноправным членом городского криминального клуба. Налицо явный прогресс.

Однако старая вражда до сих пор не утихла, и Клим с удовольствием освободил бы город от Монаха и его дружка Сереги, да вот незадача: есть человек, с которым всем, кто рассчитывал обделывать в городе свои дела, приходилось считаться. Звали этого человека Петров Владимир Иванович, от роду ему было около шестидесяти, из них лет двадцать он сидел, а в бандитских спорах играл роль третейского судьи. Так вот, Сережка Геббельс по неведомой причине очень был симпатичен этому самому Петрову со смешной кличкой Папа.

Я слушала Орлова и диву давалась. По какому принципу братва живет и существует, было для меня загадкой, то есть принцип, конечно, ясен, но на фига им, к примеру, этот Папа? Какая от него польза Климу или тому же Монаху? Может, они опасаются, что в противном случае вцепятся друг другу в горло и жизнь станет чрезвычайно насыщенной, но недолгой?

Орлов что-то пытался объяснить мне, но сам в своих словах до конца уверен не был, а тут мне вовсе стало не до них, потому что он вдруг сказал:

— У Монаха с Климом лютая вражда. Пару раз они едва не прикончили друг друга. — Тут он помедлил и добавил: — В тот раз Монаха искал Клим. С тобой развлекались его ребята.

«Так отчего ж вы их тогда не арестовали?» — хотела спросить я, но только рукой махнула. Однако имя запомнила. Ладно, парни, я сама с вами разберусь, по-своему.

— Сейчас они вроде помирились, потому что воевать глупо, когда вокруг такое творится. — Что «такое», Орлов уточнять не стал, но и так было ясно. — Кстати, по имеющимся у меня сведениям, многолетняя дружба Монаха с Геббельсом дала трещину, чего-то дружки не поделили.

Я ничего такого не заметила, поэтому словам Орлова значения не придала, а вот Серегиной кличке в очередной раз подивилась.

— Господи, ну почему Геббельс?

— Так ведь похож... — обиделся Евгений Петрович.

Следующие три дня я просматривала свои записи, разглядывала потолок и носа не высовывала из квартиры. Два вечера Док радовался моему домоседству, на третий спросил:

— В чем дело?

— Ты имеешь в виду казино? — поинтересовалась я, хоть и так знала.

— Конечно. Я был уверен...

— Не хочу мозолить глаза Монаху, — пояснила я. — Все должно выглядеть совершенно естественно.

— А вдруг он тебя все-таки узнал?

— Ну и что? Тогда я его тоже узнаю. С трудом, но вспомню.

— Ему ведь наверняка известно, что произошло с тобой...

— Необязательно, — утешила я. — К тому же почти три года — большой срок. Если узнает, придется сказать, что наша предыдущая встреча из разряда неприятных и помнить ее никакого желания.

— Будь осторожна, — помолчав, попросил Док.

Вечер мы провели тихо, возле телевизора, как парочка пенсионеров. Док уже собрался домой и вдруг сказал:

— Вчера случайно встретил своего бывшего соседа... Встреча не из приятных... Хороший был мужик.

— Почему был? — поддержала я разговор. Док пожал плечами.

— Едва узнал его.

— Пьет?

— Пьет. Да и что прикажешь делать? Была семья, работа, теперь только квартира осталась.

— А что случилось? — спросила я.

— Жуткая история. Прошлым летом у него погибли жена и дочка, девчушке четыре года не исполнилось.

— Авария?

— Случай нелепый и совершенно дикий. Был такой тип в городе, по кличке Сотник, кому-то очень на нервы действовал. Вот по нему и полоснули сразу из двух автоматов в самом центре города. Он скончался в больнице, а еще трое — на месте стрельбы: старик-пенсионер и моя бывшая соседка с дочкой. Все произошло совершенно неожиданно, никто опомниться не успел, а посреди улицы «Ауди» в дырах и трупы.

— Стрелявших, конечно, не нашли?

— Не нашли. Ни милиция, ни он сам. Виктор служил в спецназе, пытался найти убийц...

— Не нашел и по русской привычке запил? — подсказала я.

— Зря ты так, — обиделся Док за соседа. — Хороший был мужик. А то, что пьет, так это от безнадеги. Не руки же на себя накладывать?

— Да, этого делать не следует, — согласилась я. Док, увлекшись, стал рассказывать об этом самом Викторе, перечисляя его достоинства. Парень был в Чечне, много чего в жизни повидал, а то, что такой человек ушел со службы и запил, объяснялось просто: отчаянием. Мол, чего мы сто́им, если белым днем в центре областного города укладывают людей из автоматов, а мы лишь разводим руками?

Сначала его не хотели отпускать, но Виктор упорно пил, часто срывался, работать с ним становилось все трудней, и в конце концов его уволили, правда из уважения к былым заслугам, по собственному желанию. Теперь он трудился дворником в родном жэке, и пить ему уже никто не мешал. Док по этому поводу очень сокрушался. История эта меня неожиданно заинтересовала.

— Я бы хотела с ним встретиться, — сказала я.

— С Витей? — не понял Док. — Зачем?

— Такой человек может нам пригодиться.

— Он пьет, Варя...

— Это с безнадеги. Если увидит в жизни смысл — завяжет. Ты ведь сам говоришь, мужик стоящий. Где его можно найти?

— Дома, наверное, где же еще?

— Дома не годится, — покачала я головой. — Встреча должна выглядеть случайной.

— Тогда в пивнушке, недалеко от нашего дома... от его, — поправился Док.

На следующий день мы отправились на разведку. Район, где когда-то проживал Док, выглядел безрадостно. Ранее мне здесь как-то не приходилось бывать, и теперь, глядя в открытое окно машины на бесконечный ряд одинаковых пятиэтажек, мрачных даже в солнечное утро, я решила, что если человек здесь родится и вырастет, то вскорости непременно запьет.

Пивнушка прилепилась сбоку одного из панельных монстров. Хлипкое сооружение без окон, с покореженной дверью, которая открывалась с леденящим душу скрежетом. Взглянув один раз на это чудо, я поняла, что женщина моей красоты и прикида появиться здесь не может.

В пивнушку отправился Док, вернулся через минуту.

— Его нет, — сказал отрывисто.

— Что ж, подождем, — кивнула я. — Время есть.

Подъехать к своему бывшему дому Док не решался, боясь встретить супругу.

Ожидание оказалось весьма неприятным. Апрель выдался на редкость жарким, и сидеть в машине вскоре стало просто невыносимо. Мы вышли и не спеша прогулялись, Док поглядывал на дверь пивнушки, когда она издавала очередной зловещий скрежет.

Через полчаса вернулись в машину, меня разморило, и я уснула. А проснулась оттого, что Док коснулся моего плеча и позвал:

— Варя.

Я открыла глаза, спросонья пытаясь понять, чем я здесь занимаюсь, а Док добавил:

— Вон он...

Виктор шагал по тротуару к пивнушке в компании двух человек. Группа выглядела колоритно. В центре шел дед с белыми длинными волосами и белой бородой до пояса, на плече у него висела гармошка, одет он был в старый спортивный костюм и калоши на босу ногу. Приглядевшись получше, я поняла, что деду нет и пятидесяти, и подивилась.

Справа от него виднелся упитанный коротышка, на его ногах не только галош, вовсе ничего не было, так и шлепал по асфальту босыми ногами. Штанины широких брюк небесно-голубого цвета были подвернуты, а одна прихвачена бельевой прищепкой. Это намекало на то, что у босоногого имелся велосипед, впрочем, необязательно, может, у людей мода такая. Из-под короткой майки выпирал живот, а руки от плеч до ногтей были сплошь покрыты татуировкой. Слева от деда возвышался мужик лет тридцати пяти, высокий, широкоплечий. Одет в штаны защитного цвета, кроссовки и темную рубашку с длинными рукавами. Он курил на ходу, пальцы заметно дрожали. Несмотря на эту дрожь, красноту лица и явную маету с перепоя, Виктор выглядел в этой компании человеком случайным. Как видно, решил жить по принципу — чем хуже, тем лучше.

Троица скрылась за скрипучей дверью, и скоро из пивнушки полились разухабистые переливы гармошки. Несколько голосов с чувством выводили: «За твои зеленые глаза...»

— Пьет он не так давно, — сказала я. — Человеческого облика еще не лишился, одет чисто, с утра изловчился побриться, несмотря на похмелье.

— Он почти каждое утро ездит на кладбище, — невесело сообщил Док.

— Не волнуйся. — Я потрепала его по плечу. — Если все пойдет, как я думаю, мы твоего приятеля вытащим... — Док взглянул на меня недоверчиво, но промолчал. — Мне к нему присмотреться надо, — продолжила я. — Значит, придется тебе пригласить его в ресторан.

— Почему в ресторан, а, к примеру, не домой?

— Лучше мне появиться случайно... да и тебе тоже. Встретились, решили поговорить, зашли выпить.

— Что ж мне, на него облаву устраивать?

— Почему бы и нет, если это пойдет ему на благо?

Док спорить не стал, вышел на тротуар и принялся прогуливаться от перекрестка до пивнушки, а я опять задремала и едва не проглядела встречу Дока с бывшим соседом. Повернула голову и увидела, что они стоят посреди тротуара, двое дружков прошли чуть вперед, Виктор им махнул, и они зашагали восвояси. Док с приятелем тоже пошли, не спеша и в другую сторону.

Виктор шел прямо, но чувствовалось, что он пьян. Я завела машину и поехала следом. В нескольких кварталах отсюда находилось кафе «Ивушка», туда Док и повел бывшего соседа. Выждав в машине минут двадцать, я направилась в кафе. Оно мало чем отличалось от пивнушки. Окна, правда, были, но такие грязные, что лучше б их вовсе не было, шторы не отдавали в стирку лет пять, не меньше. Обслуживала клиентов пожилая неряшливая баба с изрытым оспинами лицом и в парике рыжего цвета, из-под него по щекам катились струйки пота. Вентиляторы не работали, с кухни шел отвратительный запах горелого масла и чего-то мясного. Посетителей было немного, при моем появлении все повернули головы и уставились с таким видом, точно у меня на голове пылал костер или сидел живой заяц. Конечно, заявилась я зря: в таком месте мне просто нечего было делать. Ведь сказала Доку: ресторан, а он притащился сюда...

Под пристальным взором буфетчицы я прошла к кассе и попросила стакан сока и булочку, показавшуюся мне съедобной. Тут Док повернулся и окрикнул:

— Варя! — А я, изобразив смущение, направилась к нему.

Он поднялся, пододвинул мне стул и сказал, обращаясь к Виктору:

— Знакомьтесь, это Варя, а это мой сосед Виктор.

Я улыбнулась, а Виктор хмуро кивнул. Перед ними стояла бутылка водки, два стакана, по две порции салата и горячего. Я пристроила рядышком свой сок и повертела в руках булку, не зная, что с ней делать. В конце концов взяла и съела.

— У вас праздник? — спросила я, кивнув на бутылку.

— Давно не виделись, — ответил Док, Виктор в мою сторону не смотрел принципиально: во-первых, стеснялся, во-вторых, после гибели жены остальные женщины вызывали в нем странную обиду, почему они живы-здоровы, а вот Алла... ну и так далее. В общем, общались мы больше с Доком, хотя интересовал меня Виктор, точнее, его мысли. Кто хоть раз разговаривал с пьяным, знает: дело это нелегкое и требует большого терпения. Могу вас уверить: копаться в мыслях пьяного и того хуже. Мой мозг подвергся серьезной перегрузке, но в конце концов выяснилось, что напрягалась я не зря.

Виктор Алексеевич был человеком незаурядным и очень интересным. Фамилия у него была боевая — Скобелев, и сам он парень хоть куда, несмотря на то, что последнее время задурил и часто припадал к бутылке. Док за него беспокоился напрасно, такие не спиваются. Самое позднее осенью Виктор Скобелев встал бы как-нибудь утречком, вымел из квартиры всякий хлам, вкупе с дружками-алкоголиками, и начал новую жизнь, конечно, если бы не сложил голову в кабацкой драке до этого времени или не попал под машину по пьяному делу.

В настоящее время он искоса на меня поглядывал и думал: «Пить надо завязывать, на человека не похож... приличные люди уже стороной обходят». Выудив все, что мне было нужно на данном этапе, я взглянула на часы, поднялась и сказала:

— Мне пора. Счастливо отдохнуть.

Док приподнялся и поцеловал мне руку, а Виктор кивнул.

Док явился ближе к вечеру, слегка навеселе.

— Ну, что скажешь? — поинтересовалась я.

— Ты имеешь в виду Виктора?

— Конечно, про тебя я и так все знаю.

— Слушай, почему он тебя заинтересовал?

— Потому, что нам может понадобиться помощь. Как думаешь, годится он в помощники?

— Бандитов он готов душить голыми руками.

— Пожалуй, насчет голых рук он преувеличивает, а злоба — плохой советчик, разве нет?

— Ты же видишь, человек потерялся. Парень он стоящий, только вот что делать, не знает.

— Если стоящий, так мы научим. Он офицер и человек чести. Поэтому подкарауливать врагов и бить их по башке поленом не может, воспитание не позволяет. Вот если б ему хороший человек, да не просто хороший, а властью облеченный, дал приказ да еще душевно с ним побеседовал...

— Ты о чем? — насторожился Док.

— Так... думаю вслух. Завтра с утра пойду к твоему Скобелеву в гости. Как считаешь, часов в восемь я застану его трезвым?

Виктор точно был трезв, причем без признаков вчерашнего перепоя. Чисто выбрит и явно после душа: зачесанные назад волосы были мокрыми. Я позвонила, он открыл дверь и теперь стоял на пороге своей квартиры, не в силах скрыть недоумения.

— Здравствуйте, — сказала я без улыбки. — Я хотела бы с вами поговорить. Можно войти?

— Входите, — кивнул он, сдвинувшись в сторону и явно теряясь в догадках. Объяснения моему визиту он не находил, а поверить, что вчера я в него безумно влюбилась, все же не мог.

— Разговор серьезный и, возможно, долгий, — заметила я. — Можно я сяду?

— Конечно.

Мы устроились в кухне друг напротив друга. Увиденное мною лишний раз подтвердило, что алкаш Виктор липовый, в квартире царила чистота, которую в силах поддерживать далеко не каждая женщина: ни тебе посуды в раковине, ни бутылок под столом, в общем, ничто не указывало на пьянство хозяина.

На маленьком диванчике у окна сидел плюшевый медведь. Заметив мой взгляд, Виктор поднялся и отнес медведя в комнату.

— Вы по какому делу? — спросил он сурово, когда вернулся.

— В двух словах не объяснишь, — сказала я. — Вы извините, если мне придется быть чересчур многословной. О криминальной ситуации в городе вам, должно быть, известно?

— Известно, — усмехнулся он и стал смотреть в окно, теряясь в догадках на мой счет. Ждал он чего угодно, вплоть до того, что будут предлагать хороший заработок в охране какой-нибудь фирмы, но, разумеется, не угадал.

— Законы, которые мы имеем на сегодняшний

день, не в силах остановить рост преступности. Политинформацию я вам читать не буду, сами все знаете. Скажу одно: есть группа людей, которую такое положение дел не устраивает. Это не государственная организация, а просто группа единомышленников, ставящая своей задачей борьбу с преступностью. Люди у нас серьезные и дело свое знают. Кое-каких успехов мы уже смогли добиться за последние месяцы...

— Вы это серьезно? — с надеждой спросил он.

— Конечно. — Странные все-таки существа люди: интересно, чему он так обрадовался?

— Я знаю, что много всякой сволочи было арестовано, так ведь многих подержали да выпустили...

— Разумеется, я ведь сказала, что законы наши желают лучшего. Поэтому и была создана глубоко законспирированная организация...

— Значит, вчера Леонид Андреевич...

— Леонид Андреевич здесь совершенно ни при чем, — заверила я. — Мы просто воспользовались старым знакомством, чтобы получше к вам приглядеться.

— Мы? — Он явно заинтересовался.

— Если вы надеетесь узнать, кто эти «мы», вынуждена вас разочаровать, мне известно немного. Я только выполняю поручения и не задаю лишних вопросов. Если вы согласитесь сотрудничать, дело будете иметь только со мной. Практика проверенная, надежная, я связной и ничего больше.

— А что должен делать я?

— Выполнить приказ, если таковой последует.

— Приказ? — Он чуть заметно усмехнулся, и я в ответ тоже.

— Виктор Алексеевич, мы к вам долго приглядывались, прежде чем решились на этот разговор. Не думаю, что определенного рода приказ вызовет в вашей душе смятение. Для чего-то вы спрятали в родном подполе два автомата с большим количеством патронов к ним, а на даче под крыльцом, в железном ящике, зарыли винтовку с оптическим прицелом. Если желаете, я могу подробно рассказать, когда и каким образом это оружие к вам попало. Пьянствуя и ожидая, когда вас выгонят с работы, вы не теряли времени зря, так ведь? Пластиковая взрывчатка, пяток гранат, пистолет... я что-нибудь забыла? Вы твердо знали, что в один прекрасный день все это вам понадобится. Можете считать, что этот день наступил.

Скобелев думал ровно семь минут. Потом улыбнулся.

— Я согласен, — сказал он просто.

— Не спешите. Мы не хотим, чтобы вы потом сожалели о своем решении.

— Кто-то из моих знакомых состоит в вашей группе? — спросил он.

— Организация стоила бы немного, начни я отвечать на подобные вопросы... Да и знаю я крайне мало, только то, что необходимо.

— Я хотел бы встретиться... — начал он, а я с улыбкой покачала головой.

— Если у вас возникнут сомнения, вы можете выйти из организации, ничего не опасаясь. Я исчезну из города, и таким образом связь оборвется. — Я несла эту чушь и сожалела, что не люблю детективы и шпионские фильмы, приходилось импровизировать на ходу. Сожалела и одновременно поражалась тому, как охотно Скобелев во все это верит. — Не думаю, что у вас будет много работы, в основном мы предпочитаем руководствоваться законами. Только в случае, когда закон совершенно бессилен, а преступник перешагнул все возможные границы...

— Я должен вернуться на работу? — деловито спросил он.

— Это ваше дело. В личную жизнь своих соратников мы не вмешиваемся.

Поговорив еще немного в таком же духе (к примеру, пришлось перечислить послужной список Скобелева со всеми вынесенными благодарностями, хорошо, память у мужика железная, а то что бы я делала?), мы перешли к более интимной беседе, и я почти дословно повторила один памятный разговор, состоявшийся у него в Чечне в армейской палатке с человеком, которого Скобелев глубоко уважал. Человек этот погиб спустя четыре месяца. Конечно, Виктор об этом знал. Моя осведомленность произвела впечатление, он начал взирать на меня с чувством, подозрительно похожим на благоговение, и уже ни в чем не сомневался. Только спросил:

— А как вы оказались в организации?

Я выдала грустную улыбку, собираясь с силами. Врать на ходу довольно трудно, особенно если хочешь, чтобы вранье проняло до слез. Поэтому я и решила сказать полуправду.

— Ко мне тоже пришел человек, как к вам сегодня. А почему он пришел... Три года назад со мной произошла... неприятная история, возможно, вы знаете ее из газет. — Я коротко рассказала о том, что сотворили со мной незваные гости, против обыкновения уделив внимание некоторым деталям. Скобелев слушал молча, сжав кулаки и сцепив зубы. В мозгу его при этом билась только одна фраза: «Сволочи, Господи, какие сволочи!..» Для спецназовца он что-то чересчур впечатлителен. — Конечно, никого не арестовали, — усмехнулась я. — Мне пришлось перенести несколько операций, а потом я еще долго лежала в психушке, где, кстати, и познакомилась с Леонидом Андреевичем. Вы, наверное, уже поняли, организация подбирает людей, у которых с бандитами личные счеты. Когда волком воешь от воспоминаний, умнику, произносящему слова, что преступники тоже люди, хочется забить их в глотку вместе с зубами...

— Да, — кивнул Скобелев. — Именно это я чувствовал, когда держал на руках дочку... — Он резко мотнул головой. — Такое никогда не забудешь...

— У вас есть чай? — спросила я, мысль о погибшем ребенке отдавала холодом в позвоночнике, ни к чему мне такие мысли...

— Что? — не понял он.

— Чай, — улыбнулась я. — Я очень волновалась, когда шла к вам, боялась неправильно начать разговор... и все такое...

— Чай, конечно, есть.

Он поставил на плиту чайник, торопливо накрыл на стол, в доме нашлись и печенье, и сахар, что несколько удивило: на зарплату дворника не расшикуешься, а он пил по-настоящему. Мысль о зарплате навела на другие мысли, и я осторожно сказала:

— Виктор Алексеевич, мы понимаем, что люди сотрудничают с нами не за деньги, но если вам они необходимы, стоит только сказать...

— Мне ничего не нужно, — покачал он головой, но не обиделся, а мне стало стыдно: он — хороший человек, а я ему пудрю мозги. Как же хороший, а винтовка под крыльцом? В один прекрасный день парень влез бы на крышу своего дома и принялся палить по прохожим. Так что, можно считать, я делаю для него доброе дело, направляю склонность к помешательству в безопасное русло.

Еще полчаса мы пили чай, потом договорились о связи. Способ самый что ни на есть простой: я звоню ему, он в случае чего — мне, встречаемся, если это крайне необходимо.

Я покидала квартиру с убеждением, что нашла себе верного помощника, который не станет задавать лишних вопросов, а Виктор остался с кипучим желанием начать новую жизнь. Чтобы немного умерить его радость, я сказала:

— Витя, — к этому моменту мы уже перешли на «ты». — Думаю, ты понимаешь, что должен быть крайне осторожен, если что-то случится, помочь тебе никто не сможет...

— Я понимаю, — кивнул он и даже нисколько не огорчился. Странные все-таки существа люди.

Через пару дней, ближе к обеду, я решила пройтись по магазинам, отправилась в центр города, долго бродила по маленьким лавчонкам и в конце концов купила чашку в «Антикваре». На донышке красовалась фамилия производителя и пояснение для тех, кто не в курсе: «Поставщик царского двора». Чашка стоила больших денег, а вот блюдца к ней не было, это слегка расстраивало.

Чашку запаковали в красивую коробку, и с чувством, что день прожит не зря, я покинула магазин. А потом задумалась: ехать на троллейбусе или взять такси? С такой чашкой на троллейбусе даже неловко, а на такси я слишком быстро попаду домой, поэтому я пошла пешком.

Дорогу решила сократить и свернула под мост, тротуар здесь очень узкий, двое с трудом разойдутся, зато место красивое: вековые липы, желтые головки цветов среди яркой зелени, одним словом, природа. Я шла, щурилась от солнца, потому что оставила темные очки в каком-то магазине, и думала о заветной чашке. Приятно будет устроиться на балконе и выпить из нее чайку, свежезаваренного, с лимоном. Я уже глотала слюнки и тут в опасной от себя близости услышала скрип тормозов. Хотела с перепугу шарахнуться в сторону, но не вышло, с этой стороны склон холма был очень крутым, и, если сзади какой-то сумасшедший, он вполне может меня раздавить.

Тут же выяснилось, что на мою жизнь никто не покушался. Темный роскошный «БМВ» притормозил у противоположной стороны тротуара, потом резко развернулся, мало обращая внимания на правила дорожного движения, и встал чуть впереди меня.

Я замедлила шаг, ожидая, что последует далее. Дверь «БМВ» распахнулась, и я увидела обезьяню физиономию Сереги Геббельса. Естественно, я предпочла бы Монаха, но...

— Привет, — сказал Серега, сияя золотыми зубами. Я позволила себе легкое удивление и нерешительно ответила:

— Привет.

Затем удивление сменилось интересом, предполагалось, что я его наконец узнала.

— Что делает красивая женщина в этом Богом забытом месте?

«Он что, решил перещеголять Сашку?»

— А по-моему, здесь очень мило, — пропела я.

— На улице духота, у меня в машине кондиционер, и я отвезу тебя, куда захочешь.

— Вообще-то я гуляю.

— Да ладно, садись, — засмеялся Серега. Он всерьез считает, что кому-то за счастье кататься с ним в машине, даже с кондиционером, даже в духоту? Точно, он считает. Иначе бы не стал так паршиво улыбаться. А мне и вправду за счастье, я сейчас тоже улыбнусь.

Я улыбнулась и села в машину, но на заднее сиденье, чем слегка его удивила.

— Я впереди не езжу, — пришлось пояснить мне в ответ на заинтересованный взгляд. — Боюсь после аварии.

— Что за авария?

— Неприятная, — усмехнулась я, а Серега сказал:

— По тебе не скажешь...

— В каком смысле? — решила я усложнить ему жизнь.

— Ну... выглядишь — блеск. В общем, не похоже, что есть проблемы со здоровьем.

— А их и правда нет, — заверила я. Шуточки на слабую троечку. Ну ничего, не боги горшки обжигают... Серега посматривал на меня в зеркало и силился придумать что-нибудь стоящее. — Здесь налево, — кивнула я.

— Ты мне лучше адрес скажи. — Я сказала, а он порадовался, что есть о чем поговорить. — Это новый дом с башней? Хорошие квартиры и бабки приличные. Муж у нас кто?

— Муж у нас за границей.

— Ах ну да, Сашка говорил...

— А что он еще говорил?

— Говорил, что сам ничего не знает. Врет, что ли?

— Вроде нет. Биографию я ему рассказать не успела.

— Я помешал? — Тут Серега углядел в моих руках коробку. — Подарок? — спросил игриво.

— Ага. Сама себе сделала.

— И что там?

— Чашка.

— Просто чашка?

— Конечно. Хочешь, покажу?

Я стала открывать коробку, а Серега притормозил у тротуара и повернулся ко мне.

— Красивая? — поинтересовалась я. Он моргнул и спросил:

— А сколько стоит? — Услышав ответ, присмирел и сказал: — Ничего...

— А по-моему, очень красивая, — подвела я итог. — И узорчик такой веселенький...

— У нее полоска стерлась, — заметил Серега и еще раз спросил про цену. Я повторила и принялась объяснять, что из чашки, возможно, пил кто-то из членов царской семьи.

— Тогда, конечно, денег не жалко, — обрадовался он и еще раз посмотрел на чашку, но уже с почтением. Я убрала ее в коробку, и мы отправились дальше. Когда въехали во двор, Серега решительно спросил: — А этот твой друг, он с тобой живет?

— У него есть квартира, но в настоящее время, как видишь, он стоит на балконе.

— Ревнивый?

— Еще бы.

— А как насчет телефона?

Я продиктовала номер, сказала Сереге «спасибо» и заспешила к подъезду. «БМВ» лихо развернулся и исчез со двора. Однако через полчаса его хозяин мне позвонил. Трубку снял Док, услышав: «Варю», решил поинтересоваться:

— А кто ее спрашивает?

Ответ получил незамедлительно. Пока Док возвращал глаза на место, я, весело хмыкнув, взяла трубку и пропела:

— Слушаю.

— Как дела? — спросил Серега.

— Пью чай из новой чашки, — ответила я.

— А как насчет ужина при свечах?

— Я вообще-то замужем.

— А я вообще-то женат, — развеселился он. — Так как насчет ужина?

«Тебе надо рассылать приглашения в зоопарк», — очень хотелось ответить мне, но это не входило в мои планы на долгую и благополучную жизнь, поэтому я ответила вежливо, но твердо:

— Ужинаю я с друзьями.

— Так давай подружимся, — не унимался Серега.

— Вроде бы ты видел, у меня уже есть друг, и я не спешу от него избавиться.

— Да? Надумаешь — позвони. — Серега сообщил мне свой номер и повесил трубку, а я с тоской посмотрела на Дока: лучше ему посидеть дома некоторое время, этот тип с обезьяньей физиономией внушал серьезное беспокойство...

Вечером мы решили покататься по городу, подошли к моей машине и ахнули. Все четыре колеса были спущены. Ничего подобного в нашем дворе ранее не наблюдалось, народ здесь жил солидный, а детишки вели себя с пониманием.

— Вот сукин сын, — покачала я головой, и мы с Доком отправились пешком.

Я с интересом ждала, что последует дальше. Оригинальностью Серега не блистал. Позвонил на следующий день и спросил весело:

— Как дела?

— Отлично, — бодро ответила я.

— А как насчет ужина?

— Так же.

Вечером машина исчезла. Была — и нету. Самое

обидное: Док полдня промучился с этими дурацкими колесами, и вот теперь ни колес, ни машины.

— Надо заявить в милицию, — чуть не плача, сказал он, но я пресекла благой порыв.

— Брось, в этом деле от ментов никакого толку.

На сей раз звонок последовал незамедлительно.

— Как дела?

— Отлично.

— У тебя ничего не пропало?

— Нет.

— Ты уверена? — веселился Серега.

— А, ты имеешь в виду машину? Возьми ее себе, мне она уже надоела.

— Вот так, значит?

— Вот так.

Однако Серега оказался не только настойчивым, но и хитрым типом. Я думала да гадала, что у меня еще должно пропасть в ближайшее время, и на всякий случай сидела в квартире. Но ничего не пропало, наоборот, появилось: сначала моя машина во дворе, потом букет цветов возле двери. Кто-то позвонил, я с опаской открыла и увидела пластиковую вазу с белыми розами, точнее, белых было двадцать семь и пять красных. Это озадачило: я строила различные предположения насчет цифр и комбинаций цветов и с нетерпением ждала звонка.

— Как дела? — спросил Серега.

— Почему их тридцать две? — радуясь, что наконец смогу утолить любопытство, выпалила я. Серега слегка смутился.

— Да все, что были...

— Ну вот, а я полдня голову ломала. Спасибо. — В данное слово я вложила максимум чувств.

— Слушай, этот твой друг, он ведь не всегда дома сидит? Должен мужик где-то работать...

— Как раз сегодня он занят, — засмеялась я. — Только никаких свечей, поужинаем, поболтаем и немного приглядимся друг к другу.

— Хорошо, — в ответ засмеялся мой новоявленный воздыхатель, и мы договорились о встрече.

Встреча произошла в ресторане «Олимп». Ресторан потряс живыми лебедями, плавающими в бассейне посредине зала, и молодым человеком, который, раздевшись до трусов к концу вечера, нырнул в этот самый бассейн. Нравы здесь были простые, и клиенты вели себя непринужденно. В целом ужин мне понравился.

Мы поболтали, потанцевали, выпили, старательно приглядываясь друг к другу.

— Сашка не звонил? — неожиданно поинтересовался мой спутник.

— Сашка? Ах... нет, не звонил. Он не знает номер телефона.

— Узнать не проблема.

— Значит, ему это просто не нужно, — отмахнулась я, Серега следил за выражением моего лица и старался угадать, говорю я правду или прикидываюсь.

— Я думал, он тебе нравится.

— Я полчаса посидела с ним в баре, только и всего.

— Странно, что он до сих пор не объявился. Это не в его правилах.

— Послушай, я с ним едва знакома, и говорить о нем мне неинтересно. Лучше расскажи о себе.

Серега стал прикидывать, что бы такого он мог мне поведать.

— Ну... даже не знаю, что рассказывать. Где учился, когда женился?

— Расскажи, чем занимаешься, когда остаешься один? — Вопрос поверг его в недоумение.

— Телевизор смотрю.

— Но ведь не все передачи подряд?

— Нет, конечно.

Понемногу мы разговорились. Серега был любопытен и неизменно возвращался к моей персоне. Тут я его особо порадовать не могла, отвечала уклончиво. Достоверно сообщила лишь одно: я замужем, муж за границей. Со дня на день я должна к нему уехать, но делать это мне очень не хочется. Серега слушал чрезвычайно внимательно, по крайней мере, очень старался, но думал о другом. К примеру, его очень интересовал вопрос: как закончится этот вечер. Он, кстати, закончился довольно быстро, я взглянула на часы и поднялась.

— Все просто замечательно, но мне пора, — произнесла я с максимальной нежностью. В общем-то, мое поведение его не удивило, и он попытался это пережить спокойно, однако не удержался и заметил:

— Я не люблю, когда меня водят за нос.

— А я не люблю торопиться.

Он криво усмехнулся и пошел меня провожать. Остановил такси и отправил меня домой, сам намеревался продолжить отдых в ресторане, мысленно напутствовав меня весьма невежливыми словами, что не помешало нам обменяться на прощание горячим поцелуем.

По дороге я пыталась предугадать следующий шаг своего нового друга. Оригинальностью он не блистал: назавтра, ближе к вечеру, Док отправился к себе на квартиру, в нескольких метрах от моего дома был встречен двумя неизвестными, которые, не говоря ни слова, пару раз его ударили. Док вернулся ко мне злой, возмущенный и вознамерился звонить в милицию. От этой затеи я его опять-таки отговорила: парни особо не усердствовали, ясно, что это лишь предупреждение. Когда я об этом сказала Доку, он малость позеленел, что неудивительно, и предложил мне на некоторое время куда-нибудь уехать. Как ни хотелось мне огорчать его, но пришлось: планы у меня были совершенно другие.

— А ты можешь уехать, — закончила я. Док обиделся и ушел спать.

Само собой, Серега позвонил и начал со своего дурацкого вопроса:

— Как дела?

— Кто-то избил моего друга.

— Да? Здорово досталось?

— Слава Богу, нет.

— Повезло, а то ведь могли и голову проломить, времена нынче беспокойные.

— С какой стати кому-то проламывать голову моему другу? — возмутилась я.

— Откуда мне знать? Говорю, времена беспокойные.

— Слушай, прекрати все это, — жалобно сказала я. — Он просто мой друг, и все. К тебе это не имеет никакого отношения.

— Что-то я не пойму, куда ты клонишь? — хохотнул Серега.

— Все ты прекрасно понимаешь, — разозлилась я. — Оставь его в покое.

— Возможно, — смеяться он перестал. — Почему бы нам не посидеть где-нибудь вдвоем, а? Расслабиться и все такое...

— Обычно я принимаю решение сама и не терплю, когда меня толкают под руку.

— Серьезно? — Он вроде бы разозлился. — А я не люблю терять время понапрасну.

— Очень жаль. Значит, мы мало подходим друг другу. — В этом месте я бросила трубку и подумала о Доке: «Может, ему действительно стоит уехать?»

На следующий день ни я, ни он из дома не выходили. Я ломала голову, чего такого может придумать Серега, и вновь не угадала. Машина не исчезла, в дверь никто не ломился, правда, часа в три позвонили, но вполне интеллигентно. Я осторожно подкралась к двери и спросила не без робости:

— Кто?

— Откройте, пожалуйста, — раздался мужской голос. — Меня просили передать.

Пару секунд поразмышляв, я все-таки открыла дверь, на пороге стоял молодой человек в бейсболке и ласково мне улыбался. Слева у его ног — корзина с алыми розами. Корзина была большая, и роз в ней уместилось внушительное количество, надо полагать, Серега скупил все, что были в магазине.

— Это вам, — сказал парень.

— От кого? — прикинулась я дурочкой.

— Не знаю. Меня просто просили передать. — Парень вприпрыжку стал спускаться по лестнице, а я позвала Дока, чтобы он затащил корзину в квартиру.

Такое количество роз надо было где-то разместить, и я изрядно помучилась, Док мне помогал. Именно он обнаружил коробку, я ее просто не заметила. Маленькая коробочка, обтянутая белым атласом. Док открыл ее и поморщился.

— Что? — удивилась я, он сунул мне коробочку и отвернулся.

Серьги, которые я увидела, такого пренебрежения не заслуживали, даже наоборот. Я подошла к зеркалу и их примерила.

— Они мне идут, а, Док? — спросила я, в ответ он свел брови у переносицы и ушел в кухню. Через пять минут крикнул:

— Только не говори, что он тебе нравится.

— Кто? — удивилась я в ответ.

— Этот тип с обезьяньей физиономией.

— Физиономия у него не очень, — согласилась я. — А вот сережки красивые. И по-моему, дорогие. Я не очень разбираюсь в камнях, но похоже на бриллианты, как думаешь, Док?

— Я тоже не разбираюсь, — проворчал он.

— Ты просто ревнуешь. — Я пододвинула телефон и стала набирать номер Сережи. Надо полагать, моего звонка он ждал, потому что ответил сразу.

— Здравствуй, — сказала я. — Они очень симпатичные. Я имею в виду розы.

— А подарок тебе не понравился? — засмеялся он и спросил: — Встретимся?

— Завтра. Где-нибудь около пяти.

— Почему не вечером? — удивился Серега.

— Можно вечером, — легко согласилась я. — Только в одиннадцать я должна быть дома. Муж будет звонить.

— Хорошо, тогда в пять, — проворчал он. — У меня есть квартира в восточном районе, запиши адрес. Или мне за тобой подъехать?

— Нет, я сама. — Мы тепло простились.

Док возник в прихожей, не говоря ни слова, обулся и ушел. Догонять его я не стала, отправилась пить чай на балкон. Там меня и застал телефонный звонок. Я была уверена, что это Док, поэтому не торопилась. Мужской голос показался мне незнакомым.

— Варя?

— Да. А кто это?

— Саша. Не так давно мы познакомились в баре...

— Извините, я не помню, — ответила я и хотела повесить трубку.

— Я еще с другом был, Сергеем, помните?

— Сергеем? Конечно... я не сразу поняла...

Сашка весело хохотнул.

— Как насчет того, чтобы встретиться?

«Они что, все с ума посходили? То молчал как рыба две недели, то вдруг объявился, как раз когда у нас с Серегой намечается большая любовь».

— В ближайшее время это вряд ли возможно, — ласково ответила я.

— Значит, Серега меня опередил? — Теперь Сашка откровенно смеялся.

— Не понимаю, о чем вы?

— Брось, вас видели в ресторане.

— Так вы поэтому решили позвонить? — съязвила я. — У вас с ним что-то вроде соревнования?

— Ладно, не злись, — проронил Сашка примирительно. — Жаль, что опоздал. Дел было по горло, ни минуты свободной. Или не опоздал?

— Вы сумасшедший, — растерялась я.

— Что ж, привет Сереге.

На этом разговор закончился. Я немного поразмышляла, косясь на телефон. То, что Сашка позвонил, конечно, хорошо, может, стоило с ним разговаривать поласковее?

На следующий день часов с трех я начала готовиться к любовному свиданию. Док не явился и даже не звонил, что позволило не отвлекаться и ко всему подойти вдумчиво. Я имею в виду свой туалет. В 16.15 позвонил Серега.

— Надеюсь, ты не забыла? — спросил настороженно, точно ожидая подвоха.

— Конечно, нет, — пропела я. — Через пять минут выхожу, — и тут вспомнила: — Вчера звонил твой друг. Саша.

— Знаю, — отмахнулся Серега. — Виделись. Давай, я жду.

«И дождешься», — закончила я мысленно. Еще раз взглянула на себя в зеркало и, подхватив сумку, вышла из квартиры.

Восточный район располагался довольно далеко от моего дома, еще минут десять я искала нужную улицу, в общем, по данному мне адресу прибыла ровно в пять. Дом был самый что ни на есть обыкновенный: панельная девятиэтажка, бесконечной стеной тянущаяся вдоль улицы. Впрочем, были свои достопримечательности: огромная ель рядом со стоянкой и несколько любовно ухоженных клумб.

Я нашла нужный подъезд и направилась к лифту. Он не работал, кнопка горела, а движения не наблюдалось. Мысленно чертыхнувшись, я стала подниматься по лестнице, к счастью, квартира Сереги располагалась на третьем этаже. Я подошла к двери и позвонила, заранее улыбнувшись. Очень скоро улыбку пришлось убрать, потому что распахивать дверь никто не спешил. Я позвонила еще раз, потом еще и еще и даже сверилась с цифрами на соседних дверях. Сомнений быть не могло, это та самая квартира, и здесь меня не ждут.

Все-таки это странно. Серега проявлял беспокойство, звонил, следовательно, рассчитывал, что я приду. Возможно, какое-то важное дело заставило его покинуть квартиру, не дождавшись меня, или он отлучился ненадолго, например в магазин.

Я позвонила еще раз и тут поняла, что дверь открыта, то есть не заперта. Я подумала и вошла. Возможно, он в ванной, а дверь нарочно не запер, чтобы я могла войти. Допустить такое вполне логично: человек, стоя в ванной под душем, боится не услышать звонок в дверь.

Ни в какой ванной он, конечно, не был, в квартире тишина, точно на деревенском кладбище. Входную дверь я прикрыла, но запирать не стала, уже почувствовав: что-то здесь не так.

— Сережа, — позвала я испуганно, никто не ответил. Странная все-таки у людей манера назначать свидания. Я немного постояла в прихожей, потом заглянула в кухню. На столе лежали какие-то продукты, стояла открытая бутылка водки и рюмка, вторая в мойке. Выходит, Серега не стал меня дожидаться и выпил в одиночестве. Или нет?

С кухни я вернулась очень быстро и, вздохнув, толкнула дверь в комнату, очень мне не хотелось этого делать, вошла и тут же увидела Сережу. Он лежал на полу между журнальным столиком и креслом в фиолетовом с белыми полосами махровом халате. Халат задрался при падении, и тело выглядело неприятно, вульгарно и даже смешно. Хотя смешного тут было мало, потому что парень был мертв. Я поняла, что Серега умер, раньше, чем заметила кровь. Кажется, стреляли в грудь. Белые полосы халата в этом месте стали грязно-бурыми, на лицо я старалась не смотреть. Он лежал на боку, откинув левую руку далеко в сторону, глаз вроде бы открыт. «Черти меня сюда притащили», — подумала я, пятясь к двери, и в этот момент совершенно отчетливо услышала скрип входной двери, а потом шаги. Мой желудок быстро совершил переворот и упал куда-то вправо. А я попыталась сообразить, где спрятаться, потому что к этому моменту уже поняла: в квартиру вернулись убийцы. Спятили они, что ли? Спятили или нет, а я сейчас улягусь рядом с Серегой, если буду стоять, как пень. Я шарила глазами по югославскому гарнитуру и ждала озарения, а шаги приближались.

«Балкон, — решила я. — Если что, начну орать... С него они меня и скинут...» — что называется, утешила, но другого выхода, пожалуй, не было, и я юркнула на балкон. Балконная дверь распахнута, но задернута плотной шторой бордового цвета. Видимо, перед кончиной Серега старательно готовился к нашей встрече.

Только я выпорхнула на балкон и прижалась к стене, точнее, попыталась с ней слиться, как в комнату вошли двое парней. Я их не видела, но хорошо слышала.

— Ну и где он? — спросил один.

— Откуда я знаю? Ищи. На полу, наверное.

Они принялись ползать, а я чуть расслабилась и решила, что в обморок падать не стоит: балкон их не интересовал.

— Черт, где же он? — через несколько минут начал злиться один из гостей.

— Заткнись и ищи, — ответил другой. — И перестань нудеть.

— Куда он мог упасть, а?

— Куда угодно.

— На полу вроде все осмотрели. Может, под этим? — Мысль второму парню показалась интересной.

— Давай оттащим его в сторону, — предложил он. Послышался шорох, какая-то возня, парень зло матюгнулся и сказал: — Кровищи сколько...

В этот момент со стороны проспекта раздался вой милицейской сирены, он приближался, через несколько секунд во двор влетела машина и лихо затормозила возле нашего подъезда. Парни тоже услышали сирену и замерли как по команде.

— Сюда, что ли? — спросил один.

— А то... Видать, кто-то что-то услышал и позвонил.

— Спятил, что ли, чего услышал?

— Да пошел ты... Лучше скажи, что будем делать?

— Сматываться, не хватает только, чтобы нас здесь менты повязали.

С этими словами оба бросились к входной двери, а я на цыпочках выпорхнула с балкона. Последнее замечание показалось очень дельным, встреча с ментами и мне не улыбалась. Однако то, что искали парни, очень заинтересовало и меня. Не худо бы пошарить. Но... не судьба, одним словом. Я проходила мимо дивана и машинально оглядела его, и тут что-то сверкнуло возле подлокотника, а я замерла в предчувствии удачи. Обивка дивана была ярко-желтого цвета, и я вряд ли бы что заметила, но штора на балконной двери теперь была сдвинута, и солнечные лучи падали на диван, в общем, мне повезло. С сильно бьющимся сердцем я протянула руку, схватила перстень и бросилась к двери. «Только бы не столкнуться с ментами нос к носу, — в ужасе подумала я. — В гроб вгонят своими вопросами». Распахнув дверь, я убедилась, что на лестничной клетке ни души. Снизу доносились голоса: два мужских и женский. Стараясь вести себя естественно, я стала спускаться. На первом этаже возле одной из квартир стояли двое милиционеров и женщина, должно быть, хозяйка квартиры. Я поздоровалась и быстро прошла мимо.

Дышать начала только на улице, но через пять минут перепугалась еще больше. Куда делись парни, которые искали перстень? Я бы на их месте не рискнула спускаться вниз, а поднялась на пару этажей и немного переждала. А вдруг они меня видели? О Господи. Я села в машину и завела мотор. Посидела, понемногу успокаиваясь, и тут заметила двух типов, они торопливо вышли из соседнего подъезда. Наверное, мои. На одном точно была красная рубашка. Значит, ребята решили не рисковать и выбрались через крышу, так что меня вряд ли видели.

Парни подошли к светлой «Альфа-Ромео», на вид сущей развалине, устроились в ней, но уезжать не спешили. Очень им нужен был перстень. Куда и по какой причине прибыла милиция, они не знали и решили выждать. Если повезет, можно будет вернуться в квартиру и еще раз как следует ее обыскать.

Хотя в разговорах они не упомянули, кому принадлежала потерянная вещь, но мне-то их разговоры ни к чему. Поверить в такое было трудновато, потому как выходило, что дружка завалил не кто иной, как Сашка Монах, при этом впопыхах лишившись перстня. Сам возвращаться не рискнул, а может, вид убитого кореша вызывал отрицательные эмоции, вот он мальчиков и отправил. Мальчикам не повезло, чего не скажешь обо мне. Кто бы ни вызвал милицию, человек этот заслуживал, чтобы я ежедневно поминала его в своих молитвах.

Дрожащей рукой я извлекла находку. В квартире я не разглядела перстень, не до того было, теперь он вызвал любопытство, но тут же разочаровал: самый что ни на есть обыкновенный. Черный камень, кажется, агат и маленький бриллиант. По-моему, такой перстень отнюдь не редкость. Потратив немного времени, Сашка мог бы отыскать похожий в магазинах, торгующих золотом, и рисковать бы не пришлось.

Я стала вертеть перстень и так, и эдак, и смогла-таки докопаться до причины Сашкиного беспокойства. На внутренней стороне отчетливо проглядывали буквы «А.З. от Л.»; А.З. — Сашкины инициалы, а Л. — какая-нибудь подруга. Конечно, если перстень окажется в милиции, Сашке придется туго, вещь не антикварная, но убедить, что у кого-то похожие инициалы и любимая на букву Л., будет довольно трудно, а дружки и вовсе в такое совпадение не поверят, в этом случае Монаху не позавидуешь. Если Орлов не напутал, покойный Серега — любимец одного очень серьезного человека в нашем городе, надо полагать, его кончину тот примет близко к сердцу и у Монаха начнутся неприятности. Сашка может сказать, что был у дружка накануне и перстень потерял, перебрав лишнего, но лично я усомнилась бы, расскажи он мне такое, а его знакомые и вовсе люди недоверчивые. В общем, как ни крути, а перстень — серьезная улика, и эта улика — у меня на ладони. Только вот как ее использовать?

Я спрятала находку в сумочку и стала думать, что делать дальше. Первое, что пришло в голову, бежать отсюда без оглядки. А вдруг парням в «Альфа-Ромео» это покажется подозрительным? Нет, лучше еще немного посидеть. А если они меня уже заметили? Тогда мое непонятное сидение в машине вызовет еще большее подозрение. Вот черт, лучше вовсе не думать об этом... Тут подъездная дверь распахнулась, и я увидела милиционеров, сейчас между ними шел парень лет двадцати пяти с длинными всклокоченными волосами, он громко матерился, а сзади брела женщина и монотонно повторяла:

— Юра, что ты наделал?

Что натворил Юра, я так и не узнала. Его загрузили в машину, и она через полминуты скрылась за углом, а женщина смотрела ей вслед и вытирала лицо цветастым фартуком.

Как только машина уехала, ребята бросились к подъезду, а я, дождавшись, когда они исчезнут, рванула с места, точно сумасшедшая. Дома спрятала перстень в тайник и задумалась. С такой уликой в кармане прямо-таки руки чешутся, а вот интересных идей нет.

Я прошлась по комнате, выпила подряд две чашки кофе, и идея наконец появилась. Не идея даже, а так, мысль. Но это лучше, чем ничего.

Я извлекла на свет Божий записи, которые делала во время разговора с Орловым, и внимательно их прочитала. Вот если бы я подружилась с Владимиром Ивановичем Петровым, по кличке Папа, могло бы выйти кое-что интересное. Вопрос, как до него добраться? Из рассказа Орлова следовало, что живет он уединенно, в большом загородном доме, район, между прочим, очень неплохой, люди там селились в основном далеко не бедные. Как-то раз я проезжала в тех краях на машине, и окружающее произвело на меня немалое впечатление. Не дома — дворцы. Один особенно запомнился: огромный, в три этажа, с двумя круглыми башнями из красного кирпича, черепичной крышей и стрельчатыми окнами. Надеюсь, это все-таки не Папин особняк, человек с такой фантазией внушал бы мне беспокойство. Ладно, оставим пока Папину фантазию и займемся его биографией. Она у него примечательная. Так... про жену ничего нет, но предполагается, что когда-то она была. Поскольку Папа имел дочь, появиться на свет сама по себе она не могла... Стоп... Дочь умерла в возрасте четырнадцати лет от белокровия. Надо же... Девчушка долго болела, Папа в очередной раз освободился из тюрьмы, чтобы через месяц ее похоронить. Сейчас ей было бы примерно столько же лет, сколько и мне. Отец ее очень любил. Отлично. Хорошо бы раздобыть портрет девочки или разжиться словесным описанием.

Я потянулась к телефону. Услышав мой голос, Орлов ничем не проявил свою радость.

— Евгений Петрович, — начала я. — Помнится, ты рассказывал, что у некоего Папы была дочь, а нельзя ли увидеть ее фотографию?

— Можно, на кладбище, — серьезно ответил он. — Там бюст на могиле и еще портрет под стеклом. Интересуешься?

— Очень. А как она выглядела? Брюнетка, блондинка?

— Понятия не имею. Знаю, что Папа часто навещает ее могилу, про бюст знаю, а вот остальное...

— Как же я отыщу ее могилу, кладбище большое...

— Отыщешь. По центральной аллее до первого поворота и налево, там где-то совсем рядом... Слушай, а зачем тебе?

— Хочу подружиться с Папой, — ответила я.

— Серьезно? — Орлов вроде бы не поверил.

— Конечно. Евгений Петрович, а нельзя ли меня как-нибудь пристроить к нему поближе? Например, поселить в один из домов по соседству?

— Ты в своем уме? — обиделся он. — Что там за дома, ты знаешь? Могу попытаться пристроить тебя прислугой. Говорят, платят прилично.

— А это неплохая идея, — подумав, ответила я.

— Ты точно спятила...

— Слушай, а где его жена?

— Они развелись еще при жизни дочери. У нее вроде бы другая семья, не помню... могу узнать, если тебе это надо.

— Надо, — вздохнула я. — Еще как надо. Все, что касается Папы...

— Я бы на твоем месте не стал лезть на рожон, — заметил Орлов ворчливо. На меня ему, конечно, наплевать, но карьерой он дорожил.

Мы простились, и я опять задумалась. Завтра утром съезжу на кладбище, а пока не мешает позвонить покойному Сереже. Трубку сняли почти сразу, и мужской голос произнес:

— Да.

— Сережа? — пропела я.

— Кто это? — спросили в ответ, а я повесила трубку. Вряд ли его ребята до сих пор там рыщут, да и болтать по телефону им вроде бы ни к чему, значит, пожаловали господа из милиции. Может, стоит намекнуть им, кто убийца? К Монаху у них большие претензии. Нет. Слишком это просто, и для меня нет ничего интересного. Жизнь и так скучна и однообразна, я просто обязана время от времени делать себе подарки.

Пока я ломала голову, как украсить жизнь, позвонил Орлов, начал без предисловий:

— Его жена умерла восемь месяцев назад, рак горла. От второго брака у нее сын. Семнадцать лет. Он тебя интересует?

— Нисколько, — ответила я и похвалила Евгения Петровича за оперативность.

Проснулась я рано и, с трудом дождавшись восьми часов, отправилась на кладбище. Утро выдалось прохладным, солнце проглядывало как-то робко, а ветер был неприятным.

Мне потребовалось больше часа, чтобы добраться до кладбища. Я купила цветов у торговки возле центральных ворот и пошла по аллее. Орлов был прав, найти нужную могилу оказалось легко. Ее окружала крепкая металлическая ограда, хоть и было это запрещено, вдоль ограды цветы в стеклянных вазах, цветы выглядели довольно свежими, значит, могилу не так давно посещали. Бюст из черного мрамора. Не знаю, был ли он похож на покойную, но мне о ее внешности ничего не сказал, кроме одного: девочка заплетала две косички. Слава Богу, фотография тоже была. Я присела на скамью напротив и стала ее рассматривать. Худенькое личико, светлые волосы, грустные глаза. В принципе, если немного похудеть и напустить в глаза печали... Конечно, мне не четырнадцать, и на фото я в любом случае не похожа, но и девчушка сейчас заметно бы выросла. Попробовать стоит. Я взглянула на мраморную плиту... «Моей любимой доченьке», далее шло трогательное четверостишие. В целом мне понравилось. Должно быть, Папа в душе сентиментальный человек. Для меня это весьма кстати.

На обратном пути я навестила мамину могилу, оставила цветы и немного посидела на зеленой травке. Солнце проглянуло между облаков: погода вроде бы налаживалась.

Дома меня ждал сюрприз: Док вернулся, готовил в кухне обед и старательно делал вид, что ничего похожего на ссору позавчера не произошло.

— Ты откуда? — спросил он нерешительно.

— С кладбища.
— К маме ездила?
— Ага, — кивнула я, чтобы не вдаваться в подробности. Док продолжил возню на кухне, прятал от меня глаза и томился. В конце концов не выдержал и спросил:
— Хорошо ли прошло свидание?
— Отлично. Серега Геббельс скончался.
— Как? — опешил Док и даже уронил нож.
— По-моему, от множественных пулевых ранений в область груди и голову... Док, сядь ради Бога. — Я испугалась за его самочувствие и торопливо пододвинула стул. Он сел, моргнул несколько раз, уставившись на меня, а потом остервенело стал протирать стекла очков кухонным полотенцем.
— Ты?..
— Спятил, Док? — тяжко вздохнула я и даже закатила глаза. — На кой черт мне его убивать? Никакой мне от этого пользы.
— Ты догадываешься, кто убил?
— Конечно. Сашка Монах. — Я коротко рассказала о своем приключении.
— И что теперь? — поинтересовался он нерешительно.
— Я еще не придумала. Вот что, Док, я, пожалуй, подамся в прислуги. — Он отчетливо икнул, надо полагать, от неожиданности, а я поторопилась объяснить: — Видишь ли, мне очень хочется познакомиться с Папой, для этого надо как-то зацепиться в его квартале. Купить там дом нам не по средствам, и Орлов подсказал мысль: пойти в услужение к кому-нибудь из «новых».
— Орлов знает о твоей затее?
— Конечно.
— И он... он согласен с тем, что ты задумала?
— Его согласия я не спрашивала. Придется тебе сегодня дать объявление в газету: «Квалифицированная горничная...» и все такое, может, кто и клюнет.

— Варя, — покачал он головой. — Что ты несешь? Делать ты ничего не умеешь...

— Ну, Док... — обиделась я. — С пылесосом я как-нибудь справлюсь...

— И не одна женщина в здравом уме не возьмет тебя в дом прислугой. Посмотри на себя в зеркало. Горничные такими не бывают.

— Я буду выглядеть исключительно скромно. Темный халат, косынка, глазки опущены.

— Чепуха, — отмахнулся он и стал разглядывать потолок, а я ждать. — Ладно, — минут через пять заявил он. — Попробуем решить эту задачу иначе. У меня есть знакомый, адвокат, несколько лет назад у него были проблемы. Если он не забыл, кто я такой, то не откажется посодействовать. У него дом где-то в том районе.

Я притащила из прихожей телефон и поставила перед Доком. Еще раз вздохнув, он набрал номер. Знакомый оказался человеком благодарным и не только сразу вспомнил, кто такой Док, но и с ходу согласился помочь, а мой друг попотчевал его грустной историей: у него сейчас на руках пациентка, нуждающаяся в отдыхе, из города уезжать нежелательно, потому требуется уединенный дом где-нибудь в пригороде, лучше, если с садом, срок — пара месяцев, цена значения не имеет. Конечно, место должно быть тихим, а народ вокруг нелюбопытным. Адвокат раздумывал пару минут.

— Могу предложить один дом на улице Пирогова, это по соседству со мной, хозяева, мои клиенты, сейчас в Испании, вернутся в конце августа. Думаю, обо всем договориться не составит труда.

— Огромное спасибо, — сказал Док и даже руку приложил к сердцу, точно Валерий Васильевич, так звали адвоката, мог его видеть.

— Я позвоню завтра, часиков в десять, — пообещал тот. — К этому времени все будет решено.

Док еще раз поблагодарил приятеля и простился, потом уставился на меня.

— Ты гений, — заявила я. — Улица Пирогова — это как раз то, что нужно.

— Варя, ты сумасшедшая... Извини... Допустим, мы будем жить в одном квартале с этим мафиози, и что? За два месяца ты можешь ни разу не увидеть его.

— Это мы посмотрим, — не поверила я. — Что-нибудь обязательно придет мне в голову, главное, чтобы мое появление там не выглядело особенно подозрительно. Ты все сделал правильно: дом на Пирогова предложил сам адвокат, мы, так сказать, в соседи мафиози не напрашивались.

— Варя, я не понимаю, что ты задумала... — покачал Док головой.

— Немного повеселиться, — ответила я, посидела, раскачивая ногой и с увлечением разглядывая узор на стене, после чего спросила: — Док, ты ведь играешь в шахматы?

— Играю.

— Хорошо?

— По-моему, прилично.

— Придется тебе обучить меня этой премудрости.

— О Господи, Варя, как можно играть в шахматы с тобой?

— Видишь ли, это любимая игра Папы. А я знаю только один ход: е2, е4. Еще помню, что в шахматах есть конь и пешки, и король с королевой тоже есть. По-моему, все. В общем, иди в магазин и купи шахматы.

— Прямо сейчас? — вздохнул он.

— Желательно сейчас.

— Закончу готовить и схожу, — согласился Док.

Обедать я отказалась, чем насторожила Дока.

— Что еще за новости?

— Я худею.

— Ты? — удивился он. — Зачем тебе худеть, скажи на милость?

— У меня чересчур круглая физиономия.

— У тебя самое красивое личико на свете.

— Возможно, но оно так и пышет здоровьем, а ты возникнешь на Пирогова с пациенткой, у которой со здоровьем проблемы. Док, все должно быть натурально, поэтому я, так же как ты, перехожу на салаты, и, ради Бога, убери из холодильника все мясное, у меня не сила воли, а пластилин.

Отобедав в высшей степени скромно, мы занялись шахматами. Игра меня увлекла, и мы просидели за столом часов до шести. Примерно в это время позвонил Монах.

— Привет, — произнес он ласково. Большой скорби от потери друга в голосе не чувствовалось, скорее наоборот. — Давно Серегу не видела?

— А что? — в свою очередь задала я вопрос.

— Он убит.

— Когда? — изображать удивление я сочла излишним.

— Вчера, где-то около пяти.

— Ужасно. — Я на всякий случай шмыгнула носом.

— Пойдешь на похороны? — спросил он.

— Ни за что. Я не люблю похороны. К тому же мы были знакомы всего несколько дней... О том, кто это сделал, что-нибудь известно?

— Кто убил? — уточнил Сашка.

— Да.

— Ищем.

«Ты найдешь», — мысленно съязвила я.

— Слушай, почему бы нам не встретиться и не поговорить?

— О чем? — теперь я насторожилась.

— Так... всегда найдется о чем.

Выходит, Сашка что-то пронюхал. Неужели парни меня видели? Придется с ним встретиться.

— Хорошо. Заезжай за мной через пару часов, вместе поужинаем. — Тут я вспомнила, что я на диете, и принялась мысленно чертыхаться.

Монах возник в нашем дворе в половине восьмого. Он восседал за рулем огромного пятидверного «Форда», выглядевшего чрезвычайно внушительно. Если б Сашка еще догадался помыть свой здоровущий джип, тому и вовсе цены бы не было. Несмотря на хорошую погоду, машина была такой грязной, что даже цвет не вполне угадывался.

Сашка посигналил, а Док забеспокоился.

— Все-таки поедешь?

— Конечно, этот сукин сын что-то заподозрил, я должна об этом знать.

— Если он что-то заподозрил, ехать с ним в высшей степени неразумно.

— У меня в сумке газовый баллончик. — Док усмехнулся, а я добавила: — Я не буду дожидаться начала военных действий: одна мысль Монаха, направленная против моей безопасности, и я пущу оружие в ход.

Сашка встретил меня ослепительной улыбкой и даже не поленился выйти из машины, с тем чтобы распахнуть передо мной дверь и устроить с максимальными удобствами. Ни одной злодейской мысли я в нем не обнаружила.

Через полчаса мы уже сидели в ресторане за столиком на двоих. Сашка продолжал улыбаться и смотрел на меня с удовольствием. Я старалась изо всех сил, говорила ласково и в меру возможностей демонстрировала достоинства своей фигуры. Он увлекся созерцанием, мысли, роящиеся в его мозгу, полностью соответствовали ситуации. Однако где-то через час он вдруг спросил:

— Вы с Серегой давно не виделись?

— Пару дней, — легко ответила я, давая понять, что разговор об убиенном не очень меня занимает.

— Вроде бы он говорил, что вы вчера собирались встретиться.

— Да. В пять часов, но он не приехал, — сказала я, убрав с лица улыбку.

— А разве не ты должна была приехать к нему?

— Я? — продемонстрировав бездну удивления, я нахмурилась и покачала головой: — Нет, конечно, с какой стати?

Итак, ребятки перстень в квартире не нашли, и Монах вполне логично заключил, что я могла там побывать и обнаружить то, что они искали с таким усердием.

— Ужасная трагедия, — загрустила я. — Конечно, мы были едва знакомы, но это убийство буквально выбило меня из колеи.

Сашка сверлил меня взглядом и силился что-то прочитать в моем лице, утомился, грязно выругался (мысленно), высказал целый ряд пожеланий в мой адрес (тоже мысленно) и принялся гадать: если перстень все-таки у меня, как я могу его использовать? Я бросила взгляд на его руки, перстень на пальце отсутствовал, выходит, у него хватило ума не покупать новый. Наверное, уже успел шепнуть при случае, что потерял ценную вещь, а где, не знает.

Сашка разлил шампанское, и мы выпили еще, за это время он решил подойти к вопросу с другой стороны и запел:

— Отлично выглядишь. Этот цвет тебе очень к лицу.

— Правда? — обрадовалась я.

— Конечно. И серьги тебе идут необыкновенно... Это ведь Серегин подарок? Мы вместе выбирали...

«Вот сукин сын».

— Неплохие сережки, — согласилась я, хмуря брови, в конце концов говорить о чужих подарках неприлично.

— Уезжать не собираешься? — спросил он.

— Наверное, придется, — решила я его успокоить и вздохнула очень выразительно: — Скажу откровенно: делать мне этого не хочется. Но мужу надоело, что мы живем врозь.

— А чем он занимается?

— О Господи, почему тебя это интересует? Лучше пригласи меня танцевать.

Он пригласил, я прижалась потеснее к своему кавалеру, надеясь направить его мысли в нужное русло.

— Поедем ко мне, — прошептал он с большим чувством, а я грустно улыбнулась и покачала в ответ головкой.

«Сучка продажная», — решил Сашка, ласково мне улыбаясь, а я поспешила добавить:

— Не сегодня. Мне будет трудно объяснить своему другу долгое отсутствие.

— Кто он, этот твой друг?

— Ну вот, опять вопросы, — обиделась я, в этот момент музыка кончилась, и мы пошли к столу, я сделала пару шагов и едва не споткнулась, в нескольких метрах увидев Ирку, бывшую подругу и коллегу по школе. Этого только не хватало: сейчас кинется с вопросами, и мне придется несладко. К счастью, Ирка была сильно навеселе, выглядела какой-то измученной, постаревшей, а меня узнать не пожелала, скользнула взглядом по моему лицу, задержалась на платье и перевела тоскующий взор на Сашку. Выглядел он звездой американского кино, а Ирка отдыхала в компании двух подружек и недомерка кавказской национальности.

Я с облегчением вздохнула, но беспокойство вскоре вернулось. Пожалуй, таскаясь по злачным местам, следует быть осторожной, не ровен час нарвешься на знакомых. До сих пор мне просто везло, но судьба — дама капризная.

Еще с час я смогла высидеть в ресторане. Как на иголках, косилась на Ирку, а Монаха слушала вполуха. Он активно интересовался моим прошлым: откуда я, где жила, где училась? Если он всерьез займется моей особой, вранье мне только во вред, и я по возможности отвечала правду: родилась в этом городе, потом уехала в Москву, там вышла замуж, а сюда вернулась ненадолго, повидаться с родственниками и друзьями. Неизвестно почему, но Сашка упорно не желал верить ни одному моему слову, это было даже обидно.

Я разозлилась и сказала совершенно неожиданно:

— Мне пора.

Монах немного растерялся, до этой минуты он был твердо уверен, что вечер мы закончим в его постели, и вдруг такая незадача. Продолжая болтать о моей красоте, он повел меня к машине, должно быть, до конца надежды не теряя. Ехать с ним было небезопасно, но другого выхода я не видела.

— В чем дело, а? — резко спросил он через некоторое время. Я упорно смотрела в окно, хмурилась и молчала.

— Все нормально, — зло бросила я.

— Не говори ерунды. Ты улыбалась, шутила и вдруг свернулась, точно еж, выставив все иголки.

Я подумала и ответила, с заметным трудом подбирая слова:

— Я понимаю: у тебя погиб друг, ты переживаешь и, надо полагать, именно поэтому ведешь себя, точно следователь. Бесконечные вопросы: кто я и что я? Вынуждена тебя разочаровать: мне об убийстве ничего не известно. О том, что Сережа погиб, я узнала от тебя. Мы не были близки, и своими тайнами он со мной не делился. Так что умерь свой пыл. И еще: не могу сказать, что это был самый приятный вечер в моей жизни. А жаль.

Сашка, резко затормозив, прижал машину к тротуару и повернулся ко мне:

— Варя... честное слово, я даже не думал...

Актер Монах неплохой, сцена сыграна убедительно и даже талантливо, не знай я его мыслей, с ходу бы поверила и кинулась на шею. А взгляд, а вздох, а эта робкая улыбка. Кому же придет в голову, что он самый что ни на есть мерзавец. Вчера застрелил лучшего дружка, а сегодня сильно озабочен тем, что эта неприятная история выйдет наружу.

Он протянул руку, коснулся моего плеча, а потом легонько притянул меня к груди.

— Извини, — потупя глазки, пролепетала я. — Мне показалось... Я просто... мне стало обидно, что вовсе не я тебя интересую. И это неожиданное приглашение...

— Это я виноват, — обрадовался Сашка.

«На кой черт подался в бандиты, в роли романтических героев ему б цены не было».

— Мы с Серегой дружили с детства, и я немного не в себе... но я вовсе не хотел тебя обидеть... — В этом месте он запечатлел на моих губах поцелуй, а я потянулась навстречу любимому. Лирическая сцена длилась минут десять. Сашка решил продолжить ее в своей квартире, порадовавшись в очередной раз, что бабы — дуры и я при умелом подходе через полчаса все ему выложу. Обидно то, что он прав. Выложила бы, как миленькая, еще бы и счастлива была. Это придало мне прямо-таки нечеловеческие силы, я отстранилась, достала из сумки зеркало, посмотрела на свои прекрасные черты и задумчиво произнесла:

— Ужасная трагедия. Ты знаешь, за что его?

— Нет. Времена такие, что и про себя не скажешь, за что могут убить. — Тут Сашка вспомнил, что он вроде бы бизнесмен, и добавил слегка невпопад: — Бизнес — штука опасная.

— Я ждала твоего звонка, — тихо сказала я, убрав зеркало в сумку. — После той встречи в баре. А позвонил Сережа. И я решила... Конечно, все это ужасно глупо... — Я покачала головой и стала смотреть в окно. — Сегодня, когда ты пригласил меня поужинать, я подумала... Господи, почему все в жизни складывается не так, как хочется! — патетически закончила я, с надеждой глядя в глаза Сашке Монаху.

«Белая горячка, — мысленно констатировал он не без удовольствия. — Ладно, дорогая, я люблю тебя и все такое».

Он обнял меня с большой нежностью и вновь принялся целовать, попутно сочиняя вслух:

— Я искал тебя. Это оказалось нелегким делом: никто ничего о тебе не знал. И вдруг является Серега и говорит: «Я с ней вчера ужинал», да еще с такой улыбочкой, я чуть не свихнулся.

«Должно быть, по этой причине и пришил дружка», — съязвила я тоже, само собой, молча.

— Он дал понять, что вы с ним... Ты понимаешь? Я все-таки решил позвонить. Может, не нашел нужных слов, ты говорила так насмешливо, равнодушно...

— А потом долго плакала, — прошептала я и сделала попытку зареветь, пара слезинок скатилась по щеке, почему-то только из одного глаза. Это нормально или со мной опять творится что-то не то? Сашка целовал мою мокрую щеку, и мы дружно делали вид, что пребываем в блаженстве.

«Господи, какая тоска», — думал Сашка.

«Подожди, родной, я тебя развеселю», — думала я.

Сидеть, перегнувшись набок, неудобно, и я попыталась сократить затянувшуюся сцену. Робко отстранилась и сказала, глядя в лицо Сашке и по возможности светясь изнутри.

— Я, наверное, ужасно выгляжу.

— Ты выглядишь потрясающе! — Это дурацкое слово он изловчился произнести с большим чувством, сказывался опыт и знание женской психологии. Но и я не лыком шита.

— Ты просто меня успокаиваешь. Зареванная женщина не может выглядеть потрясающе (две пролитые слезы давали мне право быть и зареванной, и несчастной).

— Для меня ты всегда прекрасна.

«Мог бы придумать что-нибудь пооригинальнее».

— Я так рада, что мы поговорили...

«Ага, только вот о чем?» — дружно озадачились мы.

— Я просто места себе не находила.

— Я тоже, — похвастал Сашка. — Еще это убийство... — 1:0 в его пользу, ловко вернул разговор к интересующей теме. — Ума не приложу, кто мог это сделать.

«Так и быть, получай утешительный приз».

— Саша, — сжав его руку, трагическим шепотом выдохнула я. — Я должна тебе сказать... Все было не так...

— Ты что-то знаешь?

На что Сашка талантище, а сорвался, реплика невпопад и взгляд чересчур заинтересованный. Ладно, я влюбленная дура с плохими рефлексами, ничего не вижу, кроме его божественных глаз.

— Саша. — Я села прямо, потому что уже кололо в боку, но Сашкину руку из ладоней не выпускала. — Сережа был... не очень хорошим человеком. Ужасно, что я говорю это тебе...

«Ближе к телу, детка, так мы до завтра не кончим», — подумал он, а вслух спросил:

— Что ты имеешь в виду?

— Я не хотела с ним встречаться, и тогда он... в общем, стали происходить неприятные вещи: у меня пропала машина, потом кто-то избил Дока...

— Это твоя собака? — ласково поинтересовался Сашка.

— Нет, это мой друг, — торопливо ответила я, а он в очередной раз решил: «Белая горячка».

— Мой друг врач, я зову его Док, сокращенно от доктора, хотя это, конечно, неправильно, потому что он не доктор, а врач.

«Она меня с ума сведет, — затосковал Сашка. — Расскажи мне про Геббельса, дорогуша, я тебе сладенького куплю».

— Избили твоего друга? — напомнил Монах, а я кивнула:

— Да. И все это время Сережа звонил и говорил мне ужасные вещи: если я не встречусь с ним, произойдет что-нибудь похуже. Я не знала, что мне делать, хотела обратиться в милицию, но Док сказал, что это бесполезно. Так продолжалось довольно долго. Сережа то угрожал, то заваливал меня цветами. А потом эти серьги.

«Наконец-то».

— Мне принесли их вместе с огромным букетом, а через несколько минут позвонил Сергей и каким-то совершенно невозможным тоном заявил, что я должна к нему приехать. Я поняла, что так продолжаться не может...

«Ага, схватила подарок, воткнула в уши и бросилась со всех ног, задрав подол».

— Я солгала тебе, — голосом обиженного ребенка сказала я и мысленно чертыхнулась: «Я же сейчас роковая женщина, куда меня несет? Ладно, и так неплохо». — Я действительно должна была приехать к нему в пять часов.

— Ты что-то видела? — заторопил он.

«Какой несдержанный молодой человек».

— Нет, — испуганно ответила я. — Я приехала в пять. Дважды позвонила. Мне никто не открыл. Я так обрадовалась и бросилась домой.

— Не заходя в квартиру?

— Ключей у меня не было, — удивилась я. — Мы договорились, что он будет ждать, зачем мне ключи?

— Да, — согласился Сашка. — И что дальше?

— Ничего, — расстроилась я. — Он не звонил, и я обрадовалась, что он наконец оставил меня в покое. И вдруг ты... Как по-твоему, я должна пойти в милицию?

— Нет. — Сашка трогательно прижал меня к груди, и мне вновь пришлось принять неудобную позу. — Я не хочу, чтобы кто-то знал о том, что ты была возле его квартиры. Это может быть опасным.

— Я так рада, что решилась рассказать об этом, — мурлыкнула я.

— Ты поступила правильно, — согласился Сашка. — Твой рассказ меня не очень удивил, — через минуту с грустью заметил мой кавалер. — Я и раньше замечал за Серегой, в общем, до благородного героя ему было далеко. Он привык добиваться своего любыми способами... А этот твой доктор, он не мог его...? — выдал Сашка ценную идею.

«Очень умный, да?»

— Что ты говоришь, Саша? — ахнула я. — Док ничего не знал, ни адреса, ни времени, когда мы встречаемся...

— Даже не знаю, на кого подумать, — вздохнул он. — И все же твоего Дока не стоит убирать со счетов. Если бы я был на его месте, вполне мог бы придушить мерзавца, который тебя преследует.

— Но Док вовсе не на твоем месте, — дважды хлопнув глазами, удивилась я. — Ты не понял, он мой друг...

— Э-э... — Сашка попытался выразить свою мысль по-джентльменски, но, кроме мычания, ничего не вышло. — Вы ведь живете вместе? — наконец выпалил он.

— Да... — Я опять хлопнула ресницами и тут же густо покраснела. — Боже мой, ты ничего не понял... Док вовсе не мой любовник, говорю тебе, он врач.

«И в чем разница?» — озадачился Сашка и пробубнил:

— Я подумал, вы живете вместе...

— В общем-то, у него есть своя квартира, но он много времени проводит со мной. Он мой лечащий врач и считает, что пока еще мне необходимо быть под присмотром. Особенно весной, когда происходит обострение.

«Что ж у деточки за болезнь такая?»

— Что-то серьезное? — испугался он.

— У меня бывают нервные срывы, — ответила я. — Я перенесла тяжелую травму и с тех пор нуждаюсь в постоянном лечении. Док говорит, что я практически здорова, но лучше не рисковать.

«Она чокнутая, — обрадовался Сашка. — Е-мое, как же я сразу не догадался? Ладно, на стенки не бросается — и то хорошо, баба красивая, а психи незаразные».

Успокоившись, он поцеловал меня с большой страстью. Своего я добилась, Сашкин интерес ко мне носил теперь ярко выраженный физиологический характер. Вряд ли он спозаранку бросится узнавать, кто я и откуда. А если не ровен час узнает, что ж, не беда: обо мне все газеты писали, и вас, молодой человек, я начисто забыла по той причине, что меня долго и упорно били по голове.

— Сашенька, — прошептала я, — мне пора домой.

— Домой? — не понял он.

— Да. Я сейчас прохожу курс лечения, мне нельзя опаздывать.

«Сам сдуреешь с этими психами», — решил Сашка и завел мотор, ласково шепнув:

— Конечно, дорогая.

В десять утра позвонил приятель Дока, сказал, что дела с домом улажены, можно взглянуть на особняк. Док уехал и вернулся часа через два.

— Ну как? — спросила я.

— Тебе должно понравиться, — пожал он плечами. — Деньги совершенно сумасшедшие.

— Деньги — ерунда, — попробовала я его утешить. — Как понадобятся, так сразу и отыщем.

— Все-таки я не совсем понимаю, что ты задумала?

— План в стадии разработки, — серьезно сказала я и поинтересовалась: — Когда можно переезжать?

— Хоть сегодня.

— Значит, собираем вещи.

Сборы заняли немного времени, Сашке я оставила сообщение на автоответчике: «Сашенька, мне пришлось срочно уехать. Я люблю тебя». Кратко и по существу. Монах мне был сейчас без надобности, более того, мог помешать моей затее, а если задуманное удастся осуществить, тогда можно будет вспомнить и о перстне.

Загрузив в машину вещи, мы отправились на новое

место жительства. Данный район произвел благоприятное впечатление: чистота, уют и пахнет большими деньгами. Конечно, встречались вполне скромные дома, в два этажа, с гаражом в полуподвале на две машины, верандой, балконами и кустами роз под окнами, но были и дворцы. Я вертела головой направо и налево и восторженно тыкала пальцем за окно, пытаясь привлечь внимание Дока, точно он сам ничего не видел. Док в ответ на мой восторг хмурился, чужое богатство его почему-то раздражало.

Не успела я вдоволь налюбоваться местными достопримечательностями, как мы затормозили перед металлическими воротами. Из-за высоченного забора дом просматривался плохо.

— Нам сюда? — спросила я, и Док в ответ кивнул.

Через пару минут я уже носилась по временному жилищу. Дом не выглядел слишком скромно, но не был и дворцом. Я насчитала восемь комнат, пять подсобок (мастерская, прачечная, две кладовки и котельная), назначение еще трех помещений осталось для меня загадкой: две совершенно пустые комнаты без окон, пятнадцать на три метра (я не поленилась и сосчитала шаги), и одна с какими-то набросанными в ней железками. Комнату с железками я назвала пыточной, а две пустых — карцерами. Моя фантазия вызвала у Дока прилив отрицательных эмоций, между бровей залегли морщины, а взгляд, обращенный ко мне, стал озабоченным.

Покончив с домом, я выпорхнула в сад, он ничем не поразил: несколько плодовых деревьев, зеленая травка, кусты вдоль забора. Забор внушал уважение: кирпичные столбы и металлические штыри, устремленные в небо, очень напоминающие пики.

— Больших денег стоит, — кивнула я и пошла обживать пространство со стороны улицы.

Наш дом значился под номером двадцать семь и стоял предпоследним в ряду, улица была двухсторонней только до двадцать третьего дома, далее шел перекресток и дома только по нечетной стороне, потом сады, кирпичные гаражи и овраг. Место тихое и в целом мне понравилось.

Оставалось узнать, как далеко я нахожусь от интересующего меня дома, я пошла переулком и вскоре с радостью могла констатировать факт, что нужная мне улица проходит параллельно той, где мы поселились, а через десять минут, разобравшись в номерации домов, я прямо-таки обалдела от счастья, потому что господин Петров по кличке Папа, с которым я мечтала свести знакомство, оказался моим соседом, то есть его частная собственность соприкасалась с собственностью, временно перешедшей ко мне, и разделяла эти две собственности довольно прозрачная ограда. Повизгивая от восторга, я вернулась в дом.

Док сидел на крылечке и выглядел несчастным, это меня возмутило, потому что дела складывались как нельзя лучше и чья-то кислая физиономия вызывала протест.

— Нам повезло, — решила я его приободрить. — Этот Папа наш сосед. Из сада без проблем можно попасть в его сад.

— Ты мне так и не сказала, зачем тебе это, — вздохнул Док.

— Я обязательно расскажу, как только придумаю, — заверила я и пошла выбирать себе комнату. Док с легким вздохом направился следом. Поразмышляв немного, мы устроились в двух комнатах, они сообщались между собой через общую ванную, а моя имела выход на веранду. Остальные комнаты нам были ни к чему, мы поплотнее закрыли в них двери и решила забыть о них.

Следующий день не принес в мою жизнь ничего особенного. В основном я занималась тем, что худела, поминутно смотрела на себя в зеркало и могла констатировать на редкость здоровый вид своей физиономии. Пришлось совершенно отказаться от еды, сосредоточившись на чае. Через три дня объявилась некая худоба и болезненность, скорее из-за голодного блеска в глазах, но это лучше, чем ничего, я порадовалась и занялась гардеробом: у меня появились узенькие брючки, трикотажные кофточки в обтяжку и простенькие юбчонки, едва прикрывавшие мой зад. Никакой косметики, конский хвост на затылке (заплести две косы я поначалу не рискнула). От роковой женщины ничего не осталось, теперь я могла смело лезть через ограду.

Но просто так не полезешь, поэтому Док съездил на рынок и привез котенка, совершенно черного и невероятно ушастого. Извлекая его из сумки, Док заявил:

— Ну вот, новый жилец пожаловал.

Котенок стал Жильцом, впоследствии имя его было сокращено, и называли его Жиля или Жилька. Именно благодаря ему я рассчитывала попасть на вражескую территорию.

Два дня ушло на разведку. Я лежала в траве с биноклем и наблюдала за соседним домом, точнее, за садом, дом почти не просматривался. Мои старания и терпение были вознаграждены: один раз я увидела мордастого парня, он мочился под яблоней, весело насвистывая, потом обнаружила его в компании с другим, таким же мордастым, они играли в волейбол, дважды я видела мужчину средних лет, прогуливающегося с доберманом. Кстати, доберман в саду в одиночку никогда не бегал, и это внушало определенные надежды.

В одно расчудесное утро, минут пять потолковав с Господом (толковала в основном я, но под конец пятой минуты мне показалось, что Господь вполне отчетливо произнес: «Валяй»), я решительно зашагала к ограде, сунув Жильца в карман своего желтого сарафана. На голову напялила соломенную шляпу, чтобы две нахальные косы не так бросались в глаза, худоба и нездоровый, точнее, голодный блеск глаз намекали на притаившуюся в недрах моего организма тяжелую болезнь.

Упершись носом в ограду, я понаблюдала за вражеским садом и, убедившись, что он пуст, попробовала пролезть между прутьями. Голодала я не зря, и это мне удалось, проблема возникла только с головой, шляпу я, конечно, сняла, но, на какое-то время застыв в очень неприятной позе, испугалась, что останусь без ушей.

Уши были при мне, а я на вражеской территории. Еще раз огляделась и выпустила котенка. По замыслу он должен был весело скакать в направлении дома, где жил Папа, а я бежать за ним с громкими криками: «Жиля!» и «Кис-кис!»

Однако подлое животное вопреки моим замыслам сразу же юркнуло обратно в наш сад.

— Иди сюда, — разозлилась я и зловещим шепотом стала подзывать котенка: — Кис-кис. Ну иди сюда.

Котенок, отскочив на метр от ограды, сел, полизал лапу, отчетливо мяукнул и замер, щуря на солнце медовые глазки.

Еще раз рисковать ушами я не могла, потому, просунув руку вместе с плечом сквозь прутья, перешла на жалобный шепот и попыталась привлечь кошачье внимание. Голову пришлось держать вывернутой чуть ли не на 180 градусов, поэтому я не могла видеть, что там вытворяет животное. Как выяснилось, животное ничего не вытворяло, оно продолжало сидеть в той же позе, наблюдая за мной с некоторым недоумением.

— Черт, — выругалась я и полезла за ним. Дождавшись, когда я окажусь рядом, с лицом, багровым от гнева и массой невысказанных претензий, подлый кот сделал три прыжка и очутился по ту сторону ограды. Я кинулась следом, боясь, что он чего доброго передумает, и я состарюсь, так и не осуществив свой замысел.

Котенок отбежал на несколько метров от ограды и лег в траве. Я топнула ногой, с намерением спугнуть его и заставить бежать дальше, он обиделся и отвернулся. Тут ветки соседних кустов раздвинулись, и я увидела мордастого парня в клетчатой рубашке.

— Ты чего здесь? — спросил парень.

— Здравствуйте, — проблеяла я. — У меня котенок удрал, а я знаю — у вас собака...

— Ты соседка, что ли? — хмыкнул парень.

— Да, — обрадовалась я. — Вот из этого дома. Вы собачку, пожалуйста, не выпускайте, я сейчас котенка найду, он не мог далеко убежать, совсем маленький еще.

— Какого цвета?

— Черный.

Я встала на колени и принялась жалобно звать:

— Кис-кис.

— Мяу, — ответил Жиля, а парень замер, навострив уши.

— Мяучит где-то.

— Да он здесь, здесь, — заверила я, отползая подальше от места дислокации животного. Кот весело прыгнул следом. — Ну не мерзавец ли ты? — прошипела я. — Тебя искать должны еще полчаса.

Тут со стороны дома послышался лай, и котенок юркнул в кусты.

— Собака, — испугалась я. — Она его разорвет.

— Не тронет, — покачал головой парень, между ветвей мелькнула фигура человека, а к нам выскочил уже ранее примеченный мною доберман. Визжать я сочла излишним, но ухватила парня за руку и прижалась к его плечу. — Тихо, Бес, — сказал тот. Доберман смотрел на меня злыми глазками, а я мысленно от души пожелала: «Чтоб ты сдох, вражина». Пес повел ушами, жалобно заскулил и попятился, а парень удивился: — Ты чего, придурок?

В разгар этой сценки возле ограды появился мужчина — лет шестидесяти, невысокий, жилистый, с простым незапоминающимся лицом и почти лысый. Одет он был в джинсы и светлую рубашку, в руках держал палку, надо полагать, играл с собакой.

— Здравствуйте, — кивнула я, все еще вцепившись в парня, тот легонько отстранился, а доберман спрятался за ноги появившегося хозяина и поглядывал на меня оттуда.

— Соседка, — с легким смущением стал объяснять парень. — Говорит, котенок у нее сюда убежал. А тут Бес летит.

Как бы в подтверждение этих слов котенок где-то мяукнул, а Бес кинулся в ту сторону, но лысый тип приказал:

— Сидеть! — И тот замер. Меня же очень занимало поведение собачки. А вдруг у меня еще один талант открылся, и теперь я владею даром внушения? Покосившись на парня, я совсем было решила проверить это, но подумала: что, если он начнет скулить вслед за доберманом, тогда дружбы с Лысым точно не получится.

Дядька меня разглядывал, я робко улыбнулась и попросила:

— Вы извините, что я к вам... ну, через ограду... Я видела у вас собаку и испугалась.

— А если б Бес бегал один и тебя покусал? — засмеялся хозяин, а я пожала плечами.

— Я думала, Жилька где-то рядом, не успел далеко убежать. Он маленький.

— Ваня, убери собаку, — кивнул Лысый парню. Тот ухватил добермана за ошейник и повел в сторону дома, а я подобрала с земли шляпу и стала ласково звать:

— Жиля, Жиля.

Кот, видно, здорово обиделся, потому что отзываться не пожелал.

Минут пятнадцать мы старательно его искали. Вернулся Ваня и вместе со мной стал ползать по земле. Именно он и обнаружил котенка. Развалясь в травке, тот мирно дремал.

— Вот, — обрадовался Ваня, сграбастав его огромной ручищей. — Лежит себе... Без хвоста останешься, дурачина, если будешь лазить, где не надо.

Эти слова произвели на кота впечатление, он заорал дурным голосом.

— Не бойся, маленький, — засюсюкала я, взяв котенка, и тут же торопливо добавила: — Спасибо, вы уж извините, надо будет внизу чем-нибудь загородить, чтоб он не лазил... — Говоря все это, я определила кота в карман и уже намылилась протискиваться между прутьями, с тоской подумав: «В этот раз точно застряну». Котенок, воспользовавшись моим замешательством, выбрался из кармана, хлопнулся на землю, я охнула, а он юркнул в кусты. Ваня и Лысый дружно хохотнули.

После этого мы еще минут пять искали кота, нашли и, болтая, направились к калитке: решено было, что этот путь более надежный.

Ваня поглядывал на меня с удовольствием, хоть и не одобрял худобы, но, мысленно накинув килограмм десять, решил, что мне цены не будет, и принялся гадать, сколько мне лет. По виду вроде совсем пацанка, с котом таскается, с другой стороны, корма такая, что взрослая баба позавидует, хотя сейчас не разберешь, и пацанки есть, что твои лошади.

«Да ровесники мы, дурак», — мысленно ответила я, а он вроде бы шевельнул ушами.

Лысый шел слева от меня, разговаривал ласково, но думал о другом. В его мыслях я пока не разбиралась, и они мне не показались интересными. Подошли к калитке, я еще раз извинилась, сказала «спасибо» и «до свидания», Лысый тоже сказал «до свидания», а Ваня весело мне подмигнул.

На следующий день я загорала в саду, купальник на мне был более чем скромный, я лежала на одеяле поблизости от ограды, играла с котенком травинкой, а передо мной была шахматная доска с расставленными на ней фигурами.

Сначала появился доберман, подскочил к ограде,

посмотрел на меня, но облаять не решился. Я показала ему язык и отвернулась. Вслед за доберманом возник Ваня.

— Привет, — сказал он с улыбкой.

— Здравствуй, — ответила я, приподнимаясь.

— Загораешь?

— Да... погода хорошая.

— Как твой зверь? — спросил он, кивнув на кота.

— Спасибо, нормально.

— Ага... — Что еще такое сказать, парень не знал и сосредоточился на мне.

«Купальник дрянь, — решил он. — Такие даже в деревне не носят. А титьки... ну надо же...» — Он заметно вздохнул.

«И никакое это не чудо природы, — мысленно хмыкнула я. — А последнее достижение пластической хирургии. А пялишься зря, не для тебя старались».

— В шахматы играешь? — догадался спросить он.

— Да. Только не с кем. Одной неинтересно. А ты играешь?

— Не-а. Я все больше в очко.

— Жаль...

Парень присел по свою сторону ограды рядом с обалдевшим доберманом и стал придумывать, чего бы такого еще сказать.

— Это твой отец был? — спросила я, желая поддержать разговор.

— Владимир Иванович? Не-а. Я здесь работаю. Охранником. Дом богатый... — неопределенно заметил он. — А ты с предками живешь?

— Это не наш дом, мы отдохнуть приехали.

— Ясно. Издалека?

«Отвянь, зануда», — подумала я, прикидывая, что бы такое ответить.

— Ванька! — рявкнул кто-то со стороны дома, не иначе как прочитав мои мысли. Парень поднялся.

— Зовут... Увидимся... Пока.

— Пока, — с заметной грустью кивнула я. Парень

исчез, а вслед за ним исчез доберман, посмотрев на меня и жалобно взвизгнув.

Вечером, прихватив хозяйственную сумку, я пробралась на соседнюю улицу и смогла наблюдать отбытие почетного эскорта: два черных «Мерседеса» и «Вольво» гуськом тронулись от крыльца интересующего меня дома. Жалюзи на окнах опущены, и выглядел он нежилым.

— Куда их черти угнали? — расстроилась я. — У меня же планы...

Болтаться по соседней улице было неразумно, у меня своя есть, по ней и следует ходить, не вызывая подозрений, и я вновь переместилась в сад. Три дня лежала там в полном одиночестве, не считая кота. Со стороны соседей никто не появлялся, правда, среди кустов мелькнул доберман, но приближаться к ограде он не рисковал. В общем, у нас сложились неплохие отношения.

Я скучала и жаловалась на судьбу. На четвертый день мне повезло. Услышав шаги с той стороны ограды, я принялась жалобно звать: «Жиля, Жиля!», предварительно сунув кота в корзинку с крышкой, а ее в кусты, и увидела самого Владимира Ивановича. Он улыбнулся и спросил:

— Что, опять потерялся?

— Опять, — развела я руками.

— Может, к нам проскочил?

— Да я дырки доской прикрыла...

— Он мог пролезть дальше, — засмеялся Владимир Иванович. — Ограда большая. — И покричал: — Кис-кис!

Кот, страдающий в корзине, отозваться не пожелал. Мы немного его поискали, потом я освободила животное и радостно крикнула:

— Нашла, — в доказательство его продемонстрировав. — Беда с ним, — пожаловалась я. — Такой непоседа.

— Маленькие все шустрые, — кивнул Владимир

Иванович и тут заметил мои шахматы. — С котом играешь?

— Больше не с кем, — кивнула я. — Я здесь никого не знаю, а Леониду Андреевичу некогда.

— Твой родственник?

— Вообще-то нет, хороший друг родителей.

— Гостишь, значит?

— Здоровье поправляю, — засмеялась я.

— Дело хорошее. Что ж, бери шахматы и приходи в гости, сыграем.

— Вы серьезно?

— Конечно. Пошли...

Я продемонстрировала растерянность.

— Подождите минуточку, я только у Леонида Андреевича отпрошусь, — и бегом припустилась к дому. Док на веранде читал газету. — Держи кота! — крикнула я. — Док, я его зацепила...

— Кого? — обалдел он.

— Папу... Где, черт возьми, мои тапки?

— Варвара, тапки у тебя на ногах.

— Ага... — Я кубарем слетела с веранды, однако вскоре пошла спокойнее и у ограды появилась с кислым выражением лица.

— Не пустил? — усмехнулся Владимир Иванович.

— Леонид Андреевич говорит, нехорошо мешать людям.

— Да ты мне не помешаешь. Я ведь тоже отдыхаю, поправляю здоровье. Так что пошли.

— Шахматы брать? — засуетилась я.

— Не надо, у меня свои есть. Иди к калитке, я открою.

— Лучше через ограду, — затараторила я. — Быстрее получится.

На сей раз об ушах я не думала и через секунду стояла рядом со своим новым другом, он улыбнулся, и мы зашагали к дому.

Дом оказался двухэтажным монстром из красного кирпича с зеркальными стеклами первого этажа и огромной открытой верандой, выходящей в сад. Резной столик, плетеные кресла, на застекленной части веранды тихо работал кондиционер. Земной рай, да и только. Так как предполагалось, что дом, в котором обитаю я, ничуть не хуже, округлять глаза я не стала, а счастливо глядя на Владимира Ивановича, спросила:

— Здесь устроимся?

— Конечно. На свежем воздухе всегда приятнее. Как считаешь?

Тут я заметила крупного молодого человека, взирающего на меня с избытком проницательности, Владимир Иванович подозвал его и велел принести шахматы. Тот принес и незамедлительно удалился, а мы сели играть.

В первый раз требовалось выиграть, чтобы дядьке стало интересно, и я быстренько собралась с силами. Расставляла фигуры, а дядька поглядывал лениво, в общем, убивал время. Я сжала в кулаках две пешки и вытянула руки.

— В левой, — кивнул он. Мне выпало играть черными.

Надо полагать, Владимир Иванович был неплохим шахматистом, потому что я с ним намучилась. Одно хорошо, он любил подолгу размышлять. Уставится на доску, подперев щеку ладонью, и вроде бы спит. Первую партию я выиграла. Взвизгнула от восторга и хлопнула в ладоши, потом, конечно, устыдилась и сказала:

— Извините.

— Молодец, — покачал он головой. — У тебя талант.

— Еще сыграем? — обрадовалась я.

— Давай.

Я быстренько расставила фигуры. Вторую партию играли долго, и после изнуряющей борьбы выиграл Владимир Иванович.

— Третья, решительная? — предложила я.

— Давай. Только сначала чайку попьем... Молодец ты, Варвара.

Я засияла тульским самоваром, и мы пошли в кухню пить чай. Некоторый беспорядок говорил о том, что женщины скорее всего в доме нет. Так оно и оказалось: женщины, точнее, одна, трижды в неделю приходила наводить порядок, зато по дому слонялись два охранника, проницательный с веранды и еще один, этого я не видела, а только слышала.

Владимир Иванович включил чайник, а я устроилась за большим столом, забравшись на стул с ногами и вроде бы этого не заметив. В общем, усиленно изображала великовозрастное чадо, которое малость подзадержалось в детстве.

— Кто учил играть? — спросил Владимир Иванович.

— Папа, — с легкой грустью ответила я. — Только папа умер, а Леонид Андреевич шахматы не любит, играет редко. А я не люблю телевизор. В общем, или читаю, или играю сама с собой.

— Значит, отдыхаешь? Для каникул вроде бы рановато...

«Может, он думает, что я учусь в школе?» Это меня озадачило. Чай был душистый, с листьями брусники, и варенье тоже брусничное. Я съела его целую вазочку, а потом покраснела.

— Не стесняйся, — улыбнулся Владимир Иванович. — Варенье, слава Богу, есть.

Мы вернулись на веранду и продолжили борьбу. Владимир Иванович хмурился, а я гадала, что лучше: выиграть или проиграть, и в конце концов выиграла.

— Молодец, — покачал он головой. — Честно сказать, не ожидал.

— У вас трудно выиграть, — в ответ похвалила я, собирая фигурки.

— Давай завтра сыграем, — предложил он. — С утра я свободен, часиков в десять, а? Или для тебя рано?

— Нет, я в семь встаю. Можно, я вам номер телефона оставлю, вы позвоните, и я приду, вдруг у вас планы переменятся?

Владимир Иванович записал номер и проводил меня до калитки.

— Здесь на улице живет немало молодежи, — сказал он. — Подружилась с кем?

— Нет, — пожала я плечами, старательно отводя глаза. — Леонид Андреевич мне не разрешает выходить одной. Я в саду отдыхаю, с Жильцом.

— С кем?

— Это котенка так зовут.

— Жилец... Смешно.

Мы простились, я пошла по улице, обернулась и помахала рукой, Владимир Иванович тоже махнул в ответ, а я ускорила шаг и через пару минут сворачивала к своему дому.

Док лежал в гамаке, увидев меня, поднялся и вошел в дом.

— Ну что? — спросил он неуверенно.

— Вроде нормально, — кивнула я. — В шахматы играли. Он решил, что я приехала в гости, отдыхаю.

Док выпил сок, повертел в руке стакан и осторожно спросил:

— Ты так и не сказала мне, что задумала.

— Внедриться в организацию и развалить ее изнутри, — с умным видом заявила я.

— Но в том, что с тобой произошло, виноват не этот человек...

— Док, я борюсь с преступностью в целом, а не с конкретным человеком.

— Конечно, — кивнул он. — Я просто беспокоюсь... Это очень опасно и...

— Мы в абсолютной безопасности, — заверила я. — Ты же знаешь, он еще всерьез подозревать не начнет, а я уже засеку. И мы с тобой смоемся.

— Надо позвонить Орлову, — некстати вспомнил Док.

— Не надо. Орлов не знает, где мы, и это очень хорошо. Лучше соблюдать осторожность. В целях безопасности, — добавила я.

Док подумал и кивнул. Он всерьез верит в справедливость и прочую чушь, приходится с этим считаться. Скажи я ему правду, и он, пожалуй, очень расстроится, а расстраивать Дока не хотелось: ближе его у меня нет никого на свете.

Утром Владимир Иванович позвонил ровно в десять.

— Варя? Как насчет шахмат?

— С удовольствием, — обрадовалась я. — Я прибегу сейчас, вы только собаку не выпускайте.

Через пять минут я протискивалась между прутьями забора, а Владимир Иванович, как выяснилось позднее, ждал у калитки. Поэтому встретились мы не сразу. Я поднялась на веранду и позвала:

— Владимир Иванович. — Дверь открылась, и очам моим предстали два охранника. То, что это именно охранники, было ясно с первого взгляда, никем другим, имея такую внешность, они быть не могли.

Одного роста, плечистые, в одинаковых костюмах и одинаковых темных очках. Первый — блондин, очень короткие волосы были похожи на цыплячий пушок и блестели на солнце. Лицо суровое, а из-за темных очков и вовсе гранитная маска. Второй был шатеном, тоже коротко стрижен, тяжелую челюсть украшала двухдневная щетина, черная до синевы. Губы, довольно пухлые от природы, сжаты так, что вытянулись в струнку. На двоих одна мысль, выражавшая замешательство.

— Здравствуйте, — громко сказала я. — А Владимир Иванович дома?

— Дома, — смеясь, ответил тот, подходя сзади.

— Будем играть? — спросила я.

— Конечно.

Пока мы устраивались за столом, парни исчезли.

— Это ваши гости? — проявила я интерес. — Может, я не вовремя?

— Вовремя. Я сегодня очень рано поднялся и все готовился к турниру, еле-еле дождался, когда десять пробьет, чтоб тебе позвонить.

— Позвонили бы раньше, — расстроилась я. — Я ведь говорила: встаю рано.

— Постеснялся.

Мы начали партию. В упорной борьбе я одержала победу.

— Ну надо же, — покачал головой Владимир Иванович. — Варвара, ты часом у нас не чемпионка?

— Нет, — грустно ответила я. — Просто у меня много свободного времени. Тренируюсь.

Вторую партию он тоже проиграл. Хлопнул ладонями по ляжкам и засмеялся.

— Играем? — спросила я с надеждой.

— Конечно, — кивнул он и позвал громко: — Резо...

На террасе незамедлительно возник шатен с двухдневной щетиной, Владимир Иванович жестом велел ему подойти.

— Смотри, что девчонка со мной делает...

Резо взял стул, уселся на него верхом и, облокотившись на спинку, замер. «Видно, парень на службе языка лишился», — подумала я, он посмотрел на меня и поспешно отвел взгляд.

Через минуту Резо снял очки, на меня больше не смотрел, зато пожирал глазами доску.

— Ну что? — спросил его Владимир Иванович, и они принялись совещаться.

— Двое против одной — нечестно, — засмеялась я ну и вскоре, конечно, проиграла.

— Ладно, в самом деле нечестно, — сказал Папа. — Будем считать победу недействительной.

Резо в продолжение следующей партии сидел истуканом и следил за мной. Владимир Иванович проиграл.

— Ну надо же... Резо, садись ты.

— Что вы, Владимир Иванович, я хуже вас играю.

— Не скромничай, — отмахнулся тот, и мы стали играть с Резо. Партия вышла рекордно короткой: само собой, он проиграл.

Я просто сияла от счастья, Владимир Иванович хохотнул, а Резо разлепил губы, что должно было означать улыбку.

Мы немного поболтали о шахматах, и через полчаса я отбыла на свою территорию с обещанием, что завтра дам Владимиру Ивановичу возможность отыграться.

На следующий день мы устроились на веранде втроем. Резо пялил глаза на шахматную доску и время от времени невнятно мычал. В этот раз мне ужасно не везло, я не смогла выиграть ни одной партии. Видя такое невезение, Владимир Иванович попытался смухлевать, но я его одернула:

— Так нечестно, вы поддаетесь.

— Просто устал немного, — начал оправдываться он и все равно выиграл.

Мы пошли пить чай в кухне, и я немного покопалась в чужих мозгах. У Резо по-прежнему мыслей не наблюдалось, то есть в принципе они, конечно, были, но совершенно неинтересные: например, он, пока пил чай, размышлял, как бы сложилась партия, если бы я не пожертвовала конем, ну и прочая мура в таком же духе, а Владимир Иванович думал обо мне и очень хотел кое-что узнать, но в тот день вопросы задавать не решился.

Разговор по душам состоялся только через неделю, все это время мы с переменным успехом исправно играли в шахматы. В этот раз Резо отсутствовал, а я, как бы между прочим, спросила:

— А где Ваня? — и покраснела.

— Ваня? — поднял голову Владимир Иванович, точно вспоминая. — Дела у парня. Что, понравился он тебе? — Я пожала плечами и отвела глаза. — Откуда приехала? — спросил Папа.

— Вообще-то я выросла в этом городе, просто три года жила в другом месте, а у Леонида Андреевича здесь друзья, ваши соседи, они сейчас за границей и разрешили нам пожить.

— Постой, — слегка нахмурился мой новый друг. — А родители у тебя где?

— Родителей нет. И родственников тоже. Есть Леонид Андреевич, он друг нашей семьи, но он не может держать меня постоянно... В общем, у меня сейчас каникулы.

— А где ты учишься?

— Я не учусь... я... — тут я изобразила замешательство, торопливо произнесла: — Кажется, Леонид Андреевич меня зовет, — и заспешила к родной ограде.

Владимир Иванович был озадачен и даже заинтригован. Поэтому на следующий день, как только сели играть, он начал с вопросов:

— Варя, расскажи-ка мне, почему ты живешь затворницей. Девушка ты молодая, красивая, а друзей у тебя нет, кроме твоего Леонида Андреевича, странно как-то.

Я пожала плечами.

— Так получилось.

— Что получилось? — насторожился он.

— Все. Вы извините, говорить мне об этом не хочется, давайте лучше в шахматы играть.

Теперь его мысли неизменно возвращались к моей особе, любопытство так и разбирало. Я прикидывала, как бы нам с Владимиром Ивановичем подружиться, шахматы, конечно, дело хорошее, но тут требовалось еще кое-что.

Дни шли, а ничего примечательного не происходило. Сообразив, что милости от судьбы не дождешься, я решила ковать счастье своими руками, например, было бы здорово спасти Владимира Ивановича от каких-нибудь врагов. Таковые наверняка имеются. Неплохо бы, к примеру, заслонить его собственной грудью. Подумав немного, я усомнилась: так ли уж хороша идея, а вдруг какой-нибудь умник перестарается и пристрелит меня. Девушка я молодая, к тому же у меня здесь миссия... Может, не миссия, но все равно интересно, и умирать я не спешу. Ничего более остроумного в голову не приходило, и я начала опасаться, что наши отношения с соседом так и останутся на мертвой точке: будем играть в шахматы да время от времени перебрасываться парой слов. Такая перспектива буквально повергла меня в уныние, я лишилась аппетита, исхудала и выглядела абсолютно больной. Док хмурился и смотрел настороженно.

— Не понимаю, чего ты добиваешься?

— Я хочу, чтобы мы с ним стали друзьями, без этого весь мой план полетит к черту, — злилась я.

— В любом случае то, что ты уморишь себя голодом, положения не улучшит.

Доку хорошо рассуждать: сиди себе целый день на веранде, газету читай, а у меня сплошная головная боль.

В общем, с каждым днем я все больше худела и напускала тумана. Владимир Иванович попробовал навести обо мне справки, но ничего стоящего разузнать не смог, впрочем, не очень-то и старался. Шахматы мне уже изрядно надоели, я злилась и поэтому все время выигрывала.

В разгар одного из поединков на веранде вдруг возник дядька в джинсовом костюме. Если быть точной, сначала возник не он, а охранник, тот самый блондин, который в первый раз встретил меня в компании Резо на этой веранде. Звали его Толя. Он прошел на цыпочках очень осторожно, насколько позволяла комплекция, и тихонечко зашептал что-то на ухо Владимиру Ивановичу. Само собой, я не прислушивалась и даже бровью не повела. Резо, который, как обычно, сидел на стуле верхом и следил за игрой, кстати, тоже.

Владимир Иванович, выслушав сообщение, кивнул, Толя удалился, а мой соперник сосредоточился на шахматах. Примерно минут через двадцать после этого вновь появился Толя, на этот раз ничего не шептал, просто возник в поле зрения Владимира Ивановича и, когда тот обратил на него внимание, кивнул.

Вот тут двери распахнулись, и на веранде появился джинсовый. Он был высок, худ и почему-то напоминал ковбоя, не хватало широкополой шляпы и сапожков со шпорами. Владимир Иванович протянул руку, они обменялись рукопожатиями, и мой сосед и благодетель сказал:

— Посмотри, Андрей, что со мной эта девчонка делает.

— Неужто проигрываешь? — ахнул тот. — Быть этого не может.

— Еще как может.

Резо торопливо поднялся и уступил прибывшему стул, но не ушел, а встал за спиной Владимира Ивановича и продолжал наблюдать за игрой.

Андрей устроился на стуле и начал делать вид, что игра его очень занимает. На самом деле ему было глубоко безразлично все, что происходило в настоящий момент на веранде. Впрочем, нет. Владимир Иванович безразличен ему не был. Через пару минут я чуть не взвизгнула от восхищения: вожделенный случай наконец-то представился, случай сидел слева от меня в джинсовом костюме и скалил зубы.

Минут через пятнадцать мы закончили партию, выиграл Владимир Иванович, но для этого ему пришлось попотеть. Мы пожали друг другу руки, и я засобиралась домой. Однако Владимир Иванович обнял меня за плечи и повел в кухню, джинсового он тоже обнял и похлопывал по спине, судя по их поведению, они были давними друзьями, точнее, таковыми считались.

— Редкий талант у нашей Варвары, — нахваливал меня Владимир Иванович. — Я-то думал, что умею играть в шахматы, ан нет, очень заблуждался на свой счет.

— И откуда взялась такая симпатичная Варвара? — весело поинтересовался джинсовый Андрей.

— Соседка моя, из дома напротив. — Владимир Иванович достал пиво из холодильника, а мне сок.

— Я пойду, Владимир Иванович, — робко подала я голос.

— Куда спешишь?

— У вас гости, неудобно.

— Это ты меня испугалась? — усмехнулся гость, демонстрируя золотые зубы.

Был он лет на десять моложе Владимира Ивановича, но выглядел каким-то больным. Дерганый, костлявый. Улыбаться старался ласково, но акулье нутро так и рвалось наружу.

— Ты на меня внимания не обращай, — продолжал он. — Мы с Владимиром Ивановичем старые приятели, я вот и решил его навестить, дел у нас никаких, одни пустые разговоры, так что из-за меня домой не торопись.

— Я все-таки пойду, — пожала я плечами, поставила стакан на стол и робко обратилась к Владимиру Ивановичу: — Это ваш друг?

— Кто? Андрей? — удивился тот. — Конечно.

Я облизнула губы, потом твердо посмотрела в глаза джинсового и добавила:

— Неправда. Он плохой человек и вас ненавидит.

Наступила зловещая тишина, то есть такую тишину принято называть зловещей. В этой самой тишине я направилась к двери под взглядами двух растерявшихся мужчин.

— Ты что, Варя? — с трудом придя в себя, смог произнести Владимир Иванович.

— Я чувствую, — произнесла я с мукой в глазах.

— Она сумасшедшая? — открыл рот Андрей.

«В самую точку, дядечка», — хотелось ответить

мне, но фривольный тон был неуместен, поэтому я торопливо покинула кухню, а также дом моего соседа.

Док лежал в гамаке и вроде бы спал, я растолкала его и потащила в дом.

— Что случилось? — разволновался Док, а я, бегая кругами, принялась объяснять:

— Док, тебе надо сходить к соседям сегодня, нет, завтра. Придешь и скажешь, что тебя беспокоят мои постоянные отлучки. Далее жалостливо расскажешь историю о моем сиротстве, а главное — о болезни.

— Какой? — испугался Док.

— Ты меня с ума сведешь, — разозлилась я. — Ты должен объяснить людям, что я малость того, — в этом месте я выразительно покрутила пальцем у виска.

— Зачем, Варвара? — еще больше растерялся Док.

— Для жалостливости. У нас любят юродивых. Страна у нас такая: дуракам и психам везде широкая дорога. Ладно, Док, кончай глаза таращить, давай сядем и подготовим конспект твоей завтрашней речи. Она должна отвечать двум требованиям: произвести впечатление и не вызвать лишних вопросов. Так что за работу.

Док еще минут пятнадцать приходил в себя, потом наконец понял, что я от него хочу, и начал неплохо соображать.

Речь мы составили и даже отрепетировали.

— Одного не пойму, зачем тебе это? — все-таки спросил Док.

— Что «это»? — прикинулась я дурочкой.

— Вся эта чертовщина с твоей мнимой болезнью.

— Мне до смерти надоело играть в шахматы, — вздохнула я, а Док, конечно, не поверил и даже обиделся, что я держу в секрете от него свои планы. Вот так всегда: скажи человеку правду, и можешь твердо рассчитывать на то, что тебе не поверят.

Утром Владимир Иванович позвонил где-то около одиннадцати. Честно говоря, звонка я не ожидала, думала, он просто перестанет меня приглашать после вчерашнего инцидента и дружба наша расстроится, но он позвонил, а я, понятное дело, порадовалась.

Трубку снял Док и заговорил этим своим голосом, от которого я просто с ума сходила: шикарный такой голос, профессорский.

— Простите, я говорю с Владимиром Ивановичем? — начал Док, а я нервно хихикнула, потому что испугалась, что Док загнет какое-нибудь «имею честь», оно, конечно, здорово звучит и все такое, но для нашего соседа это все-таки слишком. Владимир Иванович ответил, что это в самом деле он. Тогда Док говорит: — Простите, я хотел бы с вами встретиться... Это касается Вари... да... если можно, сейчас.

Оказалось, можно, и Док стал собираться.

— Ты уж расстарайся, — напутствовала я его. — Чтоб жалостливо и все такое.

Он только рукой махнул, очень нервничал. Конечно, во вражье логово идти — не сахар, но в настоящий момент повода для особого волнения я не видела.

Док ушел, а я устроилась в гамаке и стала ждать. Прошло минут двадцать, он не возвращался. Я забеспокоилась: о чем они болтают так долго? Моя история должна быть жалостливой, а не занудной.

Наконец Док вернулся. Выглядел он неважно, руки дрожали, а взгляд блуждал. Я в первую минуту перепугалась, все, думаю, раскусили враги наши хитрости, но тут же успокоилась. Выглядел Док паршиво оттого, что опять оседлал своего любимого конька и теперь стыдился, что говорил заведомую ложь (можно подумать, что не бандиту врал, а батюшке на исповеди), а также пытался докопаться до смысла затеянной мною игры. Я ему раз сто уже говорила: нет ни в чем смысла, нет, а он все ищет.

Док выпил холодненькой водички, сел в кресло и задумался. А я стала бродить по комнате и насвистывать.

— Ты знаешь, — сказал он со вздохом, — по-моему, он неплохой человек.

— Кто? — хмыкнула я.

— Этот Владимир Иванович.

— Папа? Папа неплохой. Ты досье на него читал, которое приносил Орлов? Точно, неплохой. Я тебе больше скажу: он хороший человек. Будь у меня талант, я бы про него книгу написала и озаглавила просто и со вкусом — «История хорошего человека». Или лучше «Жизнеописание», как считаешь, а, Док?

— Перестань паясничать! — разозлился он.

— Ты хоть сделал, что я просила? — тяжко вздохнув, поинтересовалась я, хотя ответ уже знала, но Док не любит, когда я копаюсь в его мозгах, а я чужие желания уважаю, потому и стала задавать ему вопросы.

— Конечно, — тоже вздохнув, ответил он и добавил с недоумением: — По-моему, он к тебе привязался...

— Док, не отвлекайся, а?

— Я пришел и сказал примерно следующее: Владимир Иванович, я единственный близкий Варе человек, девушка больна, я всячески стараюсь оградить ее от внешнего мира и потому знакомство с вами не приветствовал. Но так как не усматривал в нем ничего особенно вредного, не возражал. Но вчера Варя вернулась от вас в сильном волнении, а это как раз то, что ей категорически противопоказано. Я вас убедительно прошу прекратить эту дружбу и все такое прочее.

— Ты сказал, что я чокнутая?

— Я сказал, что ты больна.

— Но понял-то он правильно?

— Надеюсь. — Док покачал головой с крайним недовольством и уставился на меня. Сейчас начнет свою любимую песню.

— Все отлично, — заверила я и торопливо исчезла в своей комнате. Теперь следовало ждать, как поступит Владимир Иванович. Скорее всего внемлет просьбе, тогда придется организовывать мой побег от Дока и разыгрывать душераздирающую сцену. Я поморщилась. Трагедии почему-то неизменно вызывали у меня глупую улыбку, наверное, что-то нервное. Все-таки я надеялась, что до трагедий не дойдет и игру в шахматы мы продолжим.

Поначалу казалось, что я ошиблась. Утром никто не позвонил. Я слонялась по трем жилым помещениям и косилась на телефон без всякого толка. Следующее утро прошло примерно так же.

Тогда я переместилась к ограде. Расстелила одеяльце, прихватила шахматы и стала играть с котенком. Он набегался, устал и вскоре уснул со мной рядышком, а я чутко прислушивалась: не раздастся ли звук шагов с той стороны. В конце концов раздался, но увидела я не Владимира Ивановича, а Резо. Он посмотрел на меня, потом на шахматы, потом опять на меня и сказал:

— Привет.

— Здравствуйте, — ответила я. В своем стремлении выглядеть маленькой девочкой я малость пережимала: бравый охранник был старше меня от силы лет на пять, да и то вряд ли. Просто у него такая физиономия, что точный возраст определить невозможно. Я было сунулась, но, по-моему, он и сам его не знал.

Шахматы Резо заинтересовали, он присел на корточки, таращa на них глаза. Тут надо сказать, что до сей поры я видела его неизменно в темных очках и светлым взором могла полюбоваться впервые. Глазки у него были маленькие, глубоко посаженные и весело блестевшие. Цвет их определению не поддавался, скорее желтые, чем карие. Без очков он здорово напоминал любопытную обезьяну, впрочем, ранее он тоже напоминал обезьяну, но в очках.

Сейчас этот достойный представитель человекообразных подпер подбородок здоровущим кулачищем и затих, вожделенно глядя на шахматы. Думал. Я легла и стала ждать, что будет дальше, то есть смотрела на шахматы и тоже думала.

— Интересно, — наконец кивнул он.

«Да неужто? — чуть не съязвила я. — Шел бы ты,

парниша... Я жду твоего хозяина, а тебе здесь совершенно нечего делать».

Он перевел глазки на меня и с улыбкой проронил:

— Может, получится что-то интересное.

Редкое везение: передо мной примат, свихнувшийся на шахматах.

— Вы ко мне не пролезете, — с грустью сказала я, — а мне к вам ходить не велели.

— Кто? — удивился Резо.

— Леонид Андреевич.

— Это тот тип, с которым ты живешь?

— Да.

— Всегда можно найти выход из положения, — заявил он вполне серьезно. Смотри, какой умный. — Пододвинь шахматы, — предложил он. Я пододвинула, мысленно обругав его крепко и нецензурно, и мы начали играть.

Резо продолжал сидеть на корточках и называл свой ход, а я переставляла фигуры. Теперь я точно знала: больше всего на свете я ненавижу шахматы. Вооруженная этой мыслью, я разбила Резо в пух и прах. Он остался доволен, протянул руку сквозь прутья ограды, аккуратно пожал мою ладонь и сказал:

— Молодец.

— Спасибо, — ответила я. Вот тут и появился Владимир Иванович.

— Доброе утро, — произнес он бодро, я кивнула, отводя взгляд, а Резо незамедлительно исчез: был — и уже нету.

Владимир Иванович прикидывал, что бы мне такое сказать, а я торопливо собирала свои вещи, нервничала, уронила шахматы, и фигурки рассыпались.

— Как твои дела? — додумался спросить он.

— Спасибо, хорошо, — ответила я, подхватила котенка, который с перепугу громко мяукнул, и направилась в глубь сада.

— Варя, — не удержавшись, позвал сосед. Я остановилась и даже посмотрела на него, а он досадливо замолчал, не было у него для меня нужных слов. Я закусила губу, отвела взгляд, а потом спросила:

— Леонид Андреевич к вам приходил?

— Да, — пожал он плечами.

— И сказал, что я сумасшедшая?

— Варя...

— Поэтому вы больше не зовете меня играть в шахматы? — Я поудобнее перехватила вопящего кота и отправилась к своему дому.

— Варя, — опять позвал он. Я обернулась, сказала тихо:

— Вы из-за меня не расстраивайтесь, — и заплакала, а потом зашагала прочь, а Владимир Иванович стоял и мучился.

Странные существа люди. Вот, к примеру, этот Папа. Док ведь прав: человек он неплохой и дурочку, меня то есть, жалеет искренне. Тут я увидела себя его глазами: котенок под мышкой, две косы, нелепый ситцевый сарафан, лицо без возраста, глаза, в которых стоят слезы, и жуткое одиночество. Лист на ветру, песчинка в море, если напрячься, поэтических сравнений можно набрать с десяток.

Но меня интересовали не поэтические сравнения, а его мысли. Они делали честь такому типу, как Владимир Иванович, и внушали гордость за род человеческий в целом.

Через час у нас в гостиной зазвонил телефон. Док посмотрел вопросительно, а я сняла трубку. Голос Владимира Ивановича слегка дрожал, было ясно, что он все еще под впечатлением встречи, и эмоции, так сказать, переполняют его.

— Варя? Я хотел... вот что, ты приходи ко мне, когда захочешь. В шахматы поиграть или просто чайку попить. Я почти всегда дома. И звонков моих не жди, приходи, и все.

— Спасибо, — ответила я и повесила трубку.

Само собой, ни в этот, ни на следующий день никуда я не пошла и у ограды не появлялась. Владимир

Иванович позвонил еще раз. Трубку снял Док и по-умному с ним беседовал минут пять. На следующий день со стороны ограды послышался голос моего соседа.

— Варя, — настойчиво звал он. Я робко приблизилась. — Чего не заходишь? — спросил он. Я пожала плечами. — Тебе твой Леонид Андреевич не разрешает?

— Он хороший, — промямлила я, — и он говорит, что нельзя надоедать людям. К тому же я могу поставить вас в неловкое положение, как в прошлый раз, с вашим другом. Только он не друг вовсе, я это знаю точно и промолчать не могла. А Леонид Андреевич меня ругал.

— Вот что, давай-ка перебирайся ко мне, — вздохнул сосед. — Только лучше через калитку.

— Нет, — покачала я головой. — У вас там ребята, они, наверное, про меня уже знают... будут смеяться.

— Перелазь сюда, — нахмурился мой старший друг. — И не волнуйся, никто над тобой смеяться не будет.

Через тридцать секунд я была в его саду, он взял меня за руку и повел к дому. Если Владимир Иванович всерьез мной заинтересуется, задаст пару вопросов знающим людям и получит на них пару ответов, я окажусь в весьма щекотливом положении: например, мой возраст должен слегка озадачить его. Хотя, раз я сумасшедшая, некоторая отсталость в развитии вполне объяснима. Все дурачки выглядят почти детьми лет до тридцати. В общем, раньше времени переживать не стоит.

Мы устроились на веранде, но в шахматы почти не играли, просто разговаривали. С этого дня наши отношения приняли другой характер. Владимир Иванович все больше интересовался моей особой и все меньше — шахматами. Док его тоже очень интересовал. Мне пришлось на ходу придумывать историю дружбы Дока с моими родителями.

— Он сейчас не работает, вот и взял меня на каникулы.

— Откуда? — не понял Владимир Иванович.

— Из больницы. Леонид Андреевич врач, он считает, что в больнице мне быть необязательно.

— Правильно считает, больница та же тюрьма, — брякнул мой друг. — А у Леонида Андреевича семья есть?

— Нет, — покачала я головой. — С женой он давно развелся.

— Значит, он тебе... вроде отца?

«Хороший вопрос, — хмыкнула я. — Скорее уж я ему вместо матери».

— Нет... — Это «нет» я умудрилась произнести таким тоном, что мысли Владимира Ивановича вихрем завертелись в голове.

— Варя, он что, пристает к тебе? — собравшись с силами, спросил он, а я испуганно покачала головой.

— Нет, что вы... просто он строгий. Что плохого в том, что я с кем-нибудь поговорю? Или схожу в кино? Леониду Андреевичу некогда, он диссертацию пишет, а одну меня не пускает.

Сосед кивнул.

— Если за забором целый день сидеть, выходит та же самая больница.

— Нет, — покачала я головой. — В больнице плохо.

— А потом куда? — помедлив, спросил Владимир Иванович. — После этих каникул?

— Леонид Андреевич документы оформляет, меня отправят в дом инвалидов.

— Какой же ты инвалид? — растерялся он.

— Ну... это так называется...

— А-а, — ошалело произнес Папа и посмотрел на меня. — Слушай, Варя, тебе не надо ехать ни в какой дом инвалидов, ты совершенно здоровая девушка... Да что тебе там делать?

Я слабо улыбнулась.

— Я не могу жить одна. Чтобы жить одной, надо

работать, а меня никуда не возьмут, и еще за мной должен наблюдать врач. Родственников у меня нет, а Леонид Андреевич не может держать меня постоянно... Да вы не расстраивайтесь, — улыбнулась я. — Мы в этот дом уже ездили, там хорошо. Большой сад, рядом село, буду работать на ферме. Я туда заходила, телята такие смешные. И с девушкой одной разговаривала, она сказала, у них нормально, воспитатели хорошие, не бьют. Леонид Андреевич обещал брать меня на каникулы... Я вас совсем расстроила, — опомнилась я. — Давайте лучше в шахматы играть.

В шахматы ему не игралось, он все больше смотрел на меня и тяжело задумывался.

Через пару дней, сидя утречком на веранде, мы с соседом взялись отгадывать кроссворд. Во времена безделья я в них здорово поднаторела, ну и принялась щелкать, как семечки. Владимир Иванович только диву давался да успевал записывать.

— А это ты откуда знаешь? — засмеялся он, когда я с ходу назвала весьма мудреное словечко.

— Просто люблю кроссворды, — пожала я плечами. — А еще в морской бой играть. В институте на лекциях мы с подружкой часто играли...

— Ты училась в институте? — спросил Владимир Иванович, прикидывая — это он чего не понял или у меня мозги крен дают.

— Да. В педагогическом. Потом в школе работала год.

— А... — Владимир Иванович посидел немного пеньком и начал осторожно: — Как же так, Варя?

— Вы о том, почему я в больницу попала? Что-то со мной случилось...

— Что?

— Я не помню. Что-то плохое. Леонид Андреевич говорит, что я загоняю свои воспоминания внутрь, и они меня держат. Если бы я смогла рассказать, возможно, избавилась бы от страха и вообще... вылечилась. Он меня часто расспрашивает, иногда сердится, думает, что я нарочно молчу, а я правда ничего не помню.

«Сукин сын этот Леонид Андреевич, — рассвирепел мой друг, правда, мысленно. — Взял девчонку и опыты ставит, потом еще диссертацию напишет...»

В подобных беседах прошла неделя. В среду в гостях у Владимира Ивановича вновь появился джинсовый Андрей, я заторопилась уходить, но хозяин махнул рукой, мол, сиди, пей чай. Джинсовый смотрел на меня безрадостно, но силился улыбнуться. Я устроилась в уголке веранды, а они грелись на солнышке и негромко разговаривали. Тихой мышкой просидела я минут сорок, прислушиваясь не к разговору, конечно, а к мыслям джинсового. Наконец Андрей отбыл восвояси, а мы с Владимиром Ивановичем отправились в сад гулять.

— Ты что молчаливая такая? — весело поинтересовался он.

— Так... — пожала я плечами, погрустила и добавила: — Плохой у вас друг.

— Чем не понравился? — искренне удивился Папа. — Ты, Варя, не права, — помолчав, заговорил он серьезно. — Андрей парень стоящий, мы много лет с ним дружим и друг друга не раз успели проверить. Знаешь поговорку про пуд соли?

— Знаю... Я не хочу, чтобы вы сердились, и про Андрея вашего ничего говорить не буду. Только я чувствую, он плохой человек.

«И тебя, дурака старого, подсиживает, — очень хотелось добавить мне. — А ты про пуд соли болтаешь. Укокошить я тебя, конечно, не дам, но и сам ворон не лови».

Прошла неделя. Владимир Иванович так привык ко мне, что завтракать без меня не садился. Все чаще мысленно называл дочкой и находил между нею и мной необычайное сходство. За последнее время на кладбище он ездил только дважды, а вернувшись, тут же звонил мне.

Парни из охраны тоже ко мне привыкли, мыслей я у них почти не вызывала, с мыслями у них вообще было туго, если и мелькнет что-то по поводу моих достоинств, то тут же и исчезнет: ребята знали, что у меня не все дома, а с дурой свяжись, так непременно сам в дураках окажешься. Вскоре интересоваться их мыслями я вообще перестала.

В одно тихое утро я сидела на веранде Владимира Ивановича и пила чай в одиночестве, потому что хозяин в гостиной разговаривал по телефону. Возле ступенек торчал парень из охраны, звали его Володя, тут на веранде возник Резо. Последнее время мы с ним «почти что» подружились, говорю почти что, потому как голова у Резо совсем пустая и что-то знать о нем наверняка невозможно. Хотя парень он непростой, у него даже есть принципы. Опять же болтать при Папе он очень не любит, потому что получает деньги не за болтовню, а за охрану, это как раз один из его принципов. По большей части он молчит и поглядывает вокруг, точно что-то ищет. Не знай я его мыслей, непременно начала бы бояться: в своем темном костюме и при очках он выглядит крайне внушительно, особенно к вечеру, если второй раз не побреется: щетина на нем произрастала прямо-таки с фантастической скоростью, а бриться дважды в день не всегда удавалось, и к вечеру он частенько имел зверский вид. Только Резо и еще один из охранников, блондин по имени Толя, жили в доме постоянно, остальные менялись.

Так вот Резо возник на веранде и хмуро подумал, глядя на дружка возле лестницы: «Чего это Вовка последние дни дерганый?»

«Действительно, чего?» — подумала я и решила узнать.

Вовка парень крепкий, я бы на его месте не только что дергалась, я б давно на стенку полезла. А он держался молодцом, правда, все вбок смотрел, избегая взглядов дружков, а главное, хозяйских очей. А зря.

Вот Резо уже заинтересовался, и хозяин тоже может обратить внимание, потому что вовсе не дурак, это он с виду мужичок-простачок, а мысли в его голове очень даже непростые.

Володя, кстати, это хорошо понимал, отчаянно боялся и портил все еще больше. А я, честно сказать, порадовалась, потому что просто сидеть на чужой веранде мне уже надоело, надо было переводить наши с хозяином отношения в новую фазу, а повода для этого не было.

Я быстренько придумала небольшой план и после обеда принялась его осуществлять. Мы все еще сидели на веранде, Владимир Иванович мне что-то о своей жизни рассказывал, попутно выведывая о моей. Я взглянула на часы и поднялась.

— Мне пора.

— Рано еще, — заметил он. — Или заскучала?

— Нет. Просто дела... вещи надо собрать. Мы уезжаем. Я ведь с вами проститься пришла. — В этом месте я улыбнулась робко и напустила в глаза слез. Не то чтобы они по щекам катились, но зримо присутствовали.

— Куда уезжаешь? — не понял Владимир Иванович. Я пожала плечами.

— Я ведь вам рассказывала...

— Постой, как же так? — заволновался он. — Когда уезжаешь, почему?

— Завтра, в восемь утра.

— Ты мне ничего не говорила...

— Не хотела расстраивать... Я ведь знаю, вы ко мне хорошо относитесь, я чувствую...

— Варя... — начал он и запнулся. — Где этот дом находится? — Он разозлился и даже не пытался скрыть этого.

— Недалеко, километров пятьдесят. Только вы ко мне не приезжайте, — попросила я. — Вы добрый, вам меня жалко станет, только расстроитесь. До свидания, Владимир Иванович, спасибо вам за все. Я пойду, ладно? Мне тяжело прощаться, я потому и молчала... До свидания. — Тут я спустилась по ступенькам и почти бегом направилась к ограде.

— Варя! — крикнул он вроде бы испуганно, а я, не оборачиваясь, помахала рукой.

Протиснулась в наш сад и с трудом отдышалась. «Лицедейка», — хмыкнула я мысленно и пошла к Доку.

— Если будет звонить, трубку не бери, — предупредила я, однако никто не позвонил. Владимир Иванович хоть и сильно переживал, но мужиком был нормальным, в том смысле, что не психом, и понимал, что против судьбы не попрешь. Я устроилась на диване, а Док рядышком и начал приставать с вопросами. Так как в моем плане ему отводилась не последняя роль, пришлось все объяснить. Он слушал, хмурился, но вынужден был согласиться, что ничего другого предложить не может, и только кивнул.

К вечеру я стала смотреть на часы с большим томлением, попробовала читать и не смогла, волновалась я чрезвычайно: если сегодня у меня ничего не выйдет, завтра придется уезжать, а другой возможности подобраться к Папе у меня не будет.

Через полчаса пошел дождь, сначала теплый, неспешный, потом поднялся ветер, стал гнуть березу под окном, небо сделалось свинцовым, полыхнула молния, и начался настоящий ливень.

Я выглянула в распахнутое окно и покачала головой: буйство природы мне в общем-то на руку, как фон для рвущей душу сцены. В этом нет ему равных, лишь бы ливень не спугнул моего старшего друга, и он не остался дома.

В 21.10 я сказала Доку: «Молись за меня, если верующий» — и бросилась вон из дома, причем в своем ситцевом сарафане и босиком, для большей убедительности. Из-за боязни опоздать возле крыльца дорогого друга я появилась рановато, и мне пришлось спрятаться возле соседского забора в густых ветвях сирени, впрочем, улица была совершенно пустынна, вряд ли кто меня заметит.

Я ежилась от холода, топала ногами в образовавшейся луже и с тоской думала: «Точно не поедет», но в этот момент ворота открылись, и появилась огромная черная машина, марки которой я не знала, должно быть, что-то американское, а я бросилась машине наперерез, размахивая руками и крича во все горло: «Владимир Иванович!»

Все-таки он успел ко мне здорово привязаться, потому что машина не только остановилась, но он сам, несмотря на дождь, вышел из нее и даже не подумал о своем костюме, когда я мокрая, точно курица, бросилась к нему на шею.

— Владимир Иванович, — синими губами зашептала я, трясясь и слегка заикаясь (все взаправду, трясучка и синие губы от холода, но он решил, что от волнения, и правильно, я на это очень рассчитывала). — Владимир Иванович, пожалуйста, не уезжайте, я вас очень прошу...

— Варя, — растерялся он и даже попробовал немного отстраниться, но я вцепилась насмерть.

— Владимир Иванович, я не сумасшедшая, так уже было, когда моя мама умерла, я всегда чувствую, и сейчас... ради Бога, не уезжайте, вы не вернетесь, пожалуйста, поверьте мне... — Я рыдала, орала, стараясь перекричать дождь, а Владимир Иванович совершенно обалдел. Из машины выскочили мальчики, но они не знали, что делать, указания не поступали, а оттащить меня под свою ответственность никто не рискнул.

В эту минуту, дождавшись своей очереди, из-за угла возник Док, тоже успевший промокнуть, выглядел он очень разгневанным.

— Сейчас же отправляйся домой! — рявкнул он, подскочив ближе.

— Что случилось? — все еще растерянно спросил Владимир Иванович.

— Она вдруг решила, что с вами что-то случится, — пояснил Док. — Да отпустите вы ее... Я вынужден был запереть ее в комнате, она весь вечер рвалась к телефону вас предупредить, а потом сбежала через окно...

В продолжение его речи я канючила свое, исходила слезами и хватала дорогого друга за руки. Все окончательно обалдели, сцена разыгралась совершенно нелепая и даже дикая. Когда я в очередной раз взвизгнула:

— Он врет, я знаю, я всегда знаю, я не сумасшедшая! — в мозгах Владимира Ивановича промелькнула любопытная мысль, и он спросил:

— Про мать она говорит правду?

— Это совпадение, вы же нормальный человек, вы должны понимать, — рассвирепел Док. — Те случаи просто совпадения, поймите, она не в себе и считает, что может предчувствовать.

— Давайте войдем в дом, — совершенно спокойно заявил Владимир Иванович, чем, признаться, всех удивил. Взял меня за руку, и мы, забыв про машину, бросились к крыльцу, шофер сдал назад в еще незакрытые ворота. Со всех действующих лиц на мраморные плиты стекала вода, однако в холле было тихо, и мы могли говорить спокойно, то есть это Владимир Иванович мог, я же говорить вообще не могла и только держала его за руку. — В чем дело? — спросил он Дока. — Только короче, без ваших медицинских терминов.

— Девчонка решила, что вам грозит опасность, что вы сегодня умрете. Два дня твердила: «Что-то случится», а ближе к вечеру... вы сами видите.

— Вижу. Такое уже бывало?

— Да, — нахмурился Док. — Она больна, я вам рассказывал...

— Так... Но ее предчувствия иногда подтверждаются?

— Я вам уже говорил: совпадения... Не можете вы всерьез думать...

— Да или нет?

— Да. Просто совпадения, — разозлился Док.

— Сколько раз? — перебил его Владимир Иванович. Человеком он был практичным. Док покачал головой, откинул со лба мокрые волосы и вздохнул:

— Да поймите вы...

— Сколько? — сурово спросил мой старший друг, и Док с огромной неохотой негромко пробормотал:

— Всегда... Она... нездорова, а вы разумный человек...

— Помолчите немного! — рявкнул Папа, и Док заткнулся, потому что просьба была выражена таким тоном, что возражений не предполагала.

Охрана пребывала в очумении, а Володя кусал губы. Он, кстати, с хозяином ехать не собирался, появился на шум из недр дома, и сейчас стоял в дверях, усиленно избегая моего взгляда.

Тут неожиданно подал голос Резо, он вообще-то редко баловал общественность переливами своего голоса, а в данной ситуации ему бы и вовсе помалкивать, но именно он открыл рот и меня порадовал:

— Владимир Иванович, не стоит вам ехать.

Владимир Иванович размышлял полминуты, потом кивнул:

— Резо, позвони Андрею... Нет, лучше я сам позвоню, а ты отправь ребят...

Резо кивнул и заявил Володе:

— Поедешь ты.

Не знаю, как тот устоял на ногах, но к машине пошел вроде был немного не в себе, но на это, кроме меня и Резо, вряд ли кто обратил внимание.

Володя и еще двое ребят сели в машину и уехали, а мы остались: я, Владимир Иванович, Док и два охранника. Теперь лишь бы мой дорогой друг не сразу кинулся к телефону.

Я прикрыла глазки и сидела у стены на резной скамейке, мокрая, с синими губами и белым от пережитых волнений лицом. Утомительная это работа — лицедейство, молоко надо давать за вредность.

Наконец-то на меня обратили внимание, точнее, на мой плачевный вид, к этому моменту я уже по стенке размазывалась.

— Варя, — кинулся ко мне Док, само собой, я ничего ответить не смогла и еще больше закатила глазки. Тут и Владимир Иванович малость струхнул и тоже кинулся.

— Что с ней? — спросил он тревожно.

— Волнения ей противопоказаны, — пробормотал Док. — Ее надо перенести на диван.

— Давайте в гостиную, — игнорируя заботу Дока, Владимир Иванович лично подхватил меня на руки и поволок в гостиную, но силы малость не рассчитал, мужчина он уже в возрасте, а девушка я довольно тяжелая, хотя на вид хрупкая. Вездесущий Резо пришел хозяину на помощь, и я оказалась на диване.

— Кто-нибудь, — волновался Док, — сбегайте к нам, на кухне возле стола чемоданчик.

Один охранник заспешил под дождь, а остальные участники спектакля таращились на меня. Резо притулился у стеночки, хмурился и сокрушенно моргал ресницами, они у него длинные, что весьма странно при такой величине глаз, Док с Владимиром Ивановичем стояли возле дивана и держали меня за обе руки, причем Владимиру Ивановичу делать это было неудобно, он стоял согнувшись, но неудобств вроде бы не замечал, а главное, начисто забыл о телефоне. Вернулся парень с чемоданчиком, и Док сделал мне укол, успокоительный, что было совершенно нелишне. Охранник, тоже согнувшись, шепнул ему на ухо:

— Я ключи нашел, на столе лежали, дверь запер, мало ли...

Док в ответ на заботу кивнул, а я чуть не фыркнула, хорошо, успокаивающее начало действовать.

— Ее надо уложить в постель, — убрав шприц в чемодан, заявил Док. — Некоторое время она будет спать. — «Уснешь тут», — съязвила я в ответ на его заявление. — Я сейчас подгоню машину...

— Зачем? — влез Владимир Иванович. — Можно оставить ее здесь. Места в доме сколько угодно. И мне будет спокойнее.

— Это... как-то неудобно, — пожал плечами Док.

— А вы наплюйте на всякие там предрассудки. Девчушку надо переодеть и укрыть как следует, вымокла вся, еще простудится. Мне или ребятам делать это неудобно, а вы врач...

Меня перенесли на кровать. Док стянул с меня сарафан, укрыл двумя одеялами и, прошептав на ухо:

— Притворщица, — скрипнул дверью. Как выяснилось позднее, он застал Папу в гостиной за телефоном, но по какой-то причине дозвонился тот не сразу. Спросил у Дока:

— Как дела?

Док неохотно что-то ответил, а Владимир Иванович увлекся вопросами о моем провидческом даре и не торопился перезвонить. А когда позвонил... в общем, удивил друга, с которым съел пуд соли, потому что тот в это время числил его уже в покойниках. Владимир Иванович этого, конечно, не знал, сказал кратко, что сам прибыть не может, и что-то там еще присовокупил. Говорил, по свидетельству Дока, совершенно спокойно и вроде ничего не заподозрил. Док, кстати, быстро вернулся ко мне, потому что в присутствии наших соседей чувствовал себя неуютно.

Где-то через полчаса раздался телефонный звонок, а вслед за этим в доме стало шумно, что намекало на волнение хозяев. Волноваться было с чего, выяснилось, что машину Владимира Ивановича обстреляли через десять минут после того, как мальчики выехали за ворота, машина при этом превратилась в груду металлолома, а двое ребят и шофер в покойников.

Вскоре покойников прибавилось, и первым стал Джинсовый. Папа провел короткое расследование, и соратников в сплоченных рядах убыло. Хотя Джинсовый официально числился без вести пропавшим, но я могла бы указать место его погребения (хотя Толик и хвастал, что никто ни в жизнь не найдет). Кончина Джинсового была примечательная, деталями я интересоваться не стала, дабы ночью не лишить себя приятных сновидений.

Док сидел рядом с постелью и нервничал, говорить боялся, ему мещерились подслушивающие устройства и прочая чушь, от безделья насмотрелся боевиков.

— Док, — позвала я тихо, он вздрогнул и придвинулся ко мне, его лицо в свете настольной лампы выглядело бледным. — Все нормально, — заверила я.

— Хорошо, если так, — вздохнул он и покосился на дверь.

— Теперь все зависит от тебя, — опять подала я голос.

— В каком смысле?

— В прямом. Нас будут проверять, тупому ясно, ты должен опередить события и рассказать мою историю максимально доходчиво, ну и жалостливо, конечно. Чтобы у Папы не осталось сомнений. А если останутся...

— Что? — насторожился Док.

— Значит, смерть у нас будет тяжелой, — хохотнула я.

— Варвара, — он пошел пятнами.

— Да не боись, — утешила я. — Прорвемся, главное, держи себя в руках.

— Черт возьми, — зашипел он. — Зачем тебе все это? Ты и так могла бы посадить этого Папу.

— Ну, Док, — обиделась я. — Просто посадить неинтересно, ты же романтик, наслаждайся ситуацией...

— Ничего себе наслаждение, — разозлился он.

— Ладно, — похлопала я его по руке. — Ты все знаешь, все можешь, и я уверена: у тебя получится. Постарайся... Конечно, история наша выглядит подозрительно, но ничто нам не мешает отыграться в свою пользу. Так что не сиди здесь, а иди действуй.

— Сейчас?

— Конечно. А чего ждать? Когда Папа узнает, что меня несколько раз навещал Орлов? Или то, что я по казино шаталась, деньги проигрывала?

— Думаешь, он узнает?

— Конечно, если захочет. А он захочет, потому что, если я ничего не путаю, решил оставить меня в своем доме. Но узнает он не сразу, у нас есть время все правдоподобно объяснить. — Видя, что Док перепугался еще больше и вроде как охвачен столбняком, я его поторопила: — Иди, Док, работай. Очень прошу, постарайся ради нас.

— Господи... — покачал он головой, но поднялся и пошел к двери. Взявшись за ручку, обернулся и посмотрел на меня.

«Ты сумасшедшая», — произнес он отчетливо, правда, мысленно, вслух психам такое не говорят.

Док ушел, а я задремала. Далее происходило примерно вот что: Док обнаружил хозяина в гостиной в крайнем волнении.

— Владимир Иванович, — сказал он. — Варя спит, я сделал ей укол, и ночь пройдет спокойно, хлопот от нее не будет.

— О чем разговор? — вроде бы обиделся Владимир Иванович. — Как там она?

Док пожал плечами.

— После таких приступов у нее всегда наблюдается упадок сил, депрессия, сонливость... Все в пределах нормы... Я заберу ее завтра в восемь утра... Всего доброго. — Док направился к двери, но хозяин его остановил:

— Леонид Андреевич...

— Да? — Док умудрился выглядеть очень впечатляюще, несмотря на дикий страх. Светило медицины, да и только.

— Я хотел с вами поговорить о Варваре, — неуверенно начал Владимир Иванович, а Док вроде бы удивился.

— Я вас слушаю.

— Вы лучше сядьте. Разговор-то непростой, на ходу начинать его не стоит...

Само собой, Док сел в кресло и уставился на хозяина. Тот прошелся по комнате, размышляя, потом со вздохом спросил:

— Вот вы врач, скажите честно, ей обязательно в психушку?

— Послушайте, — обиделся Док. — Какая психушка? Она едет в дом инвалидов...

— И что там за инвалиды? Знаю я эти дома, — хозяин неожиданно разозлился и даже рукой махнул с досады. — Хуже тюрьмы. Колотить будут да всякой дрянью колоть, пока совсем не свихнется. Девчонка красивая, обязательно паскуда найдется, кто-нибудь из персонала или еще кто... скажет, дурочка, и... — Папа подошел к столу, торопливо налил себе водки в рюмку и выпил, малость успокоился, предложил Доку: — Хотите?

— Нет, спасибо... — Док пожевал губами и сказал: — Ваши чувства мне понятны, к сожалению, порядки в таких заведениях далеки от совершенства, хотя у нас была возможность выбрать, и этот дом самый лучший. Я буду навещать Варю, и если... Сразу же приму меры.

— Почему она должна ехать? — задал свой вопрос Владимир Иванович, может, сформулировал его не совсем ловко, но Док, конечно, понял.

— Потому что у нее нет никого, кто мог бы о ней заботиться. Потому что она должна находиться под наблюдением врача.

— Вы врач, — напомнил Владимир Иванович.

— Да, но я не имею возможности держать ее у себя. Мне надо работать, деньги, которые у нее были, подходят к концу и...

«Конечно, — зло подумал Папа. — На ее денежки ты вволю погулял, а теперь девчонку в психушку», — но вслух произнес:

— Хорошо, давайте так: пусть она останется здесь. Если надо оформить какие-то бумаги, только скажите...

— Где здесь? — обалдел Док.

— Здесь. В этом доме. Со мной.

— Вы с ума сошли? Как вы себе это представляете?

— Я вас спросил: обязательно ли ей жить в психушке, вы ответили, что она не может жить одна. Так вот: она не будет одна, она будет со мной, а вы врач и можете приходить каждый день и наблюдать за девчонкой. Я заплачу.

— Подождите, — попросил Док, снял очки и потер лицо ладонью. — Владимир Иванович, мне понятны ваши чувства... но, поймите и вы, она живой человек, к тому же с больной психикой, это не собака... это большая ответственность.

— Мне не двадцать лет, чтобы я ваши глупости выслушивал, я все понимаю не хуже вас. Месяц она на моих глазах была, и ничего я в ней... дурного, ну... никакого сумасшествия то есть, не усмотрел. Хорошая девчонка, улыбчивая, добрая и поумнее многих умников будет. Ну... есть странность, вот предчувствия эти, к примеру, но ведь такое бывает, я знаю, бывает, у меня у самого было... Что ж, за это в психушку?

— Придется мне вам кое-что рассказать, — сказал Док. — Хотя это и не в моих правилах, но в данном случае... Владимир Иванович, Варя была совершенно нормальной девушкой, окончила институт, год проработала в школе. На День учителя пошла в ресторан, там познакомилась с молодым человеком. Да вы слышали эту историю, о ней в городе долго говорили. Теперь у Вари другая фамилия, — Док коротко поведал предысторию моей встречи с тремя придурками, а потом очень красочно и подробно об увечьях, с которыми я поступила в больницу. — В общем, ей досталось... Не знаю, чей мозг бы выдержал, а тут девушка, воспитанная в строгости, скромная, приличная... С большим трудом ее вытащили, но психике был нанесен страшный удар. Ее мучили кошмары, постоянный страх, она несколько раз пыталась покончить с собой (тут Док малость загнул, но я на него не в обиде). Потом умерла ее мать, и девушка осталась совершенно одна. Два с половиной года больниц, кропотливой работы, и мы могли радоваться: дела ее явно пошли на поправку. Несколько месяцев она лежала в одной из московских клиник, после выписки случайно познакомилась с молодым человеком. Вы правильно сказали: Варя красавица... Я считал, что они любят друг друга, ее будущий муж человек состоятельный и сможет обеспечить ей необходимый уход... Они поженились. И... мне неловко говорить вам об этом, в общем, начались трудности сексуального характера. Варя... Мне пришлось все рассказать ее мужу, я рассчитывал, что он поймет, любовь и терпение в конце концов сделают свое дело... Он уехал за границу без Вари, правда, оставил денег. Внешне она восприняла это спокойно, просто затихла как-то, практически не разговаривала. Когда мы уже жили здесь, однажды вернулась с прогулки очень веселая, возбужденная, рассказала, что шла с рынка и встретилась с молодым человеком, он привез ее на машине. Я не знал, радоваться или тревожиться, но Варя так ждала его звонка, выглядела такой счастливой... Он позвонил и назначил ей встречу на пять часов. Она уехала раньше, очень волновалась, а вернулась поздно вечером, на нее было страшно смотреть. Немного придя в себя, она твердила одно: «Он его убил». С большим трудом ее удалось успокоить. Утром она ничего не помнила о прошедшем дне, заговаривалась, плакала, пыталась перерезать вены. Труд двух с половиной лет насмарку. Теперь вы понимаете?

— Конечно, — кивнул Владимир Иванович, который в продолжение длинной речи Дока сидел не шевельнувшись, со следами душевных страданий на лице. — Вернемся к моему вопросу. Ей обязательно в психушку?

— Я...

— Обязательно?

— Вы готовы взять на себя ответственность за жизнь человека? Послушайте, даже я не знаю, что может спровоцировать рецидив: какое-то воспоминание, слово, фраза, прочитанная в газете...

— Она вела себя как совершенно нормальный человек. Совершенно.

— Да, потому что все это время жила практически изолированно. Дом, сад, котенок, я, вы и еще несколько человек, настроенных к ней доброжелательно. Она успокоилась, повеселела, но сегодняшняя ее выходка говорит о многом.

— Это не выходка, а предчувствие, — обиделся Владимир Иванович, но вовремя заткнулся. — Она будет жить в этом доме, в покое и в окружении людей, способных о ней позаботиться. Вы можете приходить ежедневно и наблюдать ее состояние. С Божьей помощью мы ее вытащим. Что скажете? — помедлив, спросил он. Я ж говорю, Папа человек по-своему замечательный, я бы даже сказала, редкой доброты человек.

— Жалость не всегда хороший советчик, — усмехнулся Док. — Изо дня в день ухаживать за больным человеком довольно утомительное занятие. И неблагодарное.

— Это уж моя забота, — проворчал Владимир Иванович и еще раз спросил: — Какие бумаги нужны?

— Да никаких, — пожал плечами Док. — Государство только избавится от лишней заботы.

— Вот и отлично! — Бог знает чему обрадовался Владимир Иванович, а Док поднялся и искренне сказал:

— Смотрите, не пожалейте об этом. — Делать такие заявления я его, кстати, не просила.

Утро было солнечным, а настроение прекрасным. В дверь осторожно постучали, и на пороге возник Владимир Иванович. Вид он имел слегка растерянный и слова мысленно подбирал: как бы мне потолковее и попроще объяснить, что я у него остаюсь. За ночь он не только не передумал, а еще больше утвердился в своем желании. Как я уже сказала, Владимир Иванович не был лишен сентиментальности. Эгоизм, черта в человеческой натуре далеко не последняя, свою роль тоже сыграл: Папа решил, что не худо на старости лет о душе подумать, грехов на нем много, а доброе дело всегда зачтется, авось что-нибудь и выгадает.

Рассуждал он как человек разумный, и я его мысленно похвалила. Одеяльце натянула до подбородка и спросила испуганно:

— Почему я у вас?

— Варя, — в комнату он войти не решился, стоял на пороге. Мужчина с понятием. — Ты оденься, я тебя в гостиной подожду. Поговорить мне с тобой надо.

Он скрылся за дверью, я вскочила, натянула сарафан, умылась, расчесалась, заплела две осточертевшие мне косы и пошла в гостиную беседовать с дорогим другом.

Он сидел в кресле и явно нервничал. Я пристроилась на диване, ножки поджала, ручки на коленочках сложила и уставилась на него, сирота казанская, да и только.

— Варя, — проронил он со вздохом. — Мы тут вчера с Леонидом Андреевичем посоветовались и решили: не стоит тебе торопиться уезжать. Поживи у меня, отдохни, если понравится, то и вовсе оставайся, а Леонид Андреевич тебя каждый день навещать будет.

Я отвела глазки, затуманенные слезами, собралась с силами и произнесла:

— Спасибо, Владимир Иванович, я знаю, вы добрый и... спасибо, только я лучше поеду.

— Почему, Варя? — удивился он. — Тебе же здесь нравилось, и мы с тобой характерами вроде сошлись.

— Конечно, — слабо улыбнулась я. — Но... зачем я вам? — Вышло жутко жалостливо, даже меня проняло.

— Варя, — растерялся он. — Как зачем? Зачем один

человек другому? У тебя никого, и я один, у тебя родители померли, а у меня дочка. Ты плохого не думай, привязался я к тебе за это время... Человек я небедный, ты мне не в тягость, только рад буду. Соглашайся...

Ну вот, теперь он меня разжалобил. Вот ведь люди: знаю, что редкий гад, бандюга и при случае такое звериное нутро покажет, что только «караул» кричать, а смотри как заливает, самое главное, вполне искренне, хоть вскакивай и со слезами ему на шею бросайся, чтобы поплакать вместе, а потом сквозь слезы счастливой улыбкой улыбнуться и пойти встречать рассвет. Я вздохнула и тихо сказала:

— Я согласна, я очень рада, только... вдруг вы потом пожалеете.

— Я не пожалею, — серьезно произнес он, а я подумала: «Ой, дядя, не зарекайся».

Далее последовала пауза: немного неловкая, кидаться к нему на шею я все-таки не стала, а он и вовсе не знал, что делать: на колени меня не посадишь, барышня я взрослая, и конфеткой не угостишь — это уж вовсе глупо, поэтому я заревела тихо, но обильно, а он подошел и принялся меня по головке наглаживать и, ей-Богу, сам чуть не плакал. Я прильнула к нему, не к груди, врать не буду, а к животу, потому что он стоял, а я сидела, и мы на некоторое время затихли, поглощенные избытком переживаний. Потом я отстранилась, вытерла глазки, улыбнулась не без робости и спросила:

— Леонид Андреевич когда приедет?

— К вечеру обещал. А мы с тобой пойдем-ка чай пить.

Мое водворение в доме ознаменовалось двумя событиями: пропажей кота и смертью собаки. Жилец пропал в первый же день после переезда и, несмотря на активные поиски, так и не нашелся. Я подозревала, что в его исчезновении повинен доберман, и сверлила ненавистного пса свирепым взором. По этой причине или по другой, но пес сдох. В одно прекрасное утро его обнаружили возле крыльца. И хоть останки свозили в ветеринарку и обследовали на предмет обнаружения в организме яда, никто достоверно назвать причину смерти не смог. Думаю, животное скончалось от разрыва сердца, не пережив моей стойкой неприязни.

Наша совместная с Папой жизнь наладилась быстро. Владимир Иванович страдал ревматизмом, к тому же по натуре был человек осторожный, родные стены покидать не любил и делами заправлял по-паучьи — сидел в своем уголке и ловко плел паутину.

Со мной у него вовсе хлопот не было. Я вела себя тихо, манерами сильно напоминая дрессированную болонку: сижу-посиживаю в своей комнате, никому не мешаю, позвали, — вот она я. Мы гуляли в саду и вели долгие беседы. О моей прежней жизни Владимир Иванович никогда не расспрашивал, а о своей говорил охотно. Получалось у него складно.

Я водворилась на кухне и занялась хозяйством, потихоньку вытеснив приходящую кухарку. Незаметно шныряла с пылесосом и наводила порядок. Владимир Иванович, застав меня в заботах, сказал, что делать это мне вовсе необязательно, на что я ответила, что хлопоты по дому мне приятны, и с того самого дня он начал относиться ко мне как к хозяйке. К Папиным вкусам я проявила большое внимание и старалась его порадовать. Узнать, что он, к примеру, пожелает на ужин, было плевым делом, конечно, сам Владимир Иванович не догадывался, что для меня это дело плевое, и неизменно удивлялся:

— Ну, Варвара, угодила, только-только подумал, хорошо бы блинов, знаешь ли, и вот тебе блины. Словно мысли читаешь... — довольно хихикал он.

«Только этим и заняты», — хихикала и я, конечно, не вслух.

Сама я с едой осторожничала. Моя худоба Папу удручала, и он без конца потчевал меня деликатесами, но я не усердствовала: раздобреешь на хозяйских харчах, начнешь колыхать бюстом перед носом у дорогого дядечки, и Бог знает, какие мысли придут ему в голову, мужик он еще нестарый, а я давно совершеннолетняя. Поэтому, с тоской поглядывая на провиант, я по большей части голодала, решив, что хозяин должен видеть во мне безвременно ушедшую дочь и никого больше, оттого и старалась, как могла. С удовольствием ловила бабочек, читала ему стихи (он очень любил Некрасова) и со счастливым взором летела за шахматами, когда Владимир Иванович говорил:

— А не сыграть ли нам, Варя?

Дни шли, похожие друг на друга, спокойные и даже счастливые.

Однажды Владимир Иванович взял меня с собой на кладбище, мы долго сидели на скамейке и беседовали, пока парни на жаре ждали нас поодаль и томились. С тех пор неизменно стали ездить вместе. Я всегда с цветами, лишних слов не произнося, а те, что произносила, — весьма к месту. В общем, к середине лета Владимир Иванович уже с трудом мог представить, как раньше жил без сироты. Конечно, меня проверяли. История, рассказанная Доком, в принципе подтвердилась, если бы хозяин желал, кое-какие несоответствия смог бы углядеть, но он всерьез не желал этого, и все сошло гладко.

В доме за мной тоже присматривали. По телефону я не звонила, убираясь в доме, к двери хозяйского кабинета близко подходить не смела, большую часть времени проводила в своей комнате да на веранде. Вопросов не задавала, а пред светлые хозяйские очи являлась, только если звали.

Дока тоже проверили: он, как мы заранее договорились, вернулся на работу в родную психушку, где его приняли с радостью. Сведения, которыми разжились Папины ребята, вполне соответствовали рассказанной истории.

Однако Папа простачком не был, потому хоть и полюбил меня всей душой, но бдительность не терял:

приглядывал. Несколько раз проверили, о чем мы с Доком болтаем. Комнату обыскали, прослушивали телефон. В конце концов потихоньку угомонились.

Как-то мы играли в шахматы, и я спросила:

— Владимир Иванович, а почему вас ребята Папой зовут?

— Почему? — малость растерялся он, пытаясь отгадать, что за козел брякнул при мне такое. — Ну... человек я пожилой, а они ребята молодые. Наверное, поэтому.

— А мне можно вас так звать? — помедлив, спросила я. На правах дурочки могла себе позволить...

— Что ж, зови, если хочешь, — кивнул он. — Я не против.

Так я стала называть Папу папой, не с большой буквы, а с маленькой и почти на законном основании.

От Папиных ребятишек я держалась в сторонке и неизменно, опустив глазки. Несколько раз вспоминала Ваню, Владимир Иванович отвечал, что у него дела. К этому времени Ваня уже сорок дней, как лежал на кладбище, сложив буйную головушку в неравной схватке, но Папа об этом помалкивал, боясь нанести моей психике очередной урон. Чтобы сделать ему приятное, я перестала вспоминать про Ваню. Так уж сразу вышло, что присматривать за мной поручили Резо, поэтому мы проводили с ним довольно много времени. В первый же день, покопавшись в его извилине, я составила о нем представление и думать забыла, что он есть на белом свете. Но Резо ожиданий не оправдал и даже удивлял, а иногда просто ставил в тупик.

Сначала оказалось, что он вовсе не молчун и совсем не прочь поговорить, потом, что извилина у него хоть и одна, но до того замысловато закручена, что запутаешься. К моему водворению в доме он отнесся с пониманием. Бродил вокруг, улыбался и иногда подмигивал. Нормальный придурок.

Как-то вечером Резо решил посвятить меня в секрет своего постоянного присутствия рядом.

— Папа поручил тебя охранять. Как зеницу ока. Чтоб никакой неприятности не произошло. Может, тебе не очень удобно, что я всегда по соседству, но у меня работа такая. Ты понимаешь, о чем я?

— Конечно, — кивнула я.

— Вот, — кивнул и он. — Я постараюсь быть незаметным, но когда человек всегда рядом, это обычно раздражает. Ты улавливаешь? — всполошился он, видимо вспомнив, что я чокнутая.

— Улавливаю, — опять кивнула я.

— Вот... Ты старайся не обращать на меня внимания. Просто делай, что хочешь, будто меня нет, а я буду выполнять свою работу.

«Откуда ты такой взялся?» — мысленно подивилась я, а вслух спросила:

— Резо, а мне обязательно делать вид, что тебя нет рядом, а можно, к примеру, заговорить с тобой? Ну... мне иногда бывает скучно, Папа занят, а поговорить с кем-то хочется... Это не повредит работе?

— Не повредит, — не сразу ответил он. Вообще он был парень обстоятельный, неторопливый и всегда думал, прежде чем ответить.

В воскресное утро я выбралась из постели и тихо выскользнула из дома с большим желанием проверить чужую бдительность. Вышла к троллейбусной остановке и далее по пятому маршруту троллейбуса отправилась в Ильинскую церковь, то и дело поглядывая в окно. Возле церкви повязала беленький платочек и, перекрестившись, вошла. Народу было немного, и Резо я бы точно не проглядела. В церкви следует вести себя скромно, поэтому я особенно головой не вертела, но по сторонам все же посматривала: никого. Служба закончилась, я пошла к выходу и вот тут-то его и увидела: мой страж стоял в сторонке, неподалеку от дверей, и с постным видом рассматривал свои ботинки.

Поняв, что его заметили, мило мне улыбнулся и по обыкновению подмигнул.

Из церкви мы вышли вместе. Я заметила черный джип «Опель», на котором обычно ездил Резо, машина стояла возле церковной ограды, радуя взор прихожан.

— Я не знала, что ты ходишь в церковь, — сказала я. Резо хитро прищурился.

— Вообще-то я не хожу в церковь, — ответил он, как всегда, немного подумав.

— А где мы встретились? — спросила я.

— А... На самом-то деле я ехал за тобой, — сообщил он мне с умным видом. Я с ним не очень-то церемонилась и сейчас подивилась:

— Да неужто?

Он кивнул, открыл двери машины, подождал, когда я устроюсь на сиденье, и с выражением величайшей хитрости на физиономии заявил:

— Должен тебе сказать, ты поступила неправильно.

— Когда?

— Утром. Уходить одной тебе нельзя.

— Почему? — спросила я, хмуря брови. Теперь он размышлял минуту, не меньше.

— Думаю, это не мое дело, — наконец проронил он.

— Что не твое? — растерялась я.

— Ну... ты спросила «почему?», а я ответил: думаю, не мое это дело. Папа велел быть рядом, и я тебе об этом говорил. А ты потихоньку сбежала.

— Не сбежала, — перебила я. — Я ушла. Это разные вещи, ты улавливаешь?

— Да, — кивнул он. — Ты ушла, но вроде выходит так, будто сбежала. Потому что ты ушла неправильно.

— А как правильно? — заинтересовалась я.

— Правильно значит зайти ко мне и сказать: «Резо, мы идем в церковь». Лучше всего предупредить накануне, тогда мы не будем задерживать друг друга. Ты поспеваешь за моей мыслью? — озаботился он.

— Поспеваю, — кивнула я, и он продолжил:

— Так вот, ты говоришь: «Мы идем в церковь», то есть ты идешь, это в общем-то одно и то же, потому что я должен быть рядом. Мы бы поехали на машине или прогулялись пешком. Если тебя раздражает, что я рядом, я бы держался в стороне, если нет — шли бы вместе. Если ты захочешь поговорить, то можешь просто сказать об этом.

— Ага... — обрадовалась я. — А как быть, если я хочу отправиться на машине, но не хочу, чтобы ты был рядом? Своей машины у меня нет.

Он задумался, нахмурился и даже почесал затылок.

— Можно попросить машину у Папы, — наконец заявил он. — Но скажу честно, вряд ли он разрешит тебе сесть за руль. Не потому, что не доверяет, ничего подобного, просто в городе большое движение, а ты неопытный водитель. Но попросить, конечно, можно.

— А если все-таки не разрешит? — продолжала настаивать я. Резо почесался вторично.

— Думаю, нам придется все-таки поехать в одной машине, я буду молчать, а ты будешь думать, что меня нет.

— Как я могу думать, что тебя нет, если ты сидишь рядом? — восхитилась я.

— Ну... придется тебе представить, что меня нет...

— Ясно, — кивнула я головушкой, пытаясь понять, как мы умудрились встретиться с Резо у Папы, а не в третьем отделении городской психиатрической больницы. — Ты нажалуешься Папе? — спросила я и тоже почесала за ухом.

— Думаю, мне придется сказать ему, — заявил Резо. — Объяснить тебе, почему нельзя уходить одной, должен он. Я охранник, и объяснять не мое дело, мои слова вообще мало значат, а Папа, это Папа. — Он взглянул вопросительно, и я торопливо кивнула:

— Я поспеваю.

— Хорошо, — обрадовался он и наконец-то завел

мотор. Я уже решила, что он задумал уморить меня в своем «Опеле»: утро жаркое, а он изловчился приткнуть машину на самом солнцепеке. — Ты не думай, ничего личного, — заявил он, как видно, желая меня утешить. — Я просто скажу Папе, а он поговорит с тобой, чтобы тебе все стало ясно. — Тут Резо хитро усмехнулся и добавил: — Хотя сегодня мне пришлось нелегко. Чуть-чуть тебя не проворонил.

«И чего дураку не спится», — со вздохом подумала я, разглядывая Резо. Несмотря на жалобы и «чуть-чуть», одет он был в свой любимый темный костюм и черную шелковую рубашку. Такой наряд вызывал восхищение, с утра было градусов двадцать пять, а к обеду обещали за тридцать. Ворот-«стойка» плотно обхватывал могучую шею, все пуговицы застегнуты.

— Тебе не жарко? — спросила я.

— Сегодня душновато, — согласился он, но ни пиджак, ни ворот рубашки так и не расстегнул.

Мы подъехали к дому, Папа пил на веранде чай, нас встретил с улыбкой. Я пошла мыть руки, а Резо, наклонясь к уху хозяина, принялся на меня стучать. Когда я вернулась, верный страж исчез, а Папа все еще улыбался, но как-то заискивающе.

Я рассказала, что ходила в церковь, а он, не без труда подбирая слова, начал воспитательную работу.

— Варя, тебе надо было сказать, что ты идешь в церковь.

— Я хотела, но вы еще спали, а беспокоить я не решилась.

— Надо было сказать Резо.

— Я не должна выходить из дома? — немного подумав, спросила я.

— Что ты, Варя, можешь делать, что захочешь, но я должен быть уверен, что с тобой ничего плохого не случится. Времена нынче такие... — Папа принялся распинаться в том же духе, а я слушала, скромно потупив глазки, думая при этом: «Давай, дядя, вешай мне лапшу на уши и заливай ее сладеньким сиропом».

Одно стало совершенно ясно: я буду находиться под неусыпным контролем, и, если попытаюсь хитрить, контроль ужесточится, а я, само собой, попаду под подозрение.

Поняв, что отделаться от Резо не удастся, я решила его приручить. Мы играли в шахматы под сенью лип, и я спросила:

— Резо, как ты оказался в нашем городе? — Следует упомянуть, что говорил он без акцента, похож был не на грузина и не на русского, а на хитрого примата. И то, что он в нашем городе родился и дальше Москвы никуда не ездил, было мне доподлинно известно, но задушевные разговоры начинать с чего-то надо, и я начала с вопроса.

— Вообще-то я здесь родился, — заявил он, почесал за ухом (была у него такая привычка, хотя, может, не привычка, может, у него блохи?), взял пешку, подержал в руках и поставил на место.

— А родители? — не унималась я.

— Мама умерла в прошлом году.

— Болела? — с сочувствием спросила я и приготовилась реветь.

— Да. Цирроз печени. Наверное, не очень хорошо говорить так о маме, но она... малость поддавала. Вообще-то я жил с бабушкой. Бабушка уже давно умерла, я тогда в восьмом классе учился.

— А отец?

— Отец был летчиком-испытателем и разбился, когда мне было два года. Мама фотографию показывала. Я ее долго хранил, потом все-таки потерял. Она сильно истрепалась, но все равно очень жалко было.

— Значит, отца ты не помнишь? А почему сам не пошел в летчики? Обычно сын мечтает продолжить дело отца, у тебя такого желания не возникало?

— Я думаю, мой отец торговал цветами на рынке. Такого желания у меня не возникало.

— А как же летчик? — удивилась я.

— Думаю, мама все выдумала, чтобы мне не было обидно.

— А-а, — я немного посидела, открыв рот, и его разглядывала, решив, что портрет родителей вышел не совсем удачным, Резо добавил:

— Думаю, мой отец все-таки был хорошим человеком, он женился на моей матери и деньги присылал, я видел переводы, правда, мама говорила, что это пенсия.

— У меня тоже нет родителей, — жалобно пропела я. — Одной плохо.

— Я привык, — пожал он плечами.

А столбик термометра неудержимо рвался вверх. Окна второго этажа, выходящие в сад, были распахнуты настежь, вовсю работали кондиционеры, но и это не спасало.

Я сидела на ступеньках веранды, покрывалась потом и делала вид, что с увлечением читаю. Я и вправду читала, но без увлечения. Несколько дней кряду я размышляла, как наладить безопасную связь с внешним миром, то есть с Орловым, но в голову ничего ценного не приходило. Оставался только Док. Придется ему звонить Орлову из родной психушки (из дома все-таки опасно) и передавать мои сообщения. Орлов их, кстати, заждался и уже всерьез беспокоился, куда я исчезла. Когда Док ответил «куда», его чуть удар не хватил, не мог поверить, а теперь скорее всего исходил слюной и уже видел себя генералом. Следовало его порадовать.

Тут на веранде появился Папа, последние дни из-за жары он чувствовал себя неважно (проблемы с давлением), сел в кресло и вздохнул:

— Вот погода, пекло, да и только.

— Да, — согласилась я и добавила: — Сейчас бы искупаться.

— Так поезжайте, — обрадовался он. Я тоже обрадовалась.

— Можно?

— Конечно, — разулыбался Владимир Иванович. — Чего тебе в такую жарищу маяться. Молодежь вся на речке. Поезжайте, выберите местечко поспокойнее и отдохните. — И позвал Резо. Тот воспринял поручение с обычной серьезностью, а я кинулась собирать кое-какие вещи. Через полчаса мы встретились на веранде: я в шортах и майке, с рюкзачком на спине, в нем лежали полотенца, две бутылки пепси и бутерброды; и Резо — в темном костюме, дорогих ботинках (еще вчера он хвалился, что купил их по случаю. Случай был такой: Резо ехал на своем «Опеле» и вдруг увидел щит прямо возле проезжей части. «Это круто» — значилось на щите, ботинки от ста двадцати условных единиц. Резо притормозил, зашел в магазинчик и купил самые дорогие. Парень он у нас в самом деле крутой). Так вот в этих самых ботинках, темном костюме и рубашке, застегнутой на все пуговицы (правда, рубашка сегодня была не черная, а серая в полоску, небольшое отступление от правил), в таком виде Резо собрался на пляж. Я посмотрела на него и нахмурилась, он тоже посмотрел на себя.

— Я думала, ты переоденешься, — заметила я, он посмотрел на себя еще раз, после чего сказал:

— Я переоделся.

— Ты имеешь в виду рубашку? — уточнила я, а Резо кивнул. — По-моему, твой наряд на пляже будет выглядеть слегка неуместно. К тому же по такой погоде в темном костюме довольно жарко.

— Я ведь не собираюсь отдыхать, — возразил Резо и по обыкновению добавил: — Ты улавливаешь?

— Боюсь, если ты не переоденешься, все отдыхающие сбегутся смотреть на тебя, в этом случае тебе будет трудно выполнять свою работу.

Он задумался, потом спросил:

— Что я должен надеть, по-твоему?

— Что-нибудь легкое, футболку, шорты или светлые брюки. Есть у тебя шорты?

Он развернулся и исчез в своей комнате. Через пятнадцать минут появился на веранде в белой футболке, шортах с оранжевыми огурцами по зеленому полю и сандалиях.

— Здорово, — сказала я.

— Это не мои вещи, — пояснил Резо, точно оправдываясь. — Взял у Витьки.

— У него хороший вкус. Идем. — Я уже сбежала по ступенькам, а он продолжал стоять на веранде. — Идем, — повторила я.

— Думаю, мне надо переодеться в костюм, — вздохнул Резо.

— Почему? — удивилась я.

— Шорты меня смущают.

— Они что?

— Смущают меня. Мне кажется, я глупо выгляжу.

«Ну, умно-то ты выглядеть просто не умеешь», — мысленно хохотнула я, нахмурилась и сказала серьезно:

— Вовсе нет. Но если они тебя смущают, переоденься.

Резо исчез и отсутствовал еще минут десять. Явился в серых брюках и той же футболке.

— Вот так хорошо? — спросил он без улыбки.

— Отлично, — утешила я, и мы наконец-то покинули дом.

В машине он принялся вправлять мне мозги:

— Извини, что заставил тебя так долго ждать, мне надо было заранее все продумать. Это мое упущение. — Он вздохнул и продолжил: — Видишь ли, я серьезно отношусь к своей работе, а работаю я у серьезного человека и должен выглядеть соответственно.

— Я улавливаю, — торопливо кивнула я, и он тоже кивнул.

— На пляже мне еще не приходилось работать, и поэтому я не подготовился, то есть не продумал все заранее. Это большое упущение.

— Я думаю, ты преувеличиваешь, — заверила я, с томлением ожидая, когда он перестанет трепаться и заведет мотор. Но он, как всегда, не торопился.

7-1133

— Спасибо, что подсказала мне, ну и не разозлилась. Думаю, я должен сказать, что с тобой приятно работать. Видишь ли, в такой работе, как моя, очень важно взаимопонимание.

— Да, теперь я думаю так же. Может, мы поедем?

— Конечно, пристегни ремень. — И мы поехали. — Куда? — спросил он, выруливая на проспект. Я пожала плечами.

— Понятия не имею, где сейчас люди отдыхают.

— Тогда, если не возражаешь, я отвезу тебя в одно место. Правда, это довольно далеко, километров двадцать, но озеро очень красивое. Народу там должно быть немного.

— Поехали на озеро, — согласилась я.

Место, куда меня привез Резо, в самом деле было очень красивым. Я сразу же полезла в воду и купалась до тех пор, пока губы не посинели, а по телу не пошли мурашки. Не хотелось, но пришлось выбираться на берег. Резо стоял, точно монумент, и проницательно просматривал сразу четыре стороны, не знаю, как у него голова не отваливалась. Я вышла, накрылась полотенцем и принялась стучать зубами.

— Вода холодная? — спросил он.

— Теплая, — не выговаривая почти все буквы, ответила я.

— Нельзя так долго сидеть в воде, ты можешь простудиться, Папа будет недоволен.

— Я давно не купалась.

— Может, зря мы сюда приехали? Может, ты хотела побыть с людьми, а я привез тебя сюда, где никого нет.

— Может, ты сядешь? — предложила я.

— Спасибо, — кивнул он, но не сел и продолжал возвышаться монументом. — Наверное, все-таки зря мы сюда приехали, — повторил он сокрушенно минут через десять. — Я думал о своей работе, а надо было подумать о тебе.

— Мне здесь нравится, — перестав дрожать, ответила я вполне внятно. — А ты не хочешь искупаться?

Он еще раз пристально огляделся. В радиусе километра ни одной живой души не наблюдалось, не считая мышей-полевок и комаров.

— Не думаю, что я могу искупаться, — вздохнул он. — Я ведь на работе.

— А-а... Слушай, — озарило меня. — Но если вокруг ни души, почему бы тебе все-таки не залезть в воду? Мы могли бы купаться по очереди: пока я плаваю, ты наблюдаешь, потом наоборот.

Теперь он раздумывал минуты две, после чего заявил:

— Жарко, — и стал раздеваться. В плавках он выглядел очень миленько. Настороженно спустился к воде, окунулся, охнул и поплыл, радостно повизгивая. Однако и в воде проявлял бдительность, посматривал на меня и махал ручкой.

«Вот придурок, — в крайней растерянности думала я. — Откуда он такой взялся?» Приходилось признать, что с ним мне здорово повезло: конечно, он зануда, но голова у него совершенно пустая, приручить его будет нетрудно.

Резо вышел из воды, и я протянула ему полотенце (свое он, конечно, захватить не догадался). На озере мы пробыли часов пять, купались по очереди, съели все бутерброды, после чего с чувством выполненного долга отправились домой.

— Как провела время? — спросил он, сворачивая на нашу улицу. Очки снял, и глазки-бусинки весело блестели.

— Отлично, — честно ответила я, а он удовлетворенно кивнул.

Утром я проснулась от жуткого шума под окнами. Подошла к окну и вытаращила глаза: в Папином саду на полную мощность работал экскаватор.

— Это что-то новенькое, — почесала я за ухом (дурной пример, как известно, заразителен) и пошла узнавать, что у нас понадобилось экскаватору. Оказалось, Папа решил сделать мне подарок: бассейн. Для этой цели часть забора со стороны улицы сняли, чтобы загнать экскаватор и самосвал. Папина любовь не знала границ.

Так как было ветрено, пляж в этот день отменялся. Папа после обеда отправился по делам, а я отпросилась на прогулку, на что и получила высочайшее соизволение. Само собой, Резо увязался тоже. Гулять он не любил и без своего джипа чувствовал себя как без обуви, но не возражал. Я весело цокала каблучками и ела мороженое, а он плелся рядом и поглядывал на меня.

За рынком мы спустились вниз по проспекту. Слева был разбит парк, и я решила свернуть туда. Пошла по узкой тропинке и через пару минут замерла в некотором недоумении. Прямо передо мной стоял кладбищенский памятник. Большой, из черного мрамора, с фотографией, фамилией, датой рождения и гибели и трогательной надписью.

— Что это? — повернулась я к Резо, а он ответил:

— Памятник.

— Вижу, что памятник. А что он здесь делает? Ведь это не кладбище, верно?

— Это парк, — согласился Резо. — Но памятник все равно поставили. Хотя этот парень похоронен вовсе не здесь, а на кладбище. А здесь просто памятник.

— А почему он здесь, ты не скажешь?

— Потому что он здесь разбился, — ответил Резо, поражаясь моей непонятливости. — Вот на этом самом месте, то есть не на этом, а на проспекте. Влетел в столб, а ребята решили поставить ему памятник.

— Но ведь здесь не кладбище? — на всякий случай еще раз уточнила я.

— Не кладбище, но он здесь разбился. И ребята решили: пусть будет памятник.

— В центре города?

— Здесь парк, до центра все-таки далеко, и памятник никому не мешает.

Я обошла глыбу мрамора и увидела ступеньки, они спускались к самому проспекту. Вокруг все чистенько, ухожено, а возле памятника стоят цветочки в литровой банке.

— Да... — озадачилась я вконец и обратила внимание на дату. Парень, заслуживший памятник в парке родного города, погиб ровно год назад. — Слушай, — полезла я к Резо, — а чем он был знаменит?

— Кто? — не понял тот.

— Сухов Алексей Васильевич?

— А... ну... ребята его уважали.

— Какие еще ребята?

— Его ребята, конечно, — обиделся Резо.

Поняв, что ничего путного от моего ангела-хранителя все равно не добьешься, я уже собралась идти дальше по тропинке, но тут внизу, на проспекте, прямо возле ступенек притормозили две машины: джип «Чероки» и белый «БМВ». Резо их тоже заметил.

— Клим приехал, навестить дружка.

— Так ведь дружок на кладбище.

— На кладбище, само собой. А сюда всегда приезжают, потому что он здесь разбился.

— А как его в столб-то угораздило? — спросила я.

— Выпил немного, а тут столб.

— Бывает, — вздохнула я и юркнула за ближайшие деревья. Там нас заприметить не должны.

По ступенькам поднялась компания из семи молодых людей. Крепких, суровых и на вид сильно печалящихся. Они замерли возле памятника и минуты три потосковали. На мой вкус, выглядело это очень внушительно.

— Который из них Клим? — спросила я.

— Кто? — не понял Резо.

— Ты сказал, Клим приехал, а их семеро, который из них?

— А... Тот, что в центре, в синей рубашке.

Вот так я впервые увидела Клима, человека, три года назад пославшего ко мне веселых придурков, которым очень понравилось со мной развлекаться. Никого из троицы среди стоящих напротив парней не было, видно, им не по рангу кататься вместе с командиром, а может, за это время успели сложить буйные головушки в междуусобной войне.

Я разглядывала Клима: выше среднего роста, по сравнению со своими ребятами здоровяком не выглядел, хотя худосочным его, конечно, не назовешь. Рыжеватые волосы, довольно длинные, глаза вроде бы светлые, отсюда не разглядишь, скуластое лицо, тонкие губы. Ничего злодейского. Он неожиданно вскинул голову и посмотрел в мою сторону, а мне захотелось созорничать: взять да и крикнуть: «Привет, Клим, я рядышком», но рядышком был мой верный страж, и с криками пришлось повременить.

Я торопливо вышла на асфальтовую дорожку, Резо, конечно, поспешал рядом. «Стоит ли считать случайную встречу с Климом Божьим знамением или нет?» — решала я, кружа по парку. В любом случае, сейчас у меня нет возможности заняться Климом, не могу я разбрасываться, так что придется ему чуть-чуть подождать. К тому же, исходя из соображений, что мы с ним старые приятели, для него я должна расстараться и придумать нечто выдающееся.

Я замерла возле беседки, с увлечением разглядывая березу напротив, и тут услышала осторожное покашливание. Повернулась и в трех шагах от себя увидела Резо. Углубившись в свои мысли, я развила приличную скорость, физиономия у моего стража была ярко-красного цвета, а на висках выступили капли пота.

— Извини, — расстроилась я, а он в ответ проникновенно улыбнулся.

— Все нормально, — заверил Резо торопливо. — Просто я подумал, может, мы малость передохнем?

— Ага, — кивнула я и устроилась в беседке, Резо

замер рядом и пытался отдышаться. — У тебя что, проблемы со здоровьем? — разволновалась я.

— Нет, у меня нет проблем. Просто ты вела себя непредсказуемо. Бежала то в одну, то в другую сторону, а я должен был проверить, что там.

— Где? — не поняла я. Он закатил глазки.

— Там, куда ты бежала. То есть я должен был сначала проверить. И тебя из виду не терять. Задала ты мне сегодня работы, — с чувством глубокого удовлетворения сказал он, а я подивилась: человек вокруг меня развил такую бурную деятельность, а я даже не заметила.

— Извини, — сказала я со вздохом, он улыбнулся и заявил:

— Можешь делать, что хочешь. На меня внимания не обращай, а я буду делать свою работу.

«Все-таки странно, что мы не встретились в психушке», — подумала я.

Папа отсутствовал. Позвонил часов в восемь и ласково поговорил со мной: ночевать не приедет, я волноваться не должна, а если мне что-нибудь нужно, следует обратиться к Резо.

«С чем, интересно, я могу к нему обратиться?»

В половине девятого приехал Док, мы удалились в мою комнату, он сел в кресло, уставился на меня с отчаянием во взоре и заявил:

— Я ничего не понимаю.

— А чего должен?

— Варвара...

— Ладно, Док. Что там за проблемы?

Никаких проблем, конечно, не было. Док уже месяц жил один, со мной виделся не более получаса в день, от работы за три года безделья отвык, и теперь жизнь ему не очень нравилась. К тому же его напугал Орлов, заявив, что мое поведение сильно отдает белой горячкой, а игры, которые я затеяла, как правило, скверно заканчиваются для играющего. В общем, Док испугался за меня и за себя, конечно, тоже.

— Орлов беспокоится зря, — заверила я с умным видом. — Ко мне охранника приставили, сущего дурачка, смыться от него плевое дело. Так что о нашей безопасности не печалься.

— Я не понимаю, зачем ты здесь осталась? — развел он руками. — Ты ничего не объясняешь...

— Пока я только приглядываюсь. На это тоже нужно время.

— А потом?

— Потом будет суп с котом. Не доставай, Док. У меня от тебя секретов нет, будет что рассказать — расскажу. А пока передай Орлову — мне нужен Клим. Он прекрасно знает, кто это... Так вот, пусть соберет о нем все возможные сведения. Чем более незначительными они будут на первый взгляд, тем для меня полезнее.

— Но... — начал Док и запнулся, а я пояснила:

— К встрече с ним я должна подготовиться.

К вечеру стало пасмурно, ветер утих, но облака плотно обложили небо, и в застекленной части веранды, где я сидела, было уже темно. Я включила настольную лампу и стала смотреть в окно. На свет слетелась мошкара, за открытым окном покачивались ветви деревьев и осторожно бродил Резо, выполняя свою работу. Я открыла книгу, взгляд вырвал из текста избитую фразу: «Народ имеет того правителя, которого заслуживает», — сказал один умник другому. Я хмыкнула, а потом посмотрела за окно. Тут как раз промелькнула голова моего стража. Кстати, несмотря на комплекцию, двигался он бесшумно. Наверное, долго тренировался.

Я приподнялась с кресла и выглянула в сад. Резо как раз сворачивал за угол: на неуклюжего примата сейчас совсем не походил, скорее на большую кошку, которая вышла на ночную охоту. Я еще немного подумала о Резо, а потом радостно фыркнула. Ну конечно. Лучшего правителя сыскать трудно. Вот уж повеселимся. Я плюхнулась в кресло, уставилась в потолок и немного поразмышляла.

Утром работы в саду возобновились, а погода наладилась. Мы с Резо отправились на пляж. Через день надобность в этом отпала, потому что я получила в личное пользование настоящий бассейн, возле которого и сидела в настоящий момент под белым зонтиком в легком плетеном кресле. Забор поставили на место, а в саду навели порядок, ни тебе мусора, ни развороченной земли; дорожки уже посыпаны песочком, а вдоль них растут бархатцы, правда, выглядели они после пересадки немного вялыми.

Возле бассейна в огромных плошках росли две пальмы, самые что ни на есть настоящие, только ростом с меня.

— Как тебе? — спросил Папа, устроив мне экскурсию. Накануне работы велись до темной ночи при свете прожектора, чтобы Папа мог с утра меня порадовать. Я, конечно, порадовалась. — Теперь вам необязательно ездить на озеро, — вскользь заметил он.

«Ладно, дядя, — хмыкнула я. — Буду сидеть безвылазно пред твоими светлыми очами, только вряд ли ты от этого много чего выгадаешь».

Я повисла на его локте, счастливо улыбнулась и сказала:

— Спасибо. — А он меня поцеловал, по-отечески в макушку.

Резо стоял возле бассейна в темном костюме и с умилением улыбался.

— У тебя будет солнечный удар, — обрадовала я его, когда Папа удалился.

— Если ты не возражаешь, я устроюсь под деревьями, — сказал он.

— Я не возражаю, если ты себя побережешь и поплаваешь в бассейне.

Он озадачился, потом нахмурился, потом сказал:

— Не думаю, что это правильно. А я всегда стараюсь поступать правильно. Ты понимаешь?

— Я улавливаю.

— Вот. Я считаю, человек должен ответственно относиться к своим обязанностям. Если каждый начнет поступать, как ему положено, порядка будет гораздо больше. Как ты считаешь?

— Так же. Иди под деревья, а я поплаваю.

Вода была приятно холодной, и я минут пятнадцать наслаждалась, лежа на спине, раскинув руки и закрыв глаза. Уловила движение рядом: это появился Папа. Витька нес ему плетеное кресло и при этом с любопытством поглядывал в мою сторону, хотя купальник на мне был более чем скромный и глазеть ему не положено. А ведь глазеет, шельмец. Надо намекнуть на это Резо, пусть проведет с парнем работу, у него должно получиться.

— Как водичка? — спросил Папа.

— Просто чудо, — ответила я, накинула купальный халат и села напротив.

Вместе с креслом Витька принес шахматы, и Папа уже расставлял фигуры. Я налила себе апельсинового сока, смотрела на верхушки деревьев и думала о том, что такая жизнь мне нравится. Так как настроение у меня было отличное, Папа выиграл. Он порадовался, а я отправилась немного поплавать. Владимир Иванович переместился ближе к бассейну и, видя, как я с радостным визгом кувыркаюсь в воде, заметил:

— Давно надо было заняться, дел-то на три дня, а удовольствия тебе на все лето.

Тут опять возник Витька и что-то зашептал Папе на ухо. Тот кивнул, через минуту у бассейна появились гости. Двое молодых людей, одетых по-летнему просто. Я как раз выходила из воды, и они, конечно, обратили на меня внимание, а я мысленно чертыхнулась: напротив меня стоял Сашка Монах и проникновенно мне улыбался.

— Здравствуйте, Владимир Иванович, — сказал он, продолжая пялиться. Папа вдруг нахмурился, поднялся навстречу гостям и сказал:

— Идемте на веранду, — а мне кивнул: — Варя, организуй нам чего-нибудь.

Я влетела в свою комнату, переоделась, пытаясь решить, что означает визит Монаха и стоит ли махнуть через ограду, спасая свое бренное тело, или торопиться не следует. Мысль об ограде я быстро отбросила, глупо бежать, так и не узнав, что они затеяли, и пошла на кухню. Быстренько сервировала стол и выкатила его на веранду. Папа кивнул, это означало, что я могу уйти, но полминуты мне хватило... Парень слева от Папы думал: «Черт старый, какую себе девку завел», а Сашкины мысли... Сашкины мысли были весьма интересны, но делиться ими с Папой он не собирался. В общем, оставив мысль о бегстве, я поступила правильно.

Я вернулась к бассейну. Резо возник на веранде, а потом устроился под деревьями. Прошло больше часа, я немного нервничала, переворачивала страницы книги, тут же забывая, о чем прочла, и дрыгала ногой. Становилось все жарче, сидеть даже под зонтиком сделалось невыносимо, и я опять полезла в бассейн. Нырнула, проплыла под водой до самого бортика, а вынырнув и открыв глаза, увидела Сашку Монаха, он сидел на корточках и радостно мне улыбался.

— Привет, — тихо сказал он и джентльменски подал руку. Я выбралась из воды, накинула халат и стала сушить волосы полотенцем. Сашка стоял рядом, сунув руки в карманы брюк, и продолжал скалить зубы. — Вроде бы ты говорила, что уезжаешь к мужу за границу? — вспомнил он, я пожала плечами. — Не знал, что вы с Папой родственники.

— Он меня удочерил.

— Здорово, — Сашка хохотнул, продолжая неотрывно смотреть мне в глаза. Честно скажу, это слегка нервировало. — Выходит, ты та самая дурочка, о которой все болтают. Забавно. Два месяца назад выглядела ты шикарно и дурочкой не была, ну разве только самую малость. Очень бы хотелось знать, деточка, что ты затеяла, а главное — кому интересно видеть тебя в этом доме.

— Папе, — хмыкнула я. — Он пригласил, я согласилась. Единственное, что ты можешь сделать, это немного испортить мне настроение. Кстати, ты нашел свой перстень?

Сашка поднял брови и криво усмехнулся, а я придвинулась ближе и прошипела:

— Ты молчишь о том, что мы встречались, а я молчу о том, что ты уложил Геббельса... или как его там. По-моему, это справедливо.

— Вот как? — Его ухмылка стала шире. — Шантажируешь, значит?

— Просто предупреждаю: если мне начнут задавать вопросы, я расскажу все, что знаю. Все. — Я ласково улыбнулась и пошла к своему креслу под зонтом, Резо прогуливался вдоль бассейна, зорко поглядывая в нашу сторону.

На веранде появились Папа со вторым гостем, и Монах заспешил к ним, проронив довольно громко:

— Удобная штука, особенно в такую жару. — Одарил меня на прощание взглядом, и я поняла, что заполучила заклятого врага.

Папа проводил гостей, а Резо перебрался поближе ко мне.

— Сашка Монах, — заявил он через пять минут, глядя в голубое небо.

— Что? — не поняла я.

— Парень, что с тобой разговаривал, Сашка Монах.

— Монах это фамилия? — решила я продемонстрировать интерес.

— Нет. Просто он говорит, что в семинарии учился. Врет.

Я кивнула, не зная, что сказать на это, и ожидая, что еще поведает мне Резо.

— Я бы не стал особенно на него рассчитывать, — заявил он, когда я уже и ждать забыла. — Я имею в виду Монаха. Хотя он в общем-то неплохой парень. И женщинам нравится.

— Ты о чем это? — подняла я брови.

— Ну... — Резо замялся, снял очки, покрутил их в руках и вновь водрузил на нос. — Он с тобой заигрывал и все такое... Я думаю, что должен тебя предупредить.

— А... Спасибо, — сказала я.

— Рад, что ты поняла меня правильно. Иногда люди воспринимают все совсем не так, как ты сам хотел бы. От этого большие проблемы. Ты имеешь в виду одно, а они совсем другое, ну и получается путаница. Ты понимаешь, о чем я?

— Конечно. О путанице.

— Я просто хотел предупредить. Сашка неплохой парень, но для такой девушки, как ты, он не пара. Решать, конечно, будешь ты, но сказать я обязан. Ты как считаешь?

— Так же, — вздохнула я и спросила: — Резо, у тебя когда-нибудь болит голова?

— Нет, а что? — удивился он.

— Ты так много думаешь... У меня, когда я начинаю много думать, голова болит.

— Мне кажется, это не от мыслей, а от чтения. Ты очень много читаешь. Хорошо, когда девушка умная, но много читать вредно.

— Это кто сказал? — удивилась я.

— Это мое наблюдение. Ты когда долго читаешь, потом сидишь грустная и хмуришься, значит, чтение тебе не на пользу. Лучше плавай, в бассейне у тебя от этого настроение хорошее. И плавание укрепляет здоровье, это кто хочешь скажет.

— Тогда пойду еще поплаваю.

Вечером, когда пришел Док, я сказала:

— С Орловым не встречайся, звони по телефону и только из больницы.

— Почему? — насторожился он.

— Потому что береженого Бог бережет.

— Что-нибудь случилось?

«Ну вот, пожалуйста...»

— Ничего не случилось, просто волнуюсь за тебя.

— Орлов интересуется новостями.

— Спит и видит себя генералом, — хмыкнула я, хотя злилась на человека совершенно напрасно: генерала ему в свое время обещала именно я, чего ж теперь недовольство высказывать. — Есть у меня для него кое-какие новости, запоминай и ничего не напутай.

— Может, лучше записать?

— С ума сошел! — поразилась я. — А если обыщут?

— Значит, тебя подозревают? — всерьез испугался он.

— Нет. Пока. И, ради Бога, не нервничай.

Проводив Дока, я опять задумалась. После встречи с Монахом рассчитывать на то, что у меня будет много времени для осуществления моих идей, не приходилось. Придется поторопиться. Поэтому со следующего дня я занялась сбором информации, выуживала ценные сведения из головы дорогого Папы. Для этого пришлось провести целый шахматный турнир и вертеться у него перед глазами с утра до вечера. Впрочем, он не возражал. Три операции, проведенные милицией в течение ближайших дней, особого впечатления на Папу не произвели и по-настоящему не взволновали. Он знал, что ментам иногда везет, и горевать по этому поводу не собирался. Мое имя, в связи с данными событиями, ни разу не всплыло в его мозгу. Это меня воодушевило.

В пятницу, в шесть часов вечера, у Папы собралась компания из четырех человек. Раньше никого из них я не видела. Все были много моложе Папы, обращались к нему подчеркнуто уважительно, но мысленно иначе как старым козлом не называли. В общем, компания приятная во всех отношениях, потому что Папа, глядя на них с презрением, думал: «Щенки паршивые, передушить вас — раз плюнуть, только руки пачкать неохота...» Это Папа малость загнул: и придушил бы, и руки бы испачкал, но твердо знал: на смену этим придут другие, так что смысла нет душить, лучше договариваться.

Я в тот вечер выступала в роли хозяйки, то есть подносила угощения и тут же исчезала. Но так как гостеприимство требовало, чтобы я появлялась не раз и не два, кое-какие сведения почерпнуть сумела. Сидящий справа от Папы тип, по имени Алексей, очень меня насторожил. Поглядывал с интересом и вроде ко мне приценивался. Не далее как вчера у них с Монахом состоялся занятный разговор. Неожиданная дружба между ними возникла по двум причинам: один из них Папу очень не любил, другой смертельно боялся. После моей прозрачной угрозы страх усилился. Монах решил, что найдет с Алексеем общий язык, и не ошибся. Теперь, разглядывая меня, тот силился понять, кто я и по какой надобности обхаживаю Папу, то есть надобность была ему ясна, а вот для кого я стараюсь — нет.

«Этот Алексей нам без надобности, — решила я к концу вечера. — Начнет воду мутить, а мне одно беспокойство».

Док приехал около девяти, к этому времени гости с хозяином заперлись в кабинете, Резо и еще трое свирепого вида парней замерли возле двери, вряд ли чье-то любопытство могло укрыться от их пристального взора. Впрочем, мне их секреты были неинтересны, я уже знала все, что хотела, оттого и ждала Дока с большим нетерпением.

— Запоминай, — прошептала я, лишь только мы устроились в моей комнате. Минут десять я говорила без перерыва, а Док таращил глаза и старался ничего не напутать.

— Это опасно, — нервно облизнув губы, сказал он.

— Что опасно? — разозлилась я. — Они при мне слова не сказали, а сейчас сидят в кабинете за дубовыми дверями, обложенные охраной, словно младенец пеленками. Сам подумай, каким боком можно меня пристегнуть к этому делу? Я знать ничего не знаю, да и возможностей узнать у меня нет.

— Хорошо, — поморщился Док. — Мне идти?

Последнее время, находясь в доме Папы, он очень нервничал и начинал ровно дышать, только подходя к калитке.

— Подожди. Попроси Орлова вот о чем: пусть завтра под любым предлогом арестует Алексея Лунина, он знает, кто это. Лучше всего подержать его ночку в ментовке, накануне затеянного ими дельца. Ты понял?

— Зачем тебе это?

— Затем, чтобы у людей был козел отпущения. Если Орлов испортит им малину, Папа и его друзья будут сильно расстроены. Надо дать им возможность выплеснуть отрицательные эмоции.

— Я не понимаю... — нахмурился Док.

— Орлов поймет, — заверила я.

Орлов действительно все понял. Где-то после обеда Папе позвонили с сообщением, что Алексей задержан правоохранительными органами. На моего хозяина это особого впечатления не произвело, он только покачал головой и связался со своим адвокатом, препоручив ему это дело.

Страсти разгорелись через два дня. В таком бешенстве я Папу еще не видела. В доме все стихли и расползлись по щелям, не желая попадаться на глаза хозяину. После приступа бешенства в доме вновь появились недавние гости. Алексей, кстати, выглядел спокойно и больших неприятностей не ждал, а мог бы сообразить, что события развиваются не в его пользу. Конечно, чистое совпадение, что он накануне прохлаждался в ментовке, кто ж всерьез решит, что он мог проболтаться... Однако люди из-за таких совпадений легко лишаются головы. В Папин дом Алексей вошел уверенно и спокойно, а вышел с потным лбом и трясущимися губами. Больше мне увидеть его не довелось, впрочем, не только мне, но даже близким родственникам. Так как Папу не интересовало, каким путем ушел из жизни бывший соратник, подробностей его кончины я не узнала.

«Хороший день», — удовлетворенно кивнула я, укладываясь спать.

Дождавшись, когда гроза утихнет и Папа успокоится, я решила попросить у благодетеля компьютер. Он пылился в одной из нежилых комнат огромного Папиного дома. Для какой надобности был приобретен, оставалось загадкой.

Я тихонечко постучала в дверь и, услышав «да», осторожно вошла. Папа в красном халате сидел на диване и пытался смотреть телевизор. Увидев меня, улыбнулся и даже напустил в глаза ласковой грусти. Шла она ему необыкновенно. Я замерла возле двери и спросила:

— Извините, я не помешаю? (Хоть Папу я называла папой с маленькой буквы, но обращалась уважительно, на «вы».)

— Конечно, нет. Проходи, Варя, — сказал он. Я прошла и села на краешек дивана.

— Что-нибудь случилось? — голос мой звучал тихо и жалобно.

— Нет. С чего ты взяла?

— Вы не такой, как обычно. Нервничаете.

— Дела, Варя, — помолчав, вздохнул он и погладил меня по голове, машинально, как гладят болонку, когда она устраивается рядом. — Ты на мое настроение внимания не обращай. Тебе я всегда рад. Куда-нибудь собралась? — спросил он, мысли его блуждали далеко, но меня он обижать не хотел, потому старался поддержать разговор.

— Нет, — покачала я головой.

— Скучно тебе? — забеспокоился Папа. — Молодой девушке подруги нужны... друзья. Как вы с Резо, ладите?

— Он не злой, — ответила я.

— Да? — Папа вроде бы заинтересовался. — А кто злой?

И я охотно перечислила ряд имен, из тех, что регулярно посещали Папу. В ближайшее время я планировала от них избавиться, так что следовало заблаговременно подготовить Папу, чтобы он не очень переживал из-за плохих людей.

— А что про Калинина скажешь? — спросил Папа со все возрастающим интересом. — Здоровый такой, в пестрой рубашке, приходил вместе с Андреем?

— У него душа черная, — глядя в одну точку, заявила я. — Вы ему не верьте, обмануть ему ничего не стоит. Плохой человек.

Папа задумался, а я поежилась, выходя из транса, и посмотрела на него, а он на меня.

— Вот что, Варя, завтра человек придет... в гости, так ты приглядись к нему получше, — вдруг решился он. Я кивнула, делая вид, что не очень понимаю, в чем тут дело. Сообразив, что Папа уже сказал все, что хотел, я попросила:

— Можно мне взять компьютер?

— Компьютер? — не понял Папа, забыв, что такая вещь имеется в его доме.

— Да. Он наверху стоит...

— А-а. Возьми, конечно. Поиграть хочешь? Варя, если что нужно, ты, пожалуйста, не стесняйся...

— Спасибо, — улыбнулась я и пошла звать Резо, чтобы помог перетащить компьютер.

Вечером мы сидели в моей комнате, я у компьютера, а Резо в кресле.

— Хочешь попробовать? — предложила я. Он кивнул, устроился на моем месте с удобствами и сумел-таки произвести впечатление. — Молодец, — с завистью сказала я где-то через час. — Я так не умею.

— Здесь главное — внимание и хорошая реакция, — заявил он. — А без этих качеств в моей работе никак нельзя. Ты улавливаешь, о чем я?

— Почти. Так ты на компьютере тренируешься?

— Нет, — покачал он головой. — Я просто ко всему отношусь серьезно, и в игре, и в жизни.

Я внимательно посмотрела на него и задумалась.

Человек, о котором говорил Папа, появился у нас ближе к обеду. Я как раз накрывала на стол (обедали мы в столовой вдвоем с Папой, охранники ели в кухне), дверь открылась, и вошел Папа, рядом с ним представительный дядька неопределенного возраста, вроде бы молодой, но с лысиной в полголовы, лицо бледное, рыхлое и отечное. Занятный тип.

Папа радушно улыбался и хлопал его по плечу. Гостю это не очень нравилось, но он старательно улыбался в ответ.

— Вот, знакомься, Варя, это Евгений Алексеевич, а это моя племянница, — легко соврал Папа. — Звать Варя, она у меня в доме хозяйка.

Евгений Алексеевич внимательно посмотрел на меня, а я на него, потом мы дружно заулыбались и кивнули друг другу.

— Прошу к столу, — заливался Папа и мне подмигнул, лихо так, с озорством.

Обед длился чуть меньше часа. За это время я смогла близко познакомиться с Евгением Алексеевичем, точнее, с его мыслями. Папу он любил, как я решетки на окнах, и уже месяца три вынашивал мысль навеки от него избавиться. Его идеи на этот счет выглядели впечатляюще, теперь мне предстояло решить, как поступим мы, то есть я: попробуем нарушить его планы или дадим им возможность реализоваться? Во втором случае Евгений Алексеевич может выполнить за меня всю грязную работу, делать ее он будет не спеша и аккуратно, и через некоторое время оттяпает у Папы изрядный кусок. И уж только после этого рискнет разделаться с самим Папой. Но такой штуки мы ему позволить не можем, потому придется Евгению Алексеевичу к данному моменту скончаться.

После обеда Папа повел дорогого гостя в свой кабинет. Беседовали они долго, а когда гость наконец отбыл, Папа зашел ко мне.

— Понравился тебе Евгений Алексеевич? — спросил он без нажима. Я кивнула.

— По-моему, он хороший человек и вас очень уважает.

Папа с улыбкой покивал головой, вроде бы все, о чем мы говорили, так, пустячок и шутка, но был доволен.

Мой интерес к технике не остался незамеченным. Пока мы с Резо ездили по магазинам, компьютер проверили. Просмотрели все дискеты, все записи и, разумеется, не обнаружили ничего интересного. Папа молодец, бдительности не теряет. Он немного устыдился своих подозрений и весь вечер был со мной чрезвычайно ласков. А я приступила к разработке своего плана, занося его на одну из дискет. Разобраться в нем постороннему будет очень трудно, но если такой умник найдется... Что ж, тем занятнее для меня.

— Что это? — спросил Резо, неожиданно возникнув из-за моей спины.

— Это мои мысли, — ответила я.

— Да? — он вроде бы заинтересовался и уставился на экран, через минуту спросил обиженно: — Ты сама-то понимаешь, что напечатала?

— Нет. Но это неважно. Важно, о чем я думаю, когда печатаю.

— А о чем ты думаешь?

— Например, о тебе, — усмехнулась я, а Резо обиделся, потому что не поверил. Зря, между прочим.

В среду утром Папа уехал. Во всем доме были только я и мой верный страж, когда зазвонил телефон. Я никогда не обращала внимания на звонки, потому что звонить мне некому, и трубку снял Резо. Снял, сказал «да» и посмотрел на меня с большим недоумением.

— Это тебя.

— Меня? — не поверила я.

— Ага.

Я взяла трубку, а Резо отошел ровно на пять шагов и замер у стены, пожирая меня глазами.

— Слушаю, — пролепетала я.

— Привет, — со смешком отозвался Сашка Монах.

— Ты меня напугал, — заметила я, переводя дыхание.

— Да неужто? Слушай, радость моя, я знаю, кто ты...

— А кто я? — Растерянность от неожиданного звонка уже прошла, и я начала соображать.

— Ты всерьез надеялась, что я не узнаю бабу, с которой спал?

— Не понимаю, о чем это ты?

— Зато я хорошо понимаю. Лунин — твоя работа?

— А кто это?

— Слушай внимательно, сучка... — начал злиться он, но я остановила поток его красноречия:

— У тебя что, своих проблем мало? Держись от меня подальше. И лучше всего молчи. Ты промолчишь, я промолчу. Все ясно?

— Ты ошибаешься, деточка, ты очень ошибаешься, — хохотнул он. — Думаю, если немного потрясти твоего дружка, непременно всплывет что-нибудь интересное.

— Возможно. Например, Папа узнает о перстне. Он здесь, в доме, хочешь, приди и возьми его. Не далее как вчера Папа в очередной раз вспоминал о своей утрате.

Сашка ничего не ответил и бросил трубку. Помоему, это невежливо.

Я задумалась и даже не сразу сообразила, что грызу ноготь, все-таки сукин сын умудрился вывести меня из равновесия. Торопливо набрала номер городской психушки. Надеюсь, Док сейчас на работе. Услышав его голос, я произнесла условную фразу, предупредила, что свободно говорить не могу. Док сразу же разволновался.

— Этот урод рядом с тобой или случилось что похуже?

— Рядом.

— Они догадались?

— Не совсем.

— Хотят поговорить со мной?

— Один человек.

— О, черт. Монах все понял?

— Все понять он просто не может, — утешила я. — А тебе лучше срочно уехать.

В продолжение этого разговора Резо смотрел на меня не моргая и вроде бы шевелил губами: должно быть, запоминая каждое слово. Наверняка у него хорошая память: это ведь помогает в работе.

— Что смотришь? — спросила я, он улыбнулся с хитрецой.

— Тебе Монах звонил? — Я кивнула.

— Папе скажешь?

— Конечно, — удивился он.

— А если Папа не спросит, все равно расскажешь?

Резо обиделся.

— Папа приказал: любой звонок, твой или тебе. Все яснее ясного. Вот если бы он не говорил так, а просто ежедневно интересовался: звонил ли кто? Тогда другое дело: он, к примеру, не спросил, а самому лезть не стоит. Ты понимаешь, что я имею в виду?

— Понимаю. Разговор слышал?

— С Монахом? Конечно.

— И передашь слово в слово?

— Папа наверняка заинтересуется.

— Слушай, — решила я зайти с другой стороны. — Папа что говорил, когда тебя ко мне приставил?

— Ну... чтобы я за тобой присматривал, чтоб чего не случилось. Сказал, головой за тебя отвечаю.

— Ясно. А как насчет моего здоровья?

— А что с ним? — удивился Резо.

— Пока ничего. Я спрашиваю, за мое здоровье ты отвечаешь? Например, я сломаю руку, это хорошо?

— Чего хорошего руки ломать?

— Вот и я об этом. Как думаешь, Папа обрадуется?

— Нет, это глупо, по-моему.

— А тебе попадет?

— Еще бы.

— Выходит, ты должен заботиться о том, чтобы не причинить мне никакого вреда?

— Это перво-наперво, — согласился он.

— Отлично. — Я перевела дыхание. — Этот звонок меня очень расстроил. Я хочу его поскорее забыть. Если меня будут расспрашивать, мне станет плохо. Начнется припадок. Возможно, я умру.

— С чего это тебе умирать? — заволновался Резо.

— Как будто ты не знаешь, что я чокнутая и меня нельзя волновать.

— Никакая ты не чокнутая, — начал ворчать он. — А то я чокнутых не видел. У меня дядька был чокнутый, вот уж действительно... а с тобой никаких хлопот. Так что не забивай себе голову, ты нормальная.

— Спасибо, — обрадовалась я. — Давай все-таки вернемся к звонку Монаха. Я тебе честно обещаю, если мы его сейчас же не забудем, у меня начнется жуткий припадок, и я окажусь в психушке, навсегда. Папа обрадуется?

— Нет.

— А кто будет виноват?

— Кто?

— Ты, конечно. Ты не уберег мое здоровье.

Он моргнул, почесался и долго не отвечал.

— Ты как-то все выворачиваешь, и я за тобой не поспеваю.

— Ты хороший охранник и должен поступать правильно. Давай, думай быстрее. Что тебе поручили: охранять меня или упечь в психушку?

— Охранять, — проворчал он.

— Вот и отлично.

Резо ушел, но через полчаса вернулся.

— Я не уверен, — заявил он с порога.

— О Господи... Чего еще?

— Папа сказал: любой звонок...

— А еще сказал: беречь как зеницу ока. Сказал?

— Ну...

— Вот и береги.

— Варвара, — замялся он в дверях. — Давай ты ему сама скажешь.

— И что?

— Ничего. Ты скажешь, а я буду молчать. Выходит, мы и здоровье сбережем, и приказ выполним. Идет?

— Идет, — вздохнула я.

«От Монаха надо избавиться, — вышагивая по комнате, думала я. — Причем как можно быстрее. Пока Резо не донес о звонке, а Папа не решил побеседовать с Сашкой».

Жаль, конечно, я готовила ему интересную роль. Орлов мог бы задержать его ненадолго, но мне от этого ни жарко ни холодно, Монаху пора исчезнуть навеки... Например, взлететь на воздух вместе со своей машиной. У него полно врагов, вряд ли кто особенно удивится. Разумеется, Орлов бомбу подкладывать не станет, значит... Скобелев. Бывший спецназовец и алкоголик. Надеюсь, он все еще помнит, что является членом глубоко законспирированной организации. Я рассчитывала, что смогу использовать его только в крайнем случае, но жизнь распорядилась по-своему. Впрочем, может, этот случай и есть крайний. Затевать с ним переговоры по телефону, когда вдумчивый Резо проявляет бдительность, крайне неразумно. Поэтому, немного побродив по дому, я предложила своему стражу:

— Давай покатаемся по городу.

Он с готовностью кивнул, и через пять минут мы уже выехали из гаража на его джипе. В воротах столкнулись с Папой, то есть не с ним столкнулись, а с машиной, и не столкнулись вовсе, а мирно разъехались. Папа приоткрыл окно, а Резо дверь и крикнул:

— Варя хочет покататься.

Папа дал добро, и мы отчалили.

Кататься с Резо в машине то еще занятие. Хоть он мне неоднократно намекал, что обращать на него внимание необязательно, в реальности это получалось плохо. Вот и сейчас он сразу же завелся и стал нудеть о специфике своей работы. Я на него поглядывала и вздыхала. Он кого угодно сведет в могилу, и не своими здоровенными ручищами, а языком.

— Я все уловила, — не выдержала я. — А теперь очень прошу: заткнись.

Он обиделся и замолчал.

— Сворачивай налево, — сказала я минут через пять. — Видишь кафе, давай зайдем.

Здесь мы бывали не раз, поэтому Резо не удивился. Пристроил машину и, поленившись ее запереть, зашагал рядом.

— Не боишься, что угонят? — съязвила я, а он посмотрел с удивлением.

— Дураков нет.

Устроившись возле окна, я ела мороженое, а он пил пиво из банки.

— А тебе можно? — опять съязвила я, показав на банку. Он помолчал.

— Думаю, немного выпить можно, — ответил через пару минут, а я вздохнула:

— Завязывай ты с этим делом.

— С каким? — насторожился Резо.

— Думать. Охранникам вредно приобретать такую привычку.

— Тут ты не права, — покачал он головой, а я с опозданием сообразила, что сваляла дурака: сейчас опять заведется. Поднялась и сказала:

— Я в туалет.

Резо тоже поднялся. У двери с буквой «Ж» я на него посмотрела и спросила:

— Пойдешь со мной?

— Нет, — серьезно ответил он. — Здесь постою.

— Как хочешь, а то пошли.

— Нет. Еще кого-нибудь напугаю.

Я вошла в туалет, заперла дверь и бросилась к окну. Кабинка туалета размещалась чуть дальше, а у окна была раковина. Чертыхаясь, я подергала раму. К большому моему облегчению, она открылась, и я протиснулась в окно. При этом зацепилась платьем за какой-то гвоздь, чертыхнулась еще раз и спрыгнула на асфальт.

Телефон был прямо на углу. Я торопливо набрала номер, с неудовольствием глядя на огромную тучу. Погода опять испортилась, с утра дул ветер, а сейчас вдруг заморосило.

— Что за безобразие такое? — возмутилась я и тут услышала голос Скобелева.

— Да.

— Виктор?

— Это ты? — Могу поклясться, он обрадовался. Чудеса, да и только. — Я тебе звонил несколько раз...

— Извини, нет времени. Меня интересует машина одного человека и сам человек, конечно, тоже. — В рекордно короткие сроки я поведала, где найти ту самую машину и кто в ней должен сидеть. А потом полезла в окно. Вполне возможно, что Резо уже надоело торчать у двери и мы с ним встретимся возле раковины.

Ничего подобного, туалет пуст, правда, Резо тихо скребся в дверь.

— Сейчас, — мученическим голосом отозвалась я и взглянула на себя в зеркало. Так и есть, волосы в мелких бисеринках дождя. Я быстро умылась и пригладила волосы мокрыми руками. Открыла дверь, мой страж хмурился и моргал. Молча мы проследовали к столу. Здесь его разобрало.

— Тебе нехорошо?

— С чего ты взял?

— Ты умылась и волосы мокрые.

«До чего ж глазастый».

— Нехорошо, — покаялась я. — Душно здесь. Голова закружилась.

— Я уж беспокоиться начал. Думал, может, ты сбежала.

— Куда? — глаза у меня только что не вылезли из орбит.

— Ну... может, у тебя какое дело, а ты не хочешь, чтобы я о нем знал.

Я уставилась на него и сидела так довольно долго.

— У меня нет дел. Вообще никаких.

Он кивнул, при этом мыслей в его голове вообще не было.

«Знал бы ты, олух, что за судьбу я тебе уготовила, на руках бы носил... Впрочем, он и так понесет, стоит только сказать..»

— До меня не дошло, ты кто вообще: охранник, тюремщик или нянька? — Он опять обиделся.

— Я охранник. Но это не так примитивно, как ты себе представляешь, потому что моя работа...

— Все, заткнись, — отрезала я.

— Напрасно ты так к этому относишься, — все-таки проворчал он, глазки-бусины стали грустными.

— Да ладно, это я от духоты вредничаю. Поехали домой.

Теперь оставалось только ждать: выполнит приказ тайной организации Скобелев или хватит ума сообразить, что все это липа чистой воды?

Вечером мы с Папой играли в шахматы, а Резо сидел рядом и хитро на меня посматривал. Дважды подмигнул, потом принялся кашлять. Я вздохнула и сказала Папе:

— Сегодня мне Саша звонил.

— Какой Саша? — не понял он.

— Резо его Монахом зовет.

— А-а. И что?

Я пожала плечами.

— Не хочу я об этом рассказывать.

— Ну не хочешь и не надо... Он тебе нравится? — помедлив, все-таки спросил Папа.

— По-моему, мы не подходим друг другу, — осторожно ответила я. — А как вы думаете?

— Не подходите, — согласился Папа. — Я еще в прошлый раз заметил, Сашка все возле тебя крутился. Парень он... как бы тебе сказать... шальной, словом... Такой девушке, как ты, с ним одни неприятности... — и вдруг спросил: — Вы ведь раньше встречались?

Папа имел в виду встречу трехлетней давности, из-за которой я пострадала, это немного успокоило. Я долго думала, прежде чем ответить:

— Не знаю. Я многого не помню. Часто пытаюсь вспомнить, но не могу. Что-то темное... и страшное.

Папа внимательно наблюдал за мной и в целом остался доволен. Но одна мысль в его голове меня насторожила. Дураком Папа точно не был.

Чуть позже, отправившись в кухню за молоком, я случайно услышала разговор Папы с Резо и замерла на месте соляным столбом.

— О чем говорили, слышал? — спросил Папа.

— Сашку не слышал, — ответил Резо. — А она дважды ответила «нет» и один раз «да».

На цыпочках я вернулась в комнату, пытаясь прийти в себя от удивления. Резо соврал хозяину, можно сказать, отцу родному. То, что болтал Сашка, он мог в самом деле не слышать, но мои ответы наверняка выучил наизусть.

«Чудеса», — подумала я, укладываясь спать и пообещав себе завтра как следует пошарить в его мозгах. Решив однажды, что его мысли способны доконать любого, я от Резо старательно отгораживалась, а теперь пожалела об этом. Что-то я в парне проглядела.

Утром я встала рано и сразу же направилась к бассейну. В доме была тишина, Папа почивал, охрана передвигалась на цыпочках, а я устроилась под зонтом с книжкой в руках, кутаясь в махровый халат по причине утренней прохлады. Резо мог появиться в любую минуту, я ждала с нетерпением, очень мне хотелось послушать его мысли. И вскоре услышала, да такое...

Ничего подобного мне даже в голову не приходило, и уж вовсе невероятно, что это пришло в голову ему.

Он мечтал, и эти мечты впечатляли. Я даже книгу выронила и повернулась, чтоб посмотреть: может, это кто-то другой пасется поблизости? Резо сидел в своем кресле в тенечке, увидев, что я повернулась, сказал:

— Доброе утро. — А я ошалело кивнула.

«Точно, он».

И еще немного послушала. Покраснела, начала с трудом дышать, а потом, сбросив халат, с разбега плюхнулась в воду.

«Ну, сукин сын! И где он такого набрался, придурок».

Придурок переместился ближе к бассейну, я подплыла, а он сказал:

— Холодно еще, простудишься. — И приготовил полотенце.

— Ты вчера соврал Папе, — зашипела я.

— Я не врал, — нахмурился он.

— И мне сейчас врешь.

— Подслушивать нехорошо.

— Я не подслушивала, а услышала случайно, это разные вещи. Улавливаешь?

— Ну... А я слышал то, что слышал, и отстань.

Я выбралась из бассейна, потому что злиться, болтаясь в воде, неудобно. Он набросил мне на плечи полотенце, а я прошипела:

— Не трогай меня.

— Я не трогаю, — надулся он, подтащил свое кресло к моему и затих, а я стала думать, чем бы его утешить. Ничего не придумала и брякнула:

— Спасибо.

— Я слышал то, что слышал, — упрямо повторил он. Я окинула его взглядом и приуныла: без его помощи мне здесь нелегко придется. Резо хоть и с одной извилиной, но приметлив и хитер. Значит, надо его привязать к себе чем-то посущественнее игры в шахматы, однако думать об этом всерьез как-то не хотелось. Для такого шага надо набраться сил.

Он вдруг разулыбался.

— Погода будет хорошая, я прогноз слышал. 25—27 градусов. Поедем куда?

— Дома останемся, — ответила я и, вздохнув, добавила: — Идем чай пить.

В три часа, сразу же после обеда, в доме появился мужчина лет шестидесяти, толстый, розовощекий, с веселыми глазами. Привез его Витька, повел к Папе.

— Кто это? — спросила я Резо, он пожал плечами.

— Первый раз вижу.

Я насторожилась, очень мне все это не нравилось.

Тут Папа позвал меня к себе, то есть не Папа, а Витька вышел и крикнул:

— Варвара, тебя Владимир Иванович зовет.

Я пошла. Папа вышагивал в гостиной, толстяк сидел на диване, сложив пухлые ладошки на брюшке и улыбаясь, кивнул мне и сказал:

— Здравствуйте, Варя.

— Здравствуйте, — ответила я, понемногу успокаиваясь.

— Вот, Варя, знакомься, — начал Папа. — Врач к тебе приехал, Геннадий Николаевич, очень хороший специалист.

— Врач? — выразила я удивление.

— Да. Мы с Леонидом Андреевичем посоветовались и решили: пусть Геннадий Николаевич тебя посмотрит.

Папа, конечно, врал. С Доком он не советовался, но против врача я не возражала, хоть и напустила при этом в лицо величайшей грусти, чтоб, значит, Папа себя виноватым почувствовал.

Мы отправились в мою комнату, а Папа остался в кабинете. Геннадий Николаевич устроился в кресле перед журнальным столом, на меня смотрел ласково, мы с ним немножко поболтали о том о сем, после чего он извлек из чемоданчика картинки и стал мне их показывать.

«Что ж, приступим, — мысленно хмыкнула я. — Диагноз шизофрения я себе мигом обеспечу».

Потратили мы на это занятие час, не меньше, и я начала беспокоиться: как бы не переборщить и вновь не угодить в психушку.

Наконец гость убрал свои дурацкие картинки, еще немного со мной поболтал и направился к Папе, на ходу состряпав постную физиономию. Через полчаса отбыл, а Папа позвал меня пить чай. Выглядел он слегка пришибленным, совестился.

Геннадий Николаевич диагноз подтвердил, но выразил надежду, что мой случай небезнадежен. О нем бы я такое не сказала.

Вечером приехал Док, и Папа с заметным подхалимством рассказал ему о визите. Док, само собой, немного обиделся, так как усмотрел в действиях Папы неуважение к себе, и со свойственным ему достоинством заявил, что Папа может при желании собрать консилиум. Единственное, в чем я по-настоящему нуждаюсь, это любовь и покой. Потом мы с Доком немного погуляли в саду. Как только остались одни, его уверенность разом улетучилась, он нервничал и даже не пытался этого скрыть.

— Тебя проверяют? — прошептал он испуганно.

— Конечно, — отмахнулась я.

— Он что-то заподозрил.

— Папа неглупый мужик и очень осторожен. Кончай дергаться, Док, все в пределах нормы.

— А я так не считаю. Скажи, зачем ты здесь?

Я засмеялась и покачала головой.

— Тебе нужны те трое мерзавцев...

«Ну вот, началось..»

— Док, как только я почувствую, что находиться здесь опасно, сразу сбегу. О себе думай. Какого черта ты еще здесь? Я ведь сказала: уезжай.

— Без тебя я никуда не уеду...

Что ж, это его дело. Человек он взрослый и решать должен сам.

— С Орловым общайся только по телефону. Хотя я бы на твоем месте уехала.

— Куда? — всплеснул он руками. Нервы у него ни на что не годны, пожалуй, я дурака сваляла, оставив его одного. Теперь говорить ему об угрозах Монаха нельзя, он вконец перепугается и неизвестно что сотворит.

— Как там Орлов? — спросила я, желая сменить тему. — Какие новости?

— Просил тебе передать: Клим последнее время любит отдыхать на турбазе «Лесная сказка», уезжает туда в субботу с ночевкой. Там рыбалка хорошая.

Новость показалась мне занятной. Пора нам с Климом познакомиться.

— Что еще?

— Так, ерунда всякая.

— Док, я тебе говорила, мне любая ерунда важна.

Он с заметным недовольством стал перечислять привычки и склонности Клима. Одна меня слегка удивила: оказывается, в юности он любил читать.

— Что? — заинтересовалась я. — Что он читал? Фантастика, приключения?

Док посмотрел на меня, как на чокнутую.

— Откуда мне знать?

— Извини, — сбавила я обороты. — А вот Орлову передай, пусть непременно узнает.

— Как ты себе это представляешь? — разозлился Док.

— В библиотеке люди обычно работают подолгу и активных читателей помнят. Думаю, Орлову будет нетрудно раздобыть такие сведения.

— А при чем тут библиотеки? — не сдавался Док.

— При том, что десять лет назад, когда Клим был подростком, люди шли за книгами в библиотеки.

— Допустим, ты узнаешь: он безумно любил Достоевского, и что?

— Явлюсь к нему в образе Сонечки Мармеладовой, — хохотнула я, но Док не оценил моей шутки.

Мы завтракали на веранде, Папа пел соловьем и пару раз, вроде бы невзначай, погладил меня по голове. Я решила воспользоваться его хорошим настроением и сказала:

— Мне так хочется куда-нибудь поехать...

— Куда? — насторожился он, я пожала плечами.

— Не знаю... Вчера по телевизору реклама была: предлагают однодневные путевки на турбазу... забыла, как называется.

— Ну, если хочешь... — вздохнул Папа. — Хотя чем плохо в саду? Бассейн... — Устыдился и добавил поспешно: — Я не хочу держать тебя взаперти, ты сама себе хозяйка.

«Как бы не так», — подумала я, глядя на него с благодарностью. Он еще раз погладил меня по головке и вроде бы утешился. Потом позвал Резо и что-то ему внушал минут десять, как видно, инструктировал. Тот вернулся от Папы чрезвычайно деятельный и вертелся вокруг меня, видно ожидая распоряжений, но сегодня была пятница, и я никуда не спешила.

— Пойду поплаваю, — сказала я громко. Резо вроде бы огорчился и поплелся за мной. Сел в кресло возле бассейна в своем любимом костюме и приготовился весь день потеть. Вот ведь олух.

Я была задумчива и не разговаривала, а ему хотелось поболтать. Продержался он час, потом произнес не без ехидства:

— У Сашки машину рванули.

— У кого? — вроде бы не поняла я.

— У Монаха.

— Как это рванули?

— Ну... взорвали то есть. Хорошо, сам жив остался.

— Как жив, если машину взорвали?

— А не он в нее сел. Дружок. Повернул ключик и тю-тю...

— А дружок?

8–1133

— Дружок... ну... — Резо запечалился, огорчать меня Папа не велел, и теперь он соображал: расстроит меня смерть неизвестного дружка или я смогу ее пережить без ущерба для своего здоровья.

— Погиб? — округлила я глаза.

— Не совсем, — брякнул он. — Врачи сказали, может, вылечат.

— По-моему ты глупости говоришь, — не выдержала я, а Резо обиделся.

Через час Папа отправился по своим делам, помахав мне ручкой, а у нас начал беспрерывно звонить телефон. Резо снимал трубку, говорил «да», потом бросал ее на место и качал головой. Включил определитель номера и рассвирепел еще больше, потому что информацией не разжился. Было совершенно ясно, что домогаются меня. Вопрос: кто? Либо Орлов, что очень пугает, либо Сашка Монах, которому положено быть покойником.

Когда раздался очередной звонок, я направилась к телефону под суровым взглядом Резо.

— Слушаю, — пропищала я тонким голоском.

— Твоя работа? — поинтересовался Сашка.

— Что? — не поняла я. Он грязно выругался и продолжил:

— Укокошить меня решила?

— Ты чокнулся, что ли? — удивилась я. — Не скажешь, как я могла бы такое провернуть?

— Не знаю, но будь уверена... — далее шла сплошная матерщина, вот тебе и джентльмен. Я покачала головой, ожидая, когда иссякнет поток красноречия.

Резо стоял напротив, сунув руки в карманы, потом повернулся и вышел из комнаты, хлопнув дверью.

— Спасибо! — крикнула я вдогонку.

— Ты это мне? — спросил Сашка.

— Нет, конечно. Тебя благодарить мне не за что. Про машину я знаю, слышала, как Резо с Витькой разговаривали. Папе кто-то донес, что это дело рук Клима, я не знаю, кто такой Клим, но парни говорили, что он тебя не жалует. И вот еще что: сюда звонить не смей, не то мне придется рассказать Папе о наших прежних встречах. Перстень здесь, в доме, не наводи на грех.

Сашка хотел сказать что-то, но я повесила трубку и пошла искать Резо. Он сидел на ступеньках веранды и выглядел страшно несчастным. Придется все-таки осуществлять его мечты, хоть и не хочется. Я посмотрела на него с сомнением и решила: только не сегодня. Он поднял голову.

— Донесешь? — весело спросила я.

— Я не думаю, что ты хочешь причинить вред Папе, — подумав, сказал он. — По-моему, ты хорошо к нему относишься.

— Он мне вместо отца, — заверила я. — Ты же знаешь, я сирота.

— Может, ты мне скажешь, что у тебя за дела с Монахом? Я ведь не из любопытства спрашиваю, а чтобы не волноваться... ну, чтоб быть уверенным, что в этом нет ничего плохого для Папы.

— А ты кого охраняешь? — нахмурилась я.

— Тебя, — поразмышляв, ответил он.

— Ну так и охраняй...

Я пошла к бассейну, а он поплелся за мной и принялся канючить:

— Конечно, я тебя охраняю, и тут все правильно, но у тебя есть секреты, и это меня тревожит. Ведь охранять тебя мне поручил Папа. Он мой хозяин. Ты улавливаешь?

— Конечно. А я кто?

— Ты? Ты это ты.

— Но охранять ты должен меня?

— Ну...

— Так вот и охраняй, — развела я руками.

Вечером Док, прежде чем зайти ко мне, долго разговаривал с Папой, в комнату вошел с дрожащими руками и тут же накинулся с упреками.

— Что за чертовщина с компьютером?

— О чем ты? — не поняла я.

— Папа сказал, что ты в компьютер заносишь какую-то чушь и утверждаешь, что это твои мысли.

— Ерунда, Док.

— Что значит «ерунда»? — Он вроде бы собрался кричать, но вовремя опомнился. — Зачем тебе это, скажи на милость? — перешел он на зловещий шепот.

— Я записываю свои мысли.

Он рухнул в кресло.

— Ты сошла с ума...

— Док, я изобрела свой собственный код. Вряд ли кто-то сможет его расшифровать. А с моим диагнозом выводить закорючки, выдавая их за гениальные мысли, вполне естественно.

— Вряд ли кто-то сможет расшифровать? — переспросил он. — А если все-таки сможет? Что ты там пишешь, черт возьми?

— Так... составляю планы.

Он в крайнем отчаянии воздел руки, а я добавила:

— Док, тебе надо на юг. Ты переутомился...

В ответ он посоветовал мне отправиться в психушку, мысленно, конечно. Понемногу успокоился и стал излагать новости. Неожиданно усмехнулся и сказал:

— Он любил Ремарка.

— Кто? — не сразу сообразила я.

— Клим, — пожал плечами Док. — Представляешь: «Три товарища», «Триумфальная арка» — и такой тип, как Клим. Невероятно...

— Почему же, — почесав нос, заметила я. — В этом что-то есть... Правда, в нашем случае больше подойдет «Черный обелиск». Ремарк, значит... Вот что, Док, — заторопилась я. — Сегодня же позвони по этому номеру. — Я черкнула номер на бумаге. — Спросишь Олега Николаевича, это Клим. Передашь ему, что у Монаха большие претензии из-за машины и погибшего дружка и он похвалялся, что Клим не жилец на белом свете. У Орлова узнаешь адрес ближайшего Климова дружка, желательно разнюхать что-нибудь о его привычках, и мне сообщишь. Заданием я тебя загрузила, так что иди. — Он пошел, я опомнилась и забрала у него листок с номером. — Номер не забудешь? — спросила с беспокойством.

— Не забуду, — с несчастным видом ответил Док.

Утром Папа отсутствовал, вообще последнее время дома он бывал значительно реже: стараниями Орлова и, конечно, моими, беспокойства ему прибавилось. А меня здорово тревожил Монах. Долгое время шантажировать его перстнем я не смогу, если он возьмется за Дока, всем моим хитростям конец: вряд ли кто-нибудь всерьез поверит россказням о чтении мыслей, но Док — моя единственная связь с внешним миром, да и человек хороший, хоть и зануда. Потерять его мне совсем не хочется.

Конечно, если они с Климом затеют междуусобицу, это немного отвлечет Монаха и даст мне время придумать что-нибудь гениальное. Лишь бы Док ничего не напутал и был поосторожнее.

Невеселые размышления прервал Резо. Возник передо мной, точно из-под земли, хитро щурился и был подозрительно улыбчив.

— Про компьютер ты настучал? — спросила я, он разом поскучнел.

— Я просто делаю свою работу. Мне Папа деньги платит, и я должен выполнять приказ.

— Папа платит тебе деньги за то, чтобы ты меня охранял, вот и старайся.

— Ты все понимаешь неверно. Папа... как бы это выразиться... Он хочет знать, чем ты занимаешься.

— Тогда ты не охранник, а шпион.

— Я охранник, — подумав, заявил Резо.

— Это тебе только кажется. Ты отнесись серьезно к этому вопросу. И определись. Потому что если ты стукач — это одно, а если охранник — другое. И мое отношение к тебе зависит от этого. Ты поспеваешь за моей мыслью?

— Поспеваю, — он надулся и стал смотреть в угол,

через минуту заявил: — На самом-то деле, я думаю, ты мне морочишь голову. Совсем меня запутала.

— Ничего я тебя не запутываю, просто ты не хочешь проанализировать все как следует.

Он нахмурился еще больше, скривил злобную рожу и ушел думать на веранду. Минут через пятнадцать я тоже появилась там и ласково сказала:

— Резо, поедем на турбазу, отдохнем, на лодке покатаемся. Папа разрешил. И на природе лучше думается. Поедем?

— Тебе не надо меня спрашивать, — обрадовался он возможности прочитать мне очередное нравоучение. — Ты можешь делать, что хочешь, а я просто буду рядом. Это моя работа.

— Так мы едем или нет? — разозлилась я.

Конечно, мы поехали, правда, потратили на сборы больше часа, то есть сами сборы времени заняли немного, зато Резо минут сорок названивал по телефону, разыскивая Папу. Получив хозяйское согласие, сразу заулыбался мне и только что хвостом не вилял, очень ему было неловко за то, что он усомнился в правдивости моих слов.

— Куда бы ты хотела поехать? — спросил он, лично застегнув мой ремень безопасности.

— А какие турбазы есть поблизости? — поинтересовалась я.

— Ты ведь хотела в «Лесную сказку».

— Да? Ты там был когда-нибудь?

— Пару раз.

— Красивое место?

Резо задумался и думал минут пять. Завести машину, конечно, не догадался. Нервничать и злиться дело бессмысленное, я просто сидела и ждала.

— Я бы сказал, что красивое, — наконец выдал он.

— Ты потратил на это пять минут, — не удержалась я.

— Видишь ли, у нас могут быть разные вкусы, и

то, что нравится мне, не обязательно должно нравиться тебе. Ты улавливаешь?

Я с готовностью кивнула.

— Мне бы не хотелось тебя разочаровывать.

— Может, мы все-таки тронемся с места? — робко намекнула я.

— Да, конечно, — он вроде бы смутился и завел мотор. — Едем в «Лесную сказку».

— Ну, если ты так решил...

— Я решил? — спросил он растерянно.

— Но ты ведь говорил, что там красиво?

Резо подумал полминуты и кивнул.

— Говорил.

— Вот видишь, — обрадовалась я.

Мы свернули с шоссе и по узкой асфальтовой дороге проехали километра три, прежде чем увидели указатель: «Турбаза «Лесная сказка». Еще через километр дорожка оборвалась возле распахнутых настежь ворот с огромными красными буквами: «Добро пожаловать». За воротами находилась стоянка и кирпичный домик. На окне краской от руки было написано: «Регистрация».

Я осталась сидеть в машине, а Резо с паспортами пошел к окну. Порядки здесь были начисто лишены бюрократии, уже минут через десять мы получили карточку отдыхающих, где значился наш домик и номер стола в кафе.

— Порядок, — сказал Резо, вернувшись. — Машину можно поставить возле домика, только здесь не проедешь, придется вернуться на дорогу и в объезд.

Это тоже не заняло много времени, Резо подогнал «Опель» к дому с номером 12 на стене, я вышла и огляделась.

Ровные ряды одинаковых домиков с верандочками, вокруг цветы, кусты жасмина, сирени и шиповника. Аллеи заасфальтированы и тщательно подметены. Чуть дальше, возле дома номер семь, клумбы с розами и фонтан в центре, небольшой, но очень симпатичный. Зеленые лужайки, избушка на курьих ножках, в которой разместилась бильярдная, здание из красного кирпича, с одной стороны на нем значилось: «Кафе», а с другой — «Дискотека. Бар».

В трех шагах от последнего домика начиналась березовая роща, конца и края ей, казалось, не предвидится.

— По-моему, здесь здорово, — решила я. Резо, оставив дверь в дом открытой настежь, сидел на ступеньках и глядел на меня, то есть выполнял свою работу.

Я подошла и заглянула в домик. Не считая веранды, здесь была только одна комната, шифоньер, стол, стулья, две кровати рядом. Меня это не смутило: на ночь мы оставаться не собирались. Хотя... Я покосилась на Резо. Нет, не собирались. Я еще не готова его осчастливить.

Быстренько распаковав вещи, мы пошли в кафе, регистрировавшая нас женщина сообщила, что для прибывших на один день завтрак подается поздно.

Четыре ряда столов, покрытых белыми скатертями, на каждом табличка с номером. Наш был двадцать первый, мы сели, и официантка тут же подала завтрак. Кроме нас, завтракали семья из четырех человек и компания молодых ребят за столиком в самом углу. Клима среди них не было. Впрочем, сейчас он, должно быть, на рыбалке.

— А где здесь купаются? — спросила я Резо.

— Прямо за кафе старое русло реки, вроде как пруд сейчас, там и лодочная станция. Неподалеку озеро, ходьбы минут десять, но вода холодная, еще есть речка, это дальше, километра два через рощу. Можно на машине, но тогда придется ехать через поселок, а это километров пятнадцать.

— Понятно. Думаю, нам вполне хватит старицы. Или там рыбаки сидят вдоль всего берега?

— Нет, рыбаки предпочитают озеро или речку.

Позавтракав, мы прошлись по турбазе, погуляли в

березовой роще и даже сходили к озеру. Резо взглянул на часы и заметил:

— Скоро обед.

— Возвращаемся, — кивнула я, надеясь, что Клим, если он здесь, появится в кафе.

Мы шли по тропинке, дом под номером шесть стоял на отшибе, почти вплотную к забору из металлической сетки. Возле крылечка — огромный джип «Мицубиси» ярко-вишневого цвета.

— Красивая машина, — заметила я, обернувшись к Резо.

— Машина как машина, — проворчал он, обидевшись за свой «Опель».

А мне стало ясно: Клим здесь, потому что джип принадлежал ему, об этом, не произнося ни слова, сообщил Резо и еще кое-что присовокупил в адрес Клима, из чего я сделала вывод: друзьями они не были.

Однако насчет обеда я дала маху: встретиться здесь с Климом было делом нелегким, народу на турбазе отдыхало предостаточно, почти все столы заняты, а вот нужного мне человека не видно.

Я ела медленно, тщательно пережевывала пищу и осторожно поглядывала по сторонам, все без толку. Резо тоже поглядывал, а под конец, что-то заподозрив, и вовсе крутил головой во все стороны. Как она у него только с плеч не слетела... Ждать дальше не было смысла, зал пустел, и официантки уже убирали со столов. Я поднялась и пошла к выходу.

Мы направились по аллее, когда из-за угла вывернула компания из трех мужчин. Клим в центре. Интересно, озадачил его Док вчера своим звонком? По виду не скажешь, что Клима что-то беспокоит, ступает твердо, смотрит весело. Жаль, что нельзя подойти поближе: они уже вошли в кафе, а повода вернуться туда у меня нет. Резо на Клима не отреагировал, может, просто не заметил, и предложил:

— На лодочную станцию?

Вряд ли Климу придет фантазия кататься на

лодке, компания у них мужская, следовательно, отдыхать будут по-мужски: устроятся в тенечке и под уху усидят по литру на брата. Впрочем, я не очень рассчитывала свести с ним знакомство сегодня. Время есть, и я не тороплюсь. Главное сейчас — приучить Папу и моего верного стража к отдыху на турбазе, а там посмотрим.

Больше часа мы катались на лодке, я сидела на корме, свесив ноги в воду, и время от времени поднимала фонтан брызг. Резо безотрывно смотрел на мой затылок, позабыв о бдительности. Конечно, он бы предпочел видеть мое лицо, но и затылком был доволен.

— Ой, рыбка! — взвизгнула я и посмотрела на него через плечо, выдав самую счастливую улыбку.

— Это головастики, — ответил Резо.

— Нет, я видела рыбку.

— Ну ладно, — проворчал он через минуту. — Пусть будет рыбка, хотя здесь одни головастики.

— Ты просто не видишь то, что вижу я, — пришлось надуть губы, он устыдился и заработал руками веселее.

— Надень шляпу, — сказал заботливо. — Голову напечет.

Шляпа болталась у меня на спине.

— Сам надень, — отмахнулась я.

— Ты могла бы позагорать.

— А ты будешь сидеть в своем дурацком костюме?

— Почему дурацком? — обиделся он. — Хороший костюм. Дорогой. Я специально купил его... ну, для работы.

— Только ненормальный катается на лодке в костюме. По-моему, это глупо выглядит.

— Лучше бы ты села как следует, — переварив обиду, через десять минут подал он голос. — Ты брызгаешься.

— Ну и что? Терпи.

Он вновь сосредоточился на моем затылке, а я

слушала его мысли и ухмылялась. Они показались мне чрезвычайно забавными. Я повернулась с виноватой улыбкой и сказала:

— Извини. Иногда мне почему-то хочется говорить тебе всякие глупости. Не обращай внимания, ладно? На самом деле мне нравится, что ты рядом... даже в этом дурацком костюме. — Я сморщила нос и со всей силы хлопнула ногой по воде, окатив Резо с ног до головы. Он не расстроился, а засмеялся. Пиджак все-таки снял и остаток дня щеголял в рубашке. Большой прогресс.

Мы вернулись к домику.

— Ты умеешь играть в бадминтон? — спросила я. Он задумался.

— Наверное. То есть раньше точно умел, но давно не пробовал.

— Здесь должен быть прокат, — сказала я, устраиваясь на ступеньках. — Сходи за бадминтоном.

— А ты?

— Я подожду здесь.

Он топтался передо мной и томно смотрел в сторону.

— Мне не хочется тебя оставлять, — заявил он, вдоволь наглядевшись. — Может, сходим вместе?

— Вот еще. Иди-иди.

— На самом деле я не должен тебя оставлять, — вздохнул он.

— Здесь нет врагов и нет телефонов.

— Все равно...

— Ты пойдешь или нет? — разозлилась я. — Дай сюда пиджак и иди. Я буду ждать тебя в домике.

Я встала и ушла на веранду, а Резо потопал искать прокат. В домике было душно, и я устроилась на скамейке возле фонтана. Вскоре появился Резо с ракетками под мышкой и начал придираться.

— Ты мне обещала ждать на веранде.

— Ну и что? — удивилась я. — Смотри, как здесь здорово. Тебе нравятся розы?

— По-честному, не очень. Они колючие.

— Зато красивые, разве нет?

Он кивнул, думая о другом. Я сняла обувь и пошла по зеленой лужайке, напевая, а он со своими мечтами плелся рядом.

— У тебя есть девушка? — спросила я.

— Что?

— Девушка.

— А-а. Есть. Только из-за моей работы мы редко видимся.

Девушка в самом деле была: работала в стриптиз-баре в моем любимом притоне «У Рашели», а насчет остального Резо врал: уже несколько недель он не заглядывал к своей Зинаиде вовсе не из-за отсутствия времени.

— Она красивая? — не унималась я.

— Обыкновенная, — подумав, сказал он.

— А я?

— Сама знаешь. — Резо пожал плечами.

— Что я знаю?

— Ну...

Я остановилась, поджидая его, и смотрела сердито.

— Что «ну»?

— Конечно, красивая. Но говорить тебе это я не должен, а ты не должна спрашивать.

— Почему?

— Потому что быть рядом с тобой — моя работа, а ты своими вопросами меня смущаешь. Это нечестно. К тому же Папе не понравится, если я буду говорить тебе, какая ты красивая и все такое...

— Откуда же он узнает? — удивилась я. — Или сам же и донесешь?

— Будешь дразниться, я замолчу и разговаривать с тобой больше не стану.

— Слабо, — заявила я убежденно и зашагала веселее.

Играть с Резо в бадминтон оказалось делом нелегким. Ему бы больше подошло швырять ядро. Несчастный воланчик улетал в заоблачные выси, а я, как собачонка, отыскивала его в траве. Время пролетело незаметно, народ потянулся к кафе ужинать.

— Пойдем? — с надеждой предложил Резо.

— Совершенно некуда торопиться, — ответила я, надеясь, что смогу увидеть Клима. Его домик находился по нашей линии, вполне возможно, что в кафе он пойдет мимо. Основная масса отдыхающих схлынула, а интересующие меня личности так и не появились, скорее всего ужин им был неинтересен.

Из упрямства я продолжила игру. Воланчик в очередной раз пролетел над моей головой и упал на лужайку за кустами. Я протиснулась сквозь зеленую изгородь и тут увидела Клима, он шел неторопливо в компании дружка, тот нес в руках черный хлеб, нарезанный большими ломтями.

— Извините, — обратилась я к ним. — Не могли бы вы бросить воланчик? — Волан как раз лежал неподалеку от тропинки. Клим с дружком взглянули в мою сторону, я застенчиво улыбнулась, а Клим наклонился и перебросил мне волан. Я умудрилась поймать его на ракетку и сказала «спасибо». Моя красота не осталась незамеченной.

— Не боитесь опоздать на ужин? — весело поинтересовался Клим.

— Не боюсь, — засмеялась я. Тут нелегкая вынесла Резо, я надеялась, что за кустами жасмина его не увидят. Конечно, порадовать меня он не захотел и высунулся. Клим, обнаружив рядом со мной Резо, слегка растерялся.

«Неужто у этой гориллы такая девка?» — подумал он, а вслух сказал:

— Какие люди... Отдыхаешь?

— Работаю, — хмуро ответил тот и взял меня за руку. Так как касаться меня он обычно остерегался, это вызвало у меня легкий шок. Я побрела за ним, продолжая улыбаться Климу.

— Кто это? — спросила я, когда Резо дотащил меня до крыльца.

— Знакомый.

— Поняла, что знакомый. А как его зовут?

— Зачем тебе? — Глазки-бусины взирали с подозрением.

— Просто интересно.

— Идем ужинать.

Резо опять взял меня за руку и потащил в кафе. Ел молча и был несчастен. Чтобы облегчить его страдания, про Клима я больше не заговаривала. Однако через час тот объявился собственной персоной.

Резо должен был понести заслуженную кару за свое скверное поведение, поэтому после ужина я устроилась на веранде и стала читать вслух стихи, избрав для этой цели любовную лирику. Читала я с выражением, то и дело спрашивая своего стража, нравятся ему стихи или нет. Он отвечал со свойственной ему вдумчивостью, весьма серьезно и пространно.

— «Мой дом озарив улыбкой, ты в сердце мое вошла», — декламировала я, когда послышались шаги, в окошко стукнули один раз и небрежно, и на веранде возник Клим. На Резо он внимания вроде бы не обращал, сосредоточился на мне.

— Отдыхаете? — спросил с усмешкой, видно, ничего умнее придумать не сумел. — Вот уж не знал, что ты любишь стихи, — повернулся он к Резо.

— Я много чего люблю, — ворчливо ответил тот, глядя на меня и вроде бы совершенно игнорируя Клима.

Тот устроился на верхней ступеньке, тем самым давая понять, что в ближайшее время уходить не намерен.

— Вы с ночевкой? — спросил он весело.

— Еще не решили, — пожала я плечами, продолжая ласково улыбаться, правда, глазки скромно опускала.

— Скоро уедем, — отрезал Резо.

— Зря. — Клим прищурился, посмотрел в небо, потом на меня. — Хорошее здесь местечко.

— Да, красиво. А вы здесь надолго?

— На пару дней. На рыбалку.

— И как улов?

— Пяток щук поймали, вот таких, — Клим развел руками, показывая, какие гигантские щуки здесь водятся. — Ну и по мелочи много всего. Приходите на уху, слышь, Резо. Вовик у нас большой спец по этому делу.

Резо никак не отреагировал, а я проявила интерес к рыбной ловле. Разговор пошел веселее, Клим начал пялиться в открытую. Мысли его можно было отгадать без особого дара. Резо их точно отгадал, потому что вдруг поднялся и заявил:

— Зря ты здесь соловьем заливаешься.

— Серьезно? — криво усмехнулся тот, вложив в это слово все презрение к Резо, как к возможному сопернику.

— Ага. Это Папина девчонка, так что прибереги свое красноречие.

Клим обо мне был наслышан, потому что мысли его сразу же потекли в другом направлении. Выражение «Папина девчонка» он воспринял по-своему, и оно его почему-то покоробило, представить Папу рядом со мной он не пожелал.

— По-моему, ты уже все рассказал, — не унимался Резо, причем Папа его в этот момент совершенно не волновал.

— Ну и чего ты завелся? — спросил Клим презрительно.

— Ничего, — огрызнулся тот, а я сочла нужным вмешаться.

— Резо, прекрати, пожалуйста. Я разговариваю с человеком, и мне интересно. Что в этом плохого, скажи на милость?

Он нахмурился и выглядел очень злым, сидел, слушал Клима, то и дело презрительно ухмыляясь: мол, сколько ни пой соловьем, толку от этого никакого.

— Пойдемте есть уху, — сказал Клим, поднявшись.

Я решила, что форсировать события не стоит, и с благодарностью отказалась.

— Надумаете, приходите, — кивнул Клим с заметным сожалением и позвал Резо: — Отойдем на пару слов.

Так как отошли они недалеко, их разговор я слышала, хоть и говорили они, понизив голоса.

— Неужто это та самая девчонка? — спросил Клим. — Вроде говорили, она чокнутая.

— Сам ты чокнутый, — обиделся Резо. — Это Папа нарочно придумал, чтобы парни к ней не лезли.

— А то, что она из психушки, Папа тоже придумал?

— Может, и из психушки. Тебе что?

— Ничего. Просто интересно. Красивая девка. У Папы губа не дура.

— Дурак ты, Клим. Она ему вместо дочки.

— Само собой, — хмыкнул тот. — И по возрасту подходит.

— Шел бы ты со своими паскудными мыслями. Папа ее пальцем не тронул, потому что понятие имеет. А ты нет.

— Ладно-ладно. Продолжай нести службу, верный сторожевой пес. — Кивнув мне на прощание, Клим зашагал в сторону своего домика, Резо смотрел ему вслед с глубоким презрением.

Я опять принялась за стихи, делая вид, что встреча с Климом особого впечатления не произвела. Однако через час спросила:

— Может, нам действительно сходить в гости? — Никуда идти я не собиралась, просто интересно было, как на это отреагирует Резо. Он нахмурился и ответить не пожелал. Зато вскоре стал намекать, что нам пора домой. Я отмахнулась, а он ушел в дом и позвонил по сотовому Папе. Не знаю, что там Папа ему сказал, но он приуныл еще больше.

Чтобы немного его развеять, я предложила погулять, и с полчаса мы бродили в роще. Маршрут я рассчитала так, чтобы на обратном пути пройти мимо домика, занятого Климом. Веселье было в полном разгаре, парни сидели в тенечке, громко разговаривали, чувствуя себя на турбазе хозяевами.

Меня заметили. Клим вскинул голову и крикнул:

— Эй, Резо, заходи, не стесняйся!

Я сделала вид, что меня это не касается, и зашагала быстрее, а мой верный страж демонстративно отвернулся, не желая реагировать на крики подгулявшей компании.

— Поехали домой, — улыбнулась я.

Док был там, сидел с Папой на веранде (по дороге Резо позвонил и доложил, что мы возвращаемся).

— Ну вот и Варенька, — ласково сказал Папа, а я заулыбалась. — Как отдохнула, дочка?

«Дочка — это что-то новенькое, видно, у Папы настроение хорошее, с чего это вдруг?»

— Спасибо, хорошо, — сообщила я, демонстрируя окружающим, как счастливо мне живется. Папа кивнул, а Док поднялся, слегка суетливо: общество Папы его всегда беспокоило.

В моей комнате он извлек конверт из внутреннего кармана пиджака.

— Что это? — удивилась я.

— То, что ты просила.

Я опустилась в кресло, глядя на своего друга с сожалением, и сказала:

— Док, ты спятил. А если бы тебя обыскали? Тысячу раз говорила: никаких бумаг...

— Я подумал...

— Не надо думать, — отрезала я и вскрыла конверт. Две фотографии и краткая справка. Речь шла об одном из Климовых дружков, взглянув на фото, я усмехнулась: тот самый Вовка, специалист по ухе. Что ж, неплохо...

Конверт я запечатала и вернула. Док меня сильно беспокоил, нервный, суетящийся и пребывающий в сомнениях. Поиски смысла жизни не доведут его до добра. От Дока надо хотя бы на время избавиться. Сашка Монах меня очень беспокоил. Что он там затеял, я без личной встречи узнать не могла, а добраться до моего друга для него раз плюнуть.

— Вот что, — собравшись с силами, начала я. — Возьми отпуск и уезжай из города.

— Какой отпуск, ты с ума сошла! — возмутился он.

«Может, и сошла, но кое-кто сам недавно утверждал, что я в норме. Ладно, свару затевать не стоит». Я покусала губы и принялась увещевать.

— Док, Монах не дурак, а на меня большой зуб имеет. Боюсь, он захочет с тобой встретиться. Понимаешь, о чем я? Вряд ли разговор с ним придется тебе по нраву.

Док заметно побледнел, глаза забегали, руки дрожали. Он машинально пощупал конверт в кармане, точно вся опасность в настоящий момент соередоточилась в нем.

— Ты думаешь...

— Тебе надо уехать.

— А Орлов? Что ему сказать?

— Ничего. Он мне сейчас тоже без надобности.

Слово «тоже» я употребила напрасно, между бровей Дока легла складка, а взгляд затуманился.

— У меня к тебе просьба, — поспешила я отвлечь его от дурных мыслей. — Этот конверт бросишь в почтовый ящик Скобелева.

— Зачем? — испугался он.

— Господи... Сделай хоть раз то, что я прошу, без дурацких вопросов.

— Ты ведешь себя странно, — вскинулся он. — Ты ничего не объясняешь. Зачем тебе Скобелев?

Я тяжко вздохнула и стала разглядывать потолок. Минут пять мы сидели молча.

— Я беспокоюсь за тебя, — тихо сказал он. На самом деле Док очень беспокоился за себя, а еще думал, что я сумасшедшая.

Мы виделись редко, урывками, он ничего не знал о моих планах, и жизнь казалась ему бессмысленной. Впервые я пожалела, что три года назад позвала его с собой. За благие порывы приходится расплачиваться. Однако эти мысли я держала при себе, вздохнула выразительно и спросила:

— Ты мне поможешь?

— Да.

— Конверт Скобелеву в почтовый ящик бросишь?

Он, помедлив, кивнул.

— Вот и отлично. Завтра же уезжай из города.

— Куда? — сразу же заволновался он.

— Куда угодно. На юг, за границу. Деньги есть.

— А работа?

— Придумай что-нибудь. Возьми больничный... Господи, Док, ты взрослый человек. Не заставляй меня нервничать. Я не хочу, чтобы Монах до тебя добрался.

— И на какое время я должен уехать?

— Не знаю. Звони мне. Думаю, позвонить ты можешь, это не вызовет подозрений, в конце концов, ты мой лечащий врач.

Перспективы его не очень вдохновили, но он пошел к Папе и что-то там наплел по поводу своего отъезда, а потом простился со мной, думая при этом, что я просто хочу от него избавиться. Вести долгие беседы и разубеждать времени не было, потому я поцеловала его на прощание и шепнула:

— Я буду очень скучать.

Это его немного утешило.

Пока я прощалась с Доком, Резо успел рассказать Папе о Климе. Клима мой благодетель в принципе не жаловал, а тут и вовсе разволновался: ведь не кто иной, как Клим, послав ребятишек, довел меня до сумасшествия. По его мнению, я об этом ничего не знаю, да и сам Клим, должно быть, не догадывается, но все равно взаимный интерес ни к чему хорошему не приведет.

Резо стоял за спиной хозяина и хитро щурил глазки, а Папа ласково меня выспрашивал.

— Резо говорит, ты на турбазе познакомилась с молодым человеком.

«Ну мудрец», — хмыкнула я и кивнула.

— В общем-то мы не знакомились. Мы с Резо играли в бадминтон, а он бросил мне волан, когда тот улетел на тропинку. А потом подошел к нам, и они с Резо немного поболтали. На уху звал.

— А ты? — Я пожала плечами. — Он тебе понравился? — Папа разговаривал со мной, как с малым ребенком, начисто забыв, сколько мне лет. Нет, вспомнил. Мысль его свелась к тому, что это ум у меня детский (с чего бы вдруг?), а вообще-то я взрослая женщина и была замужем, хоть и недолго. Против природы не попрешь и все такое... Я насторожилась: как бы Папа от избытка доброты не стал мне давать каких-нибудь собачьих таблеток, борясь с природой. Тут он, кстати, вспомнил, что муж от меня сбежал за границу из-за этой самой природы, то есть из-за ее отсутствия в моем организме, посмотрел с сомнением и вроде бы успокоился. На сон грядущий мы сыграли в шахматы, Резо пасся рядом и время от времени подхалимски лыбился. Надо его как-то отучать от стукачества.

На следующее утро мы отправились на рынок за продуктами. Шли вдоль бесконечного ряда торговцев и набивали сумку.

Резо расплачивался за помидоры, а я воскликнула:

— Ой, апельсины забыла! — и отошла к противоположной стороне.

Рвануть за мной сразу он не смог, тут возник дядька с тележкой, доверху нагруженной ящиками, и Резо на мгновение потерял меня из виду. Я юркнула в узкий проход между прилавками и бросилась к выходу, используя естественные укрытия. Бегом удалилась от рынка на два квартала, еще по дороге заприметив здесь телефон, и позвонила Скобелеву. К счастью, он оказался дома, был трезв и, как выяснилось, ждал нагоняя за неудачное покушение на Монаха. Я его утешила: в любой работе случаются осечки. Кто б нас со стороны послушал — белая горячка. Я — дело понятное, не зря в психушке отлеживалась, а Скобелев? Не иначе, алкоголизм сумел-таки нанести существенный урон его психике.

«Шеф дает вам возможность реабилитироваться», — мысленно хмыкнула я, а вслух сказала:

— Витя, в твоем почтовом ящике конверт. Человек на фотографии — один из самых гнусных бандитов в городе. Но крайне осторожный.

Скобелев время впустую не тратил, спросил отрывисто:

— Когда?

— Сегодня, ближе к вечеру, он вернется с рыбалки. Адрес в конверте.

Вот тут бы ему опомниться и позвонить в соответствующее учреждение... Правда, после того как машина Монаха взлетела на воздух, звонить было бы затруднительно. Я почти на сомневалась: он сделает, что я хочу, потому что давно, еще год назад, Виктор Скобелев, держа на руках своего погибшего ребенка, разом и окончательно свихнулся. И если бы я не придумала невероятный бред о тайной организации, он сам, по собственной инициативе, в один прекрасный день принялся бы палить по всем, кто казался ему преступником. С организацией намного спокойнее: выполняешь приказ, и вроде бы грех с души снят.

Не успела я закончить беседу, как заметила Резо. Он рыскал по улицам на любимом «Опеле» и был злой как черт. Впрочем, углядев меня, вздохнул с облегчением. Я пошла навстречу машине со счастливой улыбкой. Он открыл окно со своей стороны, я приблизилась вплотную и заявила:

— Не вздумай донести.

Обойдя машину, устроилась на своем месте, а Резо не спеша поехал, на меня старался не смотреть и был несчастен.

«Надо с ним что-то решать, — подумала я, поглядывая на него с большим сомнением. — Давно пора осчастливить парня, но не лежит душа, и все тут».

Разобрав покупки, я занялась работой по дому. Резо мучился по соседству, пытаясь определиться: сообщить Папе о моем бегстве и последующем звонке или нет. Я подошла, погрозила пальцем и повторила:

— Не вздумай...

А он вроде бы испугался: то ли моему провидческому дару, то ли своему отступничеству от незыблемых правил мастера охраны.

— Хочешь салатик? — ласково предложила я, сообразив, что разговариваю с ним довольно грубо и он может расстроиться.

— Не хочу, — ответил он с обидой и стал рассматривать свои ботинки.

— Может, чаю хочешь? — не унималась я.

— Ничего не хочу.

— Так-таки ничего? — Глазки-бусинки смотрели с отчаянием. — Ты мог бы просто посидеть рядом, пока я пью чай, — с тихой грустью заметила я. — В конце концов, это твоя работа.

Услышав любимое слово, он приободрился и потопал за мной.

Обедали мы с Папой, я сидела и прикидывала, стоит ему сказать о том, что я собираюсь позвонить Климу, или дождаться, когда ему об этом донесут. Поразмышляв, я решила: пусть Резо выполняет свою работу, должна быть у человека радость в жизни.

После обеда, когда Папа удалился отдохнуть (чувствовал он себя неважно — гипертония одолела), я решительно подошла к телефону и, не обращая внимания на Резо, позвонила в психушку. Здесь меня порадовали: Док на работу не вышел, приболел. Я перезвонила ему домой, телефон ответил длинными гудками, и я вновь порадовалась: должно быть, все-таки хватило ума, уехал. Резо подошел почти вплотную, уставясь на меня со свирепостью.

— Мне нельзя звонить по телефону? — прошипела я.

— Кому ты звонишь? — прошипел он в ответ.

— Леониду Андреевичу. У меня болит голова. Я ужасно себя чувствую, и, если ты не прекратишь шпионить за мной, у меня начнется припадок, — к этому моменту я уже возвысила голос, но не до такой степени, чтобы обеспокоить Папу.

— Леонид Андреевич уехал, — торопливо заверил меня Резо и начал заметно впадать в отчаяние. С каким-то садистским удовольствием я достала телефонный справочник и начала искать номер Клима.

— Как его зовут? — спросила я Резо.

— Кого? — заморгал он.

— Вчерашнего парня.

— Зачем тебе? — он вроде бы испугался, а уж несчастен был прямо до слез.

— Хочу ему позвонить. И встретиться. Может быть, мы сходим в кино или в кафе, будем есть мороженое и болтать, — говорила я рублеными фразами, при этом выглядела совершенно сумасшедшей, жестикулировала, таращила глаза и всеми доступными средствами давала понять, что вот-вот свихнусь окончательно. Резо отобрал у меня справочник, я топнула ногой, а он жалобно произнес:

— Хочешь чего-нибудь выпить?

— Чего, к примеру? — осведомилась я.

— Ну... не знаю. Может, пиво.

— Мне нельзя алкоголь, я сумасшедшая. Я ведь сумасшедшая, правда? Поэтому я не могу позвонить по телефону парню, который мне понравился. В психушке был санитар, а здесь ты. Почему бы тебе не снять свой дурацкий костюм и не напялить халат. Тебе пойдет.

— Я знаю номер, — сказал Резо. — Только он еще не вернулся с турбазы. Он приезжает поздно. И ты не сумасшедшая. Глупость какая-то. Почему это ты сумасшедшая? Ты лучше всех играешь в шахматы. Лучше Папы.

«Боже, кругом одни психи», — подумала я, разворачиваясь на пятках.

Вечером Резо аккуратно постучал в дверь моей комнаты, я сказала «да», и он вошел, бочком и с некоторой робостью.

— Чего тебе? — хмуро спросила я. Он молча положил на стол листок бумаги с записанным на нем телефонным номером.

— Его зовут Олег. А Клим — его прозвище. Ты понимаешь?

— Я могу позвонить? — насторожилась я.

— Папа сказал, ты можешь делать, что хочешь.

— С какой стати тогда ты морочил мне голову?

— Я не морочил, — нахмурился он. — Просто Клим тебе не подходит. Он не очень хороший человек. Я бы даже сказал, он плохой человек. Хотя, конечно, говорить тебе это я не обязан, а ты не обязана меня слушать.

— Хорошо, что ты это понимаешь, — обрадовалась я и пошла к телефону, в моей комнате аппарата не было.

Резо поплелся следом, а потом маячил перед глазами с видом побитой собаки. Злобно ухмыляясь, я стала набирать номер. Молнии я метала напрасно, Резо привалился к стене и даже стал насвистывать, давая понять, что поговорить с Климом без свидетелей мне не удастся. Впрочем, разговор мог не состояться: Клим не пожелает меня вспомнить, а если и вспомнит, вполне может вежливо отфутболить. На вежливость я все-таки рассчитывала, потому что, как ни крути, а всеобщий Папа был для меня папой с маленькой буквы.

Не то, чтобы я волновалась из-за предстоящего разговора, нет, просто Резо действовал на нервы, а его мысли и того больше.

Длинные гудки шли бесконечной чередой, и я повесила трубку. Так все хорошо складывалось, и вот пожалуйста. Где носит этого идиота? Через пару дней его интерес ко мне поутихнет, а через неделю он меня и вовсе забудет, чего ж мне тогда, опять на турбазе воланчиками разбрасываться? Я взяла и заревела с досады.

Резо потянулся за сотовым, посмотрел на меня с укором и стал кому-то звонить. Этот кто-то оказался Васей, по крайней мере, Резо назвал его именно так, представился и спросил:

— Ты номер сотового Клима знаешь?

— А что? — заинтересовался Вася.

— Надо.

— Тебе? — вроде не поверил тот, а Резо разозлился:

— Мне он даром не нужен. Ну?

— Знаю, конечно, — разом присмирел парень, решив, как видно, что это Папа проявил интерес. Резо набрал номер и протянул мне сотовый. Ответили сразу.

— Олег? — спросила я.

— Да. — Он вроде бы удивился, потому что мой голос, конечно, не узнал, и пытался отгадать, кто его беспокоит. А может, наоборот: узнал и теперь прикидывал, с какой стати я звоню. Я решила представиться.

— Это Варя. Мы с вами вчера на турбазе познакомились.

— А... Привет, — теперь он точно был озадачен. Я выдержала паузу и не без робости пролепетала:

— Я хотела бы с вами встретиться. Скажите, это возможно?

Парень явно растерялся, помолчал, потом подал голос:

— Конечно. Когда, где?

— Если вам удобно, завтра в одиннадцать, в парке за Дворцом культуры «Текстильщик». Там есть березовая аллея... я думаю, вы легко меня найдете... — тут я не на шутку разволновалась и прибавила: — Может быть, это нарушает ваши планы?

— Нормально, — ответил он, и мы простились.

— И нечего на меня так смотреть! — прикрикнула я на Резо, отправляясь в свою комнату.

Утром я встала очень рано (к десяти часам нужно было закончить всю работу по дому), потом еще полчаса сидела перед зеркалом. Задача передо мной стояла непростая: не внеся особых изменений в свой облик, выглядеть ослепительной красавицей.

Я вышла на веранду, где Папа читал газету, и поняла, что Резо уже расстарался, донес о звонке. Папа оторвался от газеты и с улыбкой спросил:

— Ты не на свидание ли собралась?

Я кивнула, сцепив руки замком, улыбкой демонстрируя счастье юной особы от первого в жизни свидания. Папа загрустил, причем вполне искренне. Отложил газету и сказал мне ласково:

— Сядь-ка рядом, Варя.

Я послушно села и взглянула на него с испугом, умоляя не губить мои юношеские мечты. Папа вздохнул и спросил:

— Он тебе понравился?

Я кивнула с робкой надеждой. Он размышлял минут пять, совсем было собрался обратиться с речью, но неожиданно передумал и сказал:

— Что ж, иди. Только Резо пойдет с тобой. Не обижайся, дочка, но я не хочу, чтобы кто-то тебя обидел.

«Вот так подарок! И что я с этим дурачком делать буду? Он же начнет топтаться рядом и не отойдет ни на шаг. Как говорится, от черта молитвой, а от этого недоумка ничем».

Но Папе такое, конечно, не скажешь. Он уже решил, а к возражениям не привык и уж точно привыкать не станет. Пришлось мне радостно улыбнуться и двигать к выходу.

Мы подъехали к парку, когда стрелки часов показывали без десяти минут одиннадцать. Я надеялась, что у меня будет время найти для Резо какую-нибудь нору, в которой я его ненадолго пристрою, но день не задался: Клим тоже решил приехать пораньше, а мой чертов страж, заметив его машину, припарковался рядом.

Клим, увидев нас, вышел из своего джипа, я мысленно чертыхнулась, распахнула дверь, и Резо, конечно, тоже. Ну и где романтизм, где березовая аллея, шорох листвы и все такое? Какого черта я сюда тащилась? Чтобы мы вот так топтались на тротуаре? Просто безумие какое-то.

Мы дружно поздоровались (причем мужчины рук друг другу не протянули) и замолчали. Я, потому что разозлилась: мой сценарий пошел наперекосяк, Резо мысленно злорадствовал, а Клим диву давался: уж вроде всякого в жизни насмотрелся, но чтоб баба на свидание являлась с охранником...

— Резо, я не хочу тебя видеть, — тихо, но сурово заявила я, взяла Клима под руку и зашагала в сторону парка.

Само собой, мой страж поплелся за нами, причем награждал меня такими мыслями, что сосредоточиться на разговоре с Климом не было никакой возможности.

— Ты прекратишь или нет? — не выдержала я через пять минут, обернулась и даже топнула ногой. Клим замер, не понимая, в чем дело, а Резо насупился и в ответ подумал: «Я этому уроду в три счета шею сверну. Вякнуть не успеет».

Я только головой покачала: это кто же здесь урод?

— Не обращайте внимания, — сказала я Климу. — Папа не разрешает мне одной выходить из дома. К Резо я привыкла, но вам, наверное, неприятно, что он пялится в затылок.

— Переживу, — усмехнулся Клим. Разговор начался совсем не так, как я планировала, более того, в другой тональности: ни тебе романтической грусти, ни легкого намека на шизофрению... Намек организовать можно, но все остальное... нет, не то...

— Ничего, если мы немного прогуляемся по аллее? — спросила я.

— Ничего.

Он смотрел на меня и терялся в догадках, впрочем, уже понял, что дела у меня к нему нет и это скорее всего обыкновенное свидание, если, конечно, можно было назвать обыкновенным то, что Клим в одиннадцать утра таскался по аллее парка под ручку с девицей, за спиной которой с маниакальной настойчивостью следовал охранник.

— Вы не сердитесь, что я позвонила? — спросила я, притормозив. Надо же с чего-то начинать. Потом медленно двинулась дальше, все еще держа Клима под руку.

В целом ситуация его забавляла, и он ничего не имел против того, чтобы немного прогуляться. Резо, конечно, раздражал, но с этим ничего не поделаешь.

— Как вы думаете, он нас слышит? — шепнула я.

— Резо?

— Да.

— Если говорить тихо, нет.

— Тогда давайте говорить тихо.

Необходимо как-то вывести разговор на нужную тему, а из-за этого придурка за спиной и неудачного начала все у меня шло наперекосяк. Я увидела скамью и потянула туда Клима, мой страж устроился на скамье напротив, расстояние приличное, теперь он нас точно не услышит, а по губам, я надеюсь, читать не умеет... точно не умеет.

— Вы, наверное, удивляетесь, почему я вам позвонила? Я бы никогда не решилась, — торопливо добавила я, — просто... — в этом месте я вздохнула и спросила испуганно: — Вы знаете Сашу Завражного?

— Да, — кивнул Клим, такой поворот в разговоре вызвал в нем легкое недоумение.

— Вы... вы не очень любите друг друга?

— Как кошка с собакой, — хмыкнул Клим.

— Видите ли... — в волнении я начала мять носовой платок (для этой цели извлеченный из сумки). — В нашем доме, я имею в виду дом, где я живу... вы ведь знаете где, так? В нашем доме собираются разные люди... Я никогда не прислушиваюсь к разговорам, но... так получилось. Завражный, по-моему, вас ненавидит, — это я прошептала трагическим шепотом.

«Удивила», — мысленно хмыкнул Клим, но слушал не без интереса.

— И... он говорил ужасные вещи.

Тут в кармане Клима запищал сотовый. Ну что за утро... Мне со злости хотелось пнуть урну, а лучше урну, Клима и Резо сразу.

Клим извлек телефон, поднялся и отошел на пару шагов, а я едва не взвизгнула, поняв, какая удача на меня свалилась. Клим стоял ко мне спиной и рассчитывал, что разговор я не услышу. Вот он заметно дернул плечом, потому что известие получил неприятное. Час назад возле родного подъезда был застрелен его лучший друг, рыболов и повар Вова Федоров. На ногах Олег Николаевич устоял, но ему разом стало не до свиданий. Повернулся, посмотрел вскользь и сказал:

— Извини.

Стало ясно, сейчас он бросится от меня со всех ног, а я еще не успела натравить его на Монаха.

— Вы не поняли, Олег! — вскакивая и хватая его за руку, вскрикнула я. — Это очень серьезно... Я слышала, как он говорил... Он собирался... Господи... У вас есть друг Владимир, у него прозвище такое смешное (прозвище у покойного в самом деле было смешное)... я забыла... так он сказал: «Начнем с него», с этого Володи, то есть. — Я ожидала бездну вопросов и лихорадочно прикидывала, с кем мог вести подобные беседы Монах в нашем доме, а главное, когда, но Клима смерть дружка здорово подкосила, он вроде бы малость отупел и никаких вопросов не задал. — Я все думала об этом разговоре... и сказала Папе, но он меня отругал и не велел выходить, когда в доме гости. А в субботу, когда вы на турбазе приходили к нам, я... я поняла, о ком тогда шла речь, и решила предупредить вас.

Клим кивнул и почти бегом бросился по аллее, а я, опустившись на скамью, плакала, правда, недолго, пока он не скрылся с глаз. Потом вытерла слезы и показала Резо язык.

«Мало романтизма, — вздыхала я всю обратную дорогу. — Идиотский разговор, большой любовью даже не пахнет, и где здесь Ремарк, скажите на милость?»

Немного поскандалив сама с собой, я крепко задумалась и в конце концов смогла удостоиться гениальной идеи. Насчет гениальности я немного преувеличила, зато уж романтизма пруд пруди.

Тут я покосилась на Резо: осуществлять идею, находясь рядом с ним, возможным не представлялось. Придется его на некоторое время чем-нибудь занять.

— У тебя есть родственники? — спросила я.

— Есть, — он вроде бы удивился. — А почему ты спрашиваешь?

«Вот ведь человек: сказал бы «да» и заткнулся. Ни в жизнь. Ему непременно надо задать свой вопрос».

— А если ты, к примеру, заболеешь, есть кому за тобой ухаживать?

Глаза его полезли на лоб.

— Я никогда не болею, — подумав, заявил он.

— Ну это мы исправим, — утешила я.

Мы вошли в дом.

— Идем ко мне, — кивнула я Резо. В моей комнате он всегда чувствовал себя неловко, поэтому заходил редко, и сейчас торчал у двери и переминался с ноги на ногу, вызывая злость и умиление одновременно. —

Достань со шкафа мыльницу, — сказала я. — Она туда попала случайно.

Резо подошел и стал шарить рукой по крышке шкафа.

— Ничего тут нет, — проворчал он недовольно.

— Есть-есть. Ищи.

Он начал шарить двумя руками и смотреть вверх. Воспользовавшись его занятостью, я уронила с приличной высоты ему на ногу принтер. Принтером я не пользовалась, и его было не жалко.

— Извини, — сказала я с ласковой улыбкой. — Мыльницы там действительно нет, я вспомнила. Да и откуда ей там взяться?

Резо извлек свою конечность из-под принтера, поднял его, глядя на меня осуждающе, и, поставив его на место, заявил:

— Ты это нарочно сделала.

— Что? — удивилась я.

— Вот это.

— Да брось ты. На самом деле я очень беспокоюсь за твое здоровье. Как нога? Тебе больно?

— Больно.

— Очень или так себе?

— Ты это сделала нарочно, — убежденно заявил он.

— Папе настучишь?

— Я не стукач. А ноге совсем не больно.

Это он врал, потому что пошел, прихрамывая, а назавтра не мог напялить ботинок: нога здорово распухла.

Утром, заметив, что времени уже довольно много, а Резо из своей комнаты так и не появился, я постучала и вошла: он сидел на постели и безуспешно воевал с ботинком.

— Видишь, ты все-таки заболел, — обрадовалась я. — Пойду скажу Папе и вызову врача.

— Не надо, — разволновался он.

— Надо-надо, — заверила я.

Врач прибыл через полчаса, осмотрел увечье и наложил тугую повязку. Было ясно, что Резо временно нетрудоспособен, и мы с Витькой, загрузив его в любимый «Опель», повезли на родную квартиру (то, что она существовала, слегка меня удивило: я была уверена, что Резо родился, вырос и созрел в стенах Папиного дома. Сначала был маленький такой охранничек, в крохотных защитных очках и смешном костюмчике, потом рос, рос и вырос в большого Резо).

Квартира находилась на третьем этаже, правда, в доме с лифтом, так что скакать по ступенькам ему не пришлось. Я немного прошлась по его жилищу. Ничего примечательного, кроме приличного слоя пыли на мебели, указывающего на длительное отсутствие хозяина. Это я и так знала, потому наблюдательность удовлетворения не принесла. Холодильник был пуст.

— Вить, — попросила я. — Сгоняй в магазин, чтобы Резо не умер здесь от голода. А я с ним посижу.

Витя отправился выполнять поручение, а Резо сидел на диване и выглядел жутко несчастным.

— Снимай костюм и ложись. У тебя халат есть? Болеть надо в халате.

— Я через пару дней вернусь, — сказал он. Я нахмурилась, посмотрела сурово и заявила:

— А вот об этом даже не думай.

Пошарив немного по шкафам, я обнаружила подушки и одеяло и соорудила больному вполне приличное ложе.

— Ложись и болей спокойненько. Вот увидишь, тебе понравится. Хочешь чаю? — Он мотнул головой. — А чего ты хочешь?

Чего он хотел, я очень хорошо знала, но время терпит, сейчас на очереди Клим.

— Ладно, я просто посижу рядышком, и мы поболтаем.

Вернулся Витька, определил продукты в холодильник и заглянул к нам.

— Ну, ты как? — спросил он Резо.

— Нормально, — с отчаянием сообщил тот.

— Я тебя навещать буду каждый день, — попробовала я его утешить. — И сейчас мы никуда не торопимся. Правда, Витя? Хочешь, я тебе почитаю или расскажу что-нибудь смешное?

— Ты это нарочно сделала, — прошипел Резо, воспользовавшись тем, что Витька вышел покурить на балкон.

— Лучше заткнись, — в ответ прошипела я. — Не то уйду и больше не вернусь. Лежи тогда здесь один.

Я взяла его руку и осторожно погладила ладонь, удивляясь про себя матушке-природе: ну надо же, не рука, а самая что ни на есть обезьянья лапа, только ногти подстрижены. Допекать его все-таки не стоит, потому что, если он меня своей лапой цапнет, от меня мало останется. Впрочем, Резо на такое никогда не решится.

— Не злись на меня, ладно? — попросила я жалобно, а он отвернулся к стене.

После того как Резо получил увечье, в дом на жительство был взят Витька и назначен моим охранником. Ко мне он относился без особого интереса, был уверен, что я сумасшедшая, а какой спрос с сумасшедшей? Однако Папа меня любит, значит, его дело быть рядом, со мной не спорить и по возможности угождать. Позиция исключительно разумная. Ко всему прочему Витька лентяй и лишнего шага не сделает, так что сторож из него, в отличие от Резо, никудышный. У него был еще один недостаток, который я считала достоинством, — любопытство. Витька обожал новости, правда, никогда не трепался, ему нравилось просто знать. Именно он сообщил мне, не подозревая об этом, о начавшейся между Климом и Монахом войне. Монах вроде бы исчез из города, хотя никто не знал этого наверняка.

«Какая ж тогда война?» — удивлялась я мысленно и прислушивалась к Витьке. День мы провели возле бассейна, а вечером с Папой по обыкновению играли в шахматы. Папа был спокоен и на мой счет черных мыслей не держал.

Вечером Витька и Толик проверили дом, включили сигнализацию и отправились спать. Ночью незаметно покинуть жилище Папы никак невозможно, это я знала доподлинно. Другое дело днем. Почему-то бдительность проявляли только ночью, а утром я спокойно встала, произвела уборку, разбудила Витьку и отправила его за хлебом. Магазин размещался за углом, но он поехал на машине. Конечно, сигнализацию отключили. Толик тоже встал, бродил по огромному дому и не знал, чем себя занять. Я спокойно вышла в сад, протиснулась сквозь прутья ограды на соседскую территорию и, пользуясь тем, что хозяева дома до сих пор не вернулись из-за границы, через калитку вышла на улицу. Остановила такси, доехала до центра, а там уже троллейбусом до своей квартиры. Здесь меня ждал сюрприз. На диване лежал Док и читал газету.

— О Господи, — покачала я головой. — Что ты здесь делаешь?

— Ты сама сказала, что у меня опасно.

— А здесь, по-твоему, нет? Вроде мы договорились, что ты уедешь?

Док нахмурился и молчал. Уезжать он никуда не собирался. Беда с мужиками: упрямы, своенравны, а мысли их одинаковы и совершенно неинтересны.

— Ладно, Док, — примирительно сказала я, садясь рядом. — Монах воюет с Климом. Авось ему не до нас.

— Орлов звонил два раза, — вздохнул Док. — Варя, этот конверт... для чего ты велела передать его Скобелеву?

— Опять двадцать пять! — всплеснула я руками. — Говорили уже...

— Варя, этот парень погиб! — взвизгнул Док.

— Какой еще парень?

— Прекрати, прекрати немедленно! — Он вскочил, а я затихла, уставилась в пол и сидела с таким видом, точно ничего не вижу и не слышу. Док опустился передо мной на корточки. — Варя, посмотри на меня... Что с тобой происходит?

— Хочешь упечь меня в психушку?

— Что за глупость? — Он покачал головой, чувствуя себя оскорбленным, но ведь подумывал... — Варя, парня застрелил Скобелев?

— Откуда мне знать? Я живу в доме Папы, двадцать четыре часа в сутки под пристальным оком охраны. Все городские события проходят мимо.

— Прекрати! — выкрикнул он. — Это Скобелев? Как ты заставила его совершить убийство? Сказала, что этот парень расстрелял его семью?

— Чушь, Док. Ты сам в это не веришь. Надеюсь, ты ничего не сказал Орлову? — «Слава Богу, не сказал...»

— Варя... я многое могу понять... Скажи мне, парень один их тех троих?

— Да, — кивнула я. Соврать было проще.

— Ясно... Но Скобелев... Ты не должна была...

— Я должна была пристрелить его своими руками? — хмыкнула я.

— Варя, то, что ты делаешь...

— Замолчи! — не выдержав, крикнула я. Но тут же себя одернула: криком я ничего не добьюсь. Поэтому отвернулась и заплакала, Док замер у окна, а я пошла к нему, раскинув руки и приговаривая:

— Док... Господи, мне так плохо, Док...

Конечно, он меня обнял, стал гладить по спине и утешать.

— Бедная моя девочка, — шептал он.

Так-то лучше. Пролив немало слез, мы покинули квартиру. Перед этим я просмотрела свои записи, а потом позвонила Скобелеву. Разговор занял полторы минуты. На этот раз он не задал ни одного вопроса. Это слегка настораживало, парень, как видно, вошел во вкус. Надо бы встретиться с ним и маленько пошарить в его головушке.

Док в это время ходил за моей машиной и ничегошеньки не слышал. Звонок касался одного из дружков Монаха, моя душа жаждала справедливости, если у Клима дружок отдал Богу душу, значит, и Сашка должен с кем-нибудь проститься. Это слегка простимулирует обоих. На самого Монаха я не замахивалась: во-первых, он в настоящий момент осторожен, следовательно, достать его дело хлопотное, а также опасное, во-вторых, первая попытка Скобелева разделаться с ним успехом не увенчалась, а я суеверная, так что вторую ему лучше не затевать, а препоручить это дело другому человеку. Даст Бог, у того ловчее получится.

Вернулся Док, я устроилась в машине, поглядывая по сторонам с некоторым страхом: меня, должно быть, уже ищут.

— Куда? — выехав на одну из центральных улиц и точно опомнившись, спросил Док.

— Давай-ка в район химзавода.

— Зачем? — несказанно удивился он и вроде бы даже притормозил, но в нужном месте свернул, чем меня порадовал, а я принялась объяснять:

— Там полно всяких развалюх. Кроме бомжей, вдоль Канавки никто не живет. Как думаешь, за бомжей мы сойдем?

— Варвара, — нахмурился он. — Я не понимаю, зачем тебе эта Канавка? Мы можем уехать из города...

— Чего ж не уехал? — разозлилась я и тут же себя одернула: Док не Резо, и с ним так разговаривать не стоит. — У меня есть дело, — покаянно проронила я.

— Какое?

— Клим. Не хочешь помочь, не надо, но хотя бы не мешай.

Док повернулся ко мне и, помедлив, кивнул, точно соглашаясь. Лучше бы на дорогу смотрел...

Мы выехали к Канавке. Названием поселок был обязан глубокому оврагу, внизу которого когда-то пробегал веселый ручеек. Помнится, давным-давно, мы ватагой ходили сюда весной ловить майских жуков. Чуть выше был ключик, чистый и звонкий, а дальше начинался лес. Теперь все в прошлом. Еще до моего рождения поселок оказался в черте города, но длительное время оставался зеленым островком, не тронутым городской жизнью. Потом здесь построили новые корпуса химкомбината, вместо рощи появился троллейбусный парк, а овраг превратили в свалку. За пятнадцать лет от былой деревенской жизни не осталось и следа. Грязь, вонь, ветхие лачуги. После запуска комбината народ стали потихоньку переселять отсюда. Люди уезжали в новые квартиры, но родные места не забывали: летом здесь еще долго бурлила жизнь, дома использовали как дачи, а на огородах с утра до вечера кипела работа. Но вскоре даже самые стойкие вынуждены были покинуть эти места, Канавку окончательно превратили в городскую свалку. Здания ветшали, рушились, сохранилась лишь часть улицы, домов пять, не больше, но и они вызывали уныние, жители ждали выселения со дня на день и на хозяйство махнули рукой. Канавку сразу же облюбовали бомжи. Каждую зиму непременно случался пожар с человеческими жертвами. Домики больше походили на развалины, заборы рухнули, и никому, кажется, не было дела до этого Богом забытого места. Сейчас я не могла не порадоваться этому обстоятельству.

Мы свернули за кирпичные гаражи, асфальт кончился, далее шла песчаная дорога, кое-где пересыпанная щебнем. Продвигались мы неторопливо и зорко поглядывая по сторонам. Наше появление здесь могло вызвать ненужное любопытство. Однако как мы ни старались, а никого из аборигенов заметить не смогли, должно быть, в это время дня народ отправлялся на промысел.

Подходящий дом я приглядела сразу. Когда-то он был двухэтажным. Теперь ветхий деревянный этаж разрушился, а в нижнем, кирпичном, вряд ли кто решился бы свить гнездо, уж больно опасно. Забор гнилой, покосившийся, держался чудом, в глубине заросшего сада виднелся деревянный гараж, ворота закрыты и даже заперты на замок. Высоченный фундамент дома намекал на большой подвал.

— Останови, Док, — сказала я и, рискуя свернуть себе шею, проникла в дом.

Подвал точно был, в него вела дверь под лестницей, обитая войлоком. От самой лестницы почти ничего не осталось, а вот дверь выглядела крепкой. Я подергала металлические дужки для замка: вбиты насмерть. Однако самого замка не было, как не было и ступенек в подвал: сгнили. Я чиркнула зажигалкой и вытянула руку. Подвал не был особенно большим, почти квадратной формы, без окошек, под ногами мусор и битое стекло, в самом углу нары и сундук, который использовали вместо стола, правда, очень давно. Вряд ли сюда последнюю пару лет кто-нибудь заглядывал.

— Блеск! — обрадовалась я. — Это, конечно, не «Титаник», но тоже неплохо.

— Ты ведь не собираешься здесь оставаться? — с сомнением глядя на меня, спросил Док.

— Нет, настолько я еще не спятила.

Мы покинули подвал и торопливо вернулись к машине. Вокруг по-прежнему ни души. В зарослях терновника распевала какая-то птаха, а по тропинке прогуливался кот, облезлый и грязный.

Только когда мы выехали на улицу Кирова, благоустроенную и нарядную, Док вздохнул с облегчением.

— Сворачивай, — сказала я. — В городе нам сейчас делать нечего.

Преодолев сто пятьдесят километров, мы с удобствами устроились на турбазе «Клязьма». Сначала я выбрала соседний областной центр, но по дороге заприметила указатель на эту самую турбазу. Место выглядело невероятно красивым, и мы решили остановиться здесь. Отдыхающих было не так много, это порадовало: шумные сборища на природе излишни.

На следующий день мы отправились в соседний

городок, откуда я позвонила Скобелеву. Он доложил об успешно проведенной операции, но вроде бы нервничал.

— Что-нибудь случилось? — спросила я. Он, подумав, ответил:

— Нет. — Но не убедил меня.

Поведение Скобелева вызвало легкое беспокойство, я молчала, погруженная в свои мысли, а Док волновался, поглядывал на меня с сомнением и все-таки был рад, что мы снова вместе.

Три дня прошли в томительном ожидании, даже природа не особенно радовала. Казалось, пока я нахожусь так далеко от места действия, там все пойдет вкривь и вкось. Ко всему прочему я вновь морила себя голодом, к столовой близко не подходила, и в день позволяла себе не больше стакана воды. В результате этого издевательства над самой собой я приобрела вялость движений, затравленный взгляд и потрескавшиеся губы.

— Чего ты добиваешься? — злился Док.

— Я вхожу в образ, — усмехнулась я. — Видишь ли, Док, все должно быть натурально. Скажу тебе по секрету, романтизм — жутко неприятная штука.

Наконец мы вернулись в родной город. Я сразу же позвонила Скобелеву, но дома его не застала. Звонила еще дважды с тем же успехом. Посылать к нему Дока неразумно, значит, следует набраться терпения: когда-нибудь он в своей квартире появится.

— Куда теперь? — нерешительно спросил Док, поджидая меня в «Жигулях».

— На свалку, — ответила я. — Появляться там на машине опасно, придется бросить ее на стоянке, лучше где-нибудь в районе улицы Кирова — оттуда легче добираться. Еще нам понадобится телефон.

— Ты мне объяснишь, что задумала? — он вроде бы даже повысил голос. Я посмотрела на него и кивнула.

— Обязательно. Только чуть позже.

Машину мы пристроили, телефон присмотрели и по песчаной тропинке направились в сторону Канавки. Здоровенный навесной замок я купила в «Хозтоварах» чуть раньше и теперь вертела его в руках.

Шли мы молча и прислушивались, в середине дня поселок выглядел необитаемым. В одном месте преодолели забор, точнее, то, что от него осталось, и вскоре увидели дом, облюбованный мною в прошлый визит.

— Запоминай место, Док, тебе придется объяснять, где это находится.

— Кому объяснять? — растерялся он.

— Климу, конечно. Для кого я, по-твоему, стараюсь?

— Я ничего не понимаю, — начал злиться он.

— А чего тут не понять? — Я толкнула дверь в подвал и решительно вошла. Дверь закрывать не стала, потому что иначе здесь своих рук не увидишь. — Организуем романтическую встречу с Климом. Он должен найти меня здесь и доставить к Папе.

— А почему он должен найти тебя здесь? — разозлился Док.

— Потому что ты ему позвонишь.

— А он возьмет и позвонит Папе?

— Если ты скажешь про меня — скорее всего позвонит, а вот если ты сообщишь, что здесь прячется Монах...

— Варвара, ты...

— Спятила? — засмеялась я. — Говори, не стесняйся.

— Извини. С какой стати Монаху прятаться в этих развалинах?

— А по-моему, место идеальное. Никому в голову не придет искать его здесь. В любом случае, мы скоро узнаем: клюнет Клим или усомнится, так что дискутировать не стоит.

— И что ты ему расскажешь? Как объяснишь?

— Никак, — хохотнула я. — Ты забыл, я же чокнутая.

Стресс и все такое... Я буду молчать. А потом вспомню, что сюда меня привез Монах. Выманил из Папиного дома, и причина у него подходящая: я свидетель совершенного им убийства. В живых он меня пока оставил, потому что надеялся, шантажируя Папу, с ним договориться. Ну, что скажешь?

— Не знаю, Варя... Не понимаю, зачем все это? Ты можешь посадить их в тюрьму, и Монаха и Клима. Что-нибудь на них обязательно найдется. У меня создается впечатление, что тебе все это доставляет удовольствие.

— Нет, — соврала я. — Честно нет. Сам подумай, какое удовольствие сидеть в подвале? Ладно, Док. Не будем тратить время. Мне еще надо настроиться и соответственно выглядеть.

Я взялась обеими руками за подол платья и, рванув со всей силы, разорвала его. Потом, преодолевая отвращение, легла на пол и немного повалялась в мусоре, при этом умудрилась разрезать руку стеклом. Это показалось занятным, и, подобрав осколок, я нанесла себе на ногах и руках незначительные порезы. Док таращил глаза и готовился упасть в обморок. Я поднялась с пола и попросила:

— Док, пожалуйста, ударь меня, только не в челюсть — она многострадальная.

— Ударить? — Он вроде бы даже затрясся.

— Это же понарошку, давай, Док, а?

— Я не могу... Варя, это... это просто ни на что не похоже.

— Черт бы тебя побрал! — заорала я. — Можешь ты хоть раз сделать то, о чем я прошу, без этой твоей дурацкой болтовни?

— Я не могу, — твердо заявил он.

— Хорошо, — зло усмехнулась я и, подойдя к стене, дважды приложилась к ней физиономией. Вроде бы губу разбила, а синяк под глазом себе точно обеспечила.

— Что ты делаешь? — пролепетал Док, рухнув на сундук. — Варя, ты сошла с ума.

— Заткнись! — рявкнула я, ткнув в него пальцем. — Заткнись и проваливай! Я сделаю, что задумала, с тобой или без тебя...

Он потер ладонями лицо, покачал головой и даже прошептал:

— Боже...

— Телефон Клима помнишь?

— Да.

— Тогда свяжи мне руки, заткни рот тряпкой и иди. — Я протянула ему кусок веревки и платок. — Да, не забудь запереть замок.

— А если Клим не приедет?

— Значит, к вечеру за мной вернешься ты. Только не забудь прихватить из машины платье. Все ясно?

— Ясно, — кивнул он и стал связывать мне руки за спиной.

— Покрепче, Док.

— Ты не сказала, что я должен делать, пока ты будешь...

— Жди в своей квартире.

— Ты говорила, что это опасно.

— Придется рискнуть. Если все сойдет гладко, Папа непременно захочет, чтобы ты приехал.

— Господи, но ведь я сам сказал ему, что меня не будет в городе.

— Будем считать, что ты уже вернулся.

Через пять минут он пошел к выходу в твердой уверенности, что я окончательно спятила. Когда дверь за ним закрылась, я устроилась на нарах. Вот что я ненавижу, так это ждать. Даже если повезет и Клим в городе, все равно ему потребуется время. Надеюсь, сотовый он носит с собой постоянно, значит, Док минут через пятнадцать сообщит ему о том, где прячется Монах. Вряд ли он кинется сюда сломя голову. Долго лежать на этих нарах никакого удовольствия. А если явятся бомжи? С какой стати... А если вообще никто не явится, а я в подвале, со связанными руками, заперта на огромный замок, о, черт! Пожалуй, я малость перемудрила. Ладно, о плохом лучше не думать.

Я пялилась в темноту и прислушивалась. Тишина. Вытянула ноги, попробовала устроиться поудобнее и задремала. Кажется, мне что-то снилось... Сон оборвался, а меня точно ударили. Я открыла глаза, приподняла голову. Ни звука. Показалось? Я что-то чувствовала, движение вокруг дома, точно, рядом кто-то есть. Конечно, это не Док, ни к чему Доку бродить кругами. Кто-то очень осторожно подошел к двери.

— Чего там? — крикнули с улицы, и мужской голос совсем рядом ответил:

— Дверь, заперта на замок. Подвал, наверное.

— Сбивай его к чертовой матери.

После третьего удара замок слетел, а дверь открылась. Весьма осторожно, кстати. На мгновение в дверном проеме мелькнул силуэт, потом еще один.

— Притащи фонарь из машины, темнотища...

Входить в подвал ребята не спешили, я лежала не шелохнувшись, опасаясь, как бы они с перепугу не начали палить.

Опять шаги, вспыхнул свет, я отвернулась к стене.

— Черт... а это что?

«Что, что? Это я, придурок».

— Эй, позови Клима.

— Чего там? — разволновался парень у двери.

— Почем я знаю? Девка вроде...

— Какая девка? — Паренек страдал непонятливостью.

— Заткнись и позови Клима.

Парень подошел ко мне, держа фонарь в левой руке, правую протянул с опаской и коснулся моего плеча. Руку сразу же отдернул, посветил мне в лицо. Я сочла нужным простонать и даже слегка шевельнулась. По-моему, вышло неплохо.

— Чего там? — Это появился Клим.

— Вот... — ответил парень с фонарем. Клим подошел ближе и присвистнул.

— Девка...

«Смотри-ка, сообразил».

— Монаха, конечно, нет. И кто ж с нами такие шутки шутит? — Клим повернулся и громко крикнул: — Валерка, там наверху смотри в оба!

— Чего с ней делать-то? — всполошился парень с фонарем.

— Она живая?

— Вроде... шевелилась. Может, она чего про Монаха знает?

— Может... Давай фонарь и вытащи ее отсюда.

Я напряглась: ну, как этот псих потащит меня за ноги... Нет, он приценивался, как половчее меня ухватить. Взял вполне по-человечески, на руки, правда, старался держать меня подальше от груди, жалел рубашку.

«Сорок баксов за пеструю тряпку — это, конечно, деньги. Повезло тебе, придурок, что я на днях похудела».

Меня выволокли на улицу и устроили на земле, привалив спиной к кирпичной кладке. Парень стянул с моего рта платок и развязал руки, в знак признательности я простонала. Клим стоял в трех шагах, поглядывал вокруг и кусал губы. Чудились ему засады, лютый враг Монах и смертельная опасность.

«Брось, парень, все в норме: только ты и я, и никого больше».

Дотошный тип с фонарем присел на корточки и легонько встряхнул меня.

— Эй, живая?

Я открыла глаза, мутно взглянула.

— Живая, — обрадовался он. Клим наклонился ко мне и спросил:

— Где Монах? Ты меня слышишь? Кто тебя здесь запер? — Последнюю фразу он не договорил, склонился пониже и брякнул: — О, черт! — потому что наконец узнал. — Черт! — повторил он. — Ну надо же!

— Что? — испугался парень рядом.

Клим не ответил, торопливо оглядел меня, разорванное платье, синяки и распухшая губа ему не понравились. Он грязно выругался, тряхнул головой и сказал:

— Ну, если это Монах, ему крышка.

— Кто это, Клим? — торопил его приятель.

— Папина девчонка... Принеси мою куртку из машины. Ну надо же! Черт! Как она сюда попала? Варя, — позвал он и даже коснулся моего лица. — Ты меня слышишь?

Я вздрогнула, посмотрела в его глаза вполне осмысленно, а потом испугалась, вскрикнула и закрылась рукой. Должно быть, вышло трогательно, потому что Клим сделал попытку меня обнять и даже зашептал немного невпопад:

— Это я, Варя, я.

Тут вернулся парень. Платье на мне свисало лохмотьями, а нижнее белье отсутствовало, Клим торопливо укрыл меня курткой, но взгляд на моих достоинствах задержал. Осторожно поднял меня и ласково спросил:

— Варя, ты меня слышишь?

«Слышу я тебя, слышу, а также вижу и даже знаю, о чем ты думаешь. Бери на руки и тащи в машину!»

Он так и сделал.

Машин было три, одна возле дома, а две дальше по дорожке, укрытые в тени деревьев.

— Открой заднюю дверь, — сказал Клим парню, почему-то шепотом, надо полагать, боялся меня потревожить. Устроил на сиденье и сам сел рядом, поддерживая меня за плечи и прижимая к себе, в отличие от дружка рубашку не берег.

— Может, ее чем накачали? — выдал предположение парень, сунув голову в машину.

— Садись за руль, — ответил Клим.

И мы поехали. Мой спаситель задумался, машинально гладя мое плечо.

— Куда ехать-то? — опомнился парень, выруливая на проспект.

— Прямо. Телефон дай.

Клим позвонил Папе, разговор был короткий, а дорога до дома моего благодетеля заняла не более десяти минут, летели мы как на пожар. Возле ворот нас уже ждали три человека охраны, в глубине двора еще трое и сам Папа. Во двор въехали только мы, две другие машины остались на улице. Ворота сразу же закрыли.

Клим вышел и извлек меня на свет Божий.

— Куда? — спросил он отрывисто.

Парень из охраны пошел впереди, указывая дорогу, Папа отправился следом, в голове его кружил огненный вихрь: объяснения всему происходящему он не находил. Меня положили на кровать, Папа наклонился к моему лицу и позвал:

— Варя...

Я решила, что наша встреча должна быть трогательной, взяла его руку и прижалась к ней щекой. Молчала и таращила глаза, полные слез.

— Толик! — крикнул Папа. — Вызови врача, — и повернулся к Климу: — Рассказывай.

Клим рассказал коротко и особенно не усердствуя.

— Что думаешь, кто звонил?

— Не знаю... назваться не пожелал. Девчонку в подвале подыхать бросили. Ее бы там ни в жизнь не нашли.

Папа в этот момент терялся в догадках. В том, что произошло, он по-прежнему не видел никакого смысла. Его очень интересовало: почему я ушла из дома? В том, что я ушла сама, он не сомневался.

— Варя, — наклонившись ко мне, спросил он, будучи человеком нетерпеливым. — Ты слышишь меня, дочка?

Дочка услышала и даже кивнула, а Папа обрадовался. Тут взгляд его скользнул по моим ногам в порезах и ссадинах и чуть выше... Он покосился на Клима и торопливо укрыл меня одеялом.

— Папа, — позвала я и тихо заплакала, прижимая к груди его руку.

«Нет, все-таки грудь не самое удобное место».

Я вновь прижалась щекой к его ладони.

— Варя, кто это сделал? — очень ему хотелось знать, что, черт возьми, происходит. Я вздрогнула и прошептала:

— Монах.

— Варя, все хорошо, ты дома, все хорошо, — утешил Папа и опять задал вопрос: — Почему? Зачем он это сделал?

«Умно спросил, ничего не скажешь».

Я поежилась, а потом и вовсе начала трястись. Папа смотрел на меня и совершенно забыл про Клима, тот столбом стоял за его спиной и тоже на меня таращился.

— Варя, Варя, успокойся, все хорошо.

— Он убил Сережу, — с трудом произнесла я, рот очень правдоподобно свело на сторону. Оба слегка прибалдели.

— Кого? — переспросил Папа.

— Сережу. В его квартире. Я видела. Спряталась на балконе. Он потерял перстень, а я нашла.

Информацию я выдавала крохотными порциями, времени это заняло предостаточно, Папа с Климом ждали, затаив дыхание и боясь пошевелиться.

— Зачем ты ушла из дома? — задал Папа вопрос, когда, откинув голову и закрыв глаза, я вроде бы тоже перестала дышать.

— Он позвонил, — кивнула я на Клима. И тут же поправилась, чтобы Папины мысли текли в нужном направлении. — Я думала, Олег... Он просил выйти...

— И ты пошла?

— Да... — Я опять заплакала. — А там... — договорить я, само собой, не смогла, но и так все было ясно.

— Он хотел перстень? — догадался Папа. Я кивнула. — Ты отдала? — Я покачала головой. — Где он?

— Здесь... — это было произнесено прерывистым шепотом, еще одна фраза — и я потеряю сознание. — Здесь... за батареей...

«Все, ребята, занавес..»

Толик полез за батарею, долго шарил, но перстень отыскал. Все сошлись во мнении, что принадлежит он Монаху. Увлеклись так, что про врача забыли и вроде бы даже обиделись, когда он появился. Торопливо покинули комнату, но врач мне был без надобности, поэтому, вновь придя в себя, я отреагировала на белый халат: принялась визжать и брыкаться, при этом орала во все горло:

— Я не хочу, не хочу, я не поеду!

Мудрый Папа сообразил, что я боюсь психушки, и немного растерялся. Врач попросил помочь ему, вот тут я им показала, на что способны психи, двое ребят не смогли меня удержать. Бить нельзя, а так со мной разве справишься? Близко я их не подпустила. Папе хватило полминуты этого спектакля.

— Выйдите все! — рявкнул он и пошел ко мне чуть ли не со слезами: — Варя, успокойся... никто тебя не тронет. Ты здесь, со мной... Ты никуда не поедешь.

В конце концов мы поладили, врач сделал мне укол, и я заснула. А проснувшись, увидела Дока. Он сидел возле постели и держал меня за руку.

— Как ты? — спросил, заметив, что я открыла глаза.

— Нормально. Тебя Папа отыскал?

— Да. Позвонил... Он хочет, чтобы я пожил здесь некоторое время.

— Соглашайся, — кивнула я. — Сейчас в этом доме самое безопасное место для тебя.

— А работа? Я взял больничный на неделю...

— Больничный не проблема, а на улице лучше не показываться. По моим прикидкам, Монаху на днях придется несладко, и он рассвирепеет.

Док посмотрел на меня и заметил:

— А знаешь, этот твой Папа действительно переживает... Он хорошо относится к тебе...

— И что? — хмыкнула я. Док пожал плечами.

— Ничего. Я не знаю твоих планов в отношении Папы, просто... Тебе его не жалко?

— Жалко, — покаялась я. — Мне вообще всех людей жалко, а также кошек, собак и лягушек.

Док погрустил и вскоре удалился. Его настроение мне очень не нравилось. Глаз да глаз нужен за Доком...

Пару дней я лежала в своей комнате, молчаливая и несчастная. Папа подолгу сидел рядом и пытался меня утешить. От него я узнала, что дела у Сашки — хуже не бывает. Гоняют его и наши, и ваши, и старый друг Клим в придачу. Монах из города скорее всего смылся и где-то залег, его активно ищут, а пока, на всякий случай, колошматят дружков. Дело, конечно, хорошее. Дружков у него и так было немного, а теперь и вовсе поубавилось. Будь у меня время, я придумала бы для Сашки что-нибудь поинтереснее пули в затылок, но Монах меня пугал по-настоящему, и потому выбирать не приходилось. Папа злился, что прошло два дня, а результатов — кот наплакал, хотя на розыски Монаха людей отрядили немало. Работы в моргах прибавилось, только что за радость от этого, если Сашка в очередной раз ушел. Папа думал думу и хмурился, а я ласково на него поглядывала и прикидывала: «Как мне с ним быть? В настоящее время он для меня защита и опора. А его кончина, ежели таковая приключится вскорости, должна выглядеть впечатляюще». В общем, мы подолгу держались за руки, и каждый думал о своем.

Через пару дней я смогла подняться и даже погулять в саду. Потом дела мои заметно пошли на поправку. Я вновь возложила на себя заботы по дому и радовала Папу застенчивой улыбкой и мягким характером. В шахматы в эти дни играли больше обыкновенного.

К концу недели, окончательно оправившись, я позвонила Климу. На этот раз он узнал меня сразу и вроде бы забеспокоился. Я попросила его о свидании, назначив встречу все в том же парке, что и в первый раз. Отказаться он не решился.

Часа три я продумывала свой туалет, а потом отправилась к Папе и заявила, что собралась на свидание. Папа растерялся, с ходу не нашел, что ответить, и позвал Дока. Само собой, тот его порадовал: мол, всякие свидания очень хороши для моего полного и окончательного выздоровления. Док говорил долго, весьма кстати употребляя медицинские термины, но Папу до конца не убедил. Во-первых, тот считал, что болтаться по улицам, даже с охраной, мне сейчас не стоит, во-вторых, Папа терпеть не мог Клима вообще, а в качестве возможного зятя в особенности, в-третьих, его очень беспокоил тот факт, что романтическая встреча (как ни крути, а Клим меня таки спас) повлияет на мои чувства, а если учесть, что в голове у меня не все дома, то я и напридумаю Бог знает чего, а Клим, воспользовавшись ситуацией, поматросит да и бросит, и что тогда делать Папе? Очередная измена подорвет мое хрупкое здоровье, и чем сие кончится, ведомо одному Богу. Мысли в общем-то правильные. Иметь взрослую дочь ох как нелегко, но об этом надо было думать раньше.

В конце концов Папа свое согласие дал, но без всякой охоты. Я во время затянувшейся дискуссии лежала в своей комнате, дрыгала ногой и перечитывала Ремарка. Вкусы у нас с Климом были довольно схожи, и, если сегодня какой-нибудь дурацкий звонок не испортит мне всю малину, будет занятно.

Встреча была назначена на три часа. Витьке, из-за того, что за мной не углядел, в доме было отказано. Хорошо хоть жив остался. В половине третьего мы с

Толиком загрузились в его «девятку» какой-то совершенно нелепой расцветки.

— Машина военная, — заявил он. Как выяснилось, это означало, что в машине недостает многих существенных деталей: ручек, пепельниц, заднего сиденья, а дребезжала бедняжка на ходу так, что у меня сводило зубы.

Когда мы подъехали к парку, я от души порадовалась, но рановато: еще минут пять Толик выбирался из машины сам и наконец смог извлечь меня. В общем, это заняло много времени, но все равно мы приехали минут за десять до назначенного срока. Клима не было, и я торопливо припустилась по аллее на облюбованную мной скамейку. Толик вышагивал сзади, в отличие от Резо, относясь к обязанностям охранника со спартанским спокойствием.

Только я устроилась на скамейке и вошла в роль, как в аллее показался Клим. Толик сел в тенечке, метрах в десяти от меня, и зевал так, что мог лишиться челюсти. Охраны Клима нигде не было видно, в парк он вошел один, правда, трое дружков остались ждать в машине возле входа.

Клим смотрел на меня и терялся в догадках, зачем я ему позвонила. Объяснять я не собиралась.

— Как хорошо, что ты опять здесь, — сказала я, сияя лицом. — Где ты пропадал столько времени?

Клим вроде бы споткнулся, но на ногах устоял. Взгляд торопливо скользнул по моему лицу, я продолжала улыбаться вполне осмысленно, и это сбивало с толку.

— Где ты был? — повторила я. Он пожал плечами.

— Сегодня?

— Ну да...

— Дома... ездил по делам...

— Дела? — удивилась я. — Зачем тебе какие-то дела? Почему тебе непременно хочется заниматься какими-нибудь делами? Это скучно. Разве нет?

— Наверное, — ответил Клим, понемногу приходя в себя.

Я поднялась, взяла его за руку и повела за собой, но не по аллее, а по зеленой траве. Наклонилась, сорвала одуванчик, порыв ветра унес пушистые зонтики. Клим смотрел на меня и продолжал теряться в догадках. Вспомнил, что я чокнутая, и успокоился, а потом вдруг решил, что я очень красивая.

«Наконец-то. Для кого я, по-твоему, старалась?»

— Одуванчики смешные, правда?

— Правда, — согласился он вежливо и даже с интересом, вовремя вспомнив, кто у нас теперь в папах.

— Тебе не нравится здесь? — распахнув глазки пошире, спросила я вроде бы испуганно.

— Нет, почему... Ты сказала, что хочешь встретиться... зачем?

Этот вопрос поверг меня в раздумья.

— Разве не все равно? Какое это имеет значение?

— Да? — Клим смотрел во все глаза и совершенно не знал, как со мной разговаривать. Однако Ремарка точно любил, потому что не удрал, а продолжал идти рядом, глядя на меня со все возрастающей растерянностью. Я в свою очередь старательно воспроизводила сцену встречи главных героев из прочитанного накануне романа под названием «Черный обелиск», со сто тридцать восьмой по сто сорок шестую страницу. Через полчаса Клим, сам того не подозревая, начал отвечать очень дельно и близко к тексту. А я порадовалась: налицо благотворное влияние настоящей литературы. Еще через полчаса я резко остановилась, прижала руку Клима к своей груди и немного помолчала, вроде бы прислушиваясь.

— Это ты был там? — спросила я.

— Где? — легонько отстранился Клим, заглядывая мне в глаза.

— Там... в подвале.

— Да, я... Я нашел тебя, ты помнишь? — обрадовался он.

— Конечно, я помню.

— А что было до этого?

Я задумалась, нахмурилась и наконец ответила:

— Не хочу.

— Что?

— Не хочу помнить. Я многое помню, но не хочу. И тех троих я тоже помню.

— Кого?

— Неважно, — заупрямилась я, прижалась к его плечу и сказала:

— Ты мне снился. Странный сон. Неправдашний.

— Почему неправдашний?

— Потому что на самом деле так не бывает. Я же знаю. Я не сумасшедшая и все понимаю, просто иногда мне здесь не нравится. Вот вчера мне здесь не нравилось, и я ушла.

— Куда?

— Не знаю. Туда, где ничего нет. Только ты и я. И можно не вспоминать.

Он посмотрел внимательно и кивнул. Клима пугал этот разговор и его явная бессмысленность. Ему хотелось, чтобы я больше походила на обыкновенную женщину, но вовсе не хотелось, чтобы я стала обыкновенной.

«Очень занятный парень», — мысленно хмыкнула я. В самый интересный момент, когда он готов был бродить со мной под липами хоть целую вечность, я развела руками и сказала:

— Мне пора возвращаться.

— Домой?

— Может быть. Я не люблю возвращаться. Там не будет тебя. Это плохо. Там вообще все плохо. Ты придешь? — без перехода спросила я.

— Куда? — не понял он.

— Не знаю. Все равно. Как сегодня. Я сбегу оттуда, и ты приходи.

— Завтра?

Я задумалась.

— Завтра? Ах да... завтра. Какое смешное слово. Ты придешь? Не оставляй меня.

— Завтра, в три? — спросил он, а я уже пробиралась сквозь кусты, торопливо махнув рукой.

— Да-да. Завтра. — Я побежала по аллее, Толик припустился следом, а Клим стоял в полном недоумении. Заметив это, Толик развел руками и крикнул ему:

— Это она после подвала такая.

На следующее утро я поехала за продуктами. На этот раз сопровождал меня парень по имени Максим. Погода была отличная, и домой я не спешила. Оттого и велела Максиму ехать в центр. Возле универмага машину оставили и дальше отправились пешком. Я шла, охранник плелся следом, проклиная женскую натуру: нет бы купить все сразу и в одном месте, куда там, потащатся за пачкой чая на край света. До магазина «Караван» оставалось метров двести, когда я увидела «Мицубиси» Клима. С шага не сбилась, головы не повернула и на удачу особенно не рассчитывала, вряд ли он меня заметил, а если и заметил, вопрос: захочет ли узнать?

Скрипнули тормоза, и джип замер у тротуара, из него появился Клим и крикнул:

— Варя!

Я сделала вид, что не слышу, и, толкнув стеклянную дверь с колокольчиком, вошла в магазин.

Клим появился через полминуты. Вошел, торопливо огляделся и направился ко мне.

— Варя...

Я повернула голову от витрины с разноцветными банками, нахмурилась и сказала:

— Здравствуйте.

Он насторожился, посмотрел внимательно. Надеюсь, ничего сумасшедшего во мне сегодня не было. Женщина пришла в магазин и выбирает чай. Клим таращил глаза, а мысли его при этом скакали, как блохи. Интересный все-таки парень.

Он взял меня за локоть, а я наконец соизволила его узнать.

— Простите, — сказала я с виноватой улыбкой и даже головой покачала. — Вы Олег, я не ошиблась?

— Я — Олег, — кивнул он, приглядываясь ко мне и хмурясь все больше.

— Хорошо, что мы встретились. Я хотела поблагодарить вас. Владимир Петрович мне все рассказал...

— Увидимся сегодня? — спросил он нерешительно.

— Что? — растерялась я.

— Сегодня, в три, в парке?

— В каком парке? — Я смотрела на него с недоумением. — Что вы имеете в виду, Олег? Я совсем не против встречи с вами, даже наоборот, я вам очень благодарна. Если бы не вы, я бы погибла в этом жутком подвале...

— Мы вчера гуляли в парке, — сказал он, не теряя надежды.

— Мы? В парке? — удивилась я. — Вы меня разыгрываете, да? — Я нерешительно засмеялась.

— Нет, — покачал он головой. — Но это не важно.

Мы пошли к машине.

Я вдруг резко остановилась, точно споткнувшись, и взглянула на него. Пристально.

— Вы... Вы... Такое странное чувство... будто бы я должна что-то вспомнить... у вас такое бывает?

— Бывает, — усмехнулся он.

Мы простились, я села в машину. Максим завел мотор, а я растерянно смотрела в окно, потом робко махнула Климу рукой. Кажется, никогда в жизни он не чувствовал такой пустоты и отчаяния. По крайней мере, когда он об этом подумал, я ему поверила.

...Я устроилась на траве за кустами, то и дело глядя на часы. Без пяти минут три. Вряд ли Клим придет. Вчера его, должно быть, постигло горькое разочарование, если он приезжал в парк. Убедился, что меня нет, и махнул рукой... Максим курил, прислонившись спиной к дереву. Я покосилась на него, а потом опять на часы.

Первым Клим заметил охранника, обошел скамью, высматривая меня.

— Эй! — позвала я громко и махнула рукой. Он торопливо протиснулся между кустами и зашагал ко мне, а я улыбнулась. — Почему ты так долго?

— Давно ждешь?

— Я? Не знаю. Наверное. Куда ты все время уходишь? Тебе нельзя быть здесь рядом со мной?

— Наверное, можно, — пожал он плечами.

— Тогда почему ты уходишь?

— Люди не могут всегда быть вместе.

— Глупость какая. Почему это?

— Не знаю... Всегда быть вместе не получается. Люди работают, занимаются другими делами, спят...

— Ты сегодня болтаешь ужасную чепуху. Скажи честно: ты просто дразнишь меня?

— Нет. — Он покачал головой и дотронулся до моего плеча. — Ты очень красивая.

— Да? Скажи мне еще раз...

— Ты очень красивая.

— Я хочу, чтобы ты всегда так говорил. Хорошо? Когда ты говоришь мне это, у тебя нежный голос, — голос правда был нежным.

«А что, если он на досуге перечитал любимые книги? — насторожилась я. — Нет, не перечитал, ну и кто из нас в таком случае страдает шизофренией?»

В последующие дни мы еще несколько раз встречались в парке, и я упорно изображала чокнутую. Такое дуракаваляние объяснялось просто: я разыгрывала героиню Ремарка, вынуждая Клима разыгрывать героя. Конечно, он об этом не подозревал, потому что давно не перечитывал любимого автора, а зря. Впрочем, я этому обстоятельству радовалась. Для тех, кто Ремарка не читал, поясняю: речь идет об одном молодом человеке, который умудрился полюбить сумасшедшую (надо признать, она была красавицей), так вот, она его то узнавала, то нет, то принимала за совершенно другого человека. Потом девчонку вылечили, но хэппи-энда не получилось: она не пожелала его вспомнить, да и ему самому красотка в нормальном состоянии не больно пришлась по вкусу. Вот такая история.

Однако эти сцены я разыгрывала вовсе не для того, чтобы просто порадовать Клима. Была у меня одна забавная мыслишка...

В этот день Клим решил пожаловаться, что накануне в магазине я его не узнала. Посмотрев удивленно, я начала весело, до слез, хохотать.

— Какую глупость ты сказал, — немного успокоившись, покачала я головой. — Как это я могу тебя не узнать? Я отыщу тебя в самой большой толпе, как будто ты этого не знаешь. Ты меня просто разыгрываешь.

— И все-таки ты меня не узнала. Ты была очень красивой и ужасно чужой...

— А... — Я откинула со лба волосы и стала смотреть в небо. — Я знаю, о ком ты... Ты видел ее, да?

— Кого?

— Ну... ее. Она ужасно строгая и не дает мне уходить. Представляешь, она запирает меня в бельевой шкаф, чтобы я не сбежала. — Я махнула рукой. — Это она выдумала, что я сумасшедшая. Она и доктор. И еще она сердится, когда я говорю о тебе.

— Почему?

— Она... странная. Не хочет никого любить. Когда я сказала, что люблю тебя, она ужасно разозлилась.

— Ты ей сказала, что любишь меня?

— Ну да, конечно. Почему я должна скрывать это? Ведь ты не говорил, что я должна скрывать? Ты не сердишься?

— Конечно, нет.

— А ее это расстроило.

— Почему?

— Скажи: она тебе не понравилась? — не обращая внимания на его вопрос, спросила я.

— Не в этом дело. Просто она совсем чужая. Понимаешь?

— Конечно, — кивнула я. — Она такая несчастная... очень-очень.

— Почему?

— Потому что с ней произошла ужасная вещь, — подумав, ответила я со вздохом. — Она мне не рассказывала, но я все равно знаю. Мне даже кажется иногда, что я все это видела. Они вошли втроем... Нет, сначала один... и ударил ее, и разбилось зеркало, я видела осколки, а потом вошли те двое... Я помню их лица... Как ты думаешь, я все это видела?

— Что, Варя?

— То, что они с ней сделали? Или она мне все-таки рассказала?

— Там в подвале было трое мужчин?

— В подвале? Какой подвал? Вовсе нет, это было давно... разбилось зеркало. Это было в моей квартире. Она жила в ней.

— А ты?

— И я, наверное, тоже. Они ее расспрашивали о каком-то священнике... да-да, священнике, а она так страшно кричала... Я ничем не могла ей помочь... А потом взяла и убежала. Ужасно, да? Я ее бросила, и она за это терпеть меня не может. И запирает в шкаф. Ужасно глупо запирать человека в шкаф, ты не находишь? А вчера она так разозлилась... Она сказала, что видела того парня.

— Кого? — не понял Клим.

— Того, который вошел первым. Она очень испугалась и сказала, что никуда меня не отпустит, потому что они рядом.

Я поднялась с травы и отряхнула подол.

Мы пошли по аллее, тихо и неспешно разговаривая, минут через двадцать я забеспокоилась и сказала:

— Мне пора. Мы увидимся? Мне всегда грустно, когда тебя нет.

Максим, услышав последнюю фразу, ухмыльнулся и даже подмигнул Климу. Но тот этого вовсе не заметил.

— Я люблю тебя, — сказала я и пошла по аллее. А он остался стоять. Правильно, между прочим, сделал: потащись он за мной, и такая классная сцена была бы испорчена.

Рано утром кто-то заскребся в мою дверь.

«Черт», — подумала я, потому что этот кто-то отвлек меня от создания суперсценария для двух актеров. Я пребывала в расслабленном состоянии, более того, даже заплакала, одновременно чувствуя себя и героиней, и зрительницей. Неожиданный визит вызвал во мне волну протеста.

— Да! — без намека на гостеприимство крикнула я, ожидая, что войдет Док. Нет, еще хуже. На пороге стоял Резо и чрезвычайно ласково мне улыбался.

— Ты? — удивилась я. — Уже выздоровел?

— Да, — кивнул он.

— А как нога?

— Отлично.

— Неужели совсем не болит? — Я нахмурилась, а Резо забеспокоился и посмотрел на принтер, но все-таки ответил:

— Совсем.

— Я думала, ты еще хотя бы неделю будешь отлеживаться, — проворчала я. — Ладно, заходи и закрой дверь.

Он прошел, сел в кресло, вздохнул очень жалостливо и начал:

— На самом-то деле я считал, что обязан выйти пораньше.

— Это почему?

— Ну... я думаю, никто не выполнит работу лучше меня. Максим — никудышный охранник.

— Вот оно что.

— Как ты себя чувствуешь? — спросил он.

— Отлично. А в чем дело?

Он вздохнул еще жалостливее и стал прятать от меня глаза.

— А... Ты имеешь в виду подвал? Толик сказал, что я теперь вовсе чокнутая? И ты притащился. Лучше б лечил ногу.

— Она не болит.

— Надо же... Выходит, мы опять вместе: ты и я. Не вздумай путаться у меня под ногами. Понял?

Он посмотрел на потолок, потом на свои руки, потом опять на потолок и кивнул.

— Тогда иди.

Он пошел к двери, я его окликнула.

— Эй! На самом деле я очень рада, что ты вернулся. — Резо только-только начал улыбаться, а я добавила: — Бегать ты сможешь?

— Бегать? — улыбка сползла с его физиономии.

— Ну... у тебя же нога и все такое...

— Ты говорила, что будешь навещать меня.

— Наверное, забыла. Много дел, знаешь ли...

— Ты сбросила его нарочно.

— Нет, зря ты так думаешь. Иди и береги ногу.

В ближайшие дни в парке я не появлялась, зато встретила Клима возле гастронома. Вне всякого сомнения, он меня поджидал. К Папе в гости запросто не зайдешь, Клим узнал мой обычный распорядок дня и заявился сюда.

В этот раз я не стала делать вид, что не узнала его. Резо при виде Клима сделал физиономию кирпичом, при этом просто горел желанием поскандалить.

— Здравствуй, Варя, — сказал Клим, выходя из машины, и принялся шарить по моему лицу взглядом, пытаясь в нем что-то отыскать.

— Здравствуйте, — потупив глаза, ответила я и кивнула Резо. Он отошел ровно на три шага и замер с очень драчливым видом.

— Ты опять с Резо? — спросил Клим, не зная, что сказать.

— Да. Он поправился. Вы в магазин? Пойдемте вместе.

— Нет. Я жду здесь знакомого.

— Вот оно что...

Пауза. Климу хотелось встряхнуть меня за плечи и крикнуть: «Варя, посмотри, пожалуйста, это ведь я, ты меня узнаешь? Неужели ты совсем ничего не помнишь?» Конечно, я ничего не помнила.

— Мне надо идти, — сказала я виновато.

— Да... — Клим пожал плечами, сел в машину и через пару секунд исчез за углом.

— Ну и чего ты вылупился? — спросила я у Резо.

— Ты притворяешься, — сурово сказал он.

— Тебя не спрашивают. И вообще, не смей вмешиваться в мои дела, а тем более критиковать меня. Ты охранник и только-то.

Я разозлилась не на шутку и стала прикидывать: может, вновь на время лишить Резо трудоспособности. Будто прочитав мои мысли, он насторожился и обиженно засопел.

На следующий день я отправилась в парк, Клим мог приехать, а мог и не явиться, но все равно уже в два часа я сидела на скамейке, отправив Резо под липы на приличное расстояние.

— Только попробуй открыть рот или показаться, когда тебя не просят, — прошипела я и даже топнула ногой. Потом надела шляпу и раскрыла книгу.

Я считала, если Клим и появится, то где-то через час. Однако очень скоро он уже шел по аллее. Увидел меня издали и ускорил шаг.

— Привет, — подняла я голову от книги. — Я нашла свою шляпу (все это время я периодически теряла ее и вновь находила).

— Она тебе очень идет. Ты в ней такая красивая. — Он сел рядом и взял меня за руку. Вещь прямо-таки невероятная, Клим страдал.

— Что ты читаешь? — спросил он и взял книгу из моих рук.

— Не знаю. Стихи.

— Ты любишь стихи?

— По-моему, читать стихи довольно скучное занятие. Но мой доктор говорит, я обязательно должна учить стихи. Это укрепляет память. Я не понимаю, что он имеет в виду, он вообще довольно сумасшедший. Но она тоже так считает, и я учу... Знаешь, она опять видела человека, того, который разбил зеркало. Она очень боится, потому что они совсем рядом.

— Ты тоже боишься?

— Я? Не знаю... Я не могу их вспомнить. Иногда я думаю, что вспомнила, но это не так. Они делали с ней ужасные вещи... Она говорит, я была там и поэтому сошла с ума. Чепуха, правда? На самом деле это она сошла с ума, ведь меня они не трогали. Я просто стояла и смотрела. Я знаю, так было, но ничего не помню.

Клим молчал, держа меня за руку и глядя прямо перед собой. Эти дни он провел в поисках, но искал не Монаха, как я надеялась, а пытался побольше разузнать обо мне. Особого труда это не составило. И вчера он уже точно знал: я та самая Варвара Салтыкова, случайная подружка Монаха, к которой он, Клим, три года назад послал своих ребят. Когда сомнений на этот счет не осталось, он почувствовал, что земля уходит из-под ног, и впервые задумался о том, что мир устроен непросто, и судьба — не пустое слово. После этого открытия он сидел в своей машине часа полтора, пялился в темноту за окном и всерьез подумывал застрелиться (вот этого я бы ему не советовала, доброхоты и так найдутся). К утру глупые мысли его оставили, но он был подавлен, растерян и смертельно боялся. Сейчас, сидя на скамейке рядом со мной, он принял решение. И я не сомневалась, что задуманное он выполнит.

— У тебя рука холодная, — сказал Клим. — Ты не озябла?

— Нет. Будет дождь. Сегодня непременно будет дождь.

Мы пошли по аллее, а Резо пристроился сзади и награждал Клима такими мыслями, что я не выдержала и рявкнула:

— Прекрати сейчас же!

Клим удивленно посмотрел на меня, потом на Резо.

— Почему ты рассердилась?

— Пусть не смеет думать о тебе гадости.

— Ты знаешь, что он думает?

— Конечно. Это совсем нетрудно. Он считает, что ты не должен держать меня за руку, потому что я сошла с ума, а виноват в этом ты. Что за глупость, скажи на милость? Он ужасный дурачок и врун, к тому же я ему никогда не верю.

Услышав такое, Резо демонстративно приблизился и заявил:

— Папа велел быть к обеду. Нам еще полчаса добираться домой.

— Слышишь, что болтает этот сумасшедший? — засмеялась я, но пошла за своим охранником.

Клим посадил меня в машину и сказал:

— Смотри больше не теряй свою шляпу. Она мне нравится.

— Поцелуй меня, пожалуйста, — попросила я, он поцеловал и улыбнулся, а нам вдруг стало горько: и ему, и мне.

Дверца захлопнулась, Резо полетел как сумасшедший, а я заявила:

— Посмей сказать хоть словечко...

Вечером мы с Доком гуляли в саду.

— Чего ты добиваешься? — начал приставать он. С каждым днем Док нервничал все больше и больше и теперь здорово смахивал на психа. Я вздохнула.

— Все-таки странные существа люди, Док. Взять,

к примеру, Папу. Отпетый мерзавец, а относится ко мне как к родной дочери. А Клим? Влюбился в сумасшедшую. Боюсь, вокруг нет ни одного нормального человека. А ты еще считаешь меня чокнутой. Иногда мне кажется, только я нормальная и осталась, а остальные — психи. Занятно, да?

— Я пытаюсь найти логическое объяснение твоим поступкам. И не нахожу. Меня это пугает.

— Да пошел ты со своей логикой, Док.

— Я думал, ты хочешь отомстить Климу и его дружкам. А ты играешь с ним в любовь... Или не играешь?

— Дружков Клим укокошит сам, — хмыкнула я. — По крайней мере, он так решил. Боится, что я узнаю...

— Что?

— Господи, Док, почему до тебя так плохо доходит? Думаешь, Климу приятно сознавать, что он виновник своего несчастья? Ведь это благодаря его стараниям любимая женщина стала сумасшедшей. Клим занятный тип, он уже освоил медицинскую энциклопедию и теперь о шизофрении и раздвоении личности знает больше, чем ты. И надеется, что меня можно вылечить. Только очень боится этого. Вылечат, я узнаю правду, и он меня потеряет.

— Такие мысли могут свести с ума... — покачал головой Док. — Тебе его не жалко?

Я сказала весело:

— Ну-ка, Док, вспомни, с каким диагнозом я поступила в больницу? Чего ты вообще хочешь от шизофренички?

Резо полдня топтался рядом, хмурился и томился. Я взглянула исподлобья и поинтересовалась:

— Что?

— У Клима убили двоих парней (так оно и есть: еще один из троицы незваных гостей, которые когда-то развлекались со мной, скончался год назад).

— Да? — пожала я плечами. — Эка невидаль. Монах постарался?

— Я так не думаю. Их убил кто-то свой. Может, Клим?

— Чудеса, да и только. Зачем ему убивать своих?

— Я думаю, что ты знаешь зачем.

— Больно много ты думаешь...

— А еще Монах звонил Папе. И говорил про тебя.

— Что сказал?

— Ты чертова девка...

— Что? — вытаращила я глаза.

— Это он так сказал. Как только ты появилась, в городе началась какая-то чертовщина. У всех неприятности. Он не знает, как ты все это проворачиваешь, но дело именно в тебе.

— Какое такое дело? А что Папа?

— Сказал, это глупость. Ты ничего не знаешь и не можешь знать. А Монах просто ищет способ спасти свою задницу.

— Правильно сказал Папа. Так чего ты нервничаешь?

Резо облизнул губы.

— Ну... Может, Монах не совсем дурак... Ты улавливаешь, о чем я? Папа тебя любит, но Папа умный...

«Как же, умный», — разозлилась я, но задумалась.

В обед, сидя против Папы, внимательно прислушивалась. Кое-что мне совсем не нравилось, впрочем, моему благодетелю тоже. Мысли его обратились к Доку. Однако Папа сразу себя одернул. Док, так же как я, к ценным сведениям доступа не имел. После звонка Монаха дом осмотрели снизу доверху, на предмет всяких ментовских штучек — ничего.

«Не мысли же он читает?» — разозлился Папа и был не прав. Конечно, Док мысли не читает, а вот я... Папа хитер и подозрителен, значит, мне следует быть осторожнее. И побыстрее закончить с Климом.

Папа отставил тарелку в сторону и заявил:

— Варя, я уеду на пару дней. Вы останетесь с Ре-

10-1133

зо... — И больше ничего: что думал, то и сказал. Очень хорошо, Доку пора смываться отсюда, а у меня будет время разыграть финал.

С утра, воспользовавшись тем, что в доме остались только мы трое, то есть я, Док и Резо, я в очередной раз попыталась связаться со Скобелевым и вновь безуспешно. Где он и почему так неожиданно исчез? Выводы напрашивались неутешительные: либо он «засветился» при выполнении боевого задания и покинул город, либо раскусил мои хитрости и теперь прячется от меня. В милицию ему идти не с руки, значит, дело терпит.

Я позвонила Орлову.

— Куда ты, черт возьми, пропала и чем занимаешься? — крикнул он, едва заслышав мой голос.

— Я думаю, ты сам все прекрасно знаешь, — съязвила я.

— Война в городе — твоих рук дело?

— А хоть бы и так. Арестовать меня желаете? Интересно, за что?

— Немедленно прекрати это.

— Что прекратить? Делать тебе карьеру?

— Черт... прекрати все...

Было ясно: разговор не удался, и я бросила трубку. Долго кусала губы и смотрела в стену. Я не могу быть в нескольких местах одновременно, а если так, ситуация может выйти из-под контроля. Скобелев, Орлов и Док... Чертова троица...

Я металась по дому, точно фурия, Док и Резо наблюдали за мной, но приблизиться не решались. И правильно.

— Док, смывайся из города, — замерев перед ним после очередного виража по веранде, сказала я. — Бери все наши деньги и смывайся.

Он покачал головой.

— Я не могу оставить тебя в таком состоянии.

— В каком еще состоянии?

— Варя, давай поговорим серьезно.

— Делай, что хочешь! — рявкнула я. — Тебе же хуже, придурок...

К вечеру он, не говоря ни слова, покинул дом, а я заперлась в своей комнате, смотрела на часы и подгоняла время. Ровно в полночь пошла к воротам. Из темноты материализовался Резо и схватил меня за руку.

— Жаль, что я не сломала тебе обе ноги, — вздохнула я. — Так и будешь за мной таскаться?

Ответить он не пожелал, но и так было ясно: будет.

— Не смей путаться у меня под ногами! — прорычала я, открыла калитку, а потом с силой захлопнула ее перед его носом и бегом бросилась по улице. Остановила такси, назвала адрес Клима, но, подъезжая к его дому, неожиданно передумала и попросила остановить у телефона-автомата. В городе война, и неизвестно, как поступит Клим, обнаружив у своей двери припозднившегося гостя. Что, если начнет палить?

Он снял трубку после второго гудка.

— Да? — бросил отрывисто.

— Это ты? — пролепетала я. — Ты?

— Варя? — Могу поклясться, Клим испугался. — Откуда ты звонишь?

— От гастронома. Я вижу твой дом.

— Что ты делаешь ночью на улице?

— Ты убил их! — взвизгнула я. — Ты убил...

— Кого?

— Ты знаешь. И я про тебя все знаю...

— Подожди, подожди... Чепуха какая-то...

— Нет, я все знаю... Я вспомнила... Ты думал, я ничего не смогу вспомнить, а я смогла.

— О чем ты? Варя, стой на месте, я сейчас приду.

Неужто и вправду придет? Нет, он точно псих...

Клим вылетел из подъезда, на ходу запахивая куртку, а я вошла в круг света от фонаря, чтобы он меня видел. Обхватила себя за плечи и дрожала, словно осиновый лист.

— Варя... — Он уже был рядом. Я посмотрела на него и затрясла головой.

— Нет. Не подходи ко мне... Она мне все рассказала, она умная, а я дура... да, дура, дура... — Он попытался меня обнять, но я вырвалась. — Господи, зачем ты это сделал?

— Что? — растерялся он.

— Зачем? — зарыдала я, сжав кулаки. — Неужели ты ничего не понимаешь...

— Варя... Послушай, я отвезу тебя в больницу.

— В какую больницу? Зачем мне больница?

Я орала на всю улицу и металась под фонарем, а он пытался меня остановить. В конце концов ему это удалось, он схватил меня за плечи, больно сжал и начал трясти.

— Ты меня слышишь? Ты слышишь?

Я закрыла глаза, дрожа всем телом, потом задышала ровнее.

— Отвези меня домой, — попросила я жалобно.

— Домой? — не понял он.

— Мне холодно, я хочу домой.

— Конечно, — вконец ополоумел он. — Вон там у подъезда моя машина, идем.

Мы сели в джип, я продолжала трястись, как в лихорадке, а он смотрел на меня. Потом завел мотор, руки его дрожали. Я встала коленями на сиденье, прижалась к его плечу и попросила:

— Скажи мне, что это неправда. Я никому не поверю, только тебе.

— Это неправда, — торопливо ответил он. — Все неправда. Успокойся. Ты меня так напугала.

— Куда ты едешь? — посмотрев в окно, с удивлением спросила я.

— Я везу тебя домой.

— Разве ты не знаешь, где я живу? Сворачивай здесь.

— Куда я должен тебя отвезти?

— Поезжай прямо.

Он точно ничего не соображал и поехал, через пятнадцать минут мы влетели на тот самый мост, с которого три года назад я в бесчувственном состоянии плюхнулась в воду. Точнее, не я плюхнулась, а меня плюхнули.

— Останови машину! — заорала я. Клим нажал тормоз, джип резко остановился, а мы едва не вышибли стекло своими лбами. — Зачем ты меня сюда привез? — пролепетала я.

— Привез? Ты просила...

Я распахнула дверь и бросилась бежать сломя голову.

— Куда ты? — крикнул Клим и выскочил из машины, оставив ее прямо посередине дороги. Я метнулась к парапету и заглянула вниз. Черная вода завораживающе блестела.

— Все правильно, — покачала я головой. — Все, как она говорила.

— Варя...

— Не подходи ко мне! — Я опять кричала, он сделал шаг, а я мгновенно перемахнула через парапет и замерла, вцепившись в него руками.

— Варя, пожалуйста, — прошептал Клим, даже в темноте было заметно, как побледнело его лицо. — Дай мне руку, дай мне руку, Варя...

Глаза его сделались огромными и темными, как вода внизу.

— Не подходи ко мне...

— Хорошо. — Он замер. — Хорошо. Только вернись назад.

— Мне некуда возвращаться, — заплакала я. — Ты сам знаешь... Ничего нет, и меня нет тоже.

— Варя, пожалуйста... Я люблю тебя... возьми меня за руку. Ты слышишь?

Мысли его кружились темным роем, и одна была настойчивее всех. Я улыбнулась, всхлипнула и оттолкнулась от парапета.

Он рванулся вперед и успел схватить меня за руку. Полминуты мы смотрели в глаза друг другу, а внизу была черная бездна, такая же, как в его глазах.

— Пожалуйста, помоги мне, — испугалась я. Его и моя ладонь вспотели, пальцы соскальзывали. Он пытался левой рукой найти какую-нибудь опору и не мог ни за что ухватиться.

— Дай мне другую руку! — крикнул он испуганно, свешиваясь вниз.

— Я не хочу умирать, — пролепетала я и потянулась к нему, он схватил меня за локоть, но поскользнулся и едва не упал сам, я вскрикнула, он выпустил локоть, с ужасом глядя в мои глаза.

«Клим может меня вытащить, мы обнимемся и будем любить друг друга долго и счастливо. Я даже излечусь от шизофрении и нарожаю ему детей... Ну и где здесь романтизм?.. К черту!» — решила я. Пальцы соскальзывали... Расхожий кадр, а как впечатляет, Клим попытался перехватить мою ладонь и не смог. Рот его перекосило от крика, а мне вдруг стало смешно:

«Смотри-ка, вспомнил Бога...»

Я разжала ладонь... руки взметнулись, как крылья, и я полетела вниз. Однако плюхнуться с такой высоты в реку — дело малоприятное. Подкорректировав свой полет, в воду я вошла «солдатиком». Глубина приличная, и мне потребовалось время, чтобы выбраться на поверхность. Отплевываясь и тряся головой, я попробовала оглядеться и тут увидела Клима. Он не придумал ничего умнее, как прыгнуть за мной. Ко всему прочему не умел плавать. Спаситель хренов... Ну надо же. Точно псих.

Если он сейчас утонет, то лишит меня всякого удовольствия. Течение здесь сильное, Клим отчаянно барахтался, но к тому моменту, когда я смогла подобраться поближе, уже исчез под водой. Пришлось за ним нырять. Плаваю я хорошо, но тащить на себе здорового мужика занятие не из легких. Клим был в отключке и весил килограммов сто, не меньше. Я ухватила его за ворот куртки, поддерживая лицо над водой, и, чертыхаясь, поплыла к берегу.

Плеск за спиной испугал меня, акулы здесь не водятся, но все равно страшно. Я взвизгнула и обернулась. Резо двумя сильными бросками покрыл расстояние между нами и перехватил мою руку.

— Держи Клима, — отплевываясь, крикнула я. — Он вроде бы нахлебался.

Без тяжкой ноши плыть стало легко, я первой выбралась на берег, Резо выволок Клима и бросил на песок.

— Он жив? — спросила я.

— Думаю, да.

— Отлично. Сматываемся отсюда. Надеюсь, ему повезет, и его подберет милицейский патруль.

Я шагнула в воду.

— Куда ты? — забеспокоился Резо.

— Придется еще немного поплавать, — усмехнулась я. — Не стоит оставлять следы.

В последующие два дня я сидела дома безвылазно. Резо вел себя на редкость прилично, появлялся только тогда, когда его звали. Правда, не удержался и спросил:

— Зачем ты его вытащила?

— Проявила человеколюбие, — отрезала я. — Инстинкт, слышал такое слово? Один тонет, другой спасает.

— Я думаю, ты хочешь, чтобы он сделал это сам.

— Сам себя спас? — подняла я брови.

— Нет. Сам себя убил.

— И в кого ты у нас такой умный? — покачала я головой.

Папа сообщил, что задержится. Где и по какой причине? Мне происходящее совсем не нравилось. Док не убрался из города, вместо этого отправился на работу. Все шло совсем не так, как я задумала.

Пользуясь тем, что Папы нет и мы с Резо предоставлены сами себе, я еще раз попыталась найти Скобелева. Рискнула проехать по улице, где он жил, и даже заглянула в пивнушку. Несколько раз звонила. Резо хмурился, выглядел несчастным, но вопросов не задавал.

— Ты можешь узнать, как дела у Клима? — спросила я.

— Отлично, — пробурчал он. — Оклемался и уже нам звонил.

Это было для меня новостью.

— Звонил? Когда?

— Вчера. Спросил, где ты. Я ответил: не знаю и никто не знает.

— Почему мне не сказал?

— А ты не спрашивала. Спросила — я ответил.

— Ну молодец... Как думаешь, что решил Клим?

— Вчера какие-то придурки шарили в реке возле моста и ниже по течению. Думаю, Клим тебя похоронил.

— Славненько. Чуть позже я воскресну.

— В таком случае тебе не стоит появляться в городе.

Последнее замечание показалось мне мудрым. Пусть все идет своим чередом, а мы посмотрим, что из этого выйдет.

Скобелеву я продолжала звонить, уже подозревая, что занятие это бесполезное. Он либо погиб, либо сбежал из города. В очередной раз набрав его номер, я через пару секунд с удивлением услышала мужской голос.

— Да.

— Виктора Алексеевича, пожалуйста.

— Это ты? — обрадовался он. Сомнения отпали: я говорю со Скобелевым, но его появление после долгой разлуки выглядело подозрительно, и особенно радоваться я не спешила.

— Я очень испугалась, — сказала я. — Где ты был?

— Рыскал по городу, — торопливо ответил он, чувствовалось, что очень взволнован. — Я не мог тебя предупредить, то есть я без конца звонил по номеру, который ты оставила, но мне никто не отвечал.

— Я сейчас живу в другом месте, выполняю задание. Звонить туда опасно.

И тут Скобелев произнес фразу, от которой я слегка обалдела.

— Варя, я нашел Монаха.

— Что?

— Я случайно увидел его в городе и выследил. Поначалу у меня были сомнения, но теперь я абсолютно уверен: он прячется в Лужино, знаешь, там коттеджи недостроенные, прямо возле реки. Так вот: Монах в одном из них. Он все еще интересует руководство?

— Конечно. Расскажи подробнее.

— Я заметил его в городе случайно. Пошел за ним. Видел, как он с кем-то разговаривал по телефону, запомнил номер. Потом я потерял его и тогда решил узнать, кому он звонил. Молодая женщина. Несколько дней я следил за ней и таким образом вышел на Монаха. Он в первом от реки коттедже... — Скобелев помедлил и спросил: — Приказ в силе?

— Вот что, Витя. Я должна с ним встретиться и поговорить. Ты будешь меня страховать. Монаха уберешь только в крайнем случае. — Он ответил не сразу. — Ты понял? — спросила я.

— Да. Когда я должен быть на месте?

— Решай сам. Я появлюсь там примерно через два часа.

Я повесила трубку и прошлась по комнате, впрочем, ходьба эта больше напоминала бег. Предстоящая встреча с Монахом меня очень взволновала.

Лужино находилось в полукилометре от объездной дороги. Несколько лет назад там затеяли строить коттеджи, и они действительно начали расти как грибы: совершенно одинаковые, большущие, из красного кирпича, внизу, как положено, гараж, под крышей — мансарда. Стоило такое чудо очень дорого, а вот район был выбран неудачно: совсем рядом шумное шоссе. Да и сами коттеджи стояли почти вплотную друг к другу, ни тебе сада на полгектара, ни зеленой лужайки величиной с аэродром. Кому ж понравится? Богатые люди район проигнорировали, а бедным двухэтажные монстры на триста квадратных метров были не по карману. Коттеджи пустовали (было их, по-моему, штук двенадцать), а фирма вроде бы прогорела. Однако, иногда проезжая мимо, я видела в той стороне башенный кран и машины, это как-то намекало на продолжение работ.

Выходит, Монах нашел себе там пристанище. Внутреннюю отделку коттеджей произвести не успели, но крыша, двери и стекла в рамах там точно есть. Следовательно, жить можно, если человека не пугают определенные неудобства. Одно оставалось неясным: на что рассчитывал Монах, обретаясь рядом с городом, ежечасно рискуя буйной головушкой. Ведь подружку, доставлявшую ему провиант, мог выследить не только Скобелев. Что ж, встретимся, узнаем.

Теперь предстояло решить, что делать с Резо. Я вышла на веранду и покосилась на него. Он сидел в кресле и безотрывно смотрел в одну точку, следовательно, смог найти в ней что-то интересное. Почувствовав, что я рядом, поднял голову и нахмурился. Его неуемную бдительность следовало усыпить.

— Резо, — позвала я жалобно. — Пожалуйста, зайди ко мне в комнату.

Он потопал в мою комнату, я извлекла дискету и протянула ему.

— Спрячь. Ее никто не должен видеть.

— А что там?

— Мои мысли.

— Это не мысли, а закорючки, и не морочь мне голову.

— Если мои мысли станут реальностью, ты будешь великим человеком. Я могу рассчитывать, что никто, кроме тебя, не увидит дискету?

— Конечно, — проворчал он.

— Спасибо. И еще, мне нужно достать из кладовки коробку, идем.

Кладовка была большая и запиралась на засов.

— А зачем тебе коробка? — проявил он любопытство.

— Сейчас узнаешь, — ответила я. Он развернул стремянку и полез наверх, а я выскочила из кладовки, заперла дверь и для верности подтащила к ней тумбочку. Ему потребуется время, чтобы выбраться.

Сломя голову я кинулась в гараж. Ключи от «Опеля» Резо всегда таскал с собой, но, кроме «Опеля», в гараже стоял еще «Форд», довольно старый. Папа давно хотел от него избавиться, но все руки не доходили, и машина спокойно ржавела в уголке. Впрочем, насчет ржавела — явное преувеличение, «Форд» выглядел весьма прилично, я бы даже сказала, шикарно. Не для Папы, само собой, а для меня. Ключи висели тут же, в гараже, на гвоздике возле ворот. Я нажала кнопку, пока ворота открывались, завела машину, слыша, как из дома доносятся ритмичные удары, это пытался освободиться Резо. Через пять минут я уже летела по проспекту. Теперь Резо даже на своем «Опеле» меня не догонит, просто не сможет напасть на след.

Немного успокоившись, я открыла окно и стала думать, как быстрее попасть в Лужино. Остановилась у светофора, продолжая размышлять и не обращая внимания на окружающее. Тут и случилось нечто совершенно неожиданное. Сначала толчок в сознании, я повернула голову и увидела Клима. Он стоял буквально в нескольких метрах на тротуаре, рядом со своим джипом. Увидел меня, качнулся, выглядел при этом абсолютно сумасшедшим, а потом вроде бы закричал.

Не дожидаясь, когда загорится зеленый свет, я рванула с места и в зеркало увидела, как Клим, подскочив к джипу, выволок за шиворот парня с водительского сиденья, толкнул его в сторону и, запрыгнув в машину, с места в карьер стал разворачиваться.

Однако поток машин не позволил ему сделать это сразу, а я увеличила скорость, наплевав на все правила дорожного движения. Свернула на первом повороте и, не обнаружив сзади «Мицубиси», с облегчением вздохнула. А зря. Радовалась я рано.

Подъезжать к коттеджам я сочла неразумным и, оставив «Форд» возле бензозаправки, дальше пошла пешком. Проявляя осторожность, спустилась к реке, а уже оттуда по крутому склону поднялась к нужному мне коттеджу. Покрутила головой и стала осторожно пробираться к двери. Входить в дом я не планировала, надеясь выманить Сашку на свежий воздух и побеседовать с ним здесь. При этом очень рассчитывала, что Скобелев где-то рядом и я нахожусь под его защитой. Подошла к двери и прислушалась. Тишина. Сашка не торопился показываться. Ручки на двери не было, я ухватилась пальцами за край двери и потянула на себя, дверь открылась, а я осторожно вошла.

Монах был в доме, это я почувствовала сразу, он заметил меня, когда я поднималась по склону, и теперь ждал. Где-то слева, за стеной. Полы в доме так и не настелили, я шла по бетонной плите, стараясь ступать очень осторожно, но все равно шума производила достаточно.

Свернула налево и увидела ступени, ведущие в подвал. Сделала несколько шагов и замерла перед дверью.

— Эй! — крикнула я громко, потому что скрываться уже не было смысла, Сашка знал, что я здесь.

— Заходи, — ответил он из-за двери, и я толкнула ее рукой. В подвале горел свет, мощный электрический фонарь. Стол, наспех сколоченный из досок, табурет и постель в углу. Постель выглядела вполне по-человечески, и белье чистое. Как видно, Сашкина подружка проявляла заботу.

— Привет, — сказала я и улыбнулась, получив в ответ кривую усмешку. Сашка сидел за столом, в тени, под правой рукой лежал пистолет. — Как ты тут? — спросила я.

— Нормально. Твоя работа, да?

— Что ты имеешь в виду? — удивилась я. — Я пришла предупредить, они уже знают, что ты здесь скрываешься. Уходи.

— Интересно, куда? — развеселился он.

— Не знаю. Страна у нас немаленькая.

— Мне нравится этот город.

— Само собой, но лучше жить в чужом городе, чем лежать на кладбище в родном.

Я почувствовала его раньше, чем он появился в подвале. Мысленно чертыхнувшись, сместилась чуть вправо, чтобы не угодить под перекрестный огонь, и сказала:

— Можно я сяду?

— Садись, если найдешь место.

Вот тут и вошел Клим.

— Как славненько, все в сборе, — хохотнул Монах, положив руку на пистолет. — Брось пушку, иначе я снесу тебе башку, прежде чем появятся твои мальчики.

Рука Клима нырнула под пиджак и там замерла.

— Варя, уходи отсюда, — сказал Клим, а Сашка засмеялся.

— Брось, девочка пришла полюбоваться, как мы укокошим друг друга. Правда, радость моя? Клим, — повернулся он к заклятому врагу. — Неужели ты до сих пор ничего не понял? Она просто сумасшедшая сука, свихнувшаяся на мести. Я не убивал твоих ребят. И не удивлюсь, если выяснится, что ты не убивал моих. Я не знаю как, но это она все подстроила. Я пытался втолковать это Папе, но он просто выживший из ума старик, она и ему умудрилась запудрить мозги. Лживая мстительная стерва, вот она кто.

Клим перевел взгляд на меня и устало провел по лицу ладонью.

— Посмотри на нее, — покачал головой Сашка. — Посмотри внимательно и скажи: чем она тебя взяла? Ты ж крутой мужик, а купился на дешевку.

— Может быть... — с трудом разлепив губы, ответил тот, а Сашка продолжил:

— Ты просчиталась, деточка. Прежде чем меня пристрелят, ты сдохнешь в этом подвале.

Я покосилась на Клима. Сказав, что Клим крутой мужик, Монах ему здорово льстил. За пару дней он превратился в развалину и сейчас пребывал в шоке. А в таком состоянии люди непредсказуемы. Он мог закрыть меня грудью, а мог и пристрелить. Самое время появиться Скобелеву.

— Это правда? — вдруг спросил меня Клим. — То, что он говорит, правда?

— Ты же знаешь Монаха, — пожала я плечами. — Он хитрый, сукин сын. Подставил меня в прошлый раз и пытается сделать это сейчас.

— Не верь ей, не верь ни одному слову, если не совсем спятил. Покажи мне свои руки и сядь, мы все обсудим. Вот увидишь, выяснятся интересные вещи.

Клим чуть приподнял ладони и сделал шаг.

— Ты здорово пожалеешь, — усмехнулся Монах, косясь на меня.

— Должно быть, так оно и будет, — согласилась я, но не очень испугалась, потому что еще с минуту назад моя неизбежная гибель показалась проблематичной, а в следующий момент я увидела Резо. В отличие от моих собеседников, он не мелочился и в руках держал автомат.

— Вы оба, оружие на стол.

— О, черт, — хмыкнул Монах и выполнил приказ, Клим, чуть замешкавшись, сделал то же самое.

— Папе вряд ли понравится, что вы задумали, — проворчал Резо и добавил, обращаясь ко мне: — Быстро на улицу.

Я шмыгнула в дверь, впервые порадовавшись способности моего охранника появляться точно джинн из бутылки.

И тут разом произошли три вещи: Клим с Монахом схватили оружие, Резо выстрелил в фонарь и, выскочив за дверь, упал, увлекая меня за собой. Через секунду поднялся, рванул меня за локоть и ринулся наверх. А в подвале гремели выстрелы.

Остановились мы, только когда свернули за угол дома. Я удивилась, поняв, что Монах с Климом остались внизу.

— Какого черта? — выкрикнула я, а Резо ответил:

— Думаю, они убьют друг друга. Это их давнее желание. А нам пора сматываться. Место здесь глухое, но ментов всегда нелегкая приносит, когда не ждешь.

Замечание, конечно, мудрое, но я не могла уйти, не узнав, чем закончится дело.

Оно закончилось очень быстро. Дверь дома открылась, и показался Монах, плечо его было в крови, а на лбу свежая ссадина, но он улыбался и вроде был счастлив.

— Такая развязка тебя устроит? — засмеялся он, поднимая пистолет. И тут грохнул еще один выстрел. Монах сделал шаг, а потом, точно споткнувшись, рухнул на землю. Резо оглянулся и проворчал:

— А это кто?

— Ангел-хранитель, — ответила я. — На всякий случай я держу одного в запасе.

— Сматываемся, — кивнул Резо.

— Надо посмотреть, как там Клим. Вдруг жив?

— Это вряд ли. Монах бы непременно добил. Но, если хочешь, могу посмотреть. Иди в машину.

— Нет, я лучше с тобой.

Мы спустились по лестнице, Резо хотел войти в подвал, но я его остановила:

— Не надо. Он мертв.

— Откуда ты знаешь?

— Знаю, — ответила я.

Через полчаса мы вернулись в дом Папы. Я ходила по комнате, обняв себя за плечи, и тряслась мелкой дрожью. Два моих врага были мертвы, а я не испытывала ни малейшей радости. Меня знобило, а внутри живота что-то свернулось в тугой клубок, причиняя боль. Я села в кресло, съежилась и заскрипела зубами. Рязо заглянул ко мне и спросил:

— Что с тобой?

— Ничего.

— Ты бледная.

— Я же говорю, ничего.

— На самом-то деле, я думаю, ты очень испугалась. И не можешь успокоиться.

— Папа не звонил? — спросила я, желая сменить тему.

— Нет, — Резо покачал головой и туманно добавил: — Папа ничего плохого тебе не сделал. И ничего тебе не должен.

— В самую точку. А теперь убирайся отсюда.

Ночью мне приснился страшный сон — меня заживо хоронили. Я хотела крикнуть, но не могла, рот был забит какой-то дрянью. Док стоял рядом с гробом, улыбался и ласково повторял:

— Не беспокойся. Все хорошо.

Я вращала глазами и пыталась подняться.

— Прощание окончено! — возвестил кто-то, и крышку стали заколачивать.

Я проснулась от собственного крика и села в постели, испуганно оглядываясь. Впрочем, никакого крика на самом деле не было, потому что Резо появился бы в моей комнате, а его не наблюдалось.

Я забралась под одеяло, силясь унять дрожь. В комнате было темно и жутко. Я лежала и думала: как страшно быть одной. Я могу мучиться болью, могу умереть, и никому не будет до этого дела. Я приподняла голову и вслушалась. Господи, какая тишина... И я в этой тишине, как в могиле.

«Что за глупость? — неизвестно откуда явилась мысль. — И вовсе ты не одна. Между прочим, в соседней комнате Резо, и тебе давно пора осуществить его мечты или навязчивые идеи, — назови, как хочешь. По-моему, парень заслужил...»

— А я так не считаю, — разозлилась я.

«Да брось ты, — голос шел словно со стороны, надо полагать, шизофрения прогрессировала. — Давай давай, иди. Он ужасно несчастен, все его принципы сыграли в ящик, а он, между прочим, правильный парень, и без принципов ему худо. А тебе снится всякая чертовщина. Иди, порадуй человека».

Я сунула ноги в тапочки и даже спросила шепотом:

— Эй, кто это? Я говорю сама с собой? Конечно, сама с собой, а с кем же еще? Чудеса.

Не включая света, я вышла из комнаты и немного постояла возле двери Резо. Тишина.

«Может, не стоит его будить?» — отступив на шаг, подумала я. Но тут меня вроде бы под руку толкнули: «Иди-иди».

Я взялась за ручку двери, приоткрыла ее и заглянула в комнату. У кровати горел ночник. Может, ему тоже снятся дурные сны?

Резо тут же поднял голову, рука нырнула под подушку, но в следующее мгновение он уже улыбнулся, убрал руку и спросил:

— Ты чего?

«Чего-чего, откуда я знаю?»

— Страшно, — брякнула я и направилась к нему. Он подвинулся к стене и перестал улыбаться. — Можно, я у тебя останусь? — сказала я и, не дожидаясь ответа, юркнула под одеяло. Свернулась калачиком, мгновенно успокоившись, веки отяжелели, и я почти сразу уснула. Правда, ненадолго.

«По-твоему, это честно? — поинтересовался голос внутри меня. — Между прочим, у парня предынфарктное состояние. Кончай дурить и веди себя, как положено».

«А как положено?» — съязвила я.

«Ну, не знаю... На самом-то деле, если ты наконец пришла, все должно быть по-правильному».

«И кто тут у нас такой умный?» — поинтересовалась я и проснулась.

Осторожно пошевелилась, затем решила перевернуться на другой бок и устроиться поудобнее. Идея оказалась не очень удачной: ширина постели не предполагала, что двое здесь будут спать на приличном расстоянии друг от друга. Я вытянула ногу, и она каким-то образом оказалась между ног Резо, а его руки на моей груди. В таком положении мне ничего не оставалось, как обнять его покрепче и подставить губы для поцелуя. Что я и сделала.

«Слава тебе, Господи! — съехидничал кто-то внутри меня».

Утром я сидела за кухонным столом, подперев подбородок ладонями, и смотрела в одну точку. Резо пил кофе и поглядывал на меня, не скрою, с удовольствием.

— Как думаешь, куда подевался Папа? — спросила я. — И почему не дает о себе знать?

Резо пожал плечами.

— Папа мне не очень интересен. Меня беспокоит другое. Например, твои планы. Ты поспеваешь за моей мыслью?

— Еще бы... — хмыкнула я. — Скажи, какие у него могут быть дела?

— Никакие, — нахмурился Резо, а в голове его при этом была лишь одна мысль: «Отвяжись». Умный человек Док не мог спрятаться от меня, как ни пытался, а вот Резо это удавалось мастерски, может, потому, что в его пустой голове вовсе не было никаких мыслей.

«Ну и что, — хмыкнула я. — Зато у него есть другие достоинства».

Я перевела взгляд на его лицо, вздохнула и подумала вслух:

— Надо все доводить до конца.

— Что «все»?

— Не твое дело. Потом скажу... Может быть.

Глазки его хитро сверкнули.

— Это ведь вроде игры?

— Что? — не поняла я.

— Ну... то, что ты делаешь. Вроде как в шахматы играешь?

— До чего ты умный, — подивилась я.

— Папу не трогай, — заявил он. — Папа — хороший человек.

— Да пошел ты!

Резо, подавшись вперед, дал мне подзатыльник и погрозил пальцем:

— Не шали.

Вот так всегда: стоит подпустить к себе мужика поближе, и он уже чувствует себя твоим хозяином.

Папа вернулся неожиданно, то есть без предупреждения, что было с его стороны попросту невежливо. Мы с Резо устроились возле бассейна и чувствовали себя очень неплохо, и вдруг сигнал, ворота открываются. Я бултыхнулась в воду, а Резо стал натягивать штаны, матерясь при этом довольно громко. Однако за минуту смог приобрести свой обычный вид: костюм застегнут на все пуговицы, правда, надеть носки он впопыхах не успел и сунул их в карман. Я показала ему язык, а он в ответ погрозил кулаком и неспешной походкой отправился к хозяину с докладом.

Я накинула купальный халат и пошла следом. Мысли Папы меня очень тревожили. Выяснилось, что моя особа в настоящий момент занимала Папу мало. Вот и ладненько...

Ближе к обеду приехал Док, для меня это явилось полной неожиданностью. Поначалу я вовсе не знала, что он в доме, сидела себе в саду и читала книжку. Подошел Резо и шепнул:

— Доктор здесь.

— Спятил он, что ли? — разозлилась я. — Он в моей комнате?

Резо хмуро покачал головой:

— Прошел сразу к Папе. Разговаривают.

Это мне и вовсе не понравилось. Я заспешила в дом.

Где-то минут через пятнадцать меня позвал Папа. Док при моем появлении старательно рассматривал интерьер комнаты и прятал глаза. Сукин сын...

— Варя, — начал Папа очень неуверенно. — Тут такое дело... Леонид Андреевич говорит, что тебе надо лечь в больницу. Ненадолго... Лучше подстраховаться, понимаешь, дочка? Это всего на пару недель, так ведь, Леонид Андреевич?

— Да, — с умным видом кивнул тот. — Тебе надо лечь в больницу. Обязательно.

Возражать бесполезно. Устрой я истерику, это будет только на руку Доку. Я состряпала грустную физиономию и спросила:

— А когда надо ложиться?

— Лучше сегодня... Завтра, — ответил Док. Я закусила губу и стала рассматривать свои ноги.

— А можно в понедельник? — спросила я робко. — В субботу у меня день рождения. Мне бы хотелось отметить его здесь. — В этом месте я выжала из себя слезу.

— Конечно, Варя, — сразу же согласился Папа, а Док прямо-таки позеленел. Про день рождения он забыл, что называется, дал маху.

— Владимир Иванович, — торопливо начал он, но Папа отмахнулся:

— Решено, в понедельник.

Док встал с кресла и, кивнув на прощание, пошел к двери.

— Я вас провожу... Док, только не говори, что ты продал меня Орлову, — сказала я, когда мы шли к калитке. Он резко остановился.

— Варя, ты больна... Тебе надо срочно лечь в больницу.

— Вы, сукины дети, решили до конца жизни запереть меня в психушке?

— Ты не понимаешь, что творишь... Ты больна, тебе нужна помощь.

— Да пошел ты! Покопайся в своих мыслях, Док,

найдешь массу интересного... Ты ревнивый ублюдок, вот и вся правда.

— Нет, — сказал он и даже вроде бы передернулся.

— Да. Ты сам больной, кретин! Ты не можешь стать моим любовником и поэтому хочешь запихнуть меня в психушку.

— Я люблю тебя и хочу тебе помочь.

— Конечно, — хмыкнула я.

— Варя, тебе надо лечь в больницу, — жалобно проскулил он.

— Само собой, а ты будешь за мной ухаживать. Решетки на окнах и ты — единственный, кто возьмет за руку.

Я проникновенно улыбнулась. Со стороны сцена прощания, должно быть, выглядела трогательно.

Я вернулась в комнату, мысленно рыча. Предательство Дока спутало все карты. У меня всего пять дней, в этот промежуток придется уложиться, иначе... Одно хорошо, у Скобелева Док не был. Его одолевали другие думы, о бывшем соседе он не вспомнил. Значит, надо найти Скобелева.

— Резо, — позвала я через полчаса. — Поехали за подарками.

— Пойду отпрошусь у Папы.

Папа согласие дал охотно: чувствовал некоторую неловкость, Док чересчур легко смог убедить его в том, что мне нужно лечь в больницу. Сейчас Папа не очень-то интересовался мною. Не то чтобы вдруг охладел к «дочке» или жалел о том, что оставил меня в своем доме, просто в настоящий момент его одолевали другие заботы.

— Куда? — спросил Резо, как только мы выехали из ворот.

— К телефону, — ответила я. Однако дозвониться в тот вечер Скобелеву мне так и не удалось. Еще надо было встретиться с Орловым, попытаться убедить его в том, что Док свихнулся, ну и заодно пошарить в его мозгах. Я набрала номер, услышав знакомый голос, поздоровалась и сразу перешла к делу:

— Евгений Петрович, надо встретиться и поговорить. В понедельник ложусь в больницу, есть дело, которое не могу бросить на полдороге. За эти дни не управлюсь, так что нужна ваша помощь.

— Что за дело? — вроде бы недоверчиво спросил он, а я понизила голос:

— Я звоню из автомата, здесь полно людей. Может, вы приедете ко мне на квартиру, разговор займет около часа. Сможете выкроить время?

— Ты живешь у себя? — насторожился он.

— Нет. Но вечером буду там.

— Когда подъехать? — подумав, спросил Орлов.

— Да когда вам удобнее.

— Скажем, часов в восемь, хорошо?

— Жду, — обрадовалась я.

Мы отправились в центр и пару часов бродили по магазинам. Женщина, которой позволили купить себе столько подарков, сколько она захочет, и вернувшаяся с пустыми руками, несомненно, убедит окружающих в том, что она сумасшедшая. Сумасшедшей я буду только с понедельника, так что следует себя порадовать. Изрядно потратившись, мы вернулись к Папе.

А дальше началось сплошное невезение. Сначала пришлось позаботиться об ужине, для этого съездить в магазины за продуктами (продуктов всегда покупали помногу с расчетом на несколько дней), потом Папу потянуло на лирику, и он завел со мной беседу, а затем решил сыграть в шахматы. Стиснув зубы, я делала вид, что это лучший день в моей жизни.

«Орлов может позвонить, убедится, что меня нет дома, и на встречу не пойдет», — с тоской думала я.

Без пятнадцати восемь, лишившись остатков терпения, я вдруг вспомнила, что не купила свечи для праздничного торта. Универмаг работает до десяти, и я вознамерилась ехать немедленно. Папу мое решение не только не насторожило, но даже не удивило. В общем, мы с Резо полетели сломя голову ко мне на квартиру, но все равно появились там с опозданием в полчаса. Орлова, конечно, не было. Я чертыхалась и принялась ему звонить, но ни дома, ни на службе застать его не смогла. В крайней досаде пнула кресло, и мы отправились домой.

Ночью ко мне явился Резо. Было это крайне неосмотрительно, поскольку Папа находился дома, но я сочла за лучшее его не гнать. Во-первых, это было бы недальновидно, во-вторых, просто не хотелось.

— Тебя здесь что-нибудь держит? — спросил Резо, когда я меньше всего на свете была настроена разговаривать.

— Где?

— Ну... в этом доме...

— Меня держишь только ты, причем больно...

Он испуганно разжал ладонь, а я фыркнула:

— Да ладно, я пошутила. Ты вообще-то понимаешь шутки?

— Твой Док опасен. Почему он хочет упечь тебя в больницу?

— Как думаешь, я правда чокнутая?

— Не знаю, — подумав, ответил он. — Для меня это не имеет значения. Чокнутая, значит, чокнутая, тут уж ничего не поделаешь.

— Вот утешил, — опять фыркнула я.

— Ты никого не слушаешь, это плохо. Твой Док опасен, он что-то про тебя знает, а мне ты не объясняешь, что к чему, из-за этого я нервничаю.

— Нервничать не стоит, — заверила я. — Лучше поцелуй меня.

Однако на следующий день я сама занервничала, да еще как. Мы отправились на загородную прогулку (предполагалось, что, перед тем как лечь в больницу, мне стоит немного побыть на свежем воздухе). Я сразу же стала высматривать телефон. Резо предложил свой сотовый, ну и нарвался на несколько добрых слов, затих и сосредоточился на дороге.

Скобелеву я звонила в течение двух часов и все без толку, трубку снять не пожелали. А я начала злиться. Время поджимало, дел невпроворот, и вдруг такая неудача. Намотав по городу не меньше сотни километров, я, чертыхаясь, собралась возвращаться к Папе. Потом неожиданно передумала и сказала Резо:

— Давай заскочим к нему домой. Для начала просто проедем мимо.

Беспокоилась я не зря. Только мы свернули во двор нужного дома, как увидели Дока. Он выскочил из подъезда, где жил Скобелев, и на нем, как говорится, лица не было.

— Тормози! — завопила я и бросилась к нему.

К этому моменту Док стоял, точно соляной столб, пытаясь решить, куда бежать и что делать.

— Док! — крикнула я, после того как трижды позвала нормальным голосом и даже подергала за локоть. Он вроде бы очнулся, посмотрел на меня белыми от ужаса глазами и попытался удрать. Однако от Резо так просто не сбежишь. Он ухватил моего бывшего друга за шиворот и впихнул в машину. Мы отъехали метров на пятьсот, Док начал приходить в себя и вроде бы испугался еще больше.

— Это ты... — прошептал он невпопад.

— Конечно, это я, — пришлось подтвердить мне. Мысли в его голове скакали, как блохи. — Скобелев жив? — спросила я не для того, чтобы узнать, а для того, чтобы дать Доку возможность очухаться.

— Нет, — мотнул головой Док. — Он... он повесился, в ванной.

— Как ты вошел в квартиру?

— Дверь была открыта...

— Мудро. Выходит, Виктор не хотел доставлять людям беспокойство, ломать дверь и все такое прочее...

— Как ты можешь? — пробормотал Док, закрывая лицо ладонями.

— Между прочим, его убила не я. Если разобраться, убил его ты.

— Чушь...

— Когда ты был у него? — церемониться с Доком я не собиралась и голос слегка повысила.

— Вчера. Я позвонил Орлову, он рассказал, что ты хочешь встретиться с ним, и я поехал к нам... к тебе на квартиру. Ждал там полдня, думал, что вместе мы найдем выход из положения.

— Выход — упрятать меня в психушку?

— Ты больна, Варя! — взвизгнул он. — Ты сама не ведаешь, что творишь...

— Ладно, что дальше? — расспрашивала я больше для Резо, потом ведь вопросами замучает, ну и самой нужно было время, чтобы решить, как выбраться из дерьма.

— Орлов не приехал. Меня это обеспокоило. Я попытался разыскать его и...

— Что «и»? — рявкнула я.

— Его сбила машина, когда он возвращался со службы. Господи, Варя, что ты наделала?

— Я? — у меня только что глаза из орбит не вылезли. — Спятил, Док? Я сбила Орлова машиной? Слушай, как тебе такое в голову пришло? Хоть вы и свиньи и возжелали упрятать меня в психушку, но с ментами я не воюю. Задачи у меня другие, Док.

Я вздохнула, а он покачал головой, не желая мне верить.

— Ты назначила встречу, но приходить на нее не собиралась... Ты убила его. Он тебе мешал, и ты убила.

— Я сбила человека машиной? — не веря своим ушам, поинтересовалась я. — Что ты городишь? Каждый день кого-нибудь сбивает машина. Тебе не пришло в голову, что это случайность?

— Прекрати... Не считай меня идиотом. Конечно,

сама ты на такое неспособна. Я вспомнил про Скобелева, и мне стало ясно...

— Ты поехал к нему и все рассказал. Очень мудро, а главное — человеколюбиво... Как он воспринял сообщение?

— Не поверил. Сначала... Я уехал, а сегодня с утра пытался с ним связаться. Только он был уже мертв.

— У тебя хватило ума не орать на весь дом, когда ты обнаружил труп?

— Я... Я был в таком состоянии. Выскочил из квартиры, даже не подумав, что там есть телефон и надо вызвать милицию.

— Слава Богу, что не подумал, — вздохнула я. — Так, квартиру надо обыскать. Пойду я, если менты явятся, что-нибудь наплету... Резо, смотри за Доком, он сейчас в таком состоянии, что готов на любую глупость, о чем впоследствии будет очень сожалеть. Док, на тот счет, если ты вдруг решишь валять дурака: мы с тобой в деле с самого начала. Ты и я. Я, кстати, сумасшедшая, любой эксперт подтвердит, что я невменяема. Я просто играла в шахматы, Док. Стреляли другие. А вот ты... Боюсь, в тюрьме тебе придется несладко. Подумай об этом и постарайся вести себя тихо.

Тут Резо занервничал, отпускать меня одну ему не хотелось. Однако Дока тоже не оставишь. Потратив минут пять, я вроде бы убедила его, что со всем прекрасно справлюсь, и зашагала к дому Скобелева.

Хозяин квартиры был в ванной. Жуткое зрелище. Я проверила замок на входной двери, поплотнее закрыла дверь в ванную и приступила к обыску. Ничего похожего на то, что указывало бы, чем занимался хозяин последнее время. Ни одной фотографии, ни одной подозрительной бумажки. Даже номера моего телефона нигде не было.

Я вздохнула не без облегчения и полезла в подпол. Здесь под контейнером с картошкой у Виктора хранился пистолет. Конечно, если он его не перепрятал.

Другого оружия в доме последнее время он не держал. Завтра придется съездить на дачу и проверить там.

Пистолет лежал в жестяной банке, завернутый в промасленную тряпку. Я сунула оружие в сумку и поспешно выбралась из подпола. Предсмертной записки Виктор не оставил, следовательно, близкие и друзья решат, что человека заела тоска.

Посмотрев на дверь ванной, я покачала головой:

— Сукин ты сын, Док. Нельзя лишать людей иллюзий.

Через пять минут я была в машине. К этому моменту Док успел прийти в себя, бледный и равнодушный, он смотрел в окно, и мысли его были невеселые.

— Тебе надо немедленно уехать, — хмуро сказала я. — Черт знает, как здесь все сложится...

— Ты просто хочешь от меня избавиться. Думаешь, я ничего не понимаю? Ты спишь с этим неандертальцем, и я теперь не нужен.

Это заявление вызвало во мне приступ неожиданной веселости.

— Ты меня еще шлюхой назови. Попадешь в самую точку.

— Не в этом дело... — поморщился он.

— В этом, Док, в этом. Убирайся из города, а попробуешь мне мешать, я все сделаю для того, чтобы упечь тебя в тюрьму. Я ясно выражаюсь?

Он ничего не ответил, вышел из машины и направился в сторону стоянки такси.

— Не очень-то умно ты поступила, — вздохнул Резо.

— Что ж мне его теперь, убить, что ли? — разозлилась я.

Резо пожал плечами, подумав: «Само собой».

— Он мой близкий друг, — начала я оправдываться и сама на себя злилась за это. — Мы больше двух лет вместе. Понимаешь?

— Конечно, я понимаю, — сказал Резо. — И не надо нервничать.

— Я не могу не нервничать, когда вокруг творится такое. Док спятил, а Скобелев того хуже: взял и удавился. И все мне испортил.

— Что все? — повернулся ко мне Резо. Чтобы не торчать на глазах граждан, он потихоньку тронулся с места и объезжал квартал по кругу.

— У меня был план. Просто замечательный план. А теперь он летит к черту.

— Ясно, — кивнул Резо. — Тебе нужен киллер. И кого ты собралась укокошить?

— Евгения Алексеевича Чумакова, — вздохнула я. Резо едва не влетел в фонарный столб.

— Чуму?

— Чуму, если тебе так больше нравится.

— Мне это совсем не нравится. Зачем тебе Чума? Он Папин друг... и вообще, он сам по себе, а ты сама по себе.

— Это Папа считает, что он ему друг, а у Чумакова на этот счет свои идеи. Пока Папа благодушествует возле бассейна, дружок зря времени не теряет, и скоро Папа будет очень удивлен: в лучшем случае его отправят на пенсию, в худшем... в худшем ты сам знаешь...

— Почему бы не рассказать об этом Папе?

— А он поверит? У меня нет доказательств.

— А откуда тебе вообще известно о том, что затеял Чума?

— Откуда-откуда, оттуда, — проворчала я. Рассказывать Резо о своем даре желания не возникло. Опыт с Доком намекал на то, что свои тайны надо держать при себе.

— По-моему, ты врешь, — заявил Резо. — На самом деле ты просто продолжаешь играть.

— Что за чушь? Что мне с этой игры?

— Что получаешь, когда выигрываешь? Удовольствие, — пожал он плечами. — Значит, ты хочешь, чтобы я убил Чуму, — без перехода заявил он, а я малость обалдела.

— Нет, не хочу.

— Врешь. Или у тебя есть на примете еще один киллер, которому ты могла бы довериться?

— Ты не киллер, ты охранник.

— Боюсь, что уже нет. Я успел нарушить все существующие правила.

— Какие, к черту, правила? — проворчала я.

— Убить Чуму нетрудно, — заявил Резо, опять-таки без перехода. — Он немного... бесшабашный, именно так я назвал бы его характер. Чума не любит ездить с охраной, живет один в обыкновенной трехкомнатной квартире. Он умный, не высовывается, стоит за спиной Папы, и его еще ни разу не пытались убить. Во всяком случае, я такого не припомню. Я могу заехать к нему домой. Папа раз пять отправлял меня к Чуме с поручениями. Он не удивится.

— Обычно Папа звонит ему по телефону, прежде чем тебя отправить?

— Звонит. Но ведь может возникнуть что-то срочное.

— Он увидит тебя и позвонит сам, чтобы узнать, в чем дело.

— Сначала он откроет мне дверь. Я скажу, что меня послал за ним Папа. Даже если он решит проверить, не успеет.

— Честно скажу, твой план не кажется мне особенно удачным.

— У тебя есть другой? — удивился он. — Пообещай мне, что Папу ты не тронешь, — добавил Резо, чуть помедлив.

— Я просто хотела отправить его на пенсию. Честно. Я никогда не планировала от него избавиться... насовсем. Только вот в чем проблема: Папа может захотеть избавиться от меня. И что тогда будешь делать ты?

Резо тяжело вздохнул и не отвечал очень долго, так что я даже начала беспокоиться.

— Папа велел тебя защищать. Он так и сказал: головой за нее отвечаешь. Другого приказа не было. И Папа не уточнял, от кого я должен тебя защищать, а от кого нет. Значит, защищая тебя от Папы, я выполняю его приказ.

С Резо не соскучишься, он очень любит порассуждать. Я послушала, подивилась, а потом заявила:

— По-моему, это очень верное решение.

— Ага. Только ты так и не сказала: что будет дальше?

— Давай сделаем одно дело, а там перейдем к другому.

Посвящать его в свои планы я не торопилась. Если моя затея удастся, после недавней гибели Клима и Монаха, а также предполагаемой кончины Чумы в городе начнется полная неразбериха и произойдет смена власти. Папа старый человек и скорее всего вынужден будет спокойно наблюдать со стороны, как молодежь рвется в бой за сферы влияния. А в такой ситуации, как известно, кто успел, тот и съел.

Я покосилась на Резо, шут гороховый на троне — это то, что они заслужили... Какое счастье, что люди не умеют читать мысли друг друга.

Однако через час, когда Резо, зайдя в кабинет Папы, отпросился у него до утра под предлогом необходимости навестить любимую девушку, я начала нервничать, а потом и вовсе запаниковала. Резо прямо из кабинета прошел к своему «Опелю», ни разу не обернувшись, сел в машину и исчез за поворотом. А я стала грызть ногти и носиться по комнате. То, что Резо не зашел и не обернулся, показалось обидным, а мысль о том, что я могу его больше никогда не увидеть, вызвала острую боль.

Ночь была нескончаемой и мучительной. Я была готова наплевать на все планы, я молилась о том, чтобы Чума уехал куда-нибудь из города и Резо не смог его найти. Впрочем, хорошо его зная, я была уверена: он не остановится, следовательно, риск только возрастет. Эта мысль вызвала во мне панический ужас. Мне очень хотелось удрать из дома, позвонить Резо, сделать еще какую-нибудь глупость, лишь бы убедиться в том, что он жив и здоров.

В третьем часу ночи, доведя себя до истерики, я выскользнула из комнаты и пробралась к телефону в холле. Рядом была кладовка, я заперлась в ней, прихватив телефон, и, посветив себе зажигалкой, набрала номер. Сердце билось где-то в горле, а потом и вовсе замерло, когда я услышала его голос.

— Да.

— Это я, — смогла произнести с третьей попытки.

— Ты в доме? — забеспокоился он.

— Да.

— Все в порядке, увидимся утром.

— Не приезжай, встретимся где-нибудь и уедем...

— Это сейчас неразумно, — вздохнул он.

Я вернулась в комнату, думая о Резо. Он необычайно деликатный человек, никогда и ни в чем меня не упрекает.

«Надо сматываться, — решила я. — Наплевать на все и бежать из города без оглядки».

Утром все выглядело не так страшно. Когда я вышла приготовить завтрак Папе, Резо уже сидел на веранде, закинув ногу на ногу, и как ни в чем не бывало поглядывал по сторонам. Первой мыслью было кинуться ему на шею, но рядом крутился Толик, потом появился Папа, в общем, остаться наедине не было никакой возможности. Одно радовало: о неожиданной кончине Чумы еще никто не знал. Мысли с утра у всех были ленивые и совершенно для нас неопасные.

Воспользовавшись тем, что Папа в хорошем настроении, я попросила разрешения отдохнуть на турбазе. Папа разрешил, и через час мы с Резо выехали за ворота. Мне очень хотелось перебраться к нему на колени, обнять покрепче и прижаться к груди, но это выглядело бы так сентиментально, глупо, что разом отбило всякую охоту.

— Куда? — спросил Резо, глядя на меня с непонятным сожалением.

— На дачу к Скобелеву. Надо избавиться от оружия, чтобы никто не мог связать его с убийствами.

Резо согласно кивнул, а я по дороге неоднократно пожалела о его способности думать только о том, что у него перед глазами. Сейчас перед глазами было шоссе, вот о нем он и думал. О грузовике, который тащится по левой стороне, мешая движению, о «Запорожце», в окно которого высунула симпатичную морду овчарка... и больше ничего. Все-таки я сижу рядом. Резо повернул голову, посмотрел на меня и улыбнулся.

— Сбежим? — с надеждой спросила я. Он покачал головой.

— На самом деле я думаю, что от Папы не сбежишь, то есть, если он узнает, кто убил Чуму, найти где-нибудь тихое местечко станет затруднительным. Может, нам повезет. Ты свободный человек, и тебе незачем жить в его доме.

— А ты? — насторожилась я.

— Что я?

— Ты уйдешь от Папы?

— Видишь ли, — почесал он за ухом, — в такой работе, как моя, есть недостатки. Никто не может просто так взять и уйти. Платят у нас прилично, но график увольнения на редкость паршивый...

— Иногда фирма прогорает, — нахмурилась я. — И парни вроде тебя остаются без работы.

Этот разговор вынудил меня вернуться к первоначальному замыслу.

На даче мы пробыли недолго. Собрав оружие в мешок, утопили его в болотце по соседству. Теперь если оно и отыщется, связать его со Скобелевым будет затруднительно.

Покончив с этим, мы поехали на турбазу, пообедали и даже немного погуляли в роще. Несмотря на хорошую погоду, природа нас не очень привлекала, вдвоем в домике было гораздо интереснее.

Ближе к ужину я уже твердо знала, что вся моя предыдущая жизнь прошла впустую. Какой же я была дурой и сколько времени потратила зря. Я могла бы обратить внимание на Резо в первый свой визит к Папе. Почему бы нет? Надо быть внимательной к людям.

Ужинать не хотелось, и как ни крути, а надо было возвращаться. Я запечалилась, Резо погладил меня по плечу и заявил:

— Лучше делать вид, что ничего не случилось. Я имею в виду Чуму и все такое. В конце концов, ты здесь вообще ни при чем, а я просто твой охранник, и до всего остального мне дела мало. Если повезет, мы выкрутимся.

— А если нет?

— Тогда придется бежать. Но я уже говорил — это не очень хорошая идея, потому что бежать надо далеко.

— Ну и что? На свете много мест, где о нас никто не узнает.

— Я тоже так думаю. Поэтому ты не должна переживать.

— А кто переживает? — нахмурилась я.

Мы поднялись на веранду, и я сразу поняла: что-то не так. Навстречу нам вышли Толик и Максим. Толик замер перед Резо, а Максим обошел его сбоку и сказал спокойно и даже доброжелательно:

— Резо, отдай «пушку» и сядь вот здесь. — Он кивнул в кресло и обернулся ко мне: — А ты иди к Папе.

Самое забавное, что обыскать меня никто не догадался, даже сумку не отобрали, а в ней, между прочим, лежал пистолет Скобелева. Я испуганно покопалась в мыслях парней. Дело касалось меня, а отнюдь не Резо. Об убийстве Чумы еще не знали, по крайней мере, эти двое. Повода для паники я не видела и поэтому в кабинет Папы вошла спокойно.

И увидела Дока. Он, ссутулясь, сидел в кресле и прятал глаза. Черт, вот так сюрприз! Одно хорошо, кроме Толи и Максима, охраны в доме нет, это внушало определенные надежды.

— Привет, Док, — вздохнула я, притворяться уже не было смысла. Он ничего не ответил, да мне и не нужно было.

Папа стоял у окна. Он повернулся и одарил меня

11-1133

взглядом, от которого захотелось присесть и вообще стать меньше ростом. Его взгляд мне совсем не понравился, и я как-то не смогла убедить себя, будто это добрый знак. Мысли Папы мне и вовсе не нравились.

— Странные вещи рассказывает твой Леонид Андреевич, — сказал Папа и покачал головой.

— Он чокнутый, — пожала я плечами. — Вечно возится с психами, так и самому недолго свихнуться.

— Возможно... Только выходит, что он прав. Я тут целый месяц голову ломал, что за чудеса творятся. Ни одного слова еще не сказано, а там, где не надо, о моих планах уже знают. Много людей из-за этого невинно пострадали.

— Насчет невинно — вы зря, — сказала я с усмешкой и села напротив Дока, хотя мне сесть не предлагали.

— Ну, с Резо все понятно, дело молодое, — вздохнул Папа, продолжая меня разглядывать. — А все остальное ловко, ничего не скажешь.

Папа меня сейчас не очень интересовал, я смотрела на Дока. Он хмурился и разглядывал пол.

— Док, ты дурень, — хмыкнула я. — Думаешь, он позволит тебе увезти меня отсюда? Как бы не так. Папа умный, он рисковать не станет. Меня просто пристрелят. Тебя скорее всего тоже. И ты не будешь приходить ко мне в палату, держать за руку и неспешно беседовать. И еще, Док: мы были друзьями и никогда не были любовниками. Даже если бы ты был нормальным мужиком, все равно ничего бы не изменилось. Ты был мне другом, братом, но никогда возлюбленным... Ты дурак, Док, дурак и сукин сын.

— Возможно... Я поверил тебе, я бросил все и пошел за тобой, когда ты позвала, а ты спуталась с каким-то... Господи, как это глупо. Я даже подумать не мог...

— Я тоже не могла, но так бывает. Наши препирательства неинтересны Папе, но я вот что хочу сказать: ты предал меня не потому, что спасал человечество от монстра, а потому, что я предпочла тебе другого. Ревность, Док, обида и оскорбленное самолюбие. И ничего больше.

«Отойди в сторону от Папы, да и от Дока будь подальше», — вдруг возникла мысль в моем мозгу. Черт знает, почему я так подумала, но, повернувшись к Папе, спросила:

— Можно, я глотну воды?

Он кивнул, а я сделала пару шагов в сторону журнального столика, на котором стояли бутылка боржоми и стакан.

Я не успела сделать ни одного глотка, дверь распахнулась, и вошел Резо. Как всегда спокойный и сосредоточенный, в руках он держал пистолет. Папа, увидев его, покачал головой.

— Не дури, — сказал он с искренним сочувствием, вздохнул и добавил: — Не ожидал от тебя...

Резо заметно поскучнел.

— Не будешь же ты в меня стрелять? — усмехнулся Папа и был уверен, что нет, а вот и напрасно. Резо тоже вздохнул.

— На самом-то деле я бы хотел договориться. Я мог бы закрыть вас в кладовке, не в обиду вам будет сказано, и мы бы уехали.

— Ерунда, Резо. Куда ты с ней поедешь? Ты хороший парень, а она сумасшедшая. Просто сумасшедшая и ничего больше. Даже собака не кусает хозяина, а она... В ней нет ни благодарности, ни любви, ничего...

Эти речи мне не понравились, нечего забивать голову моему парню, я подняла с пола свою сумку и достала пистолет.

— Мы что-нибудь решим сегодня? — спросила я Папу.

— Она не умеет стрелять, — влез Док.

— Не беспокойся, на таком расстоянии не промажу. Мы хотели бы уйти. Честно. Вы нас больше не увидите.

— Резо, — игнорируя меня, начал Папа. И тут до меня дошло, что он тянет время.

— Черт, этот гад вызвал ребят. Они могут явиться в любую минуту.

— Не верь ей, Резо, — нахмурился Папа и сделал

шаг, начисто забыв о том, что его мысли не являются для меня секретом. Он сделал шаг, а я выстрелила.

Папа странно дернулся и вроде бы удивился, не веря в происходящее. Шагнул ко мне и вдруг рухнул лицом на ковер. Я вздрогнула и попятилась, в этот момент за спиной что-то упало. Обернувшись, я увидела Дока, он лежал рядом с креслом. Резо стоял и поглядывал на него.

— Что ты сделал? — крикнула я.

— По башке ему стукнул. Пусть отдохнет немного. От него одни неприятности.

Резо тщательно протер носовым платком свой пистолет и вложил его в ладонь Папы. Оружие, из которого я застрелила Папу, тоже вытер и вложил в ладонь Дока. Посмотрел и сказал:

— Сойдет.

— Кого ты хочешь обмануть? — удивилась я.

— Не знаю. Пошли отсюда.

Далеко уйти мы не смогли. Только вошли в гараж, как возле ворот остановилась машина: огромный «Форд» с боковой дверью, из него появились четверо ребят и направились к калитке.

«Не успеем», — подумал Резо, а мне сказал:

— Давай в сад. Спрячься там, если что, уходи через соседний участок, ты ведь пролезешь.

Я, конечно, пролезу, а вот Резо нет. Другого выхода, кроме калитки, не было, а там сейчас ребята.

Резо легонько подтолкнул меня в спину, а сам скрылся в доме. Я же, не искушая судьбу, пролезла между прутьями в соседский сад и залегла в траве. Однако надолго меня не хватило, в доме началась стрельба, а я, забыв про мудрую поговорку: «Сиди и не высовывайся», бросилась к веранде. Пользы от меня, конечно, никакой, скорее вред, но с умными мыслями я сегодня не дружу.

Понятия не имею, что я стала бы делать в доме, но тут на веранде появился Резо. Один и с автоматом в руках. Я бросилась к нему со всех ног.

— По-моему, я поступил не совсем честно, — вздохнул Резо, имея в виду Папиных ребят. — Но уж очень хотелось еще разок увидеть тебя.

Ребята вошли в дом, уверенные, что ничего опасного их здесь не ждет, и очередь из автомата застала их врасплох. Я заглянула в кухню: Толя с пробитой головой лежал в кладовке и рядом с ним Максим.

— Уходим? — спросила я.

— Конечно. Если у тебя нет других планов.

— Ну их к черту, эти планы!

Мы направились к выходу, и вдруг у меня пошел мороз по коже. Я не видела его, но хорошо чувствовала. Как он смог очнуться так быстро, не знаю, но сейчас Док стоял в дверях и целился в Резо, а я с ужасом поняла, что ничего не успею... Я могу закричать, возможно толкнуть Резо, но это его не спасет.

Я шагнула вперед, оказавшись между ним и дверью, выстрел грохнул одновременно с моим шагом, и меня швырнуло на грудь Резо, швырнуло с такой чудовищной силой, что в первое мгновение я не почувствовала ничего, кроме удивления. Левой рукой подхватывая меня, Резо выстрелил, Док упал в коридор, и я перестала его слышать, а потом чужие мысли меня уже не занимали, страшная боль в груди сбила дыхание, лишая разума. Резо отшвырнул автомат, испуганно вцепился в меня обеими руками, не соображая, что делает.

— Подожди, — произнес он самую нелепую фразу в мире. — Пожалуйста...

Он положил меня на пол, схватил со стола полотенце, сунул его мне под кофту, исходя дрожью и стиснув зубы от отчаяния.

«Господи, как глупо, — подумала я, глядя в его глаза. — Господи, пожалуйста, прости меня...»

Он сжал мою руку, а я испугалась, попробовала приподняться, не смогла, он помог мне, сунув ладонь под голову, и я сказала:

— Уходи. Потом вызовешь мне «Скорую». Выстрелы слышали... сюда придут. — Язык сделался неповоротливым, в горле что-то булькнуло, а я взвыла от отчаяния, поняв, что никуда он не уйдет. — Ну пожалуйста... — из последних сил попросила я. — Уходи, придурок, я не хочу, чтобы тебя убили.

— Молчи, тебе нельзя говорить. — Он достал из кармана сотовый и стал звонить в «Скорую», я хотела крикнуть: «Убирайся к черту», но вместо крика получился хрип, и я почувствовала во рту вкус крови. Кровь была на ладони Резо, я сжала его руку и закрыла глаза.

«В луже собственной крови, за минуту до смерти, я узнаю смысл жизни. Полное дерьмо...»

Я, должно быть, с кем-то разговаривала. У меня не было тела, но кто-то задавал вопросы, и я отвечала. Подолгу о чем-то рассказывала. Наверное, я умерла, как же иначе? А все эти разговоры... Кто знает, может быть, так и должно быть?

А потом я вдруг поняла, что у меня есть глаза, и открыла их. Яркий дневной свет оглушил, точно удар. Я прикрыла веки, но тут же не удержалась и попыталась оглядеться. Никаких сомнений: я жива, и я в больнице.

Подошла медсестра, наклонилась к самому лицу и спросила отчетливо:

— Вы меня слышите?

Я вроде бы кивнула. Она улыбнулась и подумала: «Крепкая девчонка. Теперь точно выкарабкается». Мне стало понятно ее удивление, когда я узнала, сколько времени нахожусь здесь. Я сама едва не присвистнула, то есть я хотела, но на это еще не было сил.

— Все хорошо, — сказала женщина и опять улыбнулась. Потом она вышла из палаты, а я стала разглядывать потолок. Значит, я жива и у меня опять есть шанс.

Я попробовала приподнять голову и пошевелить рукой, мне это удалось. Сбоку что-то противно пищало, наверное, какой-то медицинский аппарат. Слабость во всем теле. Я сдвинула ноги, чтобы убедиться, что они есть и подчиняются команде мозга. Теперь я точно знала, что не умерла.

Тут дверь открылась, и в палату бочком и очень

осторожно внедрился Резо. Подошел, сел на стул и взял меня за руку.

— Ты не уехал, — с трудом выговорила я, а он покачал головой. Слава Богу, он жив и держит меня за руку, хотя я предпочла бы, чтоб он был за тысячу километров отсюда. — Ты сукин сын, — попробовала я усмехнуться. — Ведь я просила...

— На самом-то деле я просто не мог сбежать без тебя, — ответил он виновато.

— Как выкрутился? — собрав все силы, задала я еще вопрос, а он отмахнулся:

— Ерунда. Все хорошо. Ты не беспокойся. Честно, все хорошо. Главное, чтобы ты поправилась.

Он легонько сжал мою ладонь, а потом нагнулся и поцеловал ее.

В дверь кто-то поскребся, и появился тип с довольно злобной физиономией. Он нерешительно улыбнулся и сказал тихонько:

— Седой звонит, вроде срочно...

Вслед за головой возникла рука с сотовым. Резо отмахнулся, рука вкупе с головой незамедлительно исчезли, дверь аккуратно прикрыли.

— Что это? — придя в себя, задала я вопрос, уже зная, что услышу.

Резо помялся, вздохнул и сказал:

— Тут такое дело... в двух-то словах даже не расскажешь, а утомляться тебе нельзя... — Я нахмурилась, а Резо испуганно продолжил: — Когда все случилось, у меня вроде как было два выхода: сбежать, оставив тебя здесь, или занять Папино место. Ты поспеваешь за моей мыслью?

Я глухо простонала:

— Как тебе удалось?

— На самом-то деле все не так уж и трудно. Ты ведь дала мне дискету, а в ней все расписано, когда и что делать. А еще я с тобой советовался, приходил сюда... ну и мы говорили.

— Ты не мог прочитать, что там было на дискете. Никто не мог.

— Я же сидел рядом. И твой шифр вовсе не такой трудный. Я подумал, что тебе будет приятно узнать, когда ты выздоровеешь, что я все довел до конца. Конечно, мы можем уехать, если ты захочешь. Хотя ребята мне поверили и как-то неловко бросать их теперь, когда мы многое пережили вместе и все такое...

— Чудеса... — покачала я головой и тут же всполошилась: — Я назвала тебя на дискете придурком...

— Подумаешь, — пожал он плечами. — Совсем не важно, как ты меня зовешь... Тут вот какое дело: говорить я не мастер, но я хочу, чтобы ты знала, как я к тебе отношусь. Ты ведь умеешь это делать, узнавать, ну... без слов то есть...

Резо посмотрел мне в глаза, улыбнулся и пустил меня в свое сознание. Теплая волна окутала меня, согревая изнутри.

Я слушала, кусая губы, потом закрыла глаза и заплакала.

«Господи, спасибо тебе, что он жив. Спасибо, что жива я. Как хорошо, когда есть кто-то, кого любишь».

«Нет, не так. Как хорошо, когда есть кто-то, за кого ты готов умереть».

«Да», — согласилась я, и тут до меня дошло. Я приподнялась с подушки, выпучив глаза, и крикнула:

— Что ты сделал?

— Я? — испугался он.

— Ну да, ты... Ты мне ответил... Я подумала, а ты ответил...

— А... — кивнул Резо. — На самом-то деле я уже давно подмечал... Помнишь, тогда ночью, я позвал, и ты пришла. Потом на мосту и в подвале с Монахом. Ну и другие случаи... Я не знаю, как такое получается, только это совсем нетрудно.

В этом месте я похватала ртом воздух, точно рыба на берегу, потом рухнула на подушки и взвыла:

— Вот это да!

ОТПЕТЫЕ ПЛУТОВКИ

ПОВЕСТЬ

Конечно, глупо было тащиться на дачу в такое время. Я думала, что, когда начнется дождь. Накрапывать стало, когда только я выехала из города. Небо серое, тучи, а вдалеке [illegible] полоска [illegible] тогда я поняла [illegible]. Можно было вернуться. [illegible] вернуться тоже хотелось [illegible] в темную постель. И наплевать [illegible]. Пусть весь говорит, что можно. Если бы у меня [illegible] [illegible] вал меня разговор с тем упрямым [illegible] ными и [illegible], вглядываясь в темноту за мокрым стеклом. Дождь [illegible] разошелся и [illegible] в противоположный [illegible] Теперь моя затея выглядела просто дурацкой.

Дача находилась в глухой деревушке, в сорока пяти километрах от города, причем из этих сорока пяти километра три-четыре надо было пилить по непроселочной дороге. Я представляла, что там сейчас творится, и всерьез засомневалась, удастся ли мне сегодня заночевать под крышей. Да если и доберусь, радости небольшая: в доме холодно, сыро. Можно, конечно, податься к соседке, тете Кате, она будет рада. Выпить чаю из самовара, потом забраться на печку и слушать дождь за окном. Я взглянула на часы: девять. Если дорогу не размыло, через полчаса буду в деревне, тетя Катя смотрит телевизор до десяти.

Тут с «дворниками» что-то случилось, я чертыхнулась, пощелкала включателем, «дворники» заработали, но как-то подозрительно неритмично. Мне опять захотелось вернуться. Необязательно домой, можно к

Конечно, глупо было тащиться на дачу в такое время. Я поняла это, когда начался дождь. Накрапывать стало, как только я выехала из города. Небо серое, мутное, я в машине поежилась и включила печку, тогда и подумала: «Кой черт я туда еду?» Можно было вернуться. Честно говоря, вернуться очень хотелось. Выпить чаю и лечь в теплую постель. И наплевать на Димку, пусть говорит, что угодно. Если бы у меня ума было побольше, так бы и сделала, но, видно, Бог обидел меня разумом, зато упрямством наградил ослиным, и я продолжала ехать вперед, вглядываясь в темноту за лобовым стеклом. А дождь потихоньку разошелся и где-то на полдороге перешел в тропический ливень. Теперь моя затея выглядела просто дурацкой.

Дача находилась в глухой деревушке, в сорока пяти километрах от города, причем из этих сорока пяти километра три надо было пилить по проселочной дороге. Я представила, что там сейчас творится, и всерьез засомневалась: удастся ли мне сегодня заночевать под крышей. Да если и доберусь, радость небольшая: в доме холодно, сыро. Можно, конечно, податься к соседке, тете Кате, она будет рада. Выпить чаю из самовара, потом забраться на печку и слушать дождь за окном. Я взглянула на часы: девять. Если дорогу не размыло, через полчаса буду в деревне, тетя Катя смотрит телевизор до десяти.

Тут с «дворниками» что-то случилось, я чертыхнулась, пощелкала включателем, «дворники» заработали, но как-то подозрительно неритмично. Мне опять захотелось вернуться. Необязательно домой, можно к папе. Я вздохнула. Конечно, придется объяснять, почему явилась на ночь глядя. Папа расстроится. Димку он терпеть не мог, хотя от меня это скрывал. Однако на прошлой неделе папа не выдержал и после очередной нашей с Димкой ссоры сердито заявил: «Я твоему мужу морду набью», что было на моего отца совершенно не похоже.

Надо признать, с Димкой мы жили плохо. Выходить за него замуж мне не следовало, хотя, если разобраться, не последнюю роль в этом браке сыграл отец.

Отца я всегда очень любила. Мама вечно была занята в школе: сначала учительницей, потом завучем, а затем и директором. Может, она и в самом деле была замечательным педагогом, но на меня у нее времени не хватало. Сколько помню себя, мама приходила домой усталой, падала на диван и говорила: «У меня сил осталось — еле-еле телевизор посмотреть». Зато у отца для меня всегда было время: и на рыбалку с собой возьмет, и на лыжную прогулку, а на концерте в музыкальной школе он всегда сидел в первом ряду: огромный, веселый, добрый.

Вообще, детство у меня было счастливым. До восьмого класса. Когда я перешла в восьмой, отца посадили. Трудно объяснить, что я пережила тогда. Было это чудовищно, в особенности то, что мама сразу же развелась с отцом. Она кричала: «Жулик, ворюга бессовестный, опозорил семью, пусть сгниет в тюрьме!» Для меня отец стал страдальцем и едва ли не героем, что-то среднее между Робин Гудом и Котовским. Я писала ему длинные письма, ждала почтальона, ревела, если ящик оказывался пустым, и целовала конверт, подписанный отцовской рукой. Мне было наплевать, что о нем говорят другие, я-то знала: он лучше всех.

Маму все это злило чрезвычайно, очень скоро начались скандалы, в которые охотно встревал отчим (мама через полгода после ареста отца вышла замуж), потом у меня появился брат, в общем, в восемнадцать лет я оказалась в квартире отчима, предоставленная самой себе. Я училась в институте, по вечерам мыла полы в поликлинике, откладывала каждую копейку и с нетерпением ждала, когда вернется отец. Наконец этот день настал.

Я поехала встречать отца. Перед этим неделю бегала по магазинам и выбирала ему одежду — на это ушли почти все мои сбережения. Я и помыслить не могла, что он появится в городе в чем-то старом или, спаси Бог, в тюремном. Боялась, что в этом случае он будет чувствовать себя неловко. Как только я его увидела, все это мне показалось страшной чепухой: отец мог быть одет во что угодно, хоть в полосатую робу, он все равно оставался самим собой. Он был лучше всех.

— Пап, — заревела я, а он подхватил меня на руки, целовал, смеялся как сумасшедший и нес на согнутом локте, как в детстве, пока я, пряча лицо на его груди, не попросила, шалея от счастья: — Отпусти.

— Здравствуй, Мальвинка, — сказал он. Вообще-то меня Машкой зовут, но отцу больше нравится так.

И стали мы жить вдвоем. Это время было самым счастливым в моей жизни, хотя поначалу возникло много проблем: отцу трудно было устроиться на работу, соседи злословили, да мало ли всего... Главное, мы были вместе. Отец был счастлив, я это видела, чувствовала и порхала, словно на крыльях.

— Слушай, — сказал он однажды. — Не пора ли тебе замуж?

— Избавиться от меня хочешь, сбыть с рук?

— Нет, котенок, не хочу. По мне, век бы так жить, только молодой девушке нужен возлюбленный, а у тебя что? Женька, Игорь, телефон целый день трещит, а в кино табуном идете.

— Игорь мне нравится, — сказала я.

— Тащи сюда, я на него посмотрю.

Папа посмотрел и добродушно изрек:

— Неплохой парнишка, только...

Этого «только» как раз хватило на то, чтобы Игорь потерял для меня всякую ценность. В парнях у меня недостатка не было, но как-то так всегда выходило, что рядом с отцом они выглядели невзрачно. А время шло. Институт был позади, на работе поначалу мужчины на меня охотно поглядывали, но и им это вскоре надоело, папа тревожился, и я, вдруг испугавшись, твердо решила выйти замуж за первого приличного парня, рискнувшего сделать мне предложение.

Тут и подвернулся Димка. Был он самым стойким моим поклонником, еще с третьего класса. Мы вместе учились в школе, потом в институте. Он предложил, и я согласилась. Папа сказал:

— Вот и хорошо. — Но счастья в его глазах не было, как не стало счастья и в моей жизни. Наше с Димкой супружество не задалось с самого начала. И камнем преткновения стал мой отец.

— Откуда у него деньги? — начинал Димка бесконечный монолог. — Допляшется, опять сядет. Ты хоть знаешь, чем он занимается, этот твой Павел Сергеевич?

Тут меня обычно прорывало.

— Он не мой Павел Сергеевич, он мой отец, чтоб ты знал.

Больше всего меня злило, что от отцовских денег Димка не отказывался. Двухкомнатную квартиру нам купил отец, и обстановку, и машину, и даже гараж. Димка воспринимал это как должное, но отца иначе как бандитом не называл.

Уже сколько раз я всерьез думала о разводе. Ссорились мы все чаще, слова, произносимые при этом, становились все обиднее, пока три недели назад Димка в бешенстве не дал мне пощечину. Что-то во мне разом оборвалось. Я уехала к отцу, плакала, хотя сказать правду постеснялась, отец сидел хмурый, непривычно молчаливый, а потом заявил:

— Я твоему мужу морду набью.

На следующий день Димка встретил меня с работы, просил прощения, даже плакал. Я простила, но за эту пощечину перестала его уважать. Стал он для меня кем-то вроде капризного ребенка: и утомительно с ним, и жалко.

Несколько дней Димка держался, скандалы вроде бы прекратились, только ненадолго. Сегодняшний вспыхнул из-за Юльки. Юлька, подруга отца, была старше меня на три года, мы с ней сразу подружились, а потом и вовсе стали закадычными подругами. Отца она очень любила, уже год они жили вместе, и ничего плохого я в этом не видела. Димку же это злило чрезвычайно. Юльку он и за глаза и в глаза иначе как содержанкой не называл, на что она неизменно отвечала: «Лучше быть содержанкой Павла Сергеевича, чем женой такого осла, как ты». Димка выходил из себя, а Юлька смеялась.

Ко всем моим несчастьям прибавилось еще одно: меня «сократили» на работе. Работник я, по моему собственному мнению, была неплохой, а потому было вдвойне обидно. Вызвал меня начальник, горестно вздохнул и сказал:

— Машенька, пойми правильно, у Светки двое детей, Ольга с ребенком без мужа, Нине Сергеевне четыре года до пенсии, а сокращать кого-то надо. Ты у нас не бедствуешь, детей у тебя нет, что прикажешь делать?

Пришла домой, реву от обиды, а Димка мне:

— Теперь домохозяйкой станешь? Бассейн, шейпинг, сауна с Юленькой на пару.

Я хлопнула дверью — и к отцу. Папа меня обнял, Юлька заварила чай, и мы втроем повозмущались всеобщей несправедливостью. Потом папа сказал:

— Не переживай. Найдем работу. Я поспрашиваю. Не торопясь подыщем что-нибудь путное. О деньгах не думай.

— Меня Димка со свету сживет, — мрачно предположила я.

— Твой Димка пусть лучше начнет деньги зарабатывать, а потом уж со свету сживать, — сказала Юлька. — Что хочешь говори, а парень он никчемный.

— Перестань, — перебил папа. Юлька замолчала, но чувствовалось, что она много чего еще хотела сказать в Димкин адрес.

Муж приехал за мной часов в девять, в квартиру не вошел и вообще вел себя по-дурацки.

— Останься, — шепнула мне Юлька, но я покачала головой. Папа стоял в дверях и смотрел на нас, лицо у него было сердитое.

Потому сегодня я к ним и не поехала. Что отца лишний раз расстраивать? Не по душе ему было мое замужество. Первые месяцы после свадьбы он шутил:

— Когда меня дедом сделаешь? — А теперь спрашивал, едва ли не со страхом: — Ты не беременна? — и облегченно вздыхал, услышав «нет».

Долго такая жизнь продолжаться не могла, даже Димка это чувствовал, но остановиться уже не мог. О чем бы мы ни говорили, все неизменно сводилось к одному: твой папаша — уголовник. Иногда я с ужасом ловила себя на мысли, что совершенно серьезно желаю Димке провалиться к чертовой матери.

Впрочем, сейчас он не казался мне таким уж скверным мужем. Я стала вспоминать его положительные качества, вновь подумала о проселочной дороге, по которой предстояло проехать на моих «Жигулях», и тоскливо вглядывалась в сумрак хмурого апрельского вечера. Дорога шла через лес, высокие сосны выглядели мрачно, и я всерьез подумала вернуться, вот тут-то машина и заглохла. Промучившись минут десять, я с тоской поняла, что заводиться она не собирается. Такое случалось и раньше, только не в дождь, в лесу, на дороге, где и днем движение не Бог весть какое, а вечером и вовсе ни души. Обычно всегда находились помощники, однако сегодня на них рассчитывать не приходилось. Я включила приемник, прослушала пару песенок, утешая себя тем, что кто-нибудь все равно поедет мимо и поможет.

К одиннадцати я стала свыкаться с мыслью, что заночевать придется здесь. Ночи холодные, до ближайшего села километров восемь, да и кто меня пустит в такое время? Чертыхнувшись, я вышла из машины и подняла капот. Дождь лил, как из ведра, и я сразу промокла. Под капотом не было ничего интересного, единственное, что я могла: проверить клеммы на аккумуляторе, что я и сделала, само собой, без всякой надежды на успех.

Из-за дождя я не услышала шагов и, скорее даже не увидев, а почувствовав присутствие человека, подняла голову и замерла с открытым ртом: рядом стоял здоровенный детина в куртке с капюшоном. Лица его в темноте я не разглядела, но было в этом появлении что-то настолько зловещее, что сердце мое жалко екнуло и куда-то провалилось. Полминуты мы стояли молча, не двигаясь. Руки он держал в карманах, ни сумки, ни удочки, ничего, что указывало бы на то, что может делать человек в это время на пустынной дороге в лесу?

— Ну, что там? — спросил он. Голос низкий, неприятный. Я дернулась и глупо сказала:

— Не знаю.

— Дай посмотрю.

Он сунул голову под капот, а я замерла рядом, вглядываясь в темноту с надеждой, что сверкнут фары и появится машина. От хлопка капота я едва не подпрыгнула.

Он зашел с правой стороны, открыл дверь, согнувшись чуть ли не пополам, сунул мощные плечи в машину и повернул ключ. Мотор заработал. Я не знала, радоваться этому или нет.

Кажется, он разглядывал меня в темноте, сердце мое вернулось из пяток, но ритмично стучать не спешило.

— Ты куда едешь? — спросил он, опершись на дверь.

— В Гаврилово, то есть не совсем туда, мне сворачивать в сторону, — торопливо ответила я.

— Годится.

Он сел на водительское сиденье и открыл дверь мне.

— Садись. — Пока я пыталась что-то сказать, он хмуро заметил: — Я думал, ты промокла.

Словно в трансе, я села рядом. Зубы у меня стучали так громко, что в другое время я бы засмеялась, только не сейчас. Капюшон он не снял, и лица его я по-прежнему не видела, но и так чувствовала, что человек он опасный. Это ощущение было настолько острым, что я едва сдержалась, чтобы не закричать и не выпрыгнуть из машины. Он молчал, и я молчала, искоса разглядывая его. Голосил приемник, а дорога была по-прежнему пустынной. Тут я вспомнила утреннее сообщение по радио о бежавших из тюрьмы троих заключенных и в ужасе уставилась на моего попутчика. Ничего нового я не увидела: капюшон и серое пятно лица.

— Вы в Гаврилове живете? — стараясь быть спокойной, спросила я.

— Нет.

— Там у вас родственники? — Мне и так было ясно, что никаких родственников у него нет, но я продолжала расспрашивать: звук собственного голоса успокаивал.

— Нет, — опять ответил он.

— А, значит, вы едете дальше?

— Вроде того.

Я сунула руки в карманы, чтобы не видеть, как дрожат пальцы. Если ему нужна машина, он мог уехать сразу... А если это маньяк, завезет куда-нибудь... но ведь мы были в лесу, тридцать метров в сторону — и ни одна живая душа не найдет... Господи. Мне стало нехорошо, я приоткрыла окно, стараясь дышать ровнее. Холодные капли падали на лицо, я закрыла глаза и попыталась молиться.

— Где сворачивать? — спросил он. Я с тоской посмотрела на редкие огни в селе и, запинаясь, сказала:

— Вообще-то, я хотела заехать...

— Сворачивать где? — опять спросил он. Голос звучал грозно.

— Вот здесь, направо, — сказала я, пытаясь сообразить, чего он хочет. Дорога была вполне сносной, видимо, дождь начался здесь недавно, и вскоре я увидела единственный зажженный в нашей деревне фонарь.

— Здесь? — спросил он.

— Здесь, — торопливо кивнула я и брякнула: — Третий дом.

У тети Кати залаяла собака, а мы затормозили. Он запер машину и сунул ключи в свой карман, я топталась рядом.

— В доме кто? — спросил он. Врать было бессмысленно.

— Никого.

— Местечко класс. Пошли.

Он пошел впереди, я за ним. Конечно, я могла кинуться к соседке и перепугать ее до смерти или броситься в крайний дом к Семену Дмитричу, дедку, помнившему гражданскую. В семи наших домах было пять жителей, не считая летних дачников, а какие сейчас дачники? Я рассматривала спину перед собой и думала, стараясь себя утешить, что если бы этот тип хотел меня убить, то давно сделал бы это. Мы вошли в дом, я включила свет и затопталась у порога, не зная, чем себя занять.

— Пожрать есть что-нибудь? Собери. И одежду сухую дай, вымок весь.

Я кинулась к шифоньеру искать старые Димкины джинсы и свитер, а потом засуетилась на кухне. От газа и электрокамина в кухне стало тепло, я стащила куртку и аккуратно ее развесила, думая при этом, что мне тоже не мешало бы переодеться, но входить в переднюю я не рискнула и грелась возле плиты. Хлеба не было, зато была картошка, печенье, консервы и чай. Приготовление ужина заняло чуть более получаса. Я собрала на стол, прикрыв кастрюлю с картошкой полотенцем, чтоб остывала медленней.

— Все готово! — отважно крикнула я.

Он вышел из передней, на секунду задержавшись на пороге, словно давая возможность рассмотреть себя. Димкины джинсы ему не налезли, он остался в своих, свитер туго обхватывал мощную грудь и здоровенные ручищи, рукава едва прикрывали локти. Выглядело это почему-то страшно. Бычья шея выпирала из выреза и венчалась по-тюремному остриженной головой с очень неприятной физиономией: тяжелая челюсть, короткий нос, взгляд исподлобья. Тип тоже меня разглядывал. Я затопталась возле стола и с трудом выдавила из себя:

— Садитесь.

Бежавшие уголовники не шли из головы. Если есть классический тип убийцы, то вот он, передо мной, только топора в руках не хватает. Я поежилась.

— Ты меня не бойся, — неожиданно сказал он. — Я безобидный. — И улыбнулся, а я поразилась, как мгновенно переменилось его лицо. Улыбка была по-мальчишески дерзкой, а в глазах заплясали веселые чертенята. — Как тебя звать? — спросил он.

— Маша. Послушайте, у вас неприятности?

— Ага. Вроде того. Поживу у тебя пару дней. Я смирный. — Черти в его глазах заплясали еще задорней.

— Но... — Злить его мне совсем не хотелось. — Понимаете, мне завтра надо быть дома, собственно, я и приехала сюда на полчаса, вещи забрать. — Звучало все это очень глупо, но ничего умнее в голову не приходило. — Муж будет беспокоиться и приедет утром, так что...

— Муж, значит? — спросил он, запихивая в рот картошку. — Что ж, муж — дело хорошее. С мужем решим завтра.

— Слушайте, если вам нужна машина или деньги, у меня немного, но... берите, честное слово, я никому ничего не скажу.

— Вот это правильно, потому что если вдруг передумаешь, — он стиснул кастрюлю здоровенными ручищами, и она неожиданно легко смялась, — вот это я сделаю с твоей головой. Здорово, да?

Черти в его глазах исполняли сумасшедший канкан.

— Здорово, — ошалело согласилась я. — А обратно нельзя?

— Можно, — кивнул он и разогнул стенки кастрюли, правда, лучше выглядеть от этого она не стала. Вид изувеченной кастрюли в сочетании с лихой улыбкой на подозрительной физиономии окончательно убедили меня в том, что передо мной опасный псих. Я кашлянула и спросила:

— А как зовут вас?

— Сашкой зови. И не выкай, смешно.

Психов злить нельзя, это я знала точно и с готовностью кивнула.

— Чай будешь?

— Буду. А водки нет?

— Нет.

— Жаль. Не помешала бы по такой погоде. Водку-то пьешь, Марья?

— Не пью.

— Заметно. Скромница. И муж не пьет? — Черти в его глазах продолжали резвиться.

— Не пьет.

— Молодец. А дети у тебя есть?

— Нет.

— Что ж так?

— А вот это не твое дело, — не выдержала я.

— Точно. Не мое. А ты ничего, храбрая.

— Сам сказал, чтоб не боялась.

— И не бойся. Чего меня бояться. Я тихий... когда водку не пью. — Он подмигнул и добавил: — Наливай чаю.

Было все это непередаваемо глупо и нелепо, я продолжала его разглядывать, пытаясь понять, чего стоит ждать от жизни в ближайшее время, а он вдруг спросил:

— Волосы крашеные?

— Нет, — растерялась я.

— Надо же, свои.

— У меня все свое, — опять разозлилась я.

— Ну, это надо проверить.

Я прикусила язык, а черти из его глаз нахально строили мне рожи.

— Ладно, — поднялся он. — Показывай, где лечь.

Я опять засуетилась. Застилала кровать и осторожно за ним наблюдала. В общем-то, он мог быть кем угодно, хотя сейчас я склонялась к мысли, что он один из бежавших из тюрьмы типов. Я смотрела, как он двигается по комнате, разглядывая нехитрые пожитки. Он взглянул через плечо, залихватски улыбнулся и насмешливо проронил:

— Постель, как на свадьбу, стелешь.

— Слушай, — решительно сказала я. — Это нечестно. Мы в глухой деревне, личность ты темная, мне и так страшно, так что пугать меня необязательно.

— Да это я так, не обращай внимания, — усмехнулся он. — Шучу. Что уж, пошутить нельзя?

— Хороши шутки, — пожала я плечами и пошла из комнаты.

— Ты куда? — поинтересовался Сашка.

— В туалет.

— Дело нужное, пойдем, покажешь, где этот объект находится. И еще, на всякий случай, сплю я чутко, так что решишь удрать — хорошо подумай.

Я почти не спала, смотрела в потолок, вслушиваясь в дыхание на соседней кровати. Среди ночи он неожиданно что-то забормотал, тревожно и торопливо, слов я не разобрала. Психи, по моим понятиям, вполне могли так бормотать во сне. Покоя мне это не прибавило. С другой стороны, хорош маньяк, спит себе преспокойно, меня не трогает. И улыбка у него хорошая. Хотя, почему убийца непременно должен быть уродом, вот как раз такие с хорошей улыбкой и режут людей в темном переулке.

Под утро я все-таки уснула, а когда открыла глаза, в окно светило солнышко, было весеннее утро и бояться не хотелось. Вчерашний вечер казался глупой выдумкой. Я посмотрела на соседнюю кровать: пуста и аккуратно застелена. Я вскочила и подбежала к окну: машина стояла там, где ее оставили вечером. Может, мне все приснилось?

Я оделась и направилась в кухню. На плите стоял чайник и радостно хрюкал крышкой. Чайник я выключила и пошла на улицу. Во дворе Сашка, голый по пояс, обливался водой из ведра. Я поежилась, запахнула куртку и стала его разглядывать. Сашка выпрямился, взял полотенце и стал им растираться. Тут и меня заметил.

— Здорово, Марья, — сказал он с улыбкой и пошел к дому, закинув за шею полотенце и вытирая лицо.

— Здравствуй, — ответила я. — Чайник вскипел.

— А вот это хорошо. Пошли, чайку попьем. Как тебя по батюшке?

— Павловна.

— А что, Марья Павловна, — спросил он, когда мы пили чай, — в селе телефон есть? Мне в город позвонить надо.

— Есть. На почте.

— Хорошо. Чайку попьем и поедем на почту.

— Послушай, — начала я, стараясь придать голосу наибольшую убедительность. — Отпусти меня. Можешь жить здесь, сколько хочешь, и машину бери, и деньги, а я про тебя никому не скажу, честно.

— Ага. Я тебя отпущу, а ты к ментам побежишь.

— Не побегу. Поверь, я правду говорю.

Сашка покачал головой.

— Я себе и то не каждый день верю. Поживешь со мной немного.

— Муж будет беспокоиться.

— Я тебе оправдательную записку напишу. Не бойсь. И вот еще что, Марья Павловна, мордашка у тебя очень красивая, грех такую портить, так что не нарывайся и о кастрюльке помни.

— Я буду молчать, только отпусти.

— Отпущу, на что ты мне. Но попозже. Поехали.

На почте не было ни души, за исключением сидящей за стойкой Людмилы Ивановны. Я подошла к ней, а Сашка стал звонить, при этом стоял лицом ко мне и зорко поглядывал. Я болтала с Людмилой Ивановной, безуспешно пытаясь найти выход из дурацкого положения. Я могла написать записку и передать ей. Женщина она неглупая и должна сообразить. Я покосилась на Сашку, прислушиваясь к тому, что он говорит. В этот момент он как раз объяснял кому-то, как проехать к нашей деревне, и следил за мной. Это ясно, стоит мне сделать что-то подозрительное, по его мнению, и голова моя будет напоминать кастрюлю. Рискнуть? Я опять на него покосилась. Черти из Сашкиных глаз исчезли, смотрел он холодно и зло, и я снова подумала, что человек он, безусловно, опасный.

Он закончил разговор, я попрощалась, и мы вышли на улицу. Меня неудержимо тянуло к людям. Не может он убить меня белым днем на глазах у граждан. Или может?

— Зайдем в магазин, — сказала я. — Хлеба купим, еще что-нибудь.

— Возьми-ка меня под руку, Марья Павловна, и помни, что я тебе говорил.

Я долго толклась в магазине, рассыпала сдачу, перекладывала покупки, но закричать, попросить о помощи так и не рискнула.

Возле дома нас поджидала тетя Катя.

— Маш, ты семян привезла? — поздоровавшись, спросила она.

— Привезла, пойдемте.

Мы вошли в дом, я стала выкладывать семена и все думала, что же мне делать? Присутствие соседки успокаивало, и я пригласила ее пить чай. Мы с тетей Катей чаевничали, а Сашка чистил картошку и скалил зубы.

— А Дима-то, что не приехал? — спросила тетя Катя.

— Сегодня должен, ждем. У нас на дворе проводка сгорела, вот привезла Сашу, он мастер, починит.

— А я смотрю, с утра машина под окошком, думаю, приехали, а пока со скотиной возилась, вас уж нет.

— В село ездили.

— А Дима-то автобусом или с Павлом Сергеевичем?

— Автобусом хотел, вот ждем.

Тетя Катя покосилась на Сашку, тот радостно улыбнулся и спросил:

— Скотину держите?

— А как же, без скотины нельзя.

— Это точно. У меня тетка в деревне, старенькая, а корову не сдает. Тяжело, сена сколько надо.

— Да полбеды, если покос рядом, а то ведь на горбу не наносишься.

С полчаса они беседовали таким образом, и соседка прониклась к Сашке симпатией. Конечно, про тетку он врал, но выходило у него складно, даже я усомнилась, может, и не бандит он вовсе? Тетя Катя ушла, а я принялась готовить обед, Сашка мне помогал, насвистывал что-то, ухмылялся и выглядел вполне безопасно. Мы сели обедать, когда появился Димка. Возник на пороге и замер с открытым ртом, уставившись на Сашку.

— Не слабо, — наконец проронил он. — Вот, значит, в чем дело.

— Дима, — начала я испуганно, но натолкнулась на Сашкин взгляд и замолчала.

— Хороша, — продолжил муж. — Обнаглела вконец. Есть в кого. Ты, — повернулся он к Сашке, тот осклабился, а Димка заткнулся.

— Потише, паренек, — произнес мой гость со злой ласковостью. — Я на голову выше тебя и килограмм на двадцать тяжелее, показательный бой устраивать не рекомендую, потому как я тебе шею сверну. Так что, до свидания.

Я затравленно переводила взгляд с одного на другого.

— Дима, — начала почти шепотом. — Я тебе объясню...

— Не трудись. — Он еще немного потоптался возле порога и резко бросил: — Ухожу! Буду жить у мамы.

Хлопнул дверью и исчез, а я заплакала. Сашка продолжал есть суп.

— Помиритесь, — сказал. — Чего ревешь-то. А и не помиритесь, другого найдешь. Такая баба без мужика не останется.

— Заткнись, — сказала я.

— Любишь мужа-то?

— Не твое дело.

Тут я вдруг поняла, что скорее всего стала свободной женщиной, с Димкой и в доброе время говорить было трудно, а уж в данной ситуации просто невозможно. Я вытерла слезы и взяла ложку.

Часов в пять у нас появились гости. Подкатил «жигуленок», и из него вышли двое типов, очень подозрительной наружности. На крыльце, где их встречал Сашка, они долго трясли ему руку, хлопали по плечам и даже обнимались. Вид все трое имели бандитский. Увидев меня, мужики присвистнули.

— Ну, Саня, даешь. Где ты ее нашел?

— На дороге. Пришлось подобрать. Марья, собирай на стол, гости у нас.

На столе появились бутылки и закуска. Мужики сели, приглашали меня, хватая за руки, но Сашка неожиданно вступился:

— Она скромница, водку не пьет. — И кивнул мне: — Иди в переднюю.

Я забилась в угол дивана, чутко вслушиваясь в разговор. Никакого сомнения у меня больше не было: на моей кухне пили уголовники. То, что их трое, наводило на мысль о бежавших. Их ищут, они прячутся, и в такой ситуации жизнь моя, пожалуй, стоит недорого. Я подошла к окну, рамы двойные, вынуть их можно, но шум услышат в кухне, после этого меня могут запереть в подвал или попросту убить.

Я вернулась на диван. Веселье в кухне нарастало. Матерщина, тюремный жаргон, пьяные выкрики. Запели «Таганку» и ударились в воспоминания.

У меня разболелась голова. Лучше всего лечь спать. В комнате я устроиться не рискнула, безопаснее в чулане, от этих подальше, и дверь там на крючок запирается, хотя какой тут крючок... Я взяла белье, одеяло с подушкой и вышла в кухню. Сашка на меня покосился.

— Куда?

— В чулан. Спать хочу.

Он встал, проводил меня и позаботился, чтобы я не смогла удрать: все заперто и ключи у него. Окошко в чулане — собака не пролезет. Я заперлась и легла. Было холодно, пьяные выкрики доносились и сюда, уснуть не получалось. Часам к двум в доме стало тихо. Не успела я вздохнуть с облегчением, как услышала шаги и стук в дверь.

— Кто? — спросила испуганно.

— Я это, — ответил Сашка. — Открой.

— Зачем, уходи. — Я силилась придать твердость своему голосу, но он предательски дрожал.

— Открой, дура, — зло сказал Сашка. — Не трону я тебя.

— Не открою. — Я вскочила, намертво вцепилась в ручку двери и стала тянуть ее на себя.

— Слушай, больная, — вздохнул он за дверью и вроде бы даже покачал головой. — Я тебе русским языком говорю: ты мне без надобности.

— Ага, — не поверила я.

— Ага, — передразнил он. — Твой крючок дурацкий и секунду не продержится.

Что верно, то верно. Я подумала и открыла. Сашка ввалился в чулан, мотало его здорово.

— Здесь спать буду, — заявил он. — Так лучше. Для тебя.

И бухнулся на кровать. Через минуту он уже спал.

Я заперла дверь на жалкий крючок и села рядом с Сашкой. Где-то через час смогла убедить себя в том, что Сашка в самом деле спит, а не прикидывается, и, косясь на него с опаской, обшарила его карманы. Ключей не было, так же, как не было документов или чего-либо еще, что навело бы на мысль, кто он такой. Ясно, что ключи в доме, но идти в кухню я не решилась, а вдруг эти не спят?

Просидев с час и изрядно озябнув, я взяла подушку, переложила ее к Сашкиным ногам и легла к стене. Водкой от него несло за версту, к тому же он начал храпеть, а среди ночи опять забормотал, я чутко вслушивалась, но поняла только одну фразу: «Голову, голову ему держи» или что-то в этом роде. Ноги у меня были ледяные, я тянула на себя одеяло, а потом прижалась к Сашке. Было стыдно, но так теплее.

Утром мужики сели опохмеляться. Вид имели мятый, угрюмый, были молчаливы, но выпив и закусив, развеселились опять. У меня с утра болела голова, я готовила за перегородкой и думала, во что умудрилась вляпаться.

К обеду один из гостей, звали его Витюней, съездил в магазин и привез водки, веселье пошло по нарастающей. Меня усадили за стол, звали хозяйкой и потчевали водкой. Чтобы отвязаться, я выпила стопку.

Мужики выходили покурить на улицу и, вернувшись, не заперли дверь, поэтому Димка вновь появился неожиданно.

— Что ж тебе дома-то не сидится, паренек? — спросил Сашка. Димка таращил глаза, потом, запинаясь, спросил:

— Это что вообще такое?

Я подошла к нему.

— Дима, ты бы ехал домой, а? Я тут с друзьями. — Я смотрела в его лицо и молилась, чтобы он понял. — Ты, Дима, сразу к папе заскочи, объясни, что я здесь, с друзьями. Скажи, Маша праздник устроила, приехать никак не может. Я должна была навестить его, а теперь никак не могу. Предупреди.

Димка таращился на меня во все глаза.

— Ты слышишь, Дима? — ласково спросила я. В глазах его мелькнуло понимание, и он попятился к двери. За моей спиной возник Сашка, обнял меня за плечи, а Димка пошел пятнами и заорал:

— Обнаглела совсем! — И выскочил из дома.

Сашка заглянул мне в глаза, я разом почувствовала себя очень неуютно, в глубине его глаз было что-то холодное и беспощадное, а я поняла, что не так он пьян, как старался казаться.

— Чего ему надо было, я не понял? — удивился Витюня, с трудом продрав глаза.

— Дурачок какой-то, — ответил Сашка.

Через полчаса возле окон затормозил мотоцикл с коляской, и в доме появился участковый Иван Петрович. Участковым он был еще во времена моего детства, когда я приезжала к бабуле на каникулы. Человек Иван Петрович добродушный и в селе уважаемый.

Первым чувством, возникшим при виде участкового, была досада, что Димка такой дурак. Потом пришел страх. Я кинулась к дверям.

— Здравствуй, Маша, — сказал Иван Петрович. — Чего тут муж жалуется?

— О, мента черт принес, — пьяно пробормотал Витюня.

— У Димки с головой не в порядке, — глотая ком в горле, сказала я. — Привиделось чего-то. У нас тут... праздник, одним словом.

— Праздник? Это дело хорошее. А с мужем ссориться ни к чему. Так, граждане, давайте-ка документики проверим.

— Чего он хочет? — опять спросил Витюня. — Ну, мент, ну дает. Ты чего в дом врываешься? Тебя звали?

— Иван Петрович, — торопливо заговорила я. — Ребята приехали со мной из города, выпили, с кем не бывает. Сами знаете, проспятся, поумнеют, не обращайте внимания, пожалуйста.

Тут по-кошачьи мягко подошел Сашка.

— Все выяснил, дядя? Вот и топай отсюда по-доброму.

Я взглянула на Сашку и слегка попятилась, сообразив, что самым опасным из троих был он. Иван Петрович до трех считать умел и сообщение о побеге из тюрьмы, безусловно, слышал, больше всего я боялась, что он решит стать героем, однако мудрость перевесила.

— Ну что ж, — примирительно произнес он. — Догуливайте. До свидания, Маша.

Повернулся и ушел. На негнущихся ногах я пошла за перегородку выпить воды и дождаться, когда зубы перестанут стучать. За столом шел спор.

— Мотать надо, — сказал Сашка. — Мент дотошный, явится и не один.

— А чего ему надо, а?

— Документы.

— Так дай ты ему документы, пусть полюбуется.

Документы... Чего ты, Саня? Выпьем, брат, забудь про мента.

Сашка ушел в переднюю, пробыл там минут десять и заглянул ко мне за перегородку.

— Куртку накинь, выйдем, — сказал он сурово. Уже на улице спросил: — Деньги у тебя где?

— Здесь, — заторопилась я, вынимая кошелек.

— Хорошо. Потопали, Марья Павловна.

Мы пошли огородом. За небольшим полем начинался лес, туда мы и направились.

— Куда мы идем? — испугалась я.

— В настоящий момент в направлении деревни Колываново.

— А зачем? — силясь хоть что-нибудь понять, спросила я.

— А затем. Сейчас дедок ментов притащит. Не хочу я с ними встречаться, аллергия у меня на них.

Тут я заметила, что Сашка прихватил мой старенький атлас области, я о нем и думать забыла, а он, смотри-ка, нашел.

— Я не пойму, зачем мы туда идем? — вприпрыжку двигая с ним рядом, задала я вопрос.

— На спрос, а кто спрашивает, с тем знаешь, что бывает?

— А чего ж на машине не поехали? — не унималась я.

— До первого поста? Нет, ножками надежнее.

— Да никуда я не пойду.

— А вот это зря, Марья Павловна, смотри, как бы бежать не пришлось.

Посмотрев на него внимательно, я была вынуждена признать, что такой вариант очень даже возможен, и, вздохнув, ускорила шаги. До Колыванова мы дошли, но в деревню заходить не стали.

— Скажешь ты мне, куда мы идем? — не выдержала я.

— На что тебе?

— Как на что? Ты чего друзей-то бросил?

— Одному легче.

— А я?

— А ты про запас.

— В заложницы взял, что ли? — данное предположение мне самой показалось глупым.

— Детективов много смотришь, — хмыкнул он.

— Сашка, а ты меня не убьешь? — на всякий случай спросила я.

— Убью, если со всякой дурью лезть будешь.

— Хороша дурь. Ну вот, к примеру, куда ты меня тащишь и зачем?

— Я тебя в город тащу. Придем в город и топай домой на здоровье, а в деревне не оставил, потому как неизвестно, что дружки с пьяных глаз сотворят, когда ментов увидят. Прояснилось в голове-то, Марья?

— Не знаю. Может, ты и правду говоришь, а может, врешь, — вздохнула я, но, если честно, бояться перестала... Так... самую малость.

Сашка зашагал веселее, пришлось и мне. Я немного от него поотстала, да и разговаривать на ходу не очень удобно. В общем, километров пять шли молча. Тропинка вывела к шоссе, и вскоре из-за высоких лип показалась деревня, небольшая, домов тридцать. Здесь был магазин, и в настоящий момент он работал.

— Пойдем, купим поесть, — сказал Сашка, сурово нахмурился и добавил: — И помни...

— Да помню я, надоел уже.

В магазине ни души, только мухи летали, жирные, было их штук сорок, не меньше. Мы постояли у прилавка, потомились, Сашка зычно крикнул:

— Хозяйка! — А я продолжила наблюдение за мухами.

Наконец из подсобки вышла деваха лет двадцати пяти. Завидев Сашку, широко улыбнулась, но тут разглядела меня из-за его плеча и разом приуныла. Мы купили колбасы, хлеба, три бутылки пива, сложили все это в пакет и отправились дальше.

Ближе к вечеру пошли вдоль дороги. Движение оживленное, то и дело машины мелькают, рядом совсем, метров триста. «Бегаю я неплохо, выскочить на дорогу, остановить машину?» — пришла мне в голову мудрая мысль. Я покосилась на Сашку, шел он сосредоточенно, о чем-то размышляя, вроде бы начисто про меня забыв. Это обстоятельство придало мне силы. Я набрала в легкие воздуха и шарахнулась в сторону.

Может, бегала я неплохо, но Сашка лучше. Он схватил меня за куртку, сшиб своим весом, я рухнула лицом вниз, дико закричала и закрыла руками голову. Лежала, продолжая повизгивать, в ожидании неминуемой кары. Однако время шло, а ничего не происходило. Полежав так еще немного, я рискнула приподнять голову. Сашка сидел рядом и смотрел сердито.

— Куда это ты устремилась? — полюбопытствовал он.

— К людям.

— Ясно. А чего руками закрываешься?

— Боюсь, ударишь.

— И ударил бы с удовольствием, только ниже спины. Вставай, дальше пойдем. Еще раз решишь побегать, за штаны держись. Потому как я тебя обязательно поймаю, и тогда уж точно всыплю.

— Ты правда драться не будешь? — на всякий случай уточнила я.

— С тобой, что ли? Смех, да и только. Пойдем.

Как только солнце село, похолодало. Поднялся ветер, в воздухе чувствовалось что-то осеннее, а отнюдь не весна.

— На ночлег прибиваться надо, — сказал Сашка.

— Кто же нас пустит? — удивилась я. — Придется всю ночь идти.

— С тобой находишься, — огрызнулся он.

— А ты меня брось, — не осталась я в долгу.

Прошли еще километра три, и тут впереди возник фонарь на пригорке.

— Деревня, — кивнул Сашка. — Там и устроимся.

12 1133

Я мечтательно вздохнула, подумав о теплой постели. Сегодняшняя пешая прогулка изрядно меня вымотала. Но Сашка растоптал мою мечту, потащив меня к сараю на окраине. Замок на двери висел, но открывался он без ключа. Сашка распахнул дверь и заглянул внутрь.

— Сено. Блеск. Пошли, Марья.

Сообразив, где он собрался ночевать, я не на шутку испугалась.

— Ты что, здесь спать хочешь?

— Конечно. А ты думала в «Метрополе»?

— Саша, — торопливо забубнила я. — Я туда идти не могу, там крысы, я их до смерти боюсь.

— Ты, Машка, дура, прости Господи, какие крысы?

— Большие. Саша, ты не заставляй меня, я не могу. Ей-Богу, не могу, лучше убей. — Сашка тупо меня разглядывал, а я торопливо предложила: — Ты иди, а я здесь побуду, возле сарая, вон под деревом, я не сбегу и на тебя не донесу. Да и кому доносить, сам подумай? Здесь бабульки одни, по темному дверь не откроют.

— Чего ты городишь? — разозлился Сашка. — Ночью мороз будет, неужели не чувствуешь? Уснешь под деревом и замерзнешь.

— Я не буду спать, я побегаю.

— Да что за черт, пошли быстро! — разозлился он. Я шарахнулась в сторону и завизжала:

— Не пойду! Не могу я, честно! Я в третьем классе вот в таком сарае со стога съехала, а мне мышь за шиворот попала.

— И съела тебя.

— Нет, не съела, но я до сих пор после этого заикаюсь, когда волнуюсь.

— Ты у меня ушами дергать начнешь, если еще слово скажешь. Идем.

— Не могу я, Саша, — заревела я. — Боюсь я, не могу.

Он замер в дверях.

— Марья Павловна, нет здесь крыс, ну какие крысы? Что им тут жрать-то?

— Вот нас и сожрут.

— Да что ж ты за дура упрямая, — всплеснул он руками, сам чуть не плача. — Давай руку, и пошли. Нельзя на улице, замерзнем, а здесь в сено зароемся. Идем.

Он взял меня за плечи и втащил в сарай, потом со скрипом закрыл дверь. Я стояла, зажмурившись, боясь пошевелиться.

— Руку дай, — сказал Сашка. — Иди за мной.

Я преодолела несколько метров, ежесекундно готовясь упасть в обморок. Глаза зажмурила, голову втянула в плечи, а руки сцепила на груди, слыша, как Сашка возится и шуршит сеном, сооружая что-то вроде норы. Наконец он удовлетворенно пророкотал:

— Люкс. Давай сюда. Мышей нет, все ушли в гости в соседний сарай, проверено.

Удивляясь своей живучести, я приземлилась рядом с Сашкой.

— Кроссовки сними, — сказал он.

— Не буду, — испугалась я. — Они пальцы объедают.

— Кто?

— Крысы.

— Насмотрелась чертовщины. Снимай, и носки тоже. На, возьми сухие.

Сашка дал мне носки, и я с удивлением поняла, что они мои собственные. Он разулся, определил обувь в сторонку и стащил куртку.

— Куртку тоже сними, — поучал он меня ворчливо. — Накроемся, как одеялом, теплее будет.

Мы улеглись лицом друг к другу, я подтянула ноги к животу, так теплее, и от Сашки подальше. Через пять минут он спал, а я прислушивалась к тишине: внизу кто-то шнырял и вокруг шуршало. Я лежала и плакала. Спина замерзла, надо бы лечь поудобнее, но шевелиться было страшно. Ко всем моим бедам прибавилась еще одна: очень хотелось в туалет. Промучившись еще с полчаса, я не выдержала и позвала:

— Саша.

Он сразу открыл глаза.

— Ты чего?

— Саша, ты только не злись, мне в туалет надо.

— Ну?

— Я боюсь, там внизу кто-то ходит.

— Кто там ходит?

— Крысы.

— О, Господи. Дались они тебе, — покачал он головой и проронил со вздохом: — Пойдем. Куртку надень, озябнешь.

Сашка спустился вниз и помог мне.

— Такой сон видел, закачаешься, — заявил он обиженно. — Ты все испортила.

— Я понимаю. Извини, — промямлила я. Сашка открыл дверь, я быстро выскочила. — Ты не уходи, — испугалась, — подожди меня.

— Не уйду, — зевнул Сашка. — Не бойся.

Минут через пять мы опять залезли в нору.

— Ты ко мне прижмись, дрожишь вся, — поучал Сашка. — Ноги сюда давай, вот так, сейчас согреешься и уснешь, и ничего не будешь бояться.

От Сашки веяло жаром, как от печки, я потеснее прижалась к нему, он подоткнул мне куртку за спину, руки на моей спине так и остались. Свои я прижала к его груди и уткнулась носом в его плечо.

— Ты засыпаешь быстро, — пожаловалась я. Крысы не давали мне покоя.

— Ага, привычка.

— Слышишь, опять побежали.

— Глупости, просто сено шуршит. Не думай ты о них.

— Поговори со мной немного, может, я усну. Ты спать очень хочешь?

— Уснешь теперь, весь сон перебила.

— Ты не сердишься?

— Чего на тебя сердиться, — хмыкнул он и спросил: — Согрелась?

— Немного, — поежилась я.

Сашка обнял меня крепче, прижал к груди, а я замерла: рука его нырнула мне под свитер.

— Сашка, — испуганно сказала я, он шевельнулся, приподнялся на локте, тихо произнес:

— Красивая ты...

— Сашка, — еще больше испугалась я.

— Помолчи немного, ладно? — попросил он и стал меня целовать.

Я дрожала то ли от холода, то ли от страха, а он ласково говорил:

— Ты не бойся меня, не обижу.

Потом были звезды в дырявой крыше, разбросанная на сене одежда и острое, ни с чем не сравнимое ощущение счастья.

Пропел петух, я открыла глаза, сквозь щели в двери пробивалось солнышко. Я вспомнила прошедшую ночь и зажмурила глаза. Сашка рядом потянулся с хрустом, позвал:

— Машка, просыпайся, пора мотать отсюда, пенсионеры народ бойкий.

Я подняла голову, старательно избегая Сашкиного взгляда, испытывая неловкость, некстати вспомнив, что я замужем. Тут выяснилось, что я одета, это меня удивило.

— Моя работа, — улыбнулся Сашка. — Боялся, озябнешь. — Он съехал со стога вниз и подхватил меня. — Что, двигаем? — спросил весело.

— Какой у нас следующий пункт? — бойко поинтересовалась я.

— Конечный. Сегодня должны дойти.

К обеду солнце стало по-летнему жарким, мы устроились на пригорке и закусили остатками колбасы. Я разглядывала Сашку, вид его казался мне попеременно то бандитским, то безопасным.

— Сашка, — расхрабрилась я. — Ты из тюрьмы сбежал?

— Из тюрьмы? — поднял он брови. — А... Вроде того.

— Значит, ты от милиции скрываешься?

— Точно. Пятерка тебе за догадливость.

— А можно... — воодушевилась я, но он перебил:

— Нельзя. Честно, нельзя.

— А ты вообще кто?

— Как это?

— Ну, кто ты, что за человек? — Чужая бестолковость слегка раздражала, и я нахмурилась.

— А... да так, бегаю...

— Не всегда же ты бегал. Чем-то еще занимался?

— Да у меня все как-то бегать выходило. Машка, а тебя как в детстве дразнили? — раздвинув рот до ушей, вдруг спросил он.

— Лихоня, — растерялась я.

— Как, как?

— Ты же слышал, зачем спрашиваешь?

— Ладно, не злись. Я думал, тебя Мальвиной звали. Волосы у тебя на солнце голубые. И вообще... красавица ты у нас, девочка из сказки. Как есть Мальвина.

— Ты меня так не зови, меня так папа зовет, а ты не смей! — разозлилась я.

— Ладно, мне что, как скажешь. — Сашка почесал нос, откинулся на руках и стал смотреть в небо, щурясь на солнце и позевывая. Потом спросил: — А почему Лихоня, фамилия, что ль, такая?

— Ага. Лихович, Лихоня.

— Как твоя фамилия?

— Теперь Назарова, а была Лихович.

— Отца-то как зовут?

— А что? — Теперь я насторожилась.

— А то. Отец-то Павел Сергеевич?

— Да. А ты откуда знаешь?

— От верблюда. — Сашка хохотнул и покачал головой: — То-то я удивился, больно ты на папу напирала, когда с муженьком разговаривала, «скажи папе», ясно.

— Ты чего к моему отцу привязался? — разозлилась я.

— Да нет, не то думаешь, — успокоил Сашка. — Письмо у меня к нему. Надо передать. — Он помолчал немного и спросил: — Машка, а ты знаешь, кто твой отец?

— Мой отец — это мой отец, вот кто. Чем занимается, не знаю и знать не хочу. Зато знаю, что человек он хороший и меня любит. Пожалуй, только он и любит.

— А муж-то как же, Марья?

— А муж — не твое дело.

— Понял. Мне когда толково объяснят, я завсегда пойму. — В Сашкиных глазах появились два средней величины черта и нахально на меня уставились.

— Саш, а за что тебя посадили? — помолчав немного, спросила я.

— За убийство.

— Что? — Рот у меня открылся, а вот закрываться не желал, хотя я очень старалась.

— Вот до чего доводит любопытство, — развеселился Сашка. — Уже боишься, а тут место тихое, ты да я, и никого больше.

— Врешь ты все. Я тебе не верю. Кого же ты убил?

Сашка насмешливо улыбнулся, вздохнул, сморщил нос и нараспев проговорил:

— Много безвинных душ лишил я жизни, и все они были любопытные.

— Расскажи мне о себе, — попросила я, окончательно уверившись, что он врет и для меня скорее всего безопасен.

— А чего рассказывать? Сама говорила, личность я темная, подозрительная, все так и есть. Ты мне лучше про отца расскажи.

— Не буду. Зачем? — вновь насторожилась я.

— Я ж сказал, письмо у меня к нему. Говорили, он поможет.

Я сверлила взглядом Сашкину физиономию, пытаясь решить, что на это ответить. Вздохнула и сказала то, что думала:

— Я не знаю, Саша, правда не знаю. Мне папа никогда ничего такого не говорил. А тебе сидеть много осталось? — Бог знает почему, но этот вопрос меня очень волновал.

— Что значит «сидеть»? — удивился Сашка. — Я ж на воле.

— Ты все темнишь, ничего не рассказываешь, — вздохнула я, почувствовав странную обиду и острое желание спасти Сашку от всех возможных бед на свете. — Может, я помогу чем?

— Пошли, помощница, — хмыкнул он, поднимаясь. — Недалеко уже.

Часа в три мы вышли на проселочную дорогу. Сашка бодро печатал шаг, размахивая руками, я трусила рядом и на него поглядывала. Тут из-за поворота возник двухэтажный особняк за высоким забором. Сашка притормозил.

— Пришли мы, Марья Павловна, — сказал он необычайно серьезно. — Тут у меня дельце небольшое, оформлю дельце и тебя домой отвезу. И вот еще что. Ты здесь помалкивай, чья дочь. Поняла?

— Поняла, — кивнула я и сразу спросила: — А почему?

— Отца твоего здесь не любят, но очень уважают. Смекаешь?

— Нет, — честно созналась я, Сашка почесал нос и кивнул:

— И не надо. Молчи, и все.

У калитки был звонок, Сашка позвонил, и из дома вышел здоровенный тип в куртке нараспашку, увидев Сашку, заулыбался.

— Какие люди. Здорово, Саня. — Тут он покосился на меня и присвистнул: — А это откуда?

— На дороге нашел, — хмыкнул Сашка.

— Надо же, — подивился парень. — Вроде не дурак, а везет.

— Так ведь нечасто, — развел Сашка руками.

Мы вошли в дом. Он выглядел огромным и каким-то нежилым, точно построить его построили, но заселить забыли, а может, надобность в жилье отпала. Комнаты были наполовину пусты, почти все окна без занавесок, пахло лаком и краской. Правда, в кухне царил образцовый порядок. Дорогой гарнитур, французская газовая плита и два холодильника, огромных и тоже импортных.

Встретивший нас тип снял куртку, указал мне на стул и направился к плите. Поставил чайник, потом пошарил в холодильнике, собрал на стол кое-какой снеди. Хитро подмигнул нам и сказал:

— Угощайтесь. Как говорится, чем Бог послал.

Сашка сразу же стал угощаться, да и я себя упрашивать не заставила. Тип, с которым меня забыли познакомить, посматривал на нас и выглядел очень довольным.

— Что, Сережа, приютишь? — спросил Сашка.

— А чего ж нет, — удивился тот. — Наверху все комнаты свободны. Занимай.

Сашка удовлетворенно кивнул, торопливо доел последний кусок и сказал Сереже:

— Давай-ка выйдем на пару минут.

Отсутствовали они минут пятнадцать, я уже начала томиться, потому что в чужом доме чувствовала себя крайне неуютно. Тут Сашка заглянул в кухню и позвал меня. По лестнице с резными перилами мы стали подниматься на второй этаж.

— Саша, когда домой? — спросила я. Ни этот особняк, ни его хозяин мне не нравились. Я была готова отшагать еще километров двадцать, лишь бы здесь не задерживаться. Опять же было неясно, какое у Сашки в этом месте может быть дело? Планами он со мной не делился, и это беспокоило. Бог знает почему, но дом за высоким забором представлялся мне разбойничьим вертепом.

— Я ж сказал, дело сделаю, отвезу, — ответил Сашка, слегка недовольный.

— А телефон здесь есть, мне бы отцу позвонить? — не унималась я.

— Телефон есть, а звонить нельзя, — посуровел он.

— Да я только...

— Нельзя, — повторил Сашка.

— А мы здесь долго?

— Не надоедай.

— Ладно, не буду. А помыться здесь можно?

— Можно. Душ, третья дверь слева.

Я вздохнула, косясь на него, и решила порадоваться тому, что хотя бы душ есть. Сашка привел меня в просторную комнату с большим окном, выходящим на веранду. Мебель в комнате имелась и даже с избытком, но все равно вид у нее был какой-то нежилой. Я огляделась, вздохнула, а Сашка сказал:

— Располагайся. — Опять ненадолго ушел, а вернулся с полотенцем и махровым халатом. — Чувствуй себя как дома, — заявил он, проникновенно улыбаясь мне.

Кивнул и удалился, а я вымылась, испытывая чувство, близкое к блаженству, накинула халат, принесенный Сашкой, и стала расчесывать волосы, стоя перед зеркалом. Неожиданно открылась дверь, и вошла женщина. Я обернулась, порадовавшись, что в доме есть хозяйка, но радость моя мгновенно поутихла: женщина стояла на пороге и смотрела на меня без всякого удовольствия. Более того, как-то угадывалось, что она бы с радостью меня придушила. Повода для такого отношения к своей особе я не видела и оттого разозлилась. Улыбку с лица убрала, поздороваться забыла и стала ждать, что будет дальше.

— Так, — сказала она наконец. — Это тебя Багров притащил?

Я молчала, выражение ее лица мне очень не нравилось. Ясно, что Багров — это Сашка и что она интересуется им не просто так. Женщина прошла, села в кресло, взяла сигарету, но не закурила.

— Чтоб ты знала, дорогуша, — процедила она насмешливо, — когда Багров сюда наезжал, то спал со мной, и ему это нравилось.

— Так это ж раньше, — ответила я, пытаясь понять, чего мне больше хочется: зареветь или вцепиться ей в волосы.

— Вот, значит, как, — хмыкнула она. — Любовь?

Я приподняла брови и сказала удивленно:

— Мне кажется, это не ваше дело.

— Пусть не кажется. Откуда ты взялась такая? — Она была раздражена и даже не пыталась скрыть это.

Я села в кресло, но отвечать не собиралась и молча разглядывала ее. Приходилось признать: красавица, правда, заметно старше меня, но я ни ходить, ни смотреть, как делает это она, не умею. Тут мне пришло в голову, что Сашка может разозлиться из-за того, что я вмешиваюсь в его дела. А если он ее любит? Желание вцепиться ей в волосы стало еще острее. С трудом подавив этот порыв, я сказала:

— Не знаю, что вы подумали, мы с Сашей давние знакомые. Учились вместе.

— В одной колонии, что ли? — фыркнула она. — Так там вроде мужики и бабы отдельно?

— Не всегда же он в колонии сидел? — растерялась я.

— По мне, так он там и родился, — усмехнулась женщина. — Дура ты. Насквозь я тебя вижу. Интеллигентная. Учительница, что ли?

— Нет, — Бог знает почему испугалась я.

— Ну, все равно с институтом. И что это маменькиных дочек всегда тянет на шпану? Кольцо на пальце носишь, мужняя жена, а с Багровым связалась. Дура.

Это показалось обидным, потому что походило на правду. Я нахмурилась, глядя на женщину исподлобья, и сказала, теряя терпение:

— Я ведь вам объяснила...

— Что ты с ним в одном классе училась? — хохотнула она. — Нарочно не придумаешь, он лет на десять старше тебя.

— Слушайте, это ваша комната?! — рявкнула я.

— Здесь все комнаты мои.

— Хорошо, я на веранде постою.

Кусая губы, я вышла на веранду и с досадой подумала, что это не самое удачное место после душа и долго я тут не простою, начну шмыгать носом и клацать зубами. К счастью, женщина ушла почти сразу, а через пару минут явился Сашка.

— Машка, — крикнул удивленно. — Ты где?

Я похлопала ресницами, выровняла дыхание и вернулась в комнату.

— Чего на веранде стоишь? — подивился Сашка.

— Ничего, — хмуро ответила я, отводя взгляд.

— А почему глаза красные? Светка была? — проявил он сообразительность. Поговорить о Светке я была не прочь, очень она меня интересовала.

— Темные волосы, красная помада и бюст как два арбуза? — уточнила я.

— Точно, — обрадовался Сашка. — Бюст у нее — полный отпад. Из-за нее, что ль, сердитая? Брось, пустое дело.

Я отвернулась, кусая губы, и сказала с отчаянием:

— Домой хочу.

Сашка сел в кресло, взял меня за руку и заявил совсем другим тоном:

— Машка, помоги мне.

Я резко повернулась и уставилась в его лицо. Был он серьезен и чем-то явно озабочен, никакого намека на веселых чертей в глазах. Стало ясно, он в беде, и, кроме меня, никто ему не поможет (очень мне хотелось так думать).

— Я помогу, — сказала торопливо. — А что делать-то надо, Саша?

— Ты сядь, — кивнул он. — Объясню.

Я села в кресло, тараща глаза на Сашку, он придвинулся ко мне, поразмышлял о чем-то и тихо сказал:

— Машка, никакой я не уголовник. Я в милиции работаю. В шестом отделе. Знаешь, что это?

— Нет.

— Отдел по борьбе с организованной преступностью. У меня задание, очень важное. Поняла?

— Сашка, ты на милиционера не похож, — растерялась я.

— Ну, ты даешь, — покрутил он головушкой. — Ты прикинь, если б я на милиционера был похож, долго бы здесь продержался?

— Где здесь? — испугалась я.

— Ну... — В этом месте Сашка почесал нос и продолжил с чувством: — Я тебе все рассказать не могу. У меня задание повышенной секретности, сама понимаешь. Один я остался, Машка. Помощь мне нужна.

Он вздохнул и стал смотреть в угол, а я торопливо спросила:

— А что делать-то, Саша?

— Может, ничего и не придется, — блуждая в мыслях очень далеко, ответил он. — Рядом будь. В случае чего, пойдешь в шестой отдел с важными сведениями.

Тут я вспомнила про отца и побледнела.

— Ты зачем про отца выспрашивал? Ах ты, гад!

Я вскочила с кресла и на всякий случай стала приглядывать, чем бы огреть Сашку по голове. Он мой взгляд понял правильно и поспешил утешить:

— Тихо, не буйствуй. Отец твой ни при чем. У меня интересы другие, твоему отцу они даже на руку.

— Откуда мне знать, что ты не врешь? — не поверила я, хоть поверить очень хотелось.

— Ты сама подумай, я тебе честно говорю, кто я, тебе стоит выйти за дверь и слово сказать, и от меня только мокрое место останется. Ну, где мне врать в такой ситуации? Одна надежда на тебя. — Сашка запечалился еще больше.

— Поклянись, — помолчав с минуту, попросила я.

— Век свободы не видать, — серьезно сказал Сашка, а в глазах его опять появились черти, появились и исчезли. Тут до меня дошло, что если Сашка работает в милиции, значит, ни из какой тюрьмы он не бежал, и его обратно не посадят. Это меня так обрадовало, что я забыла про Светку. — Ну, поможешь? — спросил он хмуро.

— Конечно, — заторопилась я. — Только ты ведь опять темнишь, толком ничего не объясняешь.

— Почему не объясняю? — вроде бы обиделся Сашка. — К примеру, домой тебе сейчас нельзя. Нужно остаться со мной. Причем знать об этом никто не должен. Даже отец.

— Саша, да я только позвоню, чтоб он не беспокоился.

— Вот видишь, какая ты. — Он тяжело вздохнул и посмотрел на меня с обидой. — Говоришь «помогу», а как доходит до дела...

— Что плохого в том, чтобы позвонить отцу? — удивилась я.

— Он вопросы задавать начнет. Ты, Машка, как будто детективов не смотрела. Я ж объясняю: нельзя.

— А я отвечать на вопросы не стану. Скажу: «Папа, у меня все в порядке», — и повешу трубку. Когда твое задание кончится, я все ему объясню. Папа поймет.

— Ты скажешь вот так и напугаешь его еще больше.

Мы замолчали и сидели так довольно долго, пока я наконец не спросила:

— Саш, а дело действительно важное?

— Очень, — сурово покивал он. — Дело такое... Я тебе больше скажу: от того, будешь ты рядом или нет, зависит моя жизнь. Не могу я здесь никому довериться, и связи у меня нет. Человек, который меня сюда послал, сейчас в больнице, а у мафии везде свои люди, даже у нас. Понимаешь?

— Понимаю, — кивнула я, приоткрыв рот. Сашка был в большой опасности и нуждался в помощи, этого было достаточно, чтобы личные соображения отошли на второй план.

— Спасибо тебе, — сказал Сашка и поцеловал меня в лоб. — В общем, я надеялся, что ты поможешь. Спасибо. Рад, что не ошибся в тебе. — Он опять поцеловал меня, на этот раз в нос, а средней величины чертик появился в одном зрачке и торопливо растворился.

— Что же мы делать будем? — немного посидев в прострации, спросила я.

— Мне надо в город. А ты здесь останешься. — Заметив, что я сдвинула брови, Сашка торопливо добавил: — Вся операция займет несколько дней, думаю, в неделю управлюсь.

— Ты хочешь сказать, я останусь здесь без тебя? — наконец-то дошло до меня.

— Ну вот, уже капризы, а обещала помочь.

— Саш, я не отказываюсь, но чего мне здесь делать?

— Меня ждать. Съезжу в город, вернусь...

— Подожди, а мне в город с тобой нельзя? — Перспектива сидеть здесь без Сашки повергла в ужас.

— Объясняю для бестолковых: нельзя, чтобы тебя кто-то видел. Начнем с тобой мотаться туда-сюда, обязательно засветимся. В городе явочная квартира под наблюдением мафии, а другой нет. Теперь поняла?

— А моя квартира не подойдет? — спросила я торопливо. Сашка только головой покачал.

— Ну, Машка, ты даешь. А муж, а отец, а соседи?

— Подожди, сейчас я тебе объясню, — затараторила я. — Мы с мужем живем в двухкомнатной на Тимирязева, а до этого жили в однокомнатной в Южном, квартира там так и осталась, мы разменять хотели, но все не получалось. В общем, ни Димка, ни отец туда не заезжают, зачем? Ключи у меня с собой. А там мебель и даже кое-какая одежда. Только холодильник пустой. Вот.

Сашка задумался.

— Телефон есть, — торопливо добавила я.

— А что, — через пару минут сказал он, — внимания мы там не привлечем?

— Да кому мы нужны? Мы там уже полгода не живем, я захожу при случае, и все. Если и увидит кто, не удивится: зашла и зашла. И твоя мафия уж точно нас по этому адресу искать не будет. Опять же — у меня там одежда. Посмотри, на кого я похожа? Свитер надевать противно.

— Ты, Машк, похожа на Мальвину, вот на кого. В любом свитере — красавица. И вообще, ты молодец. Что бы я без тебя делал? Пропал бы, ей-Богу.

— Поедем? — с надеждой спросила я.

— Поедем, — вздохнул он.

— Когда?

— Да хоть сейчас, ключ-то с собой, говоришь? Здесь недалеко автобусная остановка, пойду у Светки узнаю, когда автобус.

В город мы приехали около восьми, успели заскочить в магазин за продуктами и отправились в Южный район. В квартире Сашка отправился мыться, а я прибралась немножко и задумалась об ужине. Сашка вышел из ванной и сразу оторвал меня от плиты.

— Отдыхай, Марья Павловна, сегодня шеф-повар я. Таким ужином тебя накормлю, закачаешься.

Он подвязал мой старенький фартучек и принялся за работу. Выглядел очень по-домашнему, мило и успокоительно. Я сидела за столом, мечтательно на него поглядывала и думала, что счастье — это очень просто: это когда Сашка в моем фартуке чистит картошку, а я сижу и пристаю к нему с глупыми вопросами.

— А у тебя звание какое? — спросила я.

— У меня? Капитан.

— А это большое звание или нет?

— Как тебе сказать, среднее. Не то, чтобы большое, но и не маленькое.

— А живешь ты где?

— Меня из района командировали, чтоб, значит, местная публика обо мне не знала.

— Саш, а ты женат? — наконец решилась спросить я.

— Нет, — хохотнул он. — Не женат. Ни детей, ни алиментов. Правда, бесквартирный, и зарплатка у меня махонькая, а бегаю, как видишь, много. А чего спрашиваешь-то, Машка? Никак замуж собралась?

— А ты возьмешь?

— Так ты вроде замужем, — удивился он.

— То-то и оно, что «вроде». — Я вздохнула. — Мы с Димкой неважно жили, а теперь и вовсе... Или из-за того, что отец у меня... Не разрешат тебе, да?

— Жениться на тебе, что ли? — развеселился он. — Почему не разрешат? Вот выполню боевое задание, скажу начальству: «Премию оставьте себе, а мне дозвольте жениться на Машке». Разрешат. Им же выгодней.

— Ты, Саш, извини, все это как-то по-дурацки получилось. — Мне вдруг стало так больно, что слова из груди пробивались рывками. — Я вообще не умею разговаривать с мужчинами, говорю, что думаю, выходит глупо, молчу — еще больше на дурочку похожа. Наверное, во мне нет чего-то такого, существенного.

— Все существенное у тебя на месте, можешь мне поверить, — улыбнулся он. — Просто ты фантазерка. Посмотри на меня, ну на кой я тебе черт? Это в тебе романтизм играет: задание, мафия и все такое. Я, Машк, типичный мент: исполнительный и нудный, дома ленивый, а на работе начальства боюсь. Ей-Богу. Буду вечерами на диване с газетой лежать, надоем через неделю. — Он вздохнул и добавил: — Давай ужинать.

Питаться желания не было и на Сашку смотреть

тоже, хотелось к отцу, прижаться к его плечу и реветь. Ужинали молча, я чувствовала, что Сашка меня разглядывает, но глаз не поднимала.

— Машка, ты никак обиделась? — спросил он.

— Нет, — покачала я головой. — На себя обижаться глупо, а на тебя не за что.

Он стал мыть посуду, а я пошла в комнату, готовиться ко сну. Сашка заглянул туда, увидел, что я постелила ему на диване, усмехнулся.

— Отделяешь, значит? — спросил весело.

— Отделяю, — кивнула я.

— А вдвоем теплее.

— Здесь не в сарае, не замерзнем.

— Ну чего ты злишься? — Он подошел поближе и вздохнул жалостливо: — Рожица кислая, улыбнись, а? Когда смеешься, ты мне больше нравишься.

— А ты мне меньше. Помочь тебе помогу, если обещала, а все остальное... в общем, давай помнить, что я замужем.

— Что ж, дело хозяйское. — Сашка разделся и завалился спать.

Я тоже легла. Сон не шел. Шевелиться я боялась. Хотя Сашка и спит как убитый, демонстрировать свое состояние все же не стоило. Я таращилась в потолок, усердно глотала слезы и думала, почему это в моей жизни все так по-дурацки? Размышления на эту тему меня очень увлекли, так что я не сразу сообразила, что Сашка вовсе не спит. Он вдруг поднялся и сел ко мне на кровать.

— Ну, что слезами-то давишься? — спросил он со вздохом, протянул ко мне руку, а я ее сбросила.

— Извини, что мешаю, — торопливо вытерев глаза, сказала я. — Думала, ты спишь, ты же быстро засыпаешь.

— Уснешь с тобой, как же.

— Извини.

— Ну, что ты заладила, как попугай, извини, извини? Не за что мне тебя извинять. — Он вроде бы разозлился.

— Я знаю, что веду себя глупо, как в анекдоте про девицу, — хмыкнула я. — Ее парень на ночь подобрал, а она утром спрашивает, куда шифоньер поставим?

— Не про тебя анекдот.

Я пожала плечами, вовсе не поверив Сашке. Поднялась:

— Что-то не спится мне. Пойду постою на балконе.

Я накинула халат и вышла. Глядя на огни ночного города, пыталась убедить себя, что жизнь прекрасна. Через минуту на балконе появился Сашка.

— Шел бы ты отсюда, — попросила я. Видеть его не хотелось.

— Машка... — вздохнул он.

— Помолчи, а? То, что я хочу услышать, ты не скажешь, а про то, какая я хорошая и какой ты плохой, мне слушать неинтересно. Иди спи. У тебя боевое задание.

— Не могу я спать, когда ты тут одна стоишь и забиваешь себе голову чепухой, — разозлился он.

— Голова моя, хочу забиваю, хочу нет.

Было холодно, я поежилась, подумала об отце и о Сашке, конечно, тоже. Он спросил:

— Озябла? — И обнял меня. Рядом с ним было тепло и надежно, и плохого думать не хотелось. — Давай я тебя поцелую? — тихо сказал он и поцеловал. Не один раз, конечно. И все перестало иметь значение, я обняла его, а он подхватил меня на руки, как подхватывал в детстве отец, и пошел в комнату. Он был так нежен, что надобность в словах отпала, не нужны были слова, а когда я начинала что-то торопливо шептать, Сашка говорил «молчи» и зажимал мне рот. И я молчала.

Я открыла глаза, потянулась и взглянула на часы: почти пять. Сашки рядом не было. Приподняв голову с подушки, я покрутила ею немного и тут его увидела: Сашка стоял в прихожей и разговаривал по телефону.

Но поразило меня не то, что Сашка в пять утра с кем-то беседует, а он сам, точнее, его лицо. В нем не было и намека на обычную насмешку, дурашливость и дерзость, лицо было жестким, даже злым и очень неприятным. Я испугалась, но лишь на минуту, потом вспомнила, каким Сашка был этой ночью, зевнула, сладко потянулась и с головой нырнула под одеяло. Звонит кому-то, ну и что, у него боевое задание.

Он разбудил меня часов в девять. Лизнул в висок по-кошачьи и засмеялся, глаза я не открывала и улыбку прятала, но губы дрожали, и Сашка шепнул мне на ухо:

— Не прикидывайся. Что снилось?

— Ты снился, — засмеялась я.

— Хороший сон, — кивнул он и тоже засмеялся.

Я легла на спину, потянулась и стала его разглядывать. Он успел побриться, выглядел молодцом, а с кухни доносился запах кофе.

— Завтрак готов? — спросила я.

— В постель прикажете?

— Нет, встану, подай халат и тапочки.

— Со всем нашим удовольствием.

Мы завтракали, хохоча и дурачась, Сашка убрал посуду, сел напротив меня и заговорил серьезно:

— Так. Первое. Можешь позвонить отцу.

— Правда? — обрадовалась я.

— Правда, — кивнул он. — Вижу, как ты мучаешься, а у меня от твоих мук просто сердце кровью обливается. Но и меня пойми, лишнее слово скажешь, и это может быть...

— Саш, да я только... — хватая его за руку, начала я.

— Короче, отец снимает трубку, ты говоришь: «Папа, со мной все в порядке», — и трубку вешаешь. Понятно?

— Хорошо. — Я торопливо кивнула.

— Второе. Деньги нужны. Само собой, верну, когда все закончится.

Я метнулась в прихожую за кошельком, заглянула в него и сказала испуганно:

— Почти ничего не осталось.

— Плохо. Ладно, буду думать.

— Я занять могу, — предложила я, а Сашка разозлился:

— Опять? Ну нельзя тебе нигде появляться. Сколько раз говорить?

— У меня в банке есть, в банке мне появиться можно?

— А бумаги где?

— Бумаги дома.

— Вот видишь. — Он вздохнул.

— Но ведь я могу сходить домой. У нас телефон на углу, позвоню, если Димки нет, быстренько сбегаю.

— А соседи?

— Утром все на работе.

— Не пойдет. Обязательно на какую-нибудь бабку нарвешься.

— Ну и что, Саша?

— Слушай, это не игры, все очень серьезно. Из деревни мы ушли вместе, дома ты не появилась, дурак поймет: где ты, там и я.

Сашкины слова особого впечатления не произвели, но спорить я не стала, в таких делах он смыслит больше меня.

— Поняла, Саша. Но если ни к кому нельзя, где же взять денег?

— Так, — потер он ладонью колено. — К тебе пойду я. Давай ключ и объясни, где бумаги.

— Господи, а если тебя поймают?

— Не поймают. Позвоню, войду в квартиру, дело двух минут.

— А если там ждут?

— Я не ты. Оторвусь. И «хвост» сюда не приведу. Ученый. А ты квартиру враз засветишь.

— А когда можно будет позвонить папе?

— Когда вернусь. Деньги в каком банке?

— В «Менатепе».

— Значит, так. Я еду к тебе на квартиру, а ты в банк. Там рядышком скверик, уютный такой, в нем и подождешь. Только аккуратней, глаза людям не мозоль.

Ждала я его минут двадцать, сидела на скамейке, поглядывая по сторонам, тут Сашка меня окрикнул, и я заспешила к нему.

— Все в порядке? — спросила испуганно, хотя по его физиономии было ясно, в порядке.

— А то... — Сашка протянул мне мой паспорт и банковский договор о вкладе.

— Сколько снимать? — задала я вопрос.

— Всё. Потом рассчитаемся.

Сашка остался в сквере, а я отправилась в банк. Процедура заняла минут двадцать. Выйдя из банка, я потопала к скверу, тут меня снова окрикнул Сашка. Он сидел в синих «Жигулях».

— Откуда машина? — удивилась я, садясь с ним рядом.

— Позаимствовал, — хмыкнул он.

— Врешь, — вытаращила я глаза.

— Не вру.

Мы поехали, я его разглядывала, в голове — Бог знает что.

— Сашка, — не выдержала я. — Милиционеры машины не крадут.

— Ты, Машка, все понимаешь неправильно, — обиделся он. — Был бы я жулик, не стал бы угонять машину, срок себе зарабатывать, а на боевом задании мне этот грех спишут. Без машины нам сейчас нельзя.

— А если поймают?

— Не поймают. Слушай, что нам надо: парик темный, очки от солнца, большие, в пол-лица, одежду тебе: юбку короткую, сапоги высоченные такие...

— Ботфорты, что ли?

— Ага.

— Они мне не идут, ботфорты для высоких. У меня рост неподходящий.

— Ничего, один раз наденешь. Да, куртку еще, кожаную, с бляхами, короткую, на ремне.

— Зачем все это? — подивилась я.

— Много вопросов задаешь... Да, и еще бюстгальтер, четвертый номер.

— У меня же второй.

— Купишь четвертый.

— Да он мне на голову, — заподозрив, что Сашка издевается, разозлилась я.

— Ох, Машка, до чего ж ты баба вредная. — Он покачал головой и вроде бы обиделся.

— Я понять хочу, зачем?

— Придет время, объясню. Лучше подумай, где все это разом купить.

— Поезжай на проспект Ленина.

Я записала все, что необходимо купить, чтобы не забыть чего, и через полчаса вышла из магазина, нагруженная и сердитая. Все представлялось мне необычайно глупым.

Мы поехали домой. Возле подъезда Сашка меня высадил, а сам уехал. Вернулся примерно через час и сразу сказал:

— Звони отцу.

— А если его нет, можно с Юлькой поговорить? — засуетилась я.

— Юлька — это кто? — насторожился Сашка.

— Подруга отца.

— Нет. Я ваши бабьи привычки знаю, начнете трещать, не остановишь.

Я набрала номер, трубку взяли сразу, точно ждали.

— Да, — сказал отец, а я выпалила:

— Папа, не беспокойся, у меня все в порядке.

— Машенька, — крикнул он, голос звучал странно, испуганный какой-то голос, не отцовский. — Маша... — И гудки пошли, это Сашкина рука легла на рычаг.

— Саша, — растерялась я. — Можно я перезвоню? Что-то не так, случилось что-то.

— Случилось то, что я и предсказывал: ты своим звонком отца еще больше напугала, говорил я тебе...

— Я перезвоню, я объясню, что с Димкой поссорилась, что живу у подруги.

— Валяй, объясняй, у какой подруги, где. Отец махом из тебя все вытрясет. Давай, давай, звони! — рявкнул Сашка.

— Ну чего ты злишься?

— Злюсь потому, что меня не слушаешь и делаешь только хуже.

— Хорошо, — кивнула я, чуть не плача. — Я вообще больше не подойду к телефону.

— А вот это правильно. Обещаю, дня через два будешь с отцом. Веришь мне?

Я пожала плечами.

— Веришь? — повторил Сашка.

— Ты правда ничего не замышляешь против отца? — спросила я и, вздохнув, добавила: — Подло это, Саша.

— Ведь клялся уже, мало? — разозлился он.

— Извини.

— Ладно. Пьем чай и за работу.

— Завтра у тебя тяжелый день, Машка. — Голос его звучал необычайно серьезно. — От того, как ты себя завтра поведешь, многое зависит.

— А что такое будет завтра? — насторожилась я.

— Встреча с одним важным человеком. Ты с ним встретишься вместо меня, а я послежу. Подозрения у меня против него серьезные. Думаю, стукачишка. Ты, главное, ничего не бойся, я буду рядом и в обиду тебя не дам. Встретитесь на вокзале, он к тебе подойдет, в руках будет держать «дипломат», спросит: «Девушка, вы какой поезд ждете?», ты ответишь, он «дипломат» возле твоих ног оставит и уйдет, ты направишься к стоянке такси, возьмешь машину и уедешь. Поняла?

— Поняла. Смешно это, как в кино.

— И мне смешно, но так положено.

— А что в «дипломате»? — проявила я любопытство.

— Деньги.

— Деньги?

— За эти деньги один тип выдаст склад наркотиков.

— Так кто деньги-то принесет? — соображала я туго, а Сашка помогать мне явно не спешил. Вздохнул и ответил:

— Милиционер. Только я ему не верю. Если он стукач, кто-нибудь там шнырять будет, за тобой следить, а я за ним.

— Как же милиционер? То есть...

— Опять начинаешь? — возмутился Сашка. — Эдак мне полгода объяснять придется что к чему. А делать этого никак нельзя, потому что операция совершенно секретная. Целый склад наркотиков. Представляешь?

— Представляю, — вздохнула я. — А куда мне ехать, ну, после того, как я эти деньги получу?

— Таксисту скажешь, в центр.

— А потом?

— Потом суп с котом. Пока и этого хватит. Сейчас твоим внешним видом займемся. Если мой мент работает на мафию, там тебя сфотографируют и не раз, а потому выглядеть ты должна так, чтоб родной отец не узнал. Волосы твои роскошные уберем под паричок, барахлишко шлюхинское, бюст — как два арбуза. Давай, одевайся.

Сашка стал мне помогать, придирчиво разглядывая, а я чувствовала себя дура дурой, особенно с накладной грудью. Он нахмурился, нацепил на меня очки, отступил на пару шагов и кивнул удовлетворенно:

— Годится.

— Саш, а ты надо мной не смеешься? — спросила я.

— Мне, Машк, не до смеха. На карте моя жизнь и жизнь многих хороших людей. А ты все это никак не уразумеешь. Бестолковая ты, Машка. Красная помада есть? Губы накрась.

— Это не мой цвет.

— Будет твой.

Сашка стоял рядом и наблюдал, высунув от усердия язык, за тем, как я крашу губы. Должно быть, задание у него в самом деле серьезное, судя по тому, как он переживает. Я устыдилась и стала на него поглядывать с легким подхалимством. Он еще раз критически осмотрел меня и удовлетворенно кивнул:

— То, что надо.

Я подошла к зеркалу и ахнула: Сашка прав, папа вряд ли узнал бы меня. Черный парик, большие очки, вульгарная помада, огромный бюст ходуном ходит, юбка в обтяжку, ботфорты, одно слово: шлюха. Я захлопала глазами, а Сашка засмеялся, спросил, подмигивая:

— Ну, как?

— Ужас какой-то, — честно ответила я.

— А по-моему, ничего. На двадцать долларов потянешь. Шучу. Теперь походка. Пройдись-ка... да не так, бедрами повиляй, как шлюхи ходят.

— Я не шлюха, — разозлилась я, все больше убеждаясь, что Сашка просто издевается надо мной.

— А я что говорю? — хохотнул он. — Но попробовать-то ты можешь? Учись, в жизни все пригодится.

Я бродила по комнате с полчаса, пока он наконец не остался доволен.

— Смотри-ка, получается. Может, у тебя скрытые способности?

— Отстань, дурак! — рявкнула я.

— Ну чего ты, — обиделся Сашка. — Я ведь что смеюсь-то, не понимаешь? Я смеюсь, чтоб ты всей серьезности этого мероприятия не чувствовала и не боялась. Вот что. А ты сразу — дурак. Думаешь, у меня душа не болит? Вот ты завтра у дверей вокзала семафорить будешь, а злые дяденьки тебя разглядывать и подозрительные несоответствия искать. Боюсь я,

Машка, вот и болтаю, что попало. Конечно, я тебя прикрою, но все равно... Ты уж постарайся, ладно, чтоб они ни о чем не догадались.

— Стараюсь, — вздохнула я.

— Молодец. Теперь голос. Он тебя спрашивает: «Девушка, вы какой поезд ждете?» А ты отвечаешь: «На Воркуту, дорогуша». Ну-ка, попробуй.

— Господи, да кто ж у вас в шестом отделе такую чушь выдумывает? — подивилась я.

— Много толковых людей. Ну, давай.

И я сказала:

— На Воркуту, дорогуша.

Сашка стал злиться:

— Что за голос, да разве ж шлюхи так говорят? Дурак поймет: высшее образование плюс приличная семья. Ты пописклявее, знаешь, манерно так, с капризом...

Я раз двадцать повторила эту глупую фразу, прежде чем Сашке понравилось.

— Хорошо, теперь все в комплексе. Стоишь, я подхожу, спрашиваю...

Остаток дня мы тренировались, я повторяла до бесконечности, что и как должна делать, если произойдет то, если произойдет се, и поражалась Сашкиной предусмотрительности. Меня он измучил страшно, но вроде бы остался доволен.

Вечером мы приготовили ужин, поели и легли спать, день завтра предстоял тяжелый. На этот раз на диване я Сашке не стелила.

Утром он еще раз меня проэкзаменовал и уехал. Вернулся ближе к полудню, усадил к себе на колени, посмотрел серьезно и вздохнул.

— Ну как? Не боишься? — спросил грустно.

— Есть немного, — честно созналась я. — Убить могут?

— Тебя? Нет. Меня могут, если ошибку допустишь. Так что постарайся.

— Я буду очень стараться, — испуганно заверила я.

— Ага, — кивнул Сашка и добавил: — Посидим перед дорогой.

Мы посидели, помолчали и пошли.

Я заняла позицию возле центральной двери здания вокзала, через пару минут подошел парень и спросил:

— Не меня ждешь?

Я едва не поинтересовалась: «А «дипломат» где?», но, сообразив и разозлившись, брякнула:

— Двигай отсюда!

Парень хмыкнул и пошел дальше, а откуда-то слева вынырнул еще один, с «дипломатом», и спросил выразительно:

— Девушка, вы какой поезд ждете?

— На Воркуту, дорогуша, — с чувством произнесла я, хотя мысль о том, что Сашка меня просто разыгрывает, не давала покоя. Парень вдруг наклонился, поставил «дипломат» на ступеньку и легонько пододвинул его ногой ко мне, а сам исчез. На мгновение я растерялась, потом схватила «дипломат» и пошла к стоянке такси, не забывая покачивать бедрами. Села в первую машину на заднее сиденье и сказала:

— В центр.

На первом же светофоре с нами поравнялся «жигуленок». Посигналил. Задняя дверь приоткрылась, и до меня дошло, что за рулем Сашка. Я сунула таксисту деньги, лихо выскочила и пересела в «Жигули». Сашка рванул на красный, развернулся и погнал обратно на вокзал. На все это ушло секунд сорок, не больше. Сашка сидел в бейсболке, темных очках и выглядел как-то зловеще, к тому же молчал, и я рта не раскрывала. Мы влетели на вокзальную площадь, проскочили стоянку, Сашка затормозил, крикнул:

— Машка, быстро! — Выскочил из машины, я за ним. Он схватил меня за руку, и, развив невероятную скорость, мы бросились к электричке, стоявшей на первом перроне. Только мы в нее влетели, как двери захлопнулись. Тут я заметила в руках у Сашки большую спортивную сумку. — Быстро, переодевайся! — скомандовал он.

Я ошалело огляделась. К счастью, в тамбуре никого не было. Сашка торопил, явно нервничая, я стащила парик, очки, куртку, надела приготовленный плащ, стерла помаду. На все ушла минута. Сашка за это время тоже сменил одежду. Пока я стаскивала ботфорты, он убрал «дипломат» в сумку, сунул мне в руки пакет и сказал:

— Так, туфли... готова. В пакете книжка, ты направо, сидишь, читаешь. Выйдешь на второй остановке и домой. Там и встретимся. Деньги в плаще. Я налево.

Совершенно ошалевшая, я вошла в полупустой вагон, пристроилась у окна и села читать любовный роман. Через пять минут по вагону галопом пробежали двое парней, на меня даже не взглянули. Еще минут через двадцать они вернулись обратно, вид имели растерянный. Я посмотрела на них и улыбнулась на всякий случай, моя улыбка никакого впечатления не произвела, они прошли мимо.

Тут электричка остановилась, и я увидела Сашку. Он шел к зданию вокзала в ярко-желтой ветровке, с большой спортивной сумкой. Шел пружинисто, уверенно, как ходят спортсмены. Мне очень хотелось броситься за ним следом. Разом почувствовав себя бесконечно одинокой, я едва не заревела.

Еще через двадцать минут электричка опять остановилась, и я вышла на перрон. Ничего мне так не хотелось, как поскорее оказаться рядом с Сашкой. В автобусе я вдруг испугалась, что больше никогда его не увижу. Что, если он выполнил свое боевое задание, и я ему теперь не нужна? Что я о нем вообще знаю? Саша Багров из шестого отдела?

Пока добиралась до города, такого страха на себя

нагнала, что впору вешаться. Остановила такси и молилась, чтобы Сашка оказался дома.

Его не было. Я прошла в кухню, села на стул, заревела, и только через полчаса поняла, что его и не могло здесь быть, раз ключ у меня. Эта здравая мысль придала надежды.

Я быстро умылась и стала чистить картошку, чтобы немного отвлечься, да и о пище телесной не следовало забывать. Тут в дверь позвонили, я кинулась со всех ног, распахнула дверь. На пороге стоял Сашка и ухмылялся. Я охнула, взвизгнула и повисла на его шее. Он подхватил меня на руки, втащил в квартиру и долго целовал.

— А чего глаза-то красные, Марья? — спросил он, чуть отстранившись.

— Я, Саш, совсем дура. Испугалась, что ты меня бросил, — виновато ответила я.

— А я что говорю? Дура и есть. Как я тебя брошу, мы же вроде напарники. Я считаю своим долгом сдать тебя отцу с рук на руки, как самую большую ценность, чтоб, значит, душа не болела.

— А когда сдашь? — шмыгнула я носом.

— Теперь совсем немного осталось. Потерпишь?

— Потерплю. — Я вздохнула, прижалась к Сашкиному плечу и спросила: — Как наши дела?

— Лучше не бывает.

Сашка вытащил «дипломат» из сумки, открыл его, и у меня глаза полезли на лоб.

— Доллары?

— Мафию за рубли не купишь. Давай прикинем по курсу, сколько я тебе должен. — Он положил пачку на стол. — Держи. Лучше отдать сразу, — пояснил он, — а то у нас такие бюрократы, удавятся за копейку, из них потом ничего не вытрясешь.

Я смотрела на деньги, на Сашку и силилась понять, почему мне так не нравится происходящее? Едва кое-какие мысли на этот счет закопошились в моей голове, как Сашка меня обнял, поцеловал и замурлыкал:

— Что у нас тут есть интересного?

Рука его нырнула под мой подол, и умные мысли из головы разом улетучились. Потом Сашка стал готовить ужин, а я его разглядывала. О чем-то он размышлял и обо мне, как видно, забыл. Лицо его стало каким-то чужим, неприятным. Почувствовав мой взгляд, Сашка поднял голову, улыбнулся, подмигнул мне и поцеловал в нос.

— Завтра утром меня не будет. Уйду рано, не пугайся. А сейчас ужинаем и спать. Денек был... А чего глаза грустные? — спросил он.

— Саш...

— Ну?

— Ты меня не обманывай, ладно? — попросила я. Вышло жалобно. — Я для тебя и так все сделаю. Не надо обманывать.

— Я не обманываю, — покачал он головой. — Я просто не договариваю. Работа такая. Знаешь, что я тебе сказать хочу? Хоро-о-оший ты человек, Машка.

Прошло три дня. Никаких особенных событий в этот временной промежуток не произошло. Сашка уходил ненадолго, остальное время мы были вместе. Стыдно, но даже про отца я вспоминала, только когда Сашки не было рядом. Бродила по комнате, то и дело поглядывала в окно и торопила время. А когда Сашка наконец возвращался, бросалась к нему на шею и была совершенно, до идиотизма, счастлива.

Я проснулась среди ночи, словно кто-то толкнул меня в бок. Сашки рядом не было. Я испуганно вскочила и тут же вздохнула с облегчением: он курил на балконе. Я вышла и встала рядом.

— Не спится? — спросила я, поеживаясь и прижимаясь к нему.

— Не спится. — Голос его звучал как-то странно. Он обнял меня и грустно сказал: — Плохо мне будет без тебя.

— Почему без меня? Я же здесь. Хочешь, всегда буду рядом, только скажи.

— Вернешься к отцу, забудешь меня через неделю.

— А ты напомни. — Я потерлась о его плечо, позвала: — Саша...

— Молчи. Просил ведь.

— Почему молчать? Что плохого в том, чтоб сказать, что думаешь?

— Ничего. Молчи, и все.

Я обиженно нахмурилась. Сашка подхватил меня на руки и отнес на постель. Очень скоро надобность в словах отпала.

Утром Сашка ушел рано и появился только к обеду. Сказал с улыбкой до ушей:

— Всё, Машка, отстрелялся. Теперь отвезу тебя к отцу и в шестой отдел за премией.

— Правда? — обрадовалась я.

— Правда.

— Выходит, задание выполнил?

— А то как же...

— И прятаться не надо?

— Зачем? По домам, одним словом. Скучать будешь?

— Не буду, — покачала я головой. — Я без тебя долго не выдержу. Оборву телефон в шестом отделе, и твое начальство вместо чертовой матери пошлет тебя ко мне.

Сашка хохотнул, в глазах появились два больших черта и два поменьше, пощелкали хвостами и показали языки.

— Ну что, поехали? — спросил он.

— Куда? — не поняла я.

— Как куда, к отцу. — Он вроде бы удивился.

— Прямо сейчас?

— Здрасьте, — развел руками Сашка. — То рвалась, как на пожар, то «прямо сейчас». Трудно на вас угодить, Марья Павловна.

— Да я рада, Саша, просто... обед вот сготовила, может, поешь?

— Дело прежде всего. Поехали, обед потом.

Недалеко от нашего дома стояли «Жигули», на этот раз белые.

— Ты бы хоть раз иномарку угнал, — пошутила я.

— Да ну их, не люблю. У меня просьба. Так как мы с родителем твоим, возможно, вскоре будем родственниками, дозволь мне с ним пару минут поговорить, по-мужски то есть. Я ему быстренько обрисую ситуацию, чтоб он не надрал нам уши, а уж потом ты выскакивай.

— Выскакивай? — растерялась я. — Так куда мы едем?

— Отец ждет нас за городом. В квартире вроде неудобно, а ну как муж нарисуется?

— Так ты договорился с отцом? — пребывая в состоянии прострации, задала я еще вопрос.

— Ага. Позвонил, объяснил кое-что, чтоб тебе не больно попало. Приврал маленько. Ты про шестой отдел-то помалкивай, отцу не понравится, что ты с ментом шашни крутишь.

— Так все равно узнает.

— Лучше постепенно, — скривился Сашка. — Крику меньше.

— Папа никогда не кричит.

— А вдруг начнет. Договорились или нет?

— Договорились, — пожала я плечами, абсолютно ничего не понимая.

Мы выехали за город, свернули к старому кладбищу, и здесь у развилки я увидела папину машину. Он сам сидел за рулем, а сзади Юлька. Как только мы

13- 1133

подъехали, она выскочила из машины и кинулась ко мне, а я, естественно, к ней. Юлька меня целовала и почему-то ревела, чем вызвала у меня недоумение и увеличила растерянность. Пока я силилась хоть что-то понять, папа протянул Сашке сумку, потом руку и произнес с чувством:

— Саня, я твой должник по гроб.

— Рад был помочь, — ответил Сашка, сел в машину и уехал.

Я тупо посмотрела ему вслед, приоткрыв рот и моргая. Папа меня обнял, погладил по волосам, поцеловал и сказал с какой-то вымученной улыбкой:

— Машенька, девочка моя, как ты?

— Нормально, — честно ответила я. Что-то во всем этом было неправильное. Я продолжала моргать, так ничего и не поняв. Сашка уехал. Чудно уехал. Ничего не сказал. Я хлопала глазами, а Юлька трещала рядом:

— Машка, слава Богу, живая, а мы с Павлом Сергеевичем чуть с ума не сошли... Господи...

— Поехали домой, — сказал папа. — Там Димка себе места не находит.

Некстати я вспомнила, что у меня есть муж, и загрустила. Перед Димкой было стыдно, но не он сейчас заботил меня. Юлька всю дорогу меня обнимала и все просила рассказать, как и что было. Что такого со мной было, я не знала, а переспрашивать не решалась, уже сообразив: что-то тут не так. Папа пришел мне на помощь:

— Не лезь ты к ней, — одернул он Юльку. — Дай в себя прийти. Главное, она дома, а там разберемся.

Сердце мучительно сжалось, и мысли всякие покоя не давали: с чего это Сашка так стремительно уехал и мне «до свидания» не сказал? Побоялся, как бы на работе не узнали, что он, сотрудник шестого отдела, встречался... в общем, наверное, так. Телефон ему известен и адрес тоже. Следовательно, повод для паники отсутствует. Завтра, а может, даже сегодня, Сашка позвонит, и все станет ясно.

Он не позвонил. Ни завтра, ни через день, ни через два. Я металась с квартиры на квартиру, дежурила возле телефона, а он молчал. Я написала записку: «Саша, позвони, пожалуйста, я жду». Подумала, приписала «очень» и воткнула в дверь квартиры, где мы недавно жили. Вернувшись утром, увидела свою записку и заревела. А потом полдня пялилась на телефон. На четвертый день стало ясно: Сашка не позвонит. Я утешала себя тем, что у него дела, возможно, очередное опасное задание. Додумавшись до этого, я начинала реветь: мерещились всякие опасности. Вдруг он ранен или того хуже...

Изрядно себя запугав, я решительно пододвинула телефон и узнала через справочное номер шестого отдела.

— Дежурный слушает, — заявили мне бодрым голосом.

— Простите, как позвонить Багрову? — кашлянув, спросила я.

— Кому?

— Багрову.

— А у нас такого нет.

— Как нет? Он капитан, Багров Саша...

— Нет, девушка, вы ошиблись. Может быть, в другом отделе.

— Подождите секунду, он к вам из района командирован, мне очень важно.

— Хорошо, я узнаю.

Я ждала, опасаясь того, что умру раньше, чем услышу ответ. Я услышала, и он меня не удивил:

— Нет, девушка, Багрова у нас нет.

Я повесила трубку, посидела, глядя на стену перед собой, и позвонила Юльке.

— Юля, я сейчас заеду, надо поговорить.

Тут необходимо пояснить, что три дня я всячески уклонялась от встречи с отцом, ну и, конечно, с Юлькой. Отвечать на их вопросы, пока не поговорю с Сашкой, я не решалась. Папа проявил понимание и не настаивал. Теперь надобность в секретности отпала, и я поехала к Юльке. Она меня ждала, чмокнула в нос, показала новое платье, я кивала, глупо улыбаясь, а потом попросила:

— Юлька, расскажи, что тут происходило, пока меня не было. С самого начала. Мне надо разобраться.

— С самого начала? — удивилась она. — В смысле, с того дня, как ты пропала?

— Ага.

— Ну то, что Димка дурак, ты знаешь. В общем, менты в деревню приехали, в доме пусто, твоя машина брошена возле палисадника. И всё. Этот олух только на третий день пришел к нам. Павел Сергеевич... словом, разговор вышел неприятный, и отец его ударил... — Юлька сбилась, вытерла нос и продолжила: — Сидели, как на иголках. Рано утром звонок. Требуют выкуп. Отец сразу согласился. Условие поставил, что ты позвонишь, хотел убедиться, что жива. Ты позвонила, ну, и договорились. Конечно, за деньгами наблюдали, то есть кто придет и все такое... Деньги взяла баба, шлюха, ясно, что подставленная, отбыла на такси, потом пересела к мужику в машину, они обратно на вокзал и в электричку. Здесь ребята их потеряли. Все произошло очень быстро. Парня вовсе не запомнили, высокий, говорят... Мало ли высоких? Никаких примет, темные очки, вот примета. Ушли деньги, и тебя не вернули. Отцу вызывали «Скорую», сердце прихватило... Тебе говорить не велел. Ох, Машка, что мы пережили... — Юлька заревела в полный голос, а я тупо рассматривала свои руки. — Где тебя держали-то? — спросила она.

— Не знаю, — вздохнула я. — Привезли с завязанными глазами, дача вроде. Не хочу я вспоминать...

— И не надо. Что было, то было. Отца жалко, каково ему...

Мы заревели на пару, обнялись на диване и обливались слезами до тех пор, пока не пришел папа. Юлька, должно быть, ревела от жалости, а у меня повод рыдать в голос был очень даже подходящий.

— Чего это вы? — удивился отец и стал поить нас чаем. Мы понемногу успокоились, и я задала вопрос, который меня очень волновал:

— Папа, а Багров, который меня привез, он кто?

— Спаситель твой? — удивился отец. — А черт его знает. Объявился по осени, привез письмо от одного человека. Мне он понравился. Я ему сказал, приходи, если что. А тут вдруг такое случилось... Он как раз в тот день пришел, когда выкуп взяли, а тебя не вернули. Пришел и говорит: «Помоги, Павел Сергеевич», а я ему: «Саня, рад бы, только у меня такое горе, голова кругом». У меня, Машка, знаешь ли, на душе было... в общем, объяснил я ему, а он: «Дружок, мол, у меня есть, большой специалист по таким делам, вряд ли, говорит, без него обошлось, а если и без него, так он наверняка что-нибудь да узнает». Я ему: «Саня, любые деньги, все, что хочешь, лишь бы дочь вернуть». Вот и выручил, дай Бог ему здоровья.

— И сколько же он взял с тебя, папа? — деревянным голосом спросила я.

— По-божески, Машка, не ограбил. Да за то, что он тебя вернул, я его золотыми червонцами рад покрыть с головы до ног.

Комната скакала и прыгала, как черти в Сашкиных глазах, мне бы зареветь, кинуться к отцу, но слез уже не было, и к отцу я не бросилась. Если ему сказать правду, он Багрова из-под земли достанет, а Сашке я зла не желала. Не желала, хоть и оказался он редким подлецом, как я редкой дурой.

— Прости меня, папа, — попросила я.

— Ты меня прости, Машка. Моя вина.

Юлька шмыгала носом, отец гладил мне руку, а я думала о Сашке. В конце концов я поведала отцу историю о своем заточении на чьей-то даче, место не помню, из людей никого не видела, почти все время спала, а очнулась в очередной раз в Сашкиной машине.

Мы немного покатались по пригороду, так, без всякого толку, и решили, что дачу эту вряд ли отыщем. Врать отцу было невыносимо стыдно. Я начинала плакать, а папа гладил меня по спине и повторял:

— Забудь все, котенок, все позади. Забудь.

Через неделю вдруг появился Димка. Все это время он жил у матери, потому что разругались мы в первый вечер после моего «освобождения». Сначала он меня обнял, а потом заговорил:

— Знаешь, почему это случилось? Потому что твой отец бандит и тебя в эту грязь втягивает. Как ты еще жива осталась...

Слушала я его минут десять, а потом послала к чертовой матери. Он ушел к своей. Видно, здорово обиделся, потому что неделю не показывался и не звонил. Я в нашей двухкомнатной тоже не появлялась, жила в Южном. Может быть, все-таки надеялась, что Сашка вернется?

Димка пришел, устроился на диване и хмуро спросил:

— Что будем делать?

— Разводиться, — вздохнула я.

— Ты чего дома не живешь?

— Не знаю... Мне здесь больше нравится.

— Ты меня не любишь? — немного помолчав и собравшись с духом, задал он вопрос. Я покачала головой, изо всех сил стараясь не зареветь. — У тебя есть кто-то? — опять спросил он, и я ответила:

— Есть.

Димка поднялся и ушел, хлопнув дверью. Напоследок рявкнул:

— Яблоко от яблони!..

Прошел месяц, месяц мучительных дней и длинных-длинных ночей. Я знала: Сашку я больше никогда не увижу. С отцовскими долларами и чужими «Жигулями» Сашка где-то скалит зубы, черти в его глазах радостно резвятся, а сердце стучит ровно, и плевать ему на то, что мое болит и умных слов слушать не желает.

Я утешала себя тем, что все пройдет: через месяц будет чуть легче, время все лечит, боль отступит. Вот год пройдет — и забуду... Забыть не получалось. Мало того, что в Сашку я влюбилась по-настоящему, так еще жег стыд. Это ж надо быть такой дурой... Помогла ограбить родного отца...

В конце лета мы с Юлькой пили чай на веранде нашей дачи и вели разговоры по душам. Я неожиданно решилась и все ей рассказала. Юлька слушала внимательно, под конец хмыкнула и заявила:

— Я б этому стервецу... — вздохнула, косясь на меня, улыбнулась невесело и поцеловала меня в висок: — Машка, он сюда не вернется. Слабо. Ведь не дурак же он, в конце концов?

Я пожала плечами и тоже улыбнулась:

— Кто ж его знает...

— Ждешь, значит?

Вопрос, жду ли я Сашку, очень волновал и меня, поэтому ответила я не сразу:

— Даст Бог, свидимся.

— И что? — загрустила Юлька, а я улыбнулась:

— Должок у меня...

Дни сменялись днями, выстраиваясь в месяцы, и тоска в самом деле отступила, хотя обида осталась. В целом же моя жизнь изменилась к лучшему.

С Димкой мы развелись. Правда, ушло на это полгода и потребовало столько нервных затрат, что ни на что другое просто сил не хватало. Димка подал на раздел имущества, и нервов прибавилось. Папа махнул рукой и сказал:

— Отдай ему все, что хочет. Может, он от этого станет счастливее.

Счастливее Димка не стал. Только наша разводная эпопея закончилась, как он появился у меня в квартире с букетом роз и улыбкой. Димкина способность вести себя так, будто ничего не случилось, неизменно вызывала у меня недоумение.

Воспользовавшись этим недоумением, он прошмыгнул в комнату, вручил мне розы и сказал:

— Рад тебя видеть.

— Спасибо, — промямлила я, воткнула цветы в вазу и устроилась в кресле, поглядывая на Димку с заметным сомнением. Парень он такой, что глаз да глаз за ним нужен: зайдет попить чаю и задержится лет на пять. В мои планы это не входило, потому гостеприимство я не демонстрировала и чай не предлагала.

— Ты мне соврала, — заявил он. Я удивленно вскинула брови, врать я вообще не люблю, потому что не умею, а врать бывшему мужу мне и вовсе без надобности. Я вздохнула и спросила:

— Да?

— Да, — удовлетворенно кивнул он. — У тебя никого нет. Я следил за тобой весь месяц.

— Лучше бы ты нашел себе работу, на которой платят деньги. С завода так и не уволился? — спрашивала я без всякого интереса, потому что ответ знала. Димка будет всю жизнь получать от случая к случаю полторы сотни, ныть, жаловаться на начальство и ругать правительство. Такой уж он человек, и тут ничего не поделаешь.

— При чем здесь моя работа? — обиделся он. — Я о тебе говорю. Ты сказала, что не хочешь со мной жить, потому что у тебя кто-то есть. И соврала. Никого у тебя нет. Развелась ты со мной из-за своего папаши. Он меня всю жизнь терпеть не мог. И тебя настраивал, вот в конце концов и перетянул на свою сторону. — Не удержавшись, я зевнула, а Димка разозлился: — И не надо делать такое лицо, и ты, и я знаем, кто такой твой отец. Добро бы просто вор, боюсь, он кое-кто похуже...

— Димка, — хмыкнула я. — Ты живешь в его квартире...

— В своей...

— Да. Мы продали квартиру, и ты купил на свою половину денег «малосемейку», но квартиру нам покупал отец, на те самые ворованные деньги. Поэтому заткнись или продай «малосемейку», а деньги отнеси в детский дом.

Такая перспектива повергла Димку в уныние.

— О чем мы говорим? — возмутился он.

— Как всегда, о моем отце, — пожала я плечами.

— Ты меня обманула, — напомнил он.

— Нет. — Я интенсивно покачала головой и решила озадачить Димку: — Просто человек, которого я люблю, в тюрьме.

— Что? — Он выпучил глаза так, что умудрился напугать меня.

— Что слышал. Мой избранник сидит в тюрьме, выйдет через два года. Так как я не являюсь его женой, свидания затруднены. Но я его жду. Как только он вернется, мы сразу поженимся.

— Врешь, — недоверчиво буркнул Димка, а я еще раз покачала головой:

— Нет. Честно. Ты сам всегда говорил: яблоко от яблони... А он — точная копия моего отца. И они души друг в друге не чают. Так что бери букет и иди отсюда.

Димка покраснел до состояния вареного рака и торопливо направился к выходу, потом вернулся, выхватил букет из вазы и очень громко хлопнул дверью. Конечно, это вовсе не значило, что он больше никогда не придет. Скорее наоборот.

Зазвонил телефон, я подошла и сняла трубку с некоторой дрожью в сердце. Тут уж ничего не поделаешь: каждый раз возникала нелепая мысль: а вдруг Багров? Может быть, поэтому я продолжала жить в Южном, хотя добираться до работы было довольно далеко. Звонила Юлька.

— Как настроение?

— Димка был, — пожаловалась я.

— Неужто замуж звал?

— Не успел. Он следил за мной месяц и очень расстроился, не обнаружив соперника.

— Так осчастливь бывшего: вокруг полно мужиков, хватит жить монашкой.

— Я еще немного поживу, если ты не возражаешь, — хохотнула я, а Юлька ответила неожиданно серьезно:

— Машка, он сюда не вернется. Просто не рискнет. Он ведь не знает, что ты ничего не рассказала отцу.

— С чего ты взяла, что я жду? — вздохнула я. Юлька тоже вздохнула:

— Может, скажем отцу? Он его найдет.

— И что? — хмыкнула я.

— Не знаю. Может, нам самим его поискать?

— Где, интересно? — хоть я и ухмылялась, но сама не раз тешила себя такой мыслью: что, если действительно попробовать найти Сашку? Приезжаю я, к примеру, куда-нибудь на юг, вхожу в бар, а там Багров... Почему-то наша встреча неизменно представлялась мне таким вот образом... Я выразительно вздохнула и сказала серьезно: — Я купила энциклопедию «Города России». Так их, оказывается, больше тысячи. И где ж мы его искать будем?

— Неужели так много? — удивилась Юлька.

— Много, — кивнула я. — Россия — это тебе не Германия. Хотя я не очень уверена, что и в Германии запросто можно найти человека. Ладно... Ты чего звонила-то?

— Так просто. Приезжай, или я к тебе приеду. Будем чай пить и строить планы. Неосуществимые.

Я поехала к Юльке, и мы выпили литров пять чаю, а между делом решили съездить в Индию. Юльке хотелось покататься на слоне, а мне — купить настоящее сари. Позвонили в турфирму, а потом папе, и через две недели в самом деле отправились в Индию. Вернулись, передохнули и вновь отбыли на поиски экзотики, на этот раз в Египет.

Так прошла зима. Как видно, Юлька поставила себе задачу избавить меня от тяжких дум, и очень в этом преуспела. Папа ее всячески поддерживал, но в конце февраля взмолился:

— Девчонки, поимейте совесть, живу одиноким пенсионером. Поговорить не с кем.

Мы устыдились и с туризмом покончили.

Юлька тут же придумала нам другое занятие. Отец купил ей ресторан, Юлька старательно играла роль хозяйки, а меня взяла администратором. Подозреваю, для того только, чтобы я мозолила ей глаза да наливалась чаем. Ресторан был маленьким, уютным, и работа как-то незаметно увлекла нас. Дни пролетали в мелких заботах, дела шли неплохо, и вскоре ресторан начал приносить прибыль. Папа был потрясен и спросил, смеясь:

— Может, вам еще что-нибудь купить?

— Почему бы и нет? — заважничала Юлька. — Мы еще знаешь, как развернемся...

Пришел май, цвела черемуха, люди на улицах улыбались, а я твердо решила влюбиться. Монашество дурно отражается на моем характере, а глупые мысли о Сашке давным-давно пора оставить. Мы с Юлькой начали приглядывать мне возможного кандидата в возлюбленные и вскоре остановили свой выбор на высоком брюнете по имени Валера, который ужинал у нас практически каждый вечер.

Если честно, поначалу я не обращала на него особого внимания. Ужинает себе человек и ужинает. Ресторан у нас, как я уже говорила, маленький, и клиенты в основном постоянные. Сервис на уровне, кухня приличная, и цены, кстати, тоже, так что случайные люди не задерживались. Сначала на Валеру обратила внимание Юлька.

— Столик у окна слева, парень в светлом костюме, — заявила она.

— Ну и что? — проявила я любопытство, встав рядом с Юлькой и наблюдая в окно за парнем. Окно было затейливым: отсюда стекло, а со стороны зала большое зеркало. Очень удобно для наблюдения за клиентами.

— Он высматривает тебя, — сказала Юлька.

— С чего ты взяла?

— С того. Две недели назад забрел сюда с другом, а теперь ходит каждый вечер, точно на работу. Вчера тебя не было, так он расстроился. Надю расспрашивал, посидел минут пятнадцать и отчалил... А сегодня, как вошел, первым делом спросил: здесь ли ты. Сидит, глазами шарит... Выйди в зал, осчастливь человека.

— Может, ты все выдумываешь? — на всякий случай спросила я, приглядываясь к парню.

— Не выдумываю. Я уже и справки о нем навела. Своя фирма, занимается компьютерами. Не женат. Старше тебя на четыре года. Квартира в центре, говорят, выглядит шикарно. «Трехсотый» «Мерседес».

— Слушай, Юлька, — немного помедлив, вздохнула я. — А тебе не кажется, что люди влюбляются както иначе?

— Не кажется. Приглядись к человеку, уверена, он тебе понравится. Симпатичный, вежливый. И не бабник... была у него любовь, но с месяц как кончилась.

— Что так?

— Так. Роман с замужней женщиной чреват, знаешь ли... особенно, если муж не слесарь нашего ЖЭКа, а... — договорить Юлька не успела, вошел Максим, наш бухгалтер, и сунул ей под нос какие-то бумаги.

Слушая их болтовню вполуха, я продолжала наблюдать за Валерой. Юлька, конечно, права: он симпатичный. Можно сказать, красивый. Модная стрижка, тонкий нос с горбинкой, яркие глаза, чувственный рот и подбородок с ямочкой. Я покосилась на свое отражение в зеркале. Что ж, судя по всему, мы будем выглядеть неплохой парой. Я попыталась представить себя рядом с этим человеком и в конце концов решила: «А почему бы и нет?» — и отправилась в зал.

Юлька оказалась права, он действительно меня высматривал. Стоило мне появиться в зале, как Валера приободрился и повеселел, поглядывая на меня с заметной нежностью. Я улыбнулась пошире и поздоровалась, он поднялся из-за стола и сказал:

— Извините, я хотел бы с вами поговорить. Пять минут... пожалуйста.

Пять минут растянулись на полчаса, впрочем, я об этом не пожалела. Старательно изображала деловую независимую женщину и наблюдала за своим собеседником. Впечатление сложилось хорошее.

Поздним вечером, закончив рабочий день, мы с Юлькой выпорхнули на крыльцо и увидели неподалеку от папиной машины «трехсотый» «Мерседес».

— Ты собиралась ночевать у нас, — вздохнул папа, проследив мой взгляд. Юлька дала мне легкий пинок и зашипела:

— Топай.

Я потопала, Валера вышел мне навстречу, широко улыбнулся и распахнул дверь своей машины. Папа взирал на все это без энтузиазма. Подождал, пока мы отъедем, и только тогда устроился в кабине.

— Куда? — бойко спросил Валера, а я ответила:

— Домой. Извините, я сегодня очень устала.

Через двадцать минут я появилась в доме отца, вызвав недоумение у него и сильный гнев у Юльки.

— А где этот тип? — спросила она.

— Не знаю. Должно быть, у себя дома.

— А почему, интересно?

— Первый час ночи. Это нормально.

— Ничего не нормально... — начала она, я махнула рукой и удалилась в ванную.

Возникнув оттуда через десять минут, я невольно услышала разговор между отцом и Юлькой. Беседовали они в кухне довольно громко.

— Ты эгоист, Павел, — выговаривала отцу подружка. — Ты до сих пор не можешь понять, что твоя дочь взрослая женщина.

— Вовсе нет, мне просто не нравится твое желание сосватать ей кого попало.

— Что значит «кого попало»? — обиделась Юлька. — Валера очень приличный парень. Я узнавала. Деньги, в отличие от ее бывшего супруга, зарабатывает сам, к тому же красавец.

— Пусть Машка сама решает, и торопить ее ни к чему...

— Конечно. Девка год живет одна. С такой-то красотищей. Это нормально?

— Она уже раз выскочила замуж. И что? Еле-еле смогли избавиться от этого придурка.

— Про замужество пока нет и речи.

— Тем более...

— Что «тем более»? — Юлька даже голос повысила. — Ты сегодня при виде кавалера такое лицо состряпал, что Машка чуть ли не раньше нас домой приехала.

— Выходит, я виноват?

— Прекрати трястись над ней, точно она пятилетняя. Когда мы с тобой познакомились, я домой заявилась через три дня, кажется?

— Ну что ты равняешь? — развел руками папа. — Машка... как бы это сказать...

Пока папа не брякнул лишнего и не успел поссориться с Юлькой, я возвестила о своем появлении громким кашлем.

— Ругаетесь? — спросила и полезла в холодильник.

— Не-а, — ответила Юлька. — Я с твоим отцом ругаться не могу. Не получается.

— Верю, — кивнула я. — У меня тоже не получается.

Мы сели пить чай, весело поглядывая друг на друга, папа, судя по всему, был счастлив, время от времени посматривал на Юльку, словно хотел сказать: «Разве нам втроем плохо?» В принципе, я была с ним совершенно согласна. Красавец Валера был мне без надобности, но и Юлька, конечно, права: что-то я засиделась в невестах. Потому с Валерой продолжала встречаться так, на всякий случай.

Он заезжал за мной на работу, мы где-нибудь ужинали, а потом он отвозил меня домой. Пару раз мы целовались, сидя в машине, он напрашивался в гости, но я не пригласила. Тут уж ничего не поделаешь — не лежит душа. Надо бы честно сказать парню, что ухаживания его дело зряшное, но отважиться на это я не могла. В общем, романа все никак не получалось.

Юлька то злилась, то жалела меня, и Бог знает, чем бы все это кончилось, но тут произошло событие, начисто изменившее всю мою жизнь.

Как-то вечером Валера, встретив меня возле ресторана, вдруг сказал:

— Поедем ко мне.

— Я сегодня хотела к своим... — туманно ответила я.

— У тебя есть повод считать, что я могу вести себя не по-джентльменски? — серьезно спросил он. Я, конечно, смутилась и стала лепетать что-то маловразумительное. Кончилось тем, что мы поехали к нему.

Свернули во двор девятиэтажного дома, выглядевшего очень прилично, и Валера весело сказал:

— Третий этаж, пять окон с этой стороны, боковая лоджия... — На этом его веселье вдруг кончилось. Валера покраснел, сунул руку в карман пиджака, чертыхнулся, извинился и заявил: — Надо же, оставил ключи на работе...

Врал он так же хорошо, как я, ерзал и томился, старательно избегая моего взгляда. К этому моменту я уже заметила, что в трех из пяти окон горит свет, так что если Валера и забыл ключи на работе, то проблем возникнуть не должно. Хотя, может, он свет тоже забыл выключить, только ведь включать его с утра без надобности — весна.

— Что ж, — торопливо кивнула я, видя, в каком бедственном положении оказался мой спутник. — В следующий раз... тем более меня ждут дома.

Валера с заметным облегчением покинул двор, по дороге хмурился и все больше молчал, хотя и пытался быть галантным кавалером. Мне его секреты были неинтересны, и через полчаса я о них вовсе не вспоминала.

На следующий вечер он вновь меня встретил, выглядел то ли усталым, то ли расстроенным, и вроде бы что-то порывался рассказать. До откровений так и не дошло, и, отужинав, мы простились. Всю последующую неделю происходило примерно то же самое. Он томился, собирался с силами, ничего не объяснял и вроде бы страдал.

В пятницу, когда мы прощались возле моего подъезда, он неожиданно взбодрился и предложил:

— Маша, поедем завтра за город. У меня есть дача. Чудесное место. Отдохнем, а в воскресенье вернемся назад. В конце концов у тебя должны быть выходные.

— С выходными проблем нет, — без особой радости заявила я, подумала и добавила: — Что ж, поехали.

— Я заеду в десять. Нормально?

Я кивнула, и мы пожелали друг другу спокойной ночи.

Я поднималась по лестнице и костила себя на чем свет стоит:

— Что это я парню голову морочу? Я его не люблю, а просто так встречаться нечестно и даже глупо, потому что себе дороже. — Тут я сообразила, что говорю вслух, поспешила укрыться в квартире и продолжила самобичевание: — Я не любила Димку, и из нашего брака ничего путного не вышло, хотя я и старалась... И что я, интересно, буду делать с ним на даче целых два дня? Конечно, Валера джентльмен, но и он решит, что у меня не все дома: месяц мы встречаемся, потом остаемся наедине в тихом местечке, а я развожу руками и заявляю: «Извини»... А ты не разводи руками! — рявкнула я и поклялась, что завтра буду вести себя как совершенно нормальная женщина и никаких дурацких «извини» говорить не стану.

Утвердившись в этом решении, я легла спать, а проснулась от звонка в дверь. Вскочила и, взглянув на часы, поняла, что проспала все на свете. Часы показывали десять, и в дверь, конечно, звонил Валера. На ходу запрыгивая в шорты, я кинулась открывать, поэтому наша встреча носила несколько юмористический характер.

Мы посмеялись, он помог мне собрать вещи, и около одиннадцати в отличном настроении мы отправились на дачу. День был солнечным, нам предстояло преодолеть тридцать километров, а поскольку я до конца так и не проснулась, то откинула сиденье и прилегла, блаженно щурясь и лениво болтая.

Через двадцать километров Валера свернул на проселочную дорогу, с обеих сторон которой росли огромные березы, я приподнялась на локте и сказала:

— Как красиво.

Валера моей радости не разделил.

— Черт, что за кретин плетется сзади, всю дорогу висит на хвосте, — проворчал он. Я взглянула на «кретина», тот находился метрах в пяти в ярко-красном стареньком «Опеле», не отставал, но и обгонять нас как будто не собирался. — Каких только чудаков нет, — покачал головой Валера.

Дорога была совершенно пустынной, только мы и парень в «Опеле». Вел он себя в самом деле странно.

Точно прочитав наши мысли, парень вдруг пошел на обгон. Несколько секунд машины шли бок о бок, почти вплотную. Стекла «Опеля» были тонированы, и водителя разглядеть было сложно, да я и не усердствовала.

— Да обгоняй же! — не выдержал Валера, поражаясь чужой бестолковости.

Тут боковое стекло «Опеля» открылось, и я увидела пистолет, а также руку в перчатке. Лицо водителя скрывала маска. Я приоткрыла рот, собираясь заорать, Валера нажал тормоз, грохнул выстрел, мой спутник откинулся на сиденье, выпустив руль, а я зажмурилась, заорала, обхватила голову руками и только через несколько секунд сообразила, что машина все еще движется. Второго выстрела не последовало, возможно, на мою жизнь не покушаются, но если я не перестану орать и не остановлю «Мерседес», то скорее всего скончаюсь.

Я перехватила руль, все еще визжа, рукой нажала тормоз, но в березу все-таки влетела, правда, без роковых для себя последствий, тюкнулась лбом в руль и замерла. Но тут же вспомнила про Валеру и взглянула на его голову. Лучше бы мне этого не делать...

Я опять заорала, открыла дверь и выпала на обочину. Дверца «Опеля» хлопнула, и зашуршали чьи-то шаги.

«Господи, почему он остановился, а не уехал?» — испугалась я. Ответ напрашивался сам собой. Не разгибаясь, я метнулась к кустам, но мужской голос совсем рядом предупредил:

— Не дергайся.

Я выпрямилась и посмотрела направо. В трех шагах стоял тип в дурацкой маске с пистолетом в руках, настроенный, судя по всему, весьма воинственно.

Мне очень захотелось сказать ему что-нибудь убедительное, что-нибудь такое, что заставило бы его убрать пистолет и отпустить меня на все четыре стороны. Вместо этого я брякнула:

— Здрасьте, — и облизнула пересохшие губы. Тип хохотнул, глянул на дорогу и сказал мне:

— Давай в машину. — Я шагнула к «мерсу», а он покачал головой: — В мою.

Я ходко затрусила к «Опелю». То, что он не застрелил меня сразу, внушало определенные надежды. Возле «Опеля» я малость растерялась и посмотрела на типа. Он распахнул заднюю дверь.

— Встанешь на колени, на пол, уткнешься лицом в сиденье, руки за голову. И быстро.

Команду я выполнила и вскоре уже стояла на коленях в крайне неудобной позе. Тип сел за руль, тронулся с места и подбодрил меня:

— Дернешься, пристрелю. Имей в виду, я хорошо вижу тебя в зеркало.

Должно быть, так оно и было. «Опель» набрал обороты, а я вжалась лицом в сиденье и пыталась сообразить, что происходит. Напрашивались два варианта: первый — Валеру убили по неведомой мне причине, я свидетель, и меня везут куда-то, чтобы там убить. Хотя от свидетеля ничего не стоило избавиться сразу и без всех этих хлопот. Значит, второй вариант. Ему нужна я. Валеру убили, потому что он был со мной в машине. В этом случае, с моей точки зрения, убивать его было совершенно ни к чему... Хотя, кто знает, как рассуждают типы, подобные этому... Выходит, и меня схватили с какой-то неведомой целью, скорее всего, будут шантажировать отца. Вспомнив о нем, я сразу же заревела и даже попросила мысленно: «Папочка, пожалуйста, прости».

Тут мысли пошли и вовсе невеселые. Сашкина шутка год назад стоила отцу сердечного приступа, и, как отразится на нем сегодняшнее происшествие, предугадать трудно.

Я всхлипнула, а тип погладил мой зад и весело сказал:

— Не переживай.

«Я что-то должна для себя сделать, — мудро рассудила я. — Папу волновать нельзя. От меня вообще одни неприятности...» — и покосилась на дверь. Она заперта. На то, чтобы открыть ее, понадобится время, а мне еще надо как-то вывалиться на асфальт. Об этом, кстати, я подумала, зябко ежась.

Нет, на дороге ничего путного у меня не выйдет. Остается уповать на то, что мы куда-то приедем, и там у меня будет больше шансов.

Минут через двадцать парень притормозил, потом посигналил, послышался скрип, точно открывали ворота, и мы, шурша галькой, должно быть, въехали во двор, потому что вновь раздался скрип, и ворота, надо полагать, закрылись.

Парень вышел из машины и сказал кому-то:

— Принимай гостей.

— Как дела? — поинтересовался низкий мужской голос.

— Порядок. Я тебе подарок прихватил, — и крикнул: — Вылазь!

Я с большим трудом поднялась с коленей и вышла. Тип, привезший меня, снял маску, и очам моим предстала мерзкая физиономия с перебитым носом, пухлыми губами и похабной ухмылкой. Тот, что стоял рядом с ним, выглядел ничуть не лучше: невысокий, толстый и на удивление волосатый, а вот на голове уже намечалась лысина, ее он пытался компенсировать бородой и широкими бакенбардами.

— Откуда она? — удивился Лысый.

— С этим козлом в машине ехала. Я ее сначала даже не заметил. А когда заметил, решил: грех таким добром не попользоваться.

Оба противно заржали, а мне стало не по себе. Выходит, Валеру убили не случайно, я свидетель, который, как известно, долго не живет, а эти два мерзавца просто решили поразвлечься, тем самым усложнив мне переход в иной мир.

— Потопали, красавица, — хмыкнул Лысый, протягивая ко мне руку, я шарахнулась в сторону, чем очень развеселила обоих. Тип с перебитым носом схватил меня под мышки, а потом толкнул Лысому, с минуту они таким образом развлекались, очень довольные собой.

Реветь я себе категорически запретила, от слез пользы никакой, следовало вспомнить, чьей дочерью я являюсь, и найти достойный выход из положения. Можно, например, поставить этих типов в известность о моих родственных связях. Но с этим я не очень торопилась, не сделать бы хуже. Парни могли оказаться недругами отца, в этом случае себе я не помогу, а отцу напакощу. Что ж мне теперь, умереть отважной партизанкой?

Парням надоело швырять меня, точно мячик, Лысый обнял меня за плечи и повел к крыльцу, ухмыляясь и бормоча всякие гадости, а я смогла хоть както оглядеться. Увиденное не порадовало. Мы находились в лесу, вокруг — огромные сосны, дом за высоким забором с железными воротами. Большой, бревенчатый, под железной крышей, с резным крыльцом. Рядом кирпичный гараж на две машины. Похоже на ведомственную дачу или какой-нибудь приют охотников.

Лысый распахнул дверь, и мы оказались в просторном холле. Довольно обшарпанная мягкая мебель и общий вид холла еще больше утвердили меня в мысли, что это скорее всего не частное владение.

— Располагайся, — кривляясь, заявил тип с перебитым носом. — Лучше всего на диване... — хихикнул и заявил громче: — Гляньте, мужики, не девка, а конфетка.

Я огляделась и увидела в противоположном углу холла возле окна за резным столом троих мужчин, они играли в карты.

Услышав дружка, все дружно повернулись в нашу сторону, а я от неожиданности плюхнулась на диван: слева от окна сидел Багров. Я открыла рот, потом закрыла, а он спросил придурка с перебитым носом:

— Это ж откуда такое везение?

— Все оттуда... Не мог я ее в машине оставить, не

попользовавшись. А так как я всегда думаю о друзьях, в отличие от некоторых, то и решил привезти.

— А кто она такая, ты знаешь? — полюбопытствовал Сашка и покачал головой.

— Не-а. Хрен ли мне с ней знакомиться, не для того привез.

Сашка сгреб карты, вздохнул и сказал:

— Ты, Колька, был дураком, дураком и помрешь. Тебе Лось что сказал? Самодеятельностью занимаешься?

— Да ладно, — отмахнулся Колька, но заволновался и, чтоб себя утешить, полез ко мне. — Глянь, девка какая.

— Тебя за девкой посылали? — не унимался Сашка. Тут и Лысый занервничал, сказал:

— Пойду-ка я звякну, — развернулся и исчез за соседней дверью. Типу с перебитым носом это почему-то не понравилось, и он вновь переключился на меня. Схватил за волосы, больно дернул, а правой рукой стал расстегивать штаны. Я решила, что незамедлительно скончаюсь, взвизгнула и попыталась вскочить.

— Заглохни, — зло сказал парень. Я затряслась мелкой дрожью и затравленно взглянула на Сашку. Он тяжело вздохнул и поднялся:

— Ну что за день, а? В карты не везет, а тут еще это...

С этими словами Сашка ухватил обоих своих партнеров по картам за шиворот и лихо сшиб их лбами. Парни тюкнулись головушками о стол и затихли, а Сашка вмиг оказался за спиной моего мучителя.

Тот обернулся на шум и как раз успел увидеть Сашкин кулак. Кулак с подозрительным звуком опустился парню на голову, и парень рухнул к моим ногам. Я вскочила и, вытаращив глаза, вцепилась в Сашкину руку.

— Идем, — сказал он и поволок меня к выходу.

До двери оставалось шагов пять, когда в холле появился Лысый. Вошел, замер, с недоумением вращая глазами, а потом спросил:

— Это че такое?

— Коля — идиот, — заверил Багров, направляясь к дружку. — Он даже не знает, кого привез.

— Кого? — промямлил парень.

— Вот ее, — ткнул в меня пальцем Сашка и, выбросив вперед руку, ухватил Лысого за шею.

— Ты чего? — вконец растерялся тот.

— Прости, друг, — ответил Сашка и с чувством въехал ему по физиономии. Парень был крепкий, оказавшись на полу, полежал совсем немного, потряс головой и начал подниматься на четвереньки.

— Ну, Багров... — проронил он с обидой. Сашка вздохнул и стал урезонивать его:

— Ну что ты за человек, Вова? Не можешь пять минут полежать спокойно? Думаешь, мне приятно колошматить лучшего дружка? — очень натурально печалясь, Сашка заехал дружку ногой под ребра, тот крякнул и прохрипел:

— Удавлю... — но выглядел при этом неубедительно, а потом и вовсе затих.

Сашка схватил меня за руку, и мы выскочили из дома. «Опель» загораживал проезд, Сашка чертыхнулся, открыл дверь, увидел, что ключи торчат в замке, и сказал:

— Ладно, сойдет... Садись за руль! — крикнул он мне и кинулся открывать ворота. Через тридцать секунд мы неслись по проселочной дороге.

Так как местность была мне совершенно незнакома, я спросила:

— Куда?

— Прямо, — ответил Сашка, покосился на меня, хмыкнул и заявил: — Ну и жизнь у некоторых, сплошные приключения...

— Я не знала, что ты в городе, — не придумав ничего умнее, промямлила я.

— И я не знал.

— Что?

— На дорогу смотри. Притормозишь на развилке, я за руль сяду.

Через несколько минут мы поменялись местами, а еще через полчаса въезжали в город. За это время не сказали друг другу двух слов, но то и дело переглядывались. То, что Сашка уже спокойно сидит рядом, вгоняло меня в дрожь.

— Ты чего смотришь, как на привидение? — проявил он любопытство и притормозил, как только мы миновали мост.

— Не ожидала тебя встретить, — ответила я.

— Честно скажу, я тоже не ожидал.

Я взяла и заревела. Уткнулась лицом в ладони, вздрагивая всем телом и всхлипывая очень жалостливо.

— Ну чего ты, — расстроился Сашка. — Все нормально... Это ты от страха... Напугал, придурок... — Сашка протянул руку, коснулся моего плеча, но тут же отдернул ладонь и сурово сказал: — Кончай слезы лить. Все нормально.

Так сразу успокоиться я не могла, уж слишком богат на события был сегодняшний день. Я продолжала всхлипывать, а Сашка не спеша тронулся в сторону центра, то и дело поглядывая на меня. Я достала платок, вытерла глаза, высморкалась и даже отчетливо икнула — так меня разбирало. Минут через пятнадцать он вновь притормозил, а я сказала:

— Мне надо позвонить папе...

— Э-э-э, — заволновался Багров. — К чему такая спешка?

— Я отцу про твою подлость не рассказывала, — нахмурилась я. — Так что не дергайся...

— Про какую подлость? А... Я понял, что не рассказала, — ухмыльнулся он, между прочим, довольно пакостно. — Не то бы мне здесь мало не показалось. А я вижу все тихо-спокойно, вот и сообразил — промолчала Машка.

— Урод, — разозлилась я.

— Серьезно? А раньше я тебе вроде нравился.

Я решительно распахнула дверь. Сашка остановил машину, и я пошла звонить.

Папы дома не оказалось, пришлось оставить сообщение на автоответчике:

— Папа, я дома. — И покосилась на Сашку.

Он сидел в машине с открытой дверью, уезжать не собирался и явно поджидал меня. Вздохнув, я позвонила в ресторан и минут пять разговаривала с Денисом, он у нас кем-то вроде охранника, потом направилась к Сашке. Села, посмотрела на него и нахмурилась.

— Больно долго ты болтала, — пожаловался он.

— А ты бы не ждал, — съязвила я.

— Куда везти прикажешь?

— Домой.

— А дом у нас где? — поинтересовался Багров.

— Там же, где и раньше.

— Так ты в той квартире живешь?

— В той, в той, — проворчала я.

— Ага, — хмыкнул Сашка и спросил без перехода: — Как вообще жизнь?

— Отлично.

— Я так и подумал, как тебя увидел... С мужем живешь?

— Нет.

— Неужто одна?

— Одна, ну и что?

— Слушай, Машка, а ведь я тебя спас, — порадовался Багров. — Так что губы ты дуешь напрасно. Могла бы и спасибо сказать. Я через это самое происшествие жилья лишился. К дружкам мне теперь никак нельзя, шибко осерчали дружки. По справедливости, ты могла бы предложить мне кров, до зарезу надо пару дней в этом городе перекантоваться. — В глубине его зрачка появился чертенок, радостно щелкнул хвостом и показал мне язык.

— Ой, какой ты, Сашка! — вздохнула я, качая головой и не находя нужных слов. Сашкина наглость воистину не знала границ. Чертенок незамедлительно исчез, а Багров поскучнел.

— Я тебе звонил два раза, — заявил он. — Честно.

— Куда? — удивилась я.

— На квартиру, разумеется. Телефон до сих пор помню. — Он назвал номер, чем поверг меня в изумление.

— Так если звонил, отчего не дозвонился?

— Видно, дома тебя на ту пору не оказалось.

— Совсем ты заврался, Багров, у меня автоответчик...

— Я в этой технике ни черта не смыслю, видать, оплошал малость.

— Все ты врешь, — зло сказала я и подумала: «А вдруг он и вправду звонил?»

— Характер у тебя заметно испортился, Марья Павловна, — надулся Сашка. Мы к этому моменту уже подъехали к дому. — Вылазь, — сказал он. — И готовься к приему дорогого гостя. Я сейчас машину отгоню подальше и мигом вернусь.

Я досадливо хлопнула дверью и поднялась к себе. Но уже минут через пятнадцать начала поглядывать в окно, высматривая Сашку. Наконец он появился. Сел за стол в кухне, лучисто улыбнулся и спросил:

— Накормишь?

Я стала его кормить, изо всех сил стараясь не зареветь.

— Повезло тебе сегодня, — уплетая суп за обе щеки, веселился Сашка. — Если б не я, страшно даже подумать, что с тобой могло произойти.

— За что убили Валеру? — нахмурилась я, вдруг сообразив, что Валеру действительно убили. Он лежит в машине на какой-то проселочной дороге, а я... Тут уж ничего не поделаешь: появление Сашки волновало меня гораздо больше недавнего убийства. Попробовать обмануть себя, конечно, можно, но дело это зряшное...

— А я почем знаю? Меня это совершенно не касается, — ответил Багров и даже выпучил глаза.

— Идиот! — крикнула я. — Якшаешься со всякими подонками. А еще врал, что милиционер.

— Я врал? — ахнул Сашка. — Да не сойти мне с этого места...

— Как у тебя только совести хватает... — покачала я головой.

— Ты, Машка, все неправильно поняла. Человек я подневольный, что приказали, то и сделал. Я ведь тебя предупреждал, такой, как я, тебе не пара. Думаешь, я те деньги присвоил? Ничуть не бывало. Все Родине отдал, хоть она не шибко меня любит.

— Заврался ты совсем, — разозлилась я. — Я тебя искала, звонила в шестой отдел.

— Ну и что?

— Не знают они никакого Багрова.

— Ты, Машка, совсем без понятия. Неужто они кому попало начнут секретные сведения разбазаривать.

— Дура я совсем, что ли, тебе верить? Ешь и выметайся отсюда.

Багров состряпал обиженную физиономию и сердито засопел. Я пялила на него глаза, не в силах поверить, что он сидит на моей кухне.

— Чаю можно? — спросил он.

— Пожалуйста.

Он пил чай, а я крутила в руках чашку, не выдержала и спросила:

— Где ты был?

— Когда?

— Весь этот год.

— Где меня только не носило, — загрустил он. — Служба...

— Сволочь ты, Багров, просила ведь не обманывать.

— Да у меня самого сердце кровью обливалось. Каждую ночь тебя во сне видел... Объясниться хотел, чтоб ты одно с другим не путала: работу то есть и мое к тебе личное отношение. Боялся тебе на глаза показываться, не простит, думаю, меня Машка, так мне шелудивому и надо. А когда совсем было с силами собрался, меня раз — и в Чечню. А оттуда, не поверишь, в Таджикистан. Будто народу мало. На всю бывшую Родину один я. А в Таджикистане не повезло: один гад меня подстрелил. Четыре месяца в госпитале валялся. Врачи сильно сомневались: выживу ли. Не успел на ноги встать, нате вам: новое задание. Опять на передний рубеж, к бандитам. А теперь еще без премии оставят, да и шею запросто могут намылить: задание ответственное я провалил, и все из-за твоих прекрасных глаз.

— Что же у тебя за служба такая? — съехидничала я. — Агент 007, да и только.

— Думаешь, заливаю? — обиделся Сашка, поднялся, задрал рубаху и продемонстрировал мне свою спину. Через весь бок шел громадный красный рубец. И хоть я прекрасно знала, что Сашка врет от первого до последнего слова, однако рубец был настоящий, и это испугало.

— Как тебя угораздило? — пролепетала я.

— Как, как... Война, Машка. Уж совсем помирать собрался... По сию пору болит, стерва.

— Правда болит? — вздохнула я.

— А то... Особенно в дождливую погоду.

Он заправил рубаху, сел и уставился на меня, не моргая. Я допила чай и заявила:

— Отцу ничего не рассказала, потому что пожалела тебя, дурака. Он бы тебя из-под земли достал...

— Я ж понимаю и со всем заранее согласный... На ночлег оставишь?

— Ну ты и нахал, — подивилась я.

— Нет. Просто знаю: сердце у тебя доброе, не можешь ты выгнать меня на улицу, точно кота блохастого.

— Ты негодяй, Багров, — сурово отрезала я.

— Я тебя предупреждал: со мной — не сахар. А ты:

Сашка, я тебя люблю и все такое, а как до дела дошло, туда же: негодяй. Вот ведь ваша бабья натура какая...

— Хорошо. Живи, — кивнула я. — Располагайся, а мне по делам надо.

— По каким делам? — насторожился Багров.

— Тебя они не касаются.

— Почем я знаю, может, ты отцу нажалуешься и он из меня шашлык соорудит.

Я посмотрела на Сашку, покачала головой и пошла к двери.

— Ладно, это я так, больше для порядка... — вздохнул он. — А ты надолго уходишь?

— Как получится, — ответила я. — Заскучаешь, так скатертью дорога. Конечно, ты меня сегодня спас, и я тебе за это очень благодарна, но все равно ты врун и мерзавец.

Я удалилась под грустным Сашкиным взором, черти в его зрачках запечалились: сидели смирно, сложив лапки и хвосты, если при этом и строили рожи, так самую малость.

Я поехала в ресторан, где имела длительную беседу с Денисом, после чего навестила отца. Дома его не оказалось, я бродила по комнатам и пыталась решить: должна я рассказать ему о гибели Валеры или нет? Если рассказывать, то все... А этого, по некоторым причинам, мне не хотелось. Если я пойду в милицию (кстати, идти я обязана), придется рассказать про Багрова и там. Как это отзовется на его биографии, еще вопрос. Можно придумать сказочку о том, что от убийц я сбежала, только кто в нее поверит? А если я расскажу об убийстве, но умолчу о похищении, это уж вовсе глупо: как я в этом случае помогу следствию? Чего доброго подозрение упадет на отца...

Промучившись с пару часов, я не смогла прийти к определенному решению и в конце концов ограничилась полумерами: позвонила из автомата в милицию и скороговоркой выпалила об убийстве и красном

«Опеле», но о даче промолчала: Сашкины дружки могут рассердиться, а зла ему я не желала. Вот ведь незадача...

Разозлившись на себя и на весь мир, я поехала домой. Отца с Юлькой встретила на перекрестке, они возвращались с дачи.

— Ты чего в городе? — крикнул папа, открыв окно, я в ответ махнула рукой и сморщила нос. Мы разъехались. Разумеется, я так ничего и не рассказала отцу, неожиданно зло подумав: с Багровым разберусь сама...

Сашка стряпал ужин, наведя ревизию в моем холодильнике. Прошлогодний фартучек выглядел на нем очень миленько, дверь он передо мной распахнул на возможную ширину, высмотрев меня в окно.

— Привет, — хмуро бросила я, стараясь не обращать внимания на явное подхалимство.

На столе стояла бутылка мартини и торт. Этого в моем холодильнике не было.

— Праздничный ужин, — хмыкнул Сашка. — По случаю нашей встречи. Не знаю, как ты, а я очень рад.

— Я тоже рада, — вздохнула я, вымыла руки и села за стол.

— Выпьем? — предложил Сашка и разлил мартини.

Мы выпили, я упорно избегала его взгляда, стараясь избавиться от совершенно ненужных мыслей. Багров, уловив мое настроение, затих, говорил мало, все больше вздыхал и ласково на меня посматривал.

— Пора спать, — с трудом высидев час, заявила я, решительно поднимаясь.

— Посуду я вымою, — улыбнулся он, а я ушла в комнату, вытащила из кладовки раскладушку и с нею вернулась в кухню. Раскладушка вызвала у Сашки недоумение.

— Спать будешь здесь, — сурово возвестила я.

— Какая-то она хлипкая, — засомневался он. — Может, мне лучше лечь на полу?

— Пожалуйста, только в кухне.

Я принесла белье, подушку и одеяло, поплотнее закрыла дверь в комнату, изо всех сил стараясь не думать о Сашке. Это мне почти удалось, к тому же мартини возымело самое благотворное действие, и через полчаса я уснула.

Где-то после полуночи открыла глаза, кухонная дверь скрипнула, а я вспомнила, что на кухне Сашка.

«Быть этого не может», — подивилась я, дверь опять скрипнула, я прислушалась, но ничего заслуживающего внимания уловить не смогла.

Таращила глаза в темноту, ворочалась и в конце концов решила сходить в туалет. Дверь в кухню была приоткрыта, я не удержалась и заглянула, просто чтобы убедиться, что Сашка в самом деле здесь и никуда не сбежал.

Лунный свет заливал помещение, Сашка лежал головой к окну, почему-то бледный, со следами страданий на лице. Глаза закрыты. Я на цыпочках шагнула к туалету, и тут Сашка отчетливо простонал. Я замерла, шевельнула ушами и дала себе слово не обращать внимания на все эти фокусы.

Багров вроде бы скрипнул зубами, а потом простонал вторично.

— Ты чего? — не выдержала я и заглянула в кухню, голос мой звучал без намека на любезность, я сурово нахмурилась, давая понять, что дешево меня не купишь.

— Я тебя разбудил? — виновато осведомился Сашка, скривился и попробовал лечь поудобнее. Движения давались ему с трудом.

— Ты чего? — совершенно иным голосом спросила я.

— Завтра дождь будет, — вздохнул Сашка и добавил: — Разболелась, проклятая...

Я подошла поближе, присела и внимательно посмотрела в его лицо, напомнив себе: каким бы жуликом Сашка ни был, рана на боку настоящая.

Я коснулась ладонью его лба, мне он показался горячим, измученные глаза смотрели умоляюще.

— Ты чего? — в третий раз задала я вопрос, вышло испуганно.

— Черт его знает... лихорадка. Трясет всего. Не могу согреться. Машка, в пиджаке у меня таблетки, принеси сразу три.

Таблетки в самом деле были. Этикетка на тюбике отсутствовала, я понюхала лекарство, высыпала таблетки на ладонь, взяла одну и разжевала. На вкус аскорбинка. Я покачала головой и вернулась к Сашке, дала ему лекарство и стакан воды.

— Спасибо, — тихо сказал он и прикрыл глаза.

— Если что понадобится, позови, — сказала я.

— Ты уходишь? — Глаза его вновь открылись. — Посиди со мной немного, — попросил он жалобно. Я села по-турецки на пол, уставившись на Сашку, он сграбастал мою руку и «запел»: — Я, когда в госпитале валялся, все о тебе думал. Боялся, помру, так тебя и не увидев. Душа у меня изболелась, ну... за то, что правду тебе не сказал.

— А сейчас скажешь? — съязвила я.

— Машка, мне самому это задание не по нутру было. Честно. Я ведь как рассуждал: разозлишься ты на меня и думать забудешь... Может, и к лучшему. Муж из меня никудышный... Из госпиталя несколько раз хотел письмо отправить, три месяца у меня под подушкой лежало, но не рискнул, уж больно подло выходило: мол, испугался, что коньки отброшу, и про тебя вспомнил, а на что тебе инвалид, раз здоровый сбежал без оглядки?

Стало ясно: Сашка окончательно заврался, на инвалида он походил так же, как я на Геракла. Тут я опять вспомнила про шрам и внимательно посмотрела в его глаза. Ни одного черта в них не наблюдалось.

— Ладно, — сказала я, поднимаясь. — Лекарство начнет действовать, ты уснешь. И мне пора.

Однако Сашка мою руку не отпускал.

— Думаешь, я просто так объявился в этом городишке? Душа у меня болела.

— Ты вроде говорил, у тебя задание? — подивилась я.

— Задание — одно, а душа — другое.

Сашка резко приподнялся, одновременно дернув меня за руку, и я рухнула ему на грудь.

— Не трогай меня, — заявила я грозно, но и я и Сашка знали — это я так, дурочку валяю.

Через пару минут мы обнялись, а еще через полчаса я призналась Багрову в любви, он неожиданно заявил, что тоже меня любит и вообще всячески развивал эту тему, чем вызвал некоторое удивление: год назад такие разговоры он не приветствовал.

Утром, услышав шум в прихожей, я с трудом продрала глаза. Хлопнула входная дверь. Я испугалась, но, почувствовав на груди Сашкину руку, успокоилась, приподняла голову и увидела Юльку. Та стояла на пороге кухни, вытаращив глаза, за ее спиной стоял папа. Про выражение его лица мне и вовсе говорить не хочется.

— Здравствуй, Машка, — брякнул он, попятился и сказал: — Извини.

Юлька закрыла дверь, а Багров проснулся.

— Одевайся, — зашипела я.

— А? — спросил он, туго соображая спросонья.

— Папа пришел.

— Что? — Сашка окончательно проснулся и стал натягивать штаны. Я решила пояснить:

— Он не из-за тебя пришел, а просто... Не дергайся.

Как выяснилось позднее, папа с Юлькой приехали сообщить мне скорбную весть о гибели Валеры, ну и поддержать в трудную минуту. Однако, застав наги-

14-1133

шом в собственной кухне в обнимку с Багровым, начисто забыли, зачем прибыли.

Через полчаса мы чинно сидели за столом и пили чай. Папа старался преодолеть смущение и был со мной преувеличенно ласков, поглядывал на Сашку и вздыхал. Багров демонстрировал свои лучшие качества: скромность, уважение к старшим и большую любовь ко мне. Юлька сверлила его взглядом и хмурилась.

— Давно в наших краях? — спросил папа.

— С неделю, — ответил Сашка. Папа покосился на меня, крякнул и вновь спросил:

— Надолго?

Сашку вопрос поверг в раздумье.

— Не знаю, — неуверенно сказал он. — Это зависит от Марьи Павловны.

От меня тут, конечно, ничего не зависело, но я на всякий случай улыбнулась.

Высидев минут сорок, папа с Юлькой отбыли, причем она без намека на вежливость сказала:

— Жду тебя на работе.

Папа ничего не сказал, пожал Сашке руку, меня чмокнул в лоб и удалился.

Я мыла посуду, а Багров бродил по квартире и насвистывал. Выглядел он невеселым, должно быть, решив, что, если смоется теперь, мой отец уж точно его из-под земли достанет и погонит под венец. Совершенно напрасно беспокоился, между прочим.

— У тебя есть какие-нибудь дела? — спросила я, закончив возню с посудой.

— Нет. Откуда? То есть на данном этапе никаких дел.

— Тогда готовь обед, а мне надо съездить к Юльке.

— Ага... Не скажешь, что твой отец очень обрадовался. Да и подружка его тоже. Будут воспитывать?

— Возможно.

Я помахала ручкой и отбыла. За углом в тени тополей стоял темно-зеленый «Шевроле», я села рядом с водителем и кивнула:

— Привет.

— Привет, — улыбнулся Денис.

Мы немного подождали, глядя на дверь моего подъезда. Через пятнадцать минут появился Сашка. Огляделся, сунул руки в карманы брюк и весело зашагал к остановке. От стоянки возле третьего дома отделились бежевые «Жигули» и ненавязчиво пристроились за Багровым.

— У меня один вопрос, — хмыкнул Денис. — Мне Павел Сергеевич за эту самодеятельность башку не оторвет?

— Нет, — утешила я его, вздохнула и спросила: — Узнал что-нибудь?

— Конечно. С чего начинать: Валера или Багров?

— Валера... — вздохнула я.

— Здесь все более-менее ясно. Любовь он крутил с одной дамочкой. Муженек у нее водит дружбу с Гребловым... Ты ведь о нем слышала?

— Слышала, — кивнула я.

— Ну... Валеру предупредили: мол, завяжи, себе дороже. И он совету внял. А вот бабу здорово распирало, и она не давала прохода бывшему любовнику. Муж у нее хоть и бегает в шестерках, вообразил себя крутым, вот и нанял одного из своих дружков... Дальше ты знаешь. Ребяткам уже шепнули, чью дочь они ненароком прихватили, и город они покинули...

— Ясно, — вздохнула я, теперь некоторые странности Валериного поведения объяснялись просто. — А Багров?

— О том, где его год носило, ничего конкретного. Возможно, и вправду был в Чечне. Здесь у него дружок имелся: Тимур Исмаилов. Две недели назад разбился на машине, въехал в бетонное ограждение моста...

— Разбился?

— Повода думать, что это убийство, нет. Исмаилов

тихо обделывал свои делишки, никому не мешал, человеком слыл не бедным, но после похорон никаких следов большого богатства не обнаружили. Родственников он здесь не имел, но в записной книжке на первой странице был записан телефон, по которому следует звонить, если с хозяином что-то случится. По телефону позвонили, и вскоре объявился Багров. Похоронил дружка и несколько дней болтался по давним знакомым без видимой цели.

— Думаю, на самом деле цель у него есть. Он сказал, ему пару дней надо в городе перекантоваться. Что-то его здесь держит.

— Деньги? — спросил Денис.

— А что же еще?

Мы продолжили разговор, правда, не в машине, а в ближайшем кафе. А потом отправились на работу.

Лицо Юльки напоминало Медузу Горгону.

— Где твоя гордость?! — рявкнула она, как только я переступила порог ее кабинета. — Стоило ему появиться, и он уже в твоей постели... А чего это он приперся? — догадалась спросить она.

Я взяла стул, села на него верхом и принялась вправлять подружке мозги. Первые пятнадцать минут она хмурилась, потом насторожилась, после чего начала ухмыляться. Потрепала меня по плечу, поцеловала в макушку и заявила:

— Иногда я сгоряча могу брякнуть лишнее.

— Извинение принято, — кивнула я и добавила: — Папе ни слова.

— Само собой, — обиделась Юлька. — Что я, совсем без понятия?

Дома меня ждал обед и улыбающийся Сашка. Я похвалила его кулинарные способности, а он стал расспрашивать о моей работе, ну и о том, как я жила этот год. Я побаловала его рассказами об Индии и

Египте, Сашка завистливо вздыхал, а веселые черти в его глазах нахально строили мне рожи.

Потом я предложила прогуляться, но Сашке эта идея не приглянулась. Очень скоро мы оказались на моем диване, о чем я, признаться, нисколько не сожалела.

Вечер плавно перешел в ночь, а диван мы так и не покинули. Последующие два дня прошли в любви и согласии. После бурной ночи, в половине четвертого утра, я тихо поднялась, выскользнув из рук крепко спящего Сашки, прошла в ванную, надела футболку, а также умылась и причесалась. После этого вернулась в постель и возложила Сашкины руки на свои плечи.

В четыре входная дверь тихо открылась, затем закрылась, из прихожей донесся звук шагов, и в комнату ввалились трое верзил в масках. В руках они держали пистолеты.

Я вытаращила глаза и слабо взвизгнула.

— Заткнись! — крикнул один из троицы, я заткнулась, а Сашка проснулся.

— Здорово, Саня, — весело поприветствовал его слева стоящий тип, ткнув пистолетом в затылок.

— Здорово, мужики, — обалдел Сашка. — Откуда вас черт принес?

— Думал, спрячешься у своей бабы, так мы тебя не найдем?

— А на что я вам сдался? — удивился Багров и сел в постели, поочередно пялясь на каждого из троицы.

— А то не знаешь? — хмыкнул крайний слева, он, как видно, был за главного.

— Вот те крест, не знаю, — истово перекрестился Сашка, посмотрел на меня и добавил: — Парни, если вы местные, должны знать, в чью квартиру ненароком вломились. На девчонку вам даже глаза пялить не советую, а уж пальцем тронуть врагу не пожелаю.

— Девчонка нам без надобности, — проворчал главный. — Гони бабки и расходимся по-доброму.

— Какие бабки? — испугался Сашка.

— Он еще дурачка из себя строит, — разозлился тип у двери и гаркнул: — Подъем, ребятки!

Нас рывком подняли с постели, Сашка, матерясь, пытался влезть в штаны, я натянула шорты, испуганно поглядывая на типов в масках, жалобно пролепетала:

— Сашка, — и ухватилась за него.

— Не боись, — сказал он. — Дяди совсем не злые. Они просто путаники.

— Ага, — обрадовался главный, ткнул Сашке в спину пистолетом и сказал: — Топай. А ты держи девчонку, — кивнул он дружку. — Если этот умник попробует дернуться, можешь смело ее укокошить.

— Про девчонку я вам уже сказал, — разозлился Сашка. — Если вы не совсем придурки, пальцем ее не тронете...

— Не тронем, если вести себя будешь прилично. И не заставляй нас нервничать.

Сашка шел впереди, рядом с ним двое в масках, а на приличном расстоянии я со своим конвоиром. Дуло пистолета упиралось в бок, вызывая некоторое раздражение. Таким образом мы вышли из дома и загрузились в стоящий у подъезда джип «Шевроле» зеленого цвета. Парни стянули маски, и очам моим предстали три злодейского вида физиономии.

— Мужики, — нахмурился Сашка, — а вы меня ни с кем не спутали? Я вас первый раз в жизни вижу.

— Ничего, — ответил шатен со свежим шрамом на подбородке. — Сейчас познакомимся.

— Девчонку вы зря прихватили, — не унимался Сашка. — Вы спросите у нее, как зовут отца...

— Да не волнуйся ты так, — хмыкнул шатен. — Мы знаем, как его зовут, и не очень боимся. Не страшно чегой-то.

Разместились мы в машине таким образом, что я оказалась зажатой между двумя парнями, а Сашке сковали руки браслетами и поставили на колени в очень замысловатой позе.

Наши шансы удрать равнялись нулю, даже Сашкин оптимизм начал трещать по швам, он поскучнел, а очень грустный черт в его зрачке почесался досадливо и стал разглядывать свой хвост, точно хотел сказать: «Да, брат Сашка, дело наше дрянь».

«Шевроле» летел по пустынным улицам на бешеной скорости, пейзаж мелькал за окном, а я боялась шевельнуться, открыть рот или сотворить какую иную глупость.

Куда держат путь наши похитители, определить было трудно, одно я знала наверняка: из города мы не выехали. Тут «Шевроле» притормозил, а потом и вовсе остановился. Шатен вышел, распахнул дверь и радостно возвестил:

— Приехали.

Меня легонько подтолкнули в спину, и я торопливо покинула машину. Сашке отвесили пинка, и он очутился на асфальте еще торопливее.

У меня появилась возможность осмотреться, и я ею воспользовалась. Привезли нас на какой-то завод. То есть данный объект не так давно был заводом, теперь же корпуса зияли разбитыми стеклами, все двери покорежены. Осколки кирпича и мусор довершали картину всеобщего разорения. Стало ясно, что рассчитывать в таком месте на спасение — дело зряшное. Сомнительно, что появится хоть одна живая душа, не считая бродячих собак, да и им здесь особо делать нечего: пропитанием не пахнет, а битые стекла их вряд ли заинтересуют.

Сашка огляделся и загрустил так же, как я. Между тем один из парней сел в сторонке на бетонный куб, поставленный здесь для неизвестной надобности, и присматривал за нами, держа в руках пистолет, хотя, может, это был и не пистолет вовсе, а, к примеру, револьвер, я в этом не очень разбираюсь, да и какой мне прок от названия, если я точно знаю, что эта штука стреляет, и когда в тебя ею тычут, лучше стоять смирно и не раздражать человека по пустякам.

Двое других парней развили к этому моменту бурную деятельность. Кое-какие приготовления мне очень не понравились. Метрах в десяти от нас лежала здоровенная такая катушка с намотанным на ней кабелем. Катушку сдвинули в сторону, и под ней обнаружилась железная труба, шириной примерно с деревенский колодец. Даже с моего места было видно, что труба почти доверху заполнена водой, до соприкосновения с катушкой оставалось не более полуметра пустого пространства.

— Ну что, Багров, — весело спросил шатен, — надумал?

— В каком смысле? — удивился Сашка, заметно печалясь.

— В смысле наших денег.

— Какие деньги, мужики? — заволновался он. — Провалиться мне на этом месте, если за душой есть хоть копейка. Да и откуда ей взяться?

— Да ну? — обрадовался шатен. — Расскажи нам про свою бедность. Может, ты на завод устроился гайки крутить за пару сотен?

— Нет, — помотал головой Сашка. — Я в вашем городе проездом. К тому же с пустыми карманами. В дороге поиздержался. Вот хоть убейте...

— И убьем, не печалься. А бедность нам твоя известна... Не ты ли ее папашу в прошлом году обул? Сведения из достоверных источников. Где деньги, придурок?

— Вон оно что! — обрадовался Сашка. — Нашел, что вспомнить. Сам говоришь: в прошлом году. Это триста шестьдесят пять дней. Да и много ли там было? Туда-сюда, девочки, картишки... Мамой клянусь — ни гроша за душой. — Сашка повернулся ко мне, зыркнул глазами и прошипел: — Твоя работа?

— С ума ты сошел, что ли? — вытаращила я глаза.

— Ладно, Багров, кончай базарить, — очень натурально вздохнул шатен. — Лезь в колодец.

Сашка поморщился и сделал попытку воспротивиться чужим намерениям, за что мгновенно получил по затылку и коленям, устроился на асфальте и застонал. Шатен весьма невежливо ткнул его ногой в живот и поинтересовался:

— Может, тебе для начала руки-ноги переломать?

— Не надо, — заверил Сашка.

— Тогда лезь, — кивнул тот.

И Сашка полез в колодец. Со скованными за спиной руками это практически цирковой номер. Сашка нахлебался воды, отплевывался, дышал с трудом, но, упираясь руками и ногами в стены трубы, смог держать голову на поверхности.

Шатен взирал на это с любопытством.

— Значит, так, Багров. Умника из себя строить завязывай. Деньги ее папаши — его проблемы, хотя мне бы они очень пригодились в качестве компенсации за моральный ущерб, причиненный тобой, потому как ты, видно, не в курсе, а дела такие: твой дружок Исмаилов, чтоб его черти слопали, очень мне задолжал и помер не ко времени. Улавливаешь? Верни деньги, гад, иначе загнешься в этой трубе.

— Спятили, — вытаращил глаза Сашка. — Ни о каких деньгах я знать не знаю. Приехал на похороны друга. Между прочим, хоронил на свои кровные...

Договорить ему не дали: шатен с дружком сдвинули катушку на прежнее место, напутствовав Сашку:

— Одумаешься, позови.

Мужики приготовились ждать, устроившись кто как смог. Шатен, к примеру, сел в машину, выставив ноги наружу и кивнул мне, мол, садись рядом, будь как дома, но я предпочла остаться на месте, замерев соляным столбом и, не отрываясь, глядела на катушку, под которой была труба, а в трубе Сашка. К этому времени он заскучал и, как видно, для поднятия духа запел «Раскинулось море широко». Пел не очень правильно, но с чувством.

Парни рядом курили и усмехались. Переслушав весь Сашкин репертуар по морской тематике, они выждали еще немного и подошли к трубе.

— Багров, — позвал шатен, — как тебе там?

— Нормально, — отозвался Сашка и исполнил что-то лирическое, о любви. Хватило его на час. Парни за это время тоже заскучали, как видно, их музыкальные вкусы не соответствовали Сашкиным, и вновь отодвинули катушку.

Хоть Багров и храбрился, но выглядел скверно. Силы его были явно на исходе, он замерз, посинел и заметно дрожал.

— Ну что ты дурака валяешь? — укоризненно спросил шатен. — Ведь сдохнешь в этой трубе. Пошто тебе тогда и деньги?

— Если сдохну, ты тоже не увидишь денег, — свредничал Сашка.

— Пусть так, зато я буду на своих ножках бегать, а ты свои протянешь.

Катушку водрузили на место, и парни вновь закурили. Сашка не пел и вообще не подавал признаков жизни. Это меня очень беспокоило. Шатен подошел к трубе и начал приставать к Багрову:

— Эй, герой, советую тебе правильно рассчитать свои силы. Потому что прежде, чем я тебя вытащу из трубы, кому-то из моих ребят придется съездить за денежками. Вряд ли они обернутся за пять минут. Будет очень обидно, если ты ненароком сыграешь в ящик. Я успел тебя полюбить, уж больно голос приятный...

— Да пошел ты... — ответил Сашка и начал свистеть, хватило его минут на пять, и он вновь притих.

— Вот сукин сын, — покачал головой шатен, позвал своих парней, пошептался, после чего катушку сдвинули, а Сашку, как кота за шкирку, вытащили из трубы. Стоять на ногах он не мог, рухнул на асфальт, вытянул ноги и стонал, смешно сморщившись. Впрочем, смешно не было. Ни мне, ни Сашке. — Нудный ты тип, Багров, — опечалился шатен и кивнул мне. — Ну-ка, иди сюда, детка. — Я на всякий случай побледнела и сделала пару шагов назад. — Давай-давай! Видишь, выдохся твой приятель, придется тебе малость посидеть за него.

— В трубе? — пролепетала я. — Извините, но я не умею плавать.

— Выходит, не повезло тебе.

Парень сгреб меня за шиворот, невероятно легко приподнял и швырнул в трубу. Я ухватилась руками за ее края, в ужасе забыв даже заорать погромче, шевелила ногами и таращила глаза. Сообразив, что катушку сейчас водрузят прямо на мою голову и руки, я беззвучно заревела, с твердым намерением моментально скончаться.

Сашка встал на четвереньки, посмотрел в мою сторону и сказал:

— Вытащи ее оттуда.

— Конечно. Как только ты мне скажешь, где деньги. Не скажешь — твое дело. Только потом не вали с больной головы на здоровую: загнется девчонка — твоя вина.

— Ее отец тебя на куски разрежет, — с отчаянием проронил Багров.

— Очень даже может быть. Потому я хочу получить свои денежки и поскорее смыться.

Белый свет сузился для меня до размеров щели, а Сашка заорал:

— Вытащи ее! Деньги в квартире Тимура!

— Врешь, гад. Мы там все перерыли.

— Охотно верю, только деньги я получил вчера. И оставил в его квартире, был убежден, что второй раз там искать не будут. На полке стоит коробка со старыми журналами, деньги под ними. Полка в прихожей, даже такие мудаки, как вы, должны ее заметить. — В этом месте шатен навернул ему ногой по ребрам, а Сашка добавил: — Вытащите ее.

— Ничего не выйдет, — улыбнулся шатен. — Я тебя предупреждал: рассчитывай время правильно. Девчонка посидит там, пока ребята не съездят к Тимуру. Ты у нас шутник, а мне нынче не до шуток.

Я всхлипнула и начала отчетливо клацать зубами: вода в трубе была очень холодная.

— Вытащи ее! — разозлился Сашка, пытаясь сесть поудобнее, то есть он пытался подняться, но сообразил, что это ему не по силам, и сейчас хотел придать своему туловищу положение, в котором удобней гневаться, потому что гнев на четвереньках особого впечатления не производит.

— Вытащу, — кивнул шатен. — Но в этом случае в трубу полезешь ты. Решай быстрее. У меня нет времени.

— Ладно, — тяжело вздохнул Багров. — Полезу.

К великому моему облегчению, меня извлекли из трубы, и в нее, кряхтя и постанывая, влез Сашка.

— Поторопи своих парней, — сказал он шатену со вздохом.

Катушку сдвинули, Сашка исчез из поля моего зрения, парни загрузились в «Шевроле» и через полминуты скрылись, а я кинулась к трубе. О том, чтобы сдвинуть катушку с места, не могло быть и речи. Моих сил на это просто не хватит. Поэтому я присела рядом и жалобно позвала:

— Саша, как ты там?

— Нормально, — ответил он.

— Они уехали, а меня почему-то оставили здесь. Ты им правду сказал?

— Правду, — с тяжким стоном отозвался Сашка.

— Надо нам убираться отсюда, — мудро рассудила я. — А то как бы они не вернулись.

Я все же попыталась сдвинуть катушку, Сашка силился мне помочь. Поскольку руки у него были скованы, старался в основном головой. Много пользы наши старания не принесли: если катушка и сдвинулась, то только на несколько сантиметров.

— Машка, найди какую-нибудь палку покрепче, чтобы можно было использовать как рычаг. И побыстрее, пожалуйста. Иначе я тут загнусь.

Я кинулась искать палку, через несколько минут нашла кое-что получше: внутри одного из корпусов прямо возле двери стоял лом, кстати, очень тяжелый. Бегом вернувшись с ним к Сашке, я сунула лом в образовавшуюся щель и, налегая всем телом, смогла сдвинуть проклятую катушку. Не до конца, конечно, но Сашка с большим трудом и моей помощью вылез в отверстие и мешком свалился на асфальт. Я его обняла, поцеловала, всхлипнула, трижды пробормотала: «Сашенька», — и заревела в полную силу.

Сашка лежал, вытянув многострадальные ноги, устроив голову на моих коленях, смотрел в небо и сам чуть не плакал.

— Тебе больно, Сашенька? — перепугалась я.

— Еще бы. Там тридцать тысяч баксов.

— Подумаешь, баксы, — решила я его утешить. — Главное, что ты жив и здоров. В прошлый раз, когда ты меня бросил, я вовсе не о долларах думала, а о том, что ты меня не любишь.

— Я тебя люблю, — осчастливил меня Сашка, — а вот баксы меня — нет. А я уже успел к ним привязаться. Самое паршивое, что они чужие и надо их как-то отдавать.

Я его поцеловала, чтобы он ненадолго заткнулся, и сказала:

— Саша, как же снять наручники? Нам здесь оставаться нельзя, а в наручниках по городу не пойдешь. Может, ты полежишь, а я сбегаю, позвоню папе...

— Вот только никакой самодеятельности. Мне совершенно не хочется встречаться с твоим папой через такой короткий промежуток времени. Да и ему мой вид настроения не прибавит. Не стоит позориться перед будущим родственником.

— Что ж тогда делать? — задумалась я.

— Оттащи меня отсюда подальше, вон туда, за

угол. И беги за машиной. Денег у тебя с собой, конечно, нет?

— Нет. Но это ерунда. Я быстро, Сашенька. Главное, ты не волнуйся.

Подхватив Багрова под мышки, я поволокла его к ближайшему зданию. Он изо всех сил помогал мне. Устроив его в уголке, я рысью кинулась с территории завода, или что это там было, на ходу пытаясь сообразить, в какой части города нахожусь. Пробежав не менее двух километров, я увидела впереди жилые дома, с сомнением покосилась на свой внешний вид (после купания в трубе футболка, шорты и я сама выглядели скверно). Однако было еще рановато, и обилия граждан на улице не наблюдалось.

Тут я наконец смогла сориентироваться и вскоре вышла на улицу Чапаева, отсюда было рукой подать до проспекта Мира, а уж на проспекте даже в семь часов утра с такси проблем нет. Так оно и оказалось.

Водитель, оторвавшись от газеты, посмотрел на меня так, словно я явилась из преисподней, покачал головой, но домой повез.

— Пожалуйста, подождите минут десять, — попросила я возле подъезда. — Я только переоденусь.

Дверь квартиры была заперта, но ключ лежал под ковриком. Для начала я вынесла водителю деньги, чтобы он особенно не переживал, потом вернулась в квартиру, переоделась, придала волосам и лицу пристойный вид и спустилась вниз. Такси стояло возле подъезда, а моя машина на стоянке неподалеку от дома. Водитель успокоился, поглядывал на меня с удовольствием, должно быть, простив к этому моменту грязную майку.

Возле стоянки мы расстались, я села за руль своей «девятки» и понеслась в сторону улицы Чапаева, беспокоясь про себя: как бы не заплутаться. Опасения оказались напрасными. Минут через двадцать я уже тормознула возле проклятущей трубы, открыла дверь машины и громко позвала:

— Сашка.

— Здесь я, — слабым голосом отозвался он. Багров сидел в том самом углу, где я его пристроила, а выглядел так паршиво, что здорово меня напугал.

— Саш, ты чего, а? — промямлила я, помогая ему подняться.

— Худо мне, Машка, — сказал он жалостливо и с большим трудом побрел к машине, опираясь на мое плечо. Устроился на заднем сиденье и время от времени глухо стонал. — Ты куда едешь? — поинтересовался он через несколько минут.

— Домой, — удивилась я.

— Эти чертовы наручники надо как-то снять. Поезжай лучше в гараж. Есть там у тебя какие-нибудь инструменты?

Наверняка я этого не знала, но думала, что должны быть.

Инструмента оказалось более чем достаточно, гараж у нас огромный, на двоих с папой, правда, с тех пор, как папа переехал в новый дом на Перекопской, где тоже был гараж, сюда он машину не ставил, но всякого железа по углам валялось предостаточно, и я принялась освобождать Сашку. Жаль, что ему просто не связали руки, наручники — это все-таки не очень хорошая идея.

Намучились мы изрядно, в основном мучился Сашка, громко орал и матерился, но и мне, конечно, досталось. Освободившись в конце концов, Сашка растер запястья, вздохнул с заметным облегчением, а потом обнял меня. Этому я очень порадовалась и тоже его обняла, пролепетав с дрожью в голосе:

— Я так перепугалась...

— Ерунда, — заверил Сашка, поцеловал меня в нос, хмыкнул, а вслед за этим тяжко вздохнул. Черти в его зрачках замерли в позе роденовского мыслителя и думали думу.

— Домой поедем? — засуетилась я.

— Поедем, — кивнул Сашка, как видно, не измыслив ничего стоящего.

Дома он прошелся по квартире, лег и стал очень походить на умирающего: мало говорил, был грустен и вроде бы тихо угасал. Хоть я и знала, что верить Сашке ни при каких обстоятельствах нельзя, но испугалась.

— Сашенька, — позвала я тихонько, сев рядом. — Как ты себя чувствуешь?

— Хреново, — честно ответил он. — Насиделся в этой чертовой бочке, хорошо, если воспалением легких отделаюсь.

Я пощупала его лоб. Лоб как лоб, но в целом Сашка продолжал выглядеть смертельно больным, и это меня смущало.

— Может, «Скорую» вызвать? — предложила я, потихоньку впадая в отчаяние.

— Не надо. Выкарабкаюсь... Самое скверное, что времени у меня почти нет.

— На что? — не поняла я.

— На то, чтобы найти деньги.

— Ты хочешь найти деньги, которые у тебя сегодня отобрали? — удивилась я.

— Нет. Это вряд ли. Ребятишки деньжата получили и скорее всего смоются из города или залягут на дно. Конечно, отыскать их можно, но с дружками я поссорился, а один в поле не воин.

— Так какие деньги ты имеешь в виду? — не унималась я. Сашка застыдился.

— В карты я продулся. Десять тысяч баксов. Через несколько дней человек, которому я должен деньги, приедет сюда...

— Подумаешь, — пожала я плечами. — Найду я тебе деньги... Займу у папы. Если ты, конечно, пообещаешь, что прекратишь в карты проигрывать, то есть играть. В конце концов, ты меня спас, и папа...

— Вот только папы твоего не надо... Как-то это несолидно просить твоего папу оплатить мой карточный долг. Вряд ли отцу такое понравится... Мне бы точно не понравилось... Ладно, Машка, не расстраивайся, — заявил он, обнял меня и прижал к груди. Надо сказать, прижимал он с большим усердием. — Что-нибудь придумаю.

— Не надо ничего придумывать, я возьму у отца деньги, скажу... все равно что. Это не та сумма, из-за которой папа будет задавать вопросы.

— Да? — не поверил Сашка и на всякий случай прижал меня еще крепче. — Неплохо идут дела у твоего папули...

Так как на смертельно больного он теперь походил гораздо меньше, я устроилась рядом с ним поудобнее и вскоре достигла желаемого: Сашка прямо-таки на глазах пошел на поправку. По крайней мере, маячившая на горизонте пневмония на его способностях никак не отразилась, и мы провели остаток дня в любви и согласии, дважды выбираясь из постели на кухню: что-нибудь перехватить. Сидя напротив возлюбленного и пребывая в блаженно-заторможенном состоянии, я спросила:

— Сашка, а ты правда кто?

— Ну... — почесал он за ухом. — Хороший человек, наверное.

— Хороший — это ты загнул, — хмыкнула я.

— Если и загнул, то самую малость. А пережить мне довелось всякого. Вот ты, к примеру, не веришь, что я милиционер?

— Конечно, не верю. С ума я сошла, что ли?

— А вот и зря. Я был ментом десять лет.

— Сколько?

— Десять, — глазом не моргнув, сказал Сашка. — И в шестом отделе работал. Потом меня, правда, выгнали. Заехал одному подлюге по морде, а время для сей акции выбрал неудачное.

— А в тюрьму ты как попал? — скривилась я.

— В тюрьму я не попадал, а отправился совершенно добровольно. Выполнял задание. Нужно было подобраться к одному человеку, но это я тебе потом расскажу. А вот про деньги, которые увел год назад... Это ж не для себя, вот те крест. Задание такое было. А у меня к нему душа не лежала с той самой минуты, как я тебя увидел. Потому что, пока мы до деревни ехали, я в тебя уже влюбился. Каково мне было, Машка? Просто наступал на горло собственной песне...

— Совсем ты, Багров, заврался, — разозлилась я и стала убирать со стола посуду. Он схватил меня за руку, подтянул к себе и заявил совершенно серьезно:

— Просто ты не помнишь, как тогда все было. Я ж по ночам не спал, все на тебя смотрел и думал, какой я сукин сын и все такое...

Тут я совсем некстати вспомнила, что один такой случай действительно имел место: Сашка не спал, курил на балконе и явно был несчастен. Я нахмурилась, а он усадил меня на колени и с чувством поцеловал.

Через двадцать минут я готова была поверить, что Сашка выполняет сверхсекретную миссию и прибыл на землю на межгалактическом корабле с созвездия альфа Центавра.

— Ты все врешь, — на всякий случай пролепетала я. Сашка уже волок меня в комнату, тряс головой, таращил глаза и клятвенно заявил:

— Про ФСБ не вру.

— Про какое ФСБ? — совершенно ошалела я.

— Тогда этим делом ФСБ занималась, — сообщил Сашка, укладывая меня и сам укладываясь рядом. — Я имею в виду твоего отца.

— Отца? — Я закашлялась, точно подавилась, Сашка легонько похлопал меня по спине и сказал:

— Конечно. Его хотели завербовать. Но потом что-то в верхах не заладилось. Мне сказали, бери деньги и мотай отсюда. Против приказа не попрешь, я и умотал.

— Постой. — Я села в постели, косясь на Сашку. Черти напрочь отсутствовали. Глаз честнее я сроду не видывала.

— Я лучше полежу, — сказал он.

— Что? — не поняла я. — А... Лежи, конечно. Ты хочешь сказать, что в тот раз меня похитил по приказу ФСБ?

— Само собой. Ты думаешь, я в том лесу случайно появился, и машина у тебя случайно сломалась? Ох, Машка, до чего ты наивная, за что и люблю... Они, начальство то есть, хотели, шантажируя твоего отца, принудить его к сотрудничеству. Там, — Сашка ткнул пальцем в потолок, — отлично знали, что он любит тебя больше жизни. Что совершенно естественно. Я тебя, к примеру, тоже больше жизни люблю, что и доказал сегодня, сидя в бочке.

— Спасибо, — машинально кивнула я.

— Да ерунда, мне это даже в радость. Ну вот, затеяли они это подлое дело, а я, как тебя увидел, сразу понял, не видать мне очередной звездочки. Уж как не хотелось в тебя влюбляться, но против судьбы не попрешь. А там эти козлы вдруг все переиграли, велели брать деньги и когти рвать. — Сашка тяжело вздохнул. — И на те денежки славненько погуляли... Я имею в виду, мудаки эти, потому что в детский приют они их точно не понесли... — Обиженно махнув рукой, Багров заявил: — Сволочи продажные... — Обнял меня и закончил свой рассказ: — В общем, отцы-начальники разделили бабки, а меня, значит, в Чечню, чтоб глаза не мозолил. — В этом месте Сашка закручинился, повесил нос и тихо, но с большим чувством продекламировал: — Я о тебе все думал. И днем и ночью. Особенно, когда в госпитале лежал...

Потом смахнул слезу, которой не было, обнял меня и от болтовни с ходу перешел к делу. Так как делом Сашка занимался лучше, чем врал, я резко поглупела и даже всплакнула, на минуту представив, что раненый Сашка валялся в госпитале, а я в это время раскатывала по всяким там Египтам и от души веселилась. Я попросила у него прощения за это, и Сашка великодушно простил. Мы обнялись и вроде бы уснули.

Через полчаса Багров приоткрыл один глаз и покосился на меня, потом я приоткрыла другой и покосилась на него. Стало ясно: мы любим друг друга.

Утром я возилась в кухне и размышляла. Кое-что из рассказанного вчера Сашкой мне не нравилось. Багров вошел, радостно улыбнулся, гаркнул: «С добрым утром, Машка!» — и полез целоваться. А я спросила:

— Саша, а зачем мой отец понадобился ФСБ?

— Я тебе говорил, в каких чинах хожу? — скривился он.

— Вроде бы.

— Как видишь, чин у меня совсем дохлый, поэтому «зачем» мне неведомо. Мое дело выполнять приказ.

— Но мнение какое-нибудь у тебя на данный предмет есть?

— Мнение есть. В ФСБ кому-то что-то интересно, а твой отец... я ведь не в обиду, а для общего развития... твой отец в некоторых вопросах большой дока. Далее, может, ФСБ деньжата понадобились...

— В каком смысле? — выпучила я глаза.

— В самом банальном, — вздохнул Сашка. — Везде же люди... И в прошлый раз денежками не побрезговали. А ведь человек как устроен: прикормится, во вкус войдет.

— Я тебе не верю, — сказала я.

— Не верь. — Сашка вздохнул и запечалился. — Ты, Машка, газеты читай. Глянь, что творится вокруг. В наше-то время товарищу, с которым двадцать лет плечо к плечу... нет, бок о бок проработал, и то доверять нельзя. Всё сотню раз на корню перекуплено...

— А как же ты? — нахмурилась я.

— Я? — Сашка шмыгнул носом. — А у меня не все дома, оттого вместо звездочек на погонах дырка в боку.

Дырка, точнее шрам, действительно была, и я загрустила, вглядываясь в Сашкину физиономию. Один малюсенький чертенок выставил лукавую мордаху, подмигнул и исчез. Тут я вспомнила, что недавно смотрела по телевизору фильм. Там тоже сотрудники ФСБ занимались очень неблаговидным делом: торговали наркотиками и даже убили двух своих честных товарищей. Я еще раз посмотрела на Сашку, он, заприметив мою печаль, тяжко вздохнул и сказал:

— Времена нынче такие...

Я резала лук, готовясь кормить Багрова, и думала об отце. Зачем он в самом деле мог понадобиться ФСБ? Ничем таким он не занимается... хотя, достоверно, чем занимается отец, я не знала и знать не хотела. Может, Юльку спросить? Глупость, Юлька тоже не знает. Папа с ней о делах не говорит, а если она интересуется, смеется: «На базаре любопытной Варваре нос оторвали».

Ладно, ФСБ или нет, а дело это годичной давности, я в нем вряд ли разберусь, так что лучше не забивать голову и сосредоточиться на Сашке. Он не удрал, значит, действительно отдал все деньги, а без денег бежать не с руки, так что в ближайшие дни будет рядом. Однако с Сашкой никогда ничего не знаешь наверняка, поэтому приглядывать за ним стоит. Накормив Багрова, я сказала:

— Мне на работу пора.

— Ты в самом деле работаешь? — искренне удивился он. Пришлось рассказать о работе. Сашка порадовался за меня и спросил: — А можно я тебя встречу?

— Конечно. Приезжай пораньше, мы с тобой поужинаем и поедем домой.

— Ага, — кивнул он. — Пожалуй, я тебя и на работу отвезу. Делать мне все равно нечего.

Минут через сорок я вошла в свой кабинет и выглянула в окно: Сашка помахал мне рукой и отчалил на моей машине. Здесь уместно было бы подумать, а увижу ли я еще свою «девятку»? Однако в Сашку я верила: размениваться на мелочи он не станет.

Машина скрылась за поворотом, а в дверь тихо постучали и вошел Денис, держа под мышкой пакет. Положил его на стол и стал разворачивать.

— Сколько? — спросила я.

— Тридцать, — хмыкнул Денис.

— Отлично. — Я отложила несколько пачек и придвинула к нему. — Это вам.

Денис вздохнул, сунул деньги в карман и, глядя на меня с некоторой тревогой, осведомился:

— А Павел Сергеевич нам точно головы не оторвет?

— Точно, — заверила я.

— Может, стоит сказать ему?

— Нет, Денис. Это мое личное дело.

Он кашлянул, посмотрел с печалью, еще раз вздохнул и удалился. Вслед за ним пришла Юлька.

— Что это? — кивнула она на деньги.

— Ты же видишь. — Я убрала деньги в сейф.

— Откуда? — спросила подружка.

— Багров подарил, то есть он их не дарил, конечно, но так выходит.

Юлька округлила глаза, и мне пришлось рассказать о «похитителях», трубе и наручниках. Юлька хохотала до слез, потом смеяться ей надоело, она неожиданно загрустила и поинтересовалась, внимательно глядя на меня:

— И что теперь?

— Не знаю.

— А вдруг он опять сбежит?

— Возможно, — уклончиво ответила я, такой вариант мне совсем не нравился.

— Слушай, может, он тебя в самом деле любит? —

поинтересовалась Юлька. — Вел он себя, по-моему, очень достойно. Как считаешь? — Я пожала плечами: сидя в трубе, Сашка вел себя джентльменски, но все остальное... — А откуда он вообще взялся? — додумалась спросить подружка. Я опять пожала плечами.

— Это выясняет Денис.

Часов в семь появился Сашка. Одет был прилично. Новый костюм, светлая рубашка, ботинки блестят. До сего момента он пребывал в джинсах, футболке и потертой куртке. Либо он все это приобрел сейчас, либо у Сашки есть логово.

— Как я тебе? — разулыбался он, по-хозяйски заглянув в мой кабинет.

К этому моменту он уже прогулялся по ресторану, познакомился с персоналом и кое с кем мило поболтал. Девчонки смотрели ему в спину с ласковой грустью, а повариха Галина Петровна называла сынком: Сашка что-то там успел съесть, спросил, замужем ли Галина Петровна, та ответила утвердительно, а Сашка приуныл, потому как собрался на ней жениться, ибо готовит она — пальчики оближешь и сама — красивейшая женщина. Галина Петровна, годившаяся Сашке в матери, тут же решила скормить ему весь недельный запас продуктов, но тут вмешалась Юлька, и существенного ущерба ресторану Сашка нанести не успел. Ни я, ни подруга, ни кто-либо другой так и не поняли: как Багров умудрился болтаться по всему ресторану на глазах у охраны и служащих, в обычное время бдительных и плохо переносящих фамильярность.

— Талант, — вздохнула Юлька, а я здорово перепугалась: не встретил ли Сашка во время своего странствия Дениса. Это было бы совсем некстати. — Дениса в ресторане нет, — утешила меня подруга, и тут в кабинете появился Багров.

— Классно выглядишь, — честно сказала я. Сашка

подстригся, пребывал в отличном расположении духа и, сунув руки в карманы брюк, лучисто мне улыбался, при этом здорово походил на американскую кинозвезду, заглянувшую на огонек получить «Оскар». Про карточный долг он, как видно, успел забыть.

— Неплохой у вас ресторан, — похвалил Сашка. — Мне понравился.

— Спасибо, — хмыкнула Юлька, глядя на него без особой радости. — Не желаете ли здесь поработать? Место подыщем.

— Нет, я, знаете, не очень тяготею к ресторанному делу.

— А к чему вы тяготеете? — съязвила Юлька.

— К туризму, — не моргнув глазом, ответил Сашка. — Есть у меня мечта открыть свою фирму... но нет средств.

Я взяла Сашку под руку и сказала:

— Идем ужинать.

Он помахал Юльке ручкой, пошел к двери и сказал:

— Я хотел пригласить тебя в «Лотос».

— В «Лотос»? — удивилась я. — Почему не поужинать здесь?

— Потому что странно приглашать девушку в ресторан, где она работает. Как считаешь?

— Ну... — Я пока никак не считала, косилась на Сашку и пыталась отгадать, что ему понадобилось в «Лотосе». Сашка вдруг засмеялся, и мне стало стыдно: а что, если он действительно просто пригласил меня в ресторан?

На улице меня ожидал еще один сюрприз: Сашка приехал не на моей «девятке», а на «Фольксвагене», выглядевшем очень прилично.

— Ты его угнал? — насторожилась я. Сашка закатил глаза.

— Я его купил. Посмотри на номера. Купил довольно давно и прибыл сюда на нем.

Номера в самом деле были иногородние. Я устроилась рядом с Багровым, продолжая пребывать в недоумении.

— А тебе не опасно на нем раскатывать? — забеспокоилась я. — Дружки твою машину знают...

— Дружки уже сообразили, от какой беды я их отвел, вовремя избавив тебя от них... или их от тебя. Благодарить должны. А то, что я дружков немного по головам... это ничего. Они поймут.

— А откуда все это? — кивнула я на костюм.

— Нравится? — обрадовался Сашка. — Сегодня купил.

— А где деньги взял?

— Ты, Машка, меня обижаешь... Какой дурак держит все деньги в одном месте? Опять же, я не сутенер и таковых на дух не выношу, за счет женщин жить не приучен.

— А... — кивнула я и призадумалась.

В ресторане мы устроились за столиком возле окна и время провели очень мило. Может, я выпила лишнего, а может, просто была счастлива, но неожиданно для себя брякнула:

— Сашка, женись на мне.

Он сразу поскучнел.

— Я бы с удовольствием, — сказал он через минуту, — только сама подумай: ну какой из меня муж? Я сегодня здесь, а завтра там.

— А нельзя сделать так, чтобы ты всегда был здесь?

Сашка допил шампанское, пожал плечами и сказал:

— Попробуем.

На этой оптимистической ноте вечер и закончился.

Последующие три дня никаких изменений в мою судьбу не внесли. Сашка отвозил меня на работу, болтался по ресторану, мотивируя это тем, что делать ему совершенно нечего, а здесь он со мной, и это греет душу, потом уезжал, чтобы кое-что купить по хозяйству или приготовить ужин, к одиннадцати возвращался, и мы ехали домой. Пока Сашка блуждал по ресторану, я ерзала и томилась: как бы он случайно не столкнулся с человеком, который не так давно держал его в трубе. В конце концов пришлось на время освободить Дениса от здешних обязанностей, чтобы он мог целиком сосредоточиться на Сашке.

Из ежедневных донесений Дениса следовало, что Багров в мое отсутствие ничем существенным не занят, а его прошлая жизнь остается тайной за семью печатями. Вскрыть их Денису было не по силам, а обращаться за помощью к отцу я не хотела.

На четвертый день Сашка часов в девять позвонил мне на работу:

— Машка, ты сможешь сама добраться до дома?

— Смогу, — насторожилась я. — А что случилось?

— Так... Ничего... Потом расскажу.

Само собой, я заторопилась домой. Шел дождь, поэтому почти во всех окнах нашего дома уже горел свет, а вот мои были темными. Сердце сжалось, я влетела на свой этаж за полторы секунды, толкнула дверь, вбежала в комнату... и в полутьме увидела Сашку. Он сидел на диване, закутавшись в одеяло, точно индеец.

— Саш, ты чего? — испугалась я.

— Дверь запри, — тихо сказал он. — Потом зашторь окна и уж тогда включай свет.

В легком недоумении я заперла дверь, задернула шторы, включила свет и подошла к нему. Он был задумчив и бледен.

— Ты почему сидишь в темноте? — спросила я шепотом, так на меня все это подействовало.

— Они меня засекли, — в ответ прошептал Сашка. — Еле ушел. Да и не уверен вовсе, что ушел.

— Кто тебя засек? — ахнула я, пугаясь все больше и больше.

— Эти типы.

— Из ФСБ?

— Я и сам не знаю, откуда они... Твари продажные... Ты во дворе ничего подозрительного не заметила? Впрочем, что ты можешь заметить... Уходить мне надо.

«Так вот в чем дело», — решила я, но тут Сашка неожиданно заявил:

— Поедешь со мной?

— Куда? — растерялась я.

— Почем я знаю? Куда-нибудь, где их нет. Как думаешь, найдем мы такое место?

— Я в этих делах ничегошеньки не соображаю, — покачала я головой, теряясь в догадках. — И почему-то мне опять кажется, что ты врешь...

— И поделом мне... В тот раз взял грех на душу, теперь всю жизнь расхлебывать. Значит, не поедешь со мной?

— Поеду, — честно ответила я. — Только не ври, ладно? Потому что если ты опять все выдумываешь, я папе нажалуюсь. Извини, Саша, но он тебе голову оторвет. А я ее себе на память оставлю, как мадемуазель де Ла-Моль.

— Это кто ж такая?

— Книжки надо читать, — вздохнула я.

— Займусь как-нибудь. Ты мне название запиши... И долго она ее хранила? — проявил интерес Сашка.

— Не знаю. В книжке об этом ничего не сказано.

— А ты мою голову долго хранить собираешься?

— А ты хочешь обмануть?

— Нет. Честно, нет. Во-первых, я по складу своего характера всякий обман не уважаю, а во-вторых, после того, как ты сказала про голову, так мне и вовсе не хочется. До чего ж вы бабы кровожадные. — Сашка посмотрел на меня так, точно я в самом деле собралась отрезать его голову, потом улыбнулся, обнял меня и сказал: — Совсем ты не страшная.

— Спасибо, — хмыкнула я, но тут же забеспокоилась: — Ты мне про этих из ФСБ расскажи.

— Да нечего рассказывать, Машка. Засек я их. Следят за мной, а с какой целью — неясно. Может, просто хотят убрать? Но в этом случае следить без надобности, хлопнули бы, и вся недолга. Что-то они затеяли.

— А как узнать что?

Сашка подумал, вздохнул и заявил:

— Черт его знает... Ладно, Машка, давай спать. Запугал я тебя совсем, дрожишь вся.

— Как же не дрожать, Саша, когда такое вокруг творится. Вдруг тебя правда убьют? Может, нам в самом деле куда-нибудь уехать?

— Может, и придется.

Далее продолжить разговор на эту тему Сашка не пожелал, хоть я и пыталась, отвечал невпопад и все больше мычал, потому как к этому моменту изловчился стащить с меня всю одежду и потерял интерес к врагам за окном. Думай теперь да гадай: врал он или нет?

Среди ночи я проснулась от Сашкиного стона, вскочила, позвала по имени, но он не откликнулся. Метался в подушках и был горячий, как огонь. Я бросилась к телефону звонить в «Скорую», но на полдороге остановилась и заревела с досады. А что, если он не врал и его действительно ищут? И в больнице ему грозит опасность?

«Тут надо продумать все как следует», — закружилась я на месте, поревела еще немного и бросилась к Сашке.

— Сашенька, — позвала я, ухватив его за руку. Он открыл глаза, сфокусировал их на мне и попробовал улыбнуться. — Я вызову «Скорую», — пролепетала я, надеясь, что это заставит его прекратить валять дурака.

Но Сашка дурака не валял, его знобило, он клацал зубами, жался ко мне и терял сознание. В минуты, когда глаза его приобретали осмысленное выражение, категорически запрещал звонить куда бы то ни было, а вот если кто-то попробует войти в квартиру, то надо немедленно связаться с отцом.

Через час Сашка начал метаться в постели, с бледными губами и в испарине, и заговорил на каком-то чужом языке, вроде бы похожем на арабский. В языках я не очень, и то, что Сашка что-то там бормочет, вконец меня перепугало. Теперь «Скорую» вызывать в самом деле опасно.

Я уставилась на его лицо, закусила губу и подумала: «А что, если он иностранный шпион?» Я с ходу попыталась решить: похож Сашка на шпиона? С моей точки зрения, он похож на жулика, но все равно я здорово волновалась и не знала, что с ним делать. Сунула градусник ему под мышку, температура тридцать восемь, стало ясно: Сашка умирает. Я кинулась к телефону.

— Ты куда? — отчетливо спросил он. Я вздрогнула и сказала:

— Сашенька...

— Воды принеси.

Я принесла, легла рядом, он прижался ко мне, перестал дрожать и вроде бы уснул. Через пару часов опять заметался, рявкнул: «Сука!» — отчего я с перепугу чуть не лишилась сознания, потом стал звать какого-то Федьку, потом зашептал: «Голову ему держи, голову, он же кровью истечет», — а в заключение заорал: «Выводи ребят!» — и потребовал вертолет. Я выпила десять таблеток валерьянки и сидела по-турецки на полу, выпучив глаза. В таком виде встретила утро.

Где-то в восемь Сашка, уже два часа спокойно спящий, неожиданно открыл глаза, посмотрел на меня и сказал:

— Привет.

— Привет, — ответила я, еле разлепив челюсти.

— Чего какая невеселая?

— Тебе плохо? — проблеяла я.

— Нет, мне хорошо.

И в самом деле, выглядел он молодцом, чего совершенно нельзя было сказать обо мне.

— Маленькая, — позвал нараспев Сашка, обнимая меня. — Глазки грустные... Чего случилось?

— Саша, тебя всю ночь колотило, и температура была тридцать восемь.

— А... — отмахнулся он, — не обращай внимания. Подхватил в Афганистане какую-то заразу. Забыл ее название. Вот и колотит от случая к случаю. Я уж привык. Ты извини, надо было тебя предупредить.

— Ты был в Афганистане? — растерялась я.

— Конечно. Разве я тебе не рассказывал?

— Нет, — покачала я головой и пожаловалась шепотом: — Сашка, ты на иностранном языке разговаривал.

— Да? На каком?

— А ты сколько языков знаешь? — насторожилась я.

— Если честно, я и русский-то путем не знаю, но за долгие годы странствий кое-чего нахватался, вот из меня лишняя грамотность-то и прет. Не обращай внимания.

Я прижалась к нему потеснее, все больше убеждаясь в том, что он в опасности, продажные личности из ФСБ строят козни и спасти Сашку от многочисленных врагов могу только я.

На работу в тот день я не пошла, и мы провели его в постели: Сашка против этого не возражал, а про меня и говорить нечего. К работе я вообще заметно охладела.

На следующий день отправилась в ресторан, не желая особенно надоедать Сашке, но он сам стал надоедать мне, звонил каждые полчаса, болтал всякие глупости, от которых я краснела, а Юлька качала головой, и утверждал, что очень скучает.

— Да иди ты! — в сердцах проронила моя подружка и еще раз покачала головой, но уже с улыбкой.

Сашка сообщил, что через десять минут меня встретит, и я засобиралась домой. Вышла на крыльцо, увидела его в «Фольксвагене» и поняла, что счастлива. Как никогда в жизни.

За такие чувства приходится расплачиваться, это я очень хорошо знала из многочисленных литературных источников, потому резкому переходу от счастья к большой беде не удивилась, а большая беда ждала по соседству: темный джип «Ниссан». Он пристроился за нами, лишь только мы выехали на проспект. Конечно, я бы его ни в жизнь не заметила, потому что болтала, махала руками и думала о том, что Сашка, хотя и врун, и вообще темная личность, и даже бредит на каком-то диковинном языке, но все равно лучше всех.

Тут Багров начал поглядывать в зеркало и хмуриться, а я начала беспокоиться.

— Ты чего? — не выдержала я.

— А? — Стало ясно: последние десять минут Сашка меня не слушал, очень жаль, я ему только что призналась в любви.

— Чего ты хмуришься?

— «Ниссан», — очень серьезно ответил он. — Сел нам на хвост у ресторана.

Я внимательно огляделась, но «Ниссан» не увидела.

— Где?

— Я сейчас сверну... Умный, сволочь. Хорошо ведет.

Сашка неожиданно юркнул в переулок, и я действительно смогла увидеть темный джип, поспешно свернувший за нами, потом он поотстал, и я вроде бы его потеряла, но пару раз все-таки смогла увидеть.

— Вот черт! — начал нервничать Сашка. — Ну, ладно, ребятки. Машка, пристегнись, — скомандовал он.

Я пристегнулась, и тут началось такое... Должно

быть, Багров когда-то выступал в цирке... В общем, от преследователей мы оторвались, а я, взглянув в зеркало, подивилась: цвет волос у меня не изменился, что было очень странно, я-то думала, что в одночасье поседела.

Сашка был очень собран, рта не раскрывал и почему-то напоминал мне Штирлица из бессмертного сериала. Я мысленно отругала себя: что за чушь в голову лезет, когда такое вокруг...

Мы благополучно добрались до дома, Сашка отогнал машину на стоянку и вскоре вернулся, все это время я исправно пялилась в окно кухни и клацала зубами.

— Машка, мне придется ненадолго уйти, — заявил он. — Оставлять тебя одну очень не хочется, но с собой ведь не возьмешь, опасно... Думаю, тебе стоит навестить отца. Сейчас вызову такси.

— А ты? — вконец испугалась я.

— Машка...

— Я понимаю. Я не об этом. Когда ты вернешься?

— Уйду на несколько часов, а что?

— Тогда я тебя лучше буду ждать здесь. В случае чего — позвоню папе.

Сашка подумал и сурово кивнул. Я его перекрестила на дорогу, и он растворился за дверью. А вот из подъезда не вышел, хотя я с дорожки не спускала глаз. Посидев возле окна минут двадцать, я вышла на лестничную клетку и даже позвала:

— Саша... — Испугалась и совсем было кинулась звонить папе, но тут вспомнила о чердаке, а также о подвале. Должно быть, Сашка не стал рисковать и покинул дом каким-нибудь хитрым способом.

Я села на диван, подрыгала ногами и с грустью констатировала, что быть подругой агента 007 ох как невесело.

Багров вернулся после полуночи. Дверь открыл своим ключом, осторожно прошел и позвал:

— Машка... Это я.

— Сашенька, — кинулась я к нему на шею, он подхватил меня на руки, и мы быстренько оказались на диване. — Давай я тебя покормлю, — прошептала я. Близкое знакомство с разведкой имело для меня своеобразные последствия: тянуло говорить, понижая голос.

— Есть я не хочу, — замотал головой Сашка. — Лучше обними меня покрепче.

Это я сделала с большим удовольствием. Попыталась было его выспросить, да не вышло, он сам говорил неохотно и мне не давал. Потом блаженно потянулся и уснул. Но ненадолго. Только-только я задремала рядышком, Сашка стал метаться во сне. На этот раз вертолетов не требовал, а звал меня. Я потеснее прижалась к нему и слушала.

— Машенька, милая, — шептал он вроде бы в беспамятстве. — Родная моя девочка... — И прочее в таком духе. Клялся в любви, особо упирал на свои годичные страдания, госпиталь припомнил, и все выходило у него так складно, что сумел-таки довести меня до слез. И его было жалко, и себя, и то, что год этот мы прожили врозь. И хоть я подозревала, что все страдания Сашки носили скорее денежный характер, но в тот момент поняла совершенно очевидную вещь: я люблю его и тут уж, как говорится, ничего не поделаешь.

— Сашенька, — пролепетала я, устроив голову на его груди, Багров соизволил очнуться, заметил мои слезы, испугался и стал утешать. — Какие ты мне слова говорил, — вздохнула я, сама себе завидуя.

— Да? — удивился Сашка. — Вообще-то я слова не больно жалую, видно, это болезнь на меня так влияет.

Сашка продолжил утешение, но слов, которые произносил в беспамятстве, повторить не пожелал, вызвав во мне некоторую досаду. Однако ближе к утру заявил, что любит, и я осталась этим довольна, уснула

15 1133

в состоянии полного блаженства и проспала до полудня.

Без десяти минут двенадцать я открыла глаза и обнаружила себя в постели в неприятном одиночестве. Вскочила, побегала по квартире и окончательно убедилась, что Сашки нигде нет.

Верить в то, что после ночных признаний он опять подло бросил меня, очень не хотелось, но каюсь, такая мысль незамедлительно возникла, и я совсем было собралась зареветь, но вместо этого разбила две тарелки, убрала осколки, выпила чашку кофе, рюмку коньяка, погрозила кулаком и громко заявила:

— Багров, я тебя убью!

Немного успокоившись, я привела себя в порядок, оделась и поехала на работу. По дороге слушала радио, злилась и пыталась придумать для Багрова достойную кару.

Вот тут он как раз и появился, то есть то, что это Сашка, я поняла не сразу. Свернула в переулок и вдруг, Бог знает откуда, выскочила «шестерка», отрезая от меня чахлый поток машин, точнее, машина была одна, но повела себя в высшей степени странно. Вместо того, чтобы, приоткрыв окно, матерно обругать водителя «шестерки» и подождать, когда он перестанет вести себя как придурок, следовавшая за мной видавшая виды «девятка», резко затормозила, из ее салона выскочили трое ребят и принялись палить по «шестерке». Я в это время, приткнувшись к тротуару метрах в тридцати от них, сидела, открыв рот, и честно пыталась понять, что это такое творится.

Тут дверь «шестерки» распахнулась, на асфальт вывалился Багров, на четвереньках достиг моей машины и рявкнул: «Гони!» Дважды повторять ему не пришлось. Кажется, типы с «девятки» еще стреляли, но я так громко стучала зубами, что утверждать это наверняка не могу.

— Куда? — догадалась спросить я, вылетая на проспект.

— Переулками, в сторону речного вокзала, там затеряемся, — ответил он, убирая в наплечную кобуру пистолет, который держал в руке.

Выглядел Сашка чрезвычайно серьезно и деловито. Был собран, подтянут и сейчас походил не на Штирлица, а на моего любимого Стивена Сигала, только без косички. Поглядывал в окна, хмурился, и чувствовалась в нем большая решимость сражаться со всем миром. Про себя я знала точно: не только решимости, но и просто такого желания у меня нет, оттого на Сашку смотрела с тоской и даже с отчаянием.

— Сашенька, что ж это такое? — спускаясь к речному вокзалу, смогла спросить я.

— Плохи дела, Машка, — став еще суровее, ответил он.

— Да? — Что еще сказать, я не знала и продолжала таращить глаза.

— Машину где-нибудь укроем и махнем на катере, — заявил Багров.

— Куда? — растерялась я. — Махнем то есть?

— Куда угодно. Лишь бы из города. Сейчас здесь опасно.

Катер отходил через пять минут. Мы едва успели устроиться на палубе, как последовала команда, и белоснежный красавец не спеша поплыл вдоль берега.

— Красота, — вертя головой по сторонам, заявил Сашка с глубоким вздохом.

— Да... — согласилась я, сграбастала его руку, на всякий случай придвигаясь к нему поближе.

Вскоре мы высадились на каком-то островке, узнав, что назад катер пойдет через полтора часа. Желающих поробинзонничать в тот день больше не было, и мы, судя по всему, остались в абсолютном одиночестве. Прошлись песчаной тропинкой между кустов и вскоре очутились на пляже. Сашка снял куртку, расстелил ее для меня и сам расположился по соседству. Кобура под мышкой вызывала некоторое беспокойство, я поглядела на нее, поерзала и попросила:

— Сашка, дай посмотреть пистолет.

— Это не игрушка, — сурово ответил он.

— Ну чего ты? — обиделась я. — Я оружие только в кино видела, интересно же.

Сашка неодобрительно покачал головой, но пистолет достал и протянул мне, а я могла с изумлением констатировать его подозрительную легкость, но умничать не стала, поскольку оружие в руках держала впервые в жизни.

Тут кое-что привлекло мое внимание. На рукоятке пистолета была табличка с гравировкой «Багрову А.С. за мужество и доблесть. Комбриг Колун». Я моргнула, посмотрела на Сашку и сказала:

— Знакомая фамилия.

— Моя?

— Нет. Этого... комбрига.

— А... Фамилия довольно распространенная, — кивнул он, а я вздохнула и сказала:

— Может, окунемся? Водичка, должно быть, теплая.

Пока Багров раздумывал, что на это ответить, со стороны города появилась моторка. Она возвестила о себе громким тарахтеньем. Сашка вскочил, взобрался на пригорок, потом кубарем скатился с него и, чертыхаясь, схватил меня за руку, затравленно оглядываясь по сторонам.

— Что? — ополоумев от всего этого, пролепетала я.

— Это они. Надо уходить.

Моторка между тем причаливала к противоположной стороне острова.

— Куда уходить? — вытаращила я глаза. Остров совсем маленький, и что там имел в виду Сашка, понять было непросто.

— Сматываться надо, — пояснил он, тыча пальцем в берег реки, который был виден и даже вполне отчетливо, но какая мне с этого радость, если плавать я не умею? Тут и Сашка вспомнил про это, посмотрел с тоской на меня, а потом на кусты у пригорка.

— Вот черт, а... — выругался он, а я напомнила:

— У тебя пистолет.

— Какой от него толк... да и не могу я в своих стрелять, хоть они и сволочи.

— Саша, давай я в кустах спрячусь, а ты уходи. Они решат, мы вместе и...

— Чтоб я тебя бросил? — возмутился он, ухватил меня за руку и повел в воду. — Ты, главное, не бойся и держись за меня.

— Сашка, мы утонем, — попыталась взвизгнуть я.

— Нет. Держись за мои плечи и ничего не бойся.

В целом, мне заплыв даже понравился. Я старалась помогать Сашке, то есть шевелила ногами и не очень давила на плечи. Расстояние до берега он преодолел в рекордно короткое время. Пока типы осматривали остров, мы уже выбрались на берег, так что, когда моторка вновь затрещала на всю округу, меня это вовсе не испугало.

Мы пробрались сквозь заросли ивы, нашли чудесную полянку и высушили одежду, а потом пешком направились в город. Тропинка петляла между огородами, Сашка бодро вышагивал по ней, а я вприпрыжку неслась следом.

Выбравшись на окраину, мы перекусили в первом кафе. Багров явно был озабочен, о чем-то думал, ел мало, хотя обычно аппетит у него неплохой.

— Саш, ты мне так ничего и не объяснил, — тихонько сказала я, взяв его за руку. — Может, сходим к папе? Папа поможет...

— Тут все гораздо хуже, — в ответ покачал он головой. — Эти сволочи что-то затеяли. Боюсь, твой отец в опасности.

— Как это? — приоткрыла я рот.

— Они решили опять похитить тебя, следовательно, у них есть какой-то план. Сама по себе ты не можешь им быть интересна, значит, на мушке у них отец.

Я тоже нахмурилась и уставилась на Сашку. Никакого намека на чертей в глазах.

— Саша, тогда тем более надо к отцу, — вдоволь наглядевшись, сказала я.

— Так-то оно так, — вздохнул Сашка. — Только ты забываешь: я из той же команды. Предателей там не жалуют, а я с некоторых пор не вызываю доверия у руководства. Очень удобный повод от меня избавиться.

— Что же тогда делать?

— Попытаться узнать, что они затеяли, — ответил Багров.

— А ты сможешь?

— Придется. Другого выхода я просто не вижу... Ты пока никуда не выходи из дома, позвони отцу, скажи... в общем, придумай что-нибудь, почему тебе вдруг стало неинтересно ходить на работу... Я буду рядом, тебе охрана нужна, это мне совершенно ясно. Конечно, было бы здорово, если б тебя прикрывал кто-нибудь из отцовских ребят, но я боюсь провокаций, как бы эти гады не подставили отца. На такие дела они мастера. Так что, как ни крути, а охранять тебя придется мне.

— Ты куда пропадал сегодня утром? — решилась спросить я.

— Пытался кое-что выяснить. Возвращаюсь домой — и приметил «девятку». Очень она меня заинтересовала, как видишь, не зря... Пойдем, Машка, поймаем такси и домой. Шевелить мозгами надо, не то упустим время, и они нас переиграют.

Думал Сашка два дня, по большей части бродил по квартире, иногда где-то бегал. На это время отводил меня в квартиру на четвертом этаже. Хозяева, мои давние приятели, уехали на юг, а ключи оставили мне на всякий случай. Вот там меня Сашка и прятал, опасаясь неожиданного нападения.

К вечеру второго дня он вернулся чрезвычайно хмурый, нехотя поужинал и заявил:

— Идей нет. Остается одно: поймать кого-нибудь из этих гадов и устроить допрос с пристрастием.

— Пытать? — вытаращила я глаза.

— Мы его, гада, посадим в трубу, — подмигнул мне Сашка. Против трубы я возражать не стала. — Плохо то, что они не ездят в одиночку. Двое или трое. Но есть кое-что хорошее, каждый вечер они отправляются с докладом по одному адресу. Проблема в том, как заставить их остановиться.

— Можно ведь чего-то придумать, — заметила я, и мы начали думать. Времени на это ушло предостаточно, наконец Сашка сказал, расстелив на столе карту нужного района:

— Брать их лучше всего здесь. Переулок, место глухое, за день два десятка машин проезжает.

— Засада? — нахмурилась я.

— Засада не пойдет. Придется обойтись без стрельбы.

— Как же заставить их остановиться? — нахмурила я лоб. — Симулировать аварию?

— Да им наплевать на нее... проедут мимо. Хотя... постой-ка. Предположим, у тебя сломалась машина, и ты просишь людей о помощи. — Только Сашка это высказал, как весь его энтузиазм улетучился. — Нет, тебе нельзя, они сразу заподозрят неладное.

— Я нацеплю парик, возьму у друзей машину, и меня не узнают.

— Какой смысл им в этом случае останавливаться? Нет, не годится...

— Все равно надо попробовать.

— В машине их трое, увидев тебя, они насторожатся. Напасть неожиданно не получится, а в такой ситуации я один с тремя не справлюсь... — В этом месте Сашка просиял лицом, потом нахмурился и наконец заявил: — Юлька — вот кто нам нужен. Увидев ее, они непременно тормознут, раз она отцова подруга, а заподозрить ничего не смогут.

— Юлька? — переспросила я недоверчиво, впутывать ее в наши с Сашкой дела мне совершенно не хотелось.

— Сама Юлька нам без надобности, — отмахнулся он. — Вы примерно одного роста и комплекции. Можешь взять ее машину? Оденешься в ее стиле, паричок... в сумерках они вряд ли смогут заметить подмену.

— Не буду я переодеваться, — нахмурилась я, вовремя вспомнив, чем закончилось прошлое мое актерство. Сашка, видно, тоже вспомнил, подошел, обнял меня и сказал:

— Мы ведь вроде бы во всем разобрались? Нет?

— Да, — кивнула я с тяжелым вздохом. — Но все равно, мне это не очень нравится.

— Другого плана у меня нет, — поскучнел Сашка.

— Но почему непременно переодеваться в Юльку? — возвысила я голос.

— Я тебе уже объяснял, — отмахнулся Багров. — Нужен человек, который их остановит. Женщина. Ты не подходишь, остается подружка отца: подозрений не вызовет, а такой шанс они не упустят.

Я подумала-подумала и под настойчивым Сашкиным взглядом согласилась.

Всю ночь я почти не спала: потому что спать не давал Сашка, а еще потому, что я силилась отгадать, что же он задумал? Опять же, вовсе сбрасывать со счетов агентов ФСБ я все-таки не могла, оттого печалилась еще больше. Находясь рядом с Багровым, особенно не раздумаешься, поэтому отсутствию гениальных идей под утро я не удивилась.

— Ты можешь взять Юлькину машину так, чтобы она об этом не узнала? — утречком, после завтрака, спросил Багров.

— Это еще зачем? — насторожилась я.

— Беда с тобой, Машка, — разозлился он. — Ты хоть понимаешь, что мы затеяли? Чем меньше людей об этом знает, тем лучше. А если ты попросишь у Юльки машину, она начнет задавать вопросы. Улавливаешь?

— Сашка, давай не будем мудрить и все расскажем папе.

— Давай. Правда, я не знаю, сколько проживу после этого. К большому сожалению, меня не сможет защитить даже твой отец.

— А если ты нападешь на агентов ФСБ, кто тебя защитит?

— Я буду в маске. Из-за участия Юльки они решат, что это кто-нибудь из охранников отца. Далее: мы узнаем их планы, сообщаем о них отцу, а уж он как решит.

Вроде бы Сашка рассуждал правильно, я опять покосилась на него, честность и желание лечь костьми ради блага нашей семьи настойчиво читались в его физиономии. А вдруг против обыкновения Багров не врет, и все действительно обстоит так, как он говорит? Поди, разберись.

— Ладно, — вздохнула я. — Взять у Юльки машину без спроса не трудно, а ее вещи и того проще. Когда пойдем на дело?

— Чем скорее, тем лучше. Я присмотрю за ними сегодня, а ты двигай к подруге.

Юлька была в ресторане. Увещевать меня не стала, покачала головой и заявила:

— Будем считать, что ты в отпуске. Мордаха твоя просто светится от счастья, выходит, твой Багров дурака не валяет, а ведет себя как положено.

Я потопталась возле Юлькиного стола, прихватила ключи от ее машины и, маятно вздохнув, решила малость пошептаться с ней. В отцовских делах она понимала столько же, сколько я, и мы сошлись во мнении, что Багров может врать, а может и правду говорить, и другого способа узнать, что он затеял, нет. Выходит, придется ему помогать. На том и порешили.

К вечеру я была дома, Сашка меня поджидал.

— На машине? — спросил, хмуря брови.

— Конечно.

— На Юлькиной?

— Как ты велел.

— А шмотье ее прихватила?

— Прихватила и даже купила парик. По-моему, похоже.

Через двадцать минут в парике и Юлькином любимом платье я стояла перед зеркалом и таращила глаза. Конечно, спутает нас только дурак, с другой стороны, если в сумерках особо не приглядываться... черт его знает.

— Годится, — кивнул Сашка, оглядев меня критически. — Очень даже ничего, хотя в своем обличье ты мне нравишься больше. К тому же Юлька твоя — баба вредная, а я вредных не люблю... Отдохни, в десять поедем.

— Куда? — не поняла я.

— Как куда? — развел руками Сашка. — Фээсбэшников ловить.

— Сегодня?

— А то... Сделаем дело и в сторону.

Такая поспешность пришлась мне не совсем по душе, и я стала поглядывать на телефон, но Сашка вертелся рядом, и позвонить не было никакой возможности.

В 22.15 он вдруг сказал:

— Присядем на дорожку. — Мы в этот момент лежали. Сел, подмигнул мне и заявил: — Бог не выдаст, свинья не съест.

На Юлькиной машине мы отправились к месту проведения операции. Переулок в самом деле был тихим, ничем не примечательным и для всяких там нападений очень удобным. Располагался он в трех кварталах от дома отца, в тот момент я об этом не подумала, зато спросила о другом:

— Чего это они с докладом так поздно?

— О чем же докладывать утром? — удивился Сашка, приткнул машину возле тротуара, но как-то по-дурацки: передние колеса вывернул, а заднее правое взгромоздилось на поребрик.

— Значит, так: появятся они минут через десять, переднюю дверь оставишь открытой, встанешь рядом, как заметишь их, маши рукой, постарайся, чтобы они тебя увидели вон оттуда. Было бы просто здорово, остановись они вот в этом месте. Веди себя естественно, скажи: сломалась машина, попроси помочь. Улыбайся... Ладно, учить не буду, сама не дура. Заставь хоть одного выйти... держи. — Сашка сунул мне в руку газовый баллончик.

— Это зачем? — испугалась я.

— Выйдет, ты его... одним словом, нейтрализуй. Я ж говорил: в машине их обычно трое, с такой оравой мне не справиться. Сможешь? — спросил он с сомнением.

— Смогу, — без особой уверенности кивнула я, испытывая непреодолимое желание немедленно отсюда удрать.

— Красный дом видишь? — ткнул пальцем Сашка в сторону обычной пятиэтажки.

— Ну...

— Они едут туда. Так что все должно произойти предельно быстро, а мы смыться отсюда еще быстрее. Вопросы есть?

— Конечно, — обрадовалась я.

— Стоп, — пресек меня Сашка. — На долгие базары времени нет. Ну... ни пуха тебе... — Сашка проникновенно меня обнял, поцеловал и даже перекрестил, а черти в его зрачках скривили гнусные рожи.

— А ты куда? — сообразила спросить я.

— Я по соседству, вот в этих кустиках. И помни: от того, как ты сейчас сработаешь, зависит моя жизнь, а возможно, и жизнь твоего отца, — со вздохом добавил он и шагнул к кустам.

— Сашка, а машина-то у них какая? — растерялась я.

— Белая «девятка».

— Та самая? — обрадовалась я неизвестно чему.

— Ага. Людишек у них тоже не хватает. Все. Я рядом, ничего не бойся и верь в победу.

Легко ему говорить: в чью, интересно, победу я должна верить? Не успела я как следует развить эту мысль, из-за поворота вывернула белая «девятка». Шла она на большой скорости, я испугалась, как бы не проскочила мимо, и ни о чем другом уже не думала. Выпорхнула на дорогу и замахала рукой. Они притормозили, потом вовсе остановились рядом со мной, а я на всякий случай попятилась к своей машине, вдруг сообразив, что «девятка» хоть и белая, но вовсе не та, которая преследовала нас на днях. Та выглядела жуткой развалюхой, а эта — новенькая. Тут передняя дверь открылась, и парень, выглянув из кабины, улыбнулся мне так радостно и лучисто, что я малость обалдела.

— Здравствуй, Юлечка, — проронил он игриво.

— Привет, — нахмурилась я, невольно подражая Юлькиной интонации.

— Чего случилось, а?

— Не знаю. Не заводится, мерзавка.

Парень вышел, две двери разом открылись, и в них возникли еще две любопытные физиономии, самое невероятное: тоже с улыбками.

Парень подошел ко мне, я сунулась в машину и стала искать сумку, он открыл капот и заглянул в него. Я сделала шаг к парню и, мало что соображая, извлекла газовый баллончик. Все остальное произошло в считанные секунды. Парень, произнеся нечто длинное и непотребное, рухнул на колени, секундой раньше возник Сашка, огрел по голове одного парня, некстати вышедшего из «девятки», и наставил пистолет на второго.

— Выйди из машины! — рявкнул он грозно. Тот вышел в полном недоумении, вытаращив на меня глаза, и Сашка подло заехал ему в ухо. Отшвырнул в сторону и ринулся на место водителя, а до меня вдруг дошло, что он сейчас уедет.

Я кинулась к нему, забыв, что в трех шагах от меня валяется бесчувственное тело улыбчивого парня, споткнулась об него и во весь рост хряснулась на землю, угодив лбом точно на каменный поребрик, глухо вскрикнула и успела услышать, как Сашка хлопнул дверью. «Наверное, голова моя раскололась как орех», — решила я не без удовлетворения. От боли меня затошнило, а перед глазами поплыли круги. «Умру, и поделом мне», — прикрыв глаза, подумала я, не сопротивляясь разом нахлынувшей слабости. Но умереть в этот день мне не удалось.

Рядом возник Сашка, чем, признаться, изрядно удивил, опустился на колени и со страхом спросил:

— Машка, ты чего? — Говорить я не могла и открывать глаза не стала. — Ну что это, в самом деле? — чуть не плача, пробормотал Багров, подхватил меня на руки и поволок к Юлькиной машине. Пристроил на заднем сиденье и стрелой помчался по переулку. — Машка, — позвал он через несколько минут. — Ты как, а?

— Нормально, — прохрипела я, стиснув зубы.

— Как тебя угораздило?

— Не знаю. Споткнулась. Багров, ты хотел удрать, — собравшись с силами, заявила я. Сашка даже побледнел от возмущения.

— Я? Как ты могла подумать такое? Я просто хотел подогнать машину к тебе поближе.

— А где пленный? — сурово поинтересовалась я. Багров выпучил глаза и ответил с укором:

— До пленных ли мне было, когда с тобой стряслось такое? Я ведь с перепугу решил... в общем, такая чертовщина в голову полезла... Тебе надо срочно к врачу.

— Не надо, — простонала я.

— Надо. Ты бледная, и вообще выглядишь паршиво. Боюсь, у тебя сотрясение мозга. Поедем в травмпункт. Только тачку поменяем, на этой опасно.

Сашка свернул к моему дому, здесь на стоянке, возле подъезда, стояла моя машина.

— Ключи у тебя с собой? — спросил он.

— С собой, — ответила я и стала искать ключи. Сашка мне помогал и смотрел жалостливо, потом перенес меня в мою машину, потому что идти сама я не могла, то есть я попробовала и для этой цели даже открыла дверь и попыталась встать на ноги, но мгновенно оказалась на асфальте. Сашка бросился ко мне. Пока он оббегал машину, я успела достать из-под сиденья Юлькин сотовый и сунуть себе в карман.

— Машка! — вконец перепугался Багров и зачем-то стал осматривать мою голову. С моей точки зрения, ничего интересного там не было. — Точно, сотрясение, — трагическим голосом сказал он, после чего и перенес меня в «девятку». — Сможешь посидеть здесь одна десять минут? — спросил он с большой душевной мукой в голосе. — Я только избавлюсь от Юлькиной тачки.

— Как это избавишься? — всполошилась я, на мгновение забыв, что нахожусь при смерти.

— Отгоню на стоянку, — пояснил Багров.

Я прикрыла глазки, едва заметно кивнула и даже отвернулась от Сашки, демонстрируя таким образом, что дела мирские меня уже практически не волнуют.

Сашка с томлением посмотрел на меня, поцеловал и стрелой исчез со двора. Так как отогнать Юлькину машину он мог на очень и очень значительное расстояние, я достала из кармана сотовый и позвонила Денису. Поговорив с ним пару минут, я огляделась и предалась размышлениям. То, что Сашка в очередной раз меня облапошил, было ясно, но если пленные ему были без надобности, тогда что? Тяжко вздохнув, я набрала номер папы, однако говорить собиралась не с ним, а с Юлькой. К счастью, трубку сняла она и тут же заявила:

— Я тебя убью.

— За что? — всполошилась я.

— А то ты не знаешь.

— Честно, не знаю. Я здорово тюкнулась головой и вообще плохо соображаю.

— Где Багров? — рявкнула она.

— Удрал. Но из города он вряд ли смоется, так что найти мы его сможем... извини, — растерялась я, потому что увидела Сашку, он со всех ног бежал ко мне, — я тебе перезвоню.

— А что случилось? — испугалась Юлька.

— Сашка вернулся, — ответила я и спрятала сотовый.

Сашка плюхнулся на сиденье рядом и посмотрел на меня с таким видом, точно всерьез ожидал, что за это время я покроюсь трупными пятнами. Глазки мои были закрыты, дышала я с трудом и его вроде бы узнала не сразу.

— Машка, — обнял он меня и почти собрался зарыдать, но вместо этого прошептал: — Потерпи немного. — И мы помчались в травмпункт.

В коридоре царили тишина и запустение. Сашка усадил меня на расшатанный стул и пошел бродить по кабинетам. Вскоре он вернулся с пожилым мужчиной, который подошел ко мне, взглянул без одобрения и сказал:

— Ну-с, что у нас такое?

— Упала, — сказал Сашка. Предполагалось, что я говорить не могу. — И ударилась головой.

— Ясно, — удовлетворенно кивнул дядька. — Что ж, проходите в кабинет, посмотрим.

Я намертво вцепилась в Багрова, и он пошел со

мной. Конечно, ему сейчас самое время удрать. Раненая подруга в руках специалистов, следовательно, можно с чистой совестью рвануть в бега. Скорее всего Денис уже поджидает у травмпункта, но все равно отпускать Багрова не хотелось.

Врач потратил на меня много времени и заверил Сашку, что умереть мне на днях вряд ли удастся, а вот постельный режим совершенно необходим, а также покой, забота и большая любовь близких. В лице Сашки читались противоречивые чувства: с одной стороны, он вроде бы радовался за меня, с другой — заметно печалился о себе: если бы бросил меня рядышком с тремя поверженными фээсбэшниками, давно бы уже покинул город. «Вот она, Сашка, доброта-то, — горевала я вместе с ним. Конечно, мысленно. — Через нее одно беспокойство и неприятности». Мы вышли из кабинета, и я попросила:

— Найди туалет. Меня тошнит.

В туалет я вошла одна, заперла дверь и стала звонить Юльке.

— Давай, рассказывай.

— Приезжай немедленно, — зашипела она.

— Не могу. Я в травмпункте.

— А что с тобой? — испугалась подружка.

— Сотрясение мозга, наверное.

— О Господи... Давай мы приедем...

— Не вздумай сказать папе, — всполошилась я. — Лучше расскажи, что мы с Багровым натворили.

— Твоему Багрову самое время удавиться. — Юлька тяжко вздохнула: — То есть позаботиться о себе в плане безболезненной кончины.

В общем, Юлька здорово меня запугала. Торчать в туалете до бесконечности подозрительно, поэтому я ее малость поторопила, посоветовав излагать факты, а комментарии оставить на потом.

— Слушай факты. Сегодня кто-то напал на наших ребят. Отцовских дел я не знаю и знать не хочу, но одно мне известно доподлинно: раз в месяц ребята привозят отцу деньги. Большие. А сегодня не привезли. Явились с опозданием и рассказали совершенно идиотскую историю... На счастье, я по твоему совету весь вечер не отходила от отца, иначе мне пришлось бы как-то объяснять свое присутствие на дороге. Вовка Черепанов божится, что там была я. Я там была? — рявкнула Юлька.

— Была, — вздохнула я. — То есть... ну, ты понимаешь... А эти олухи: везут деньги и останавливают машину, завидев какую-то девицу... извини.

— Во-первых, не какую-то, а меня, в трех кварталах от дома, во-вторых, из этого события, ну... то, что деньги привозят, никогда большого секрета не делали и нападений не опасались, в городе нет дураков, чтоб решиться на такое... Твой отец в настоящее время пытается узнать, что это за психи были. На всякий случай я еще днем ему сказала, что машину бросила в центре у театра, потому что спустило колесо... Оттуда она и исчезла, надо полагать... Что будем делать? Конечно, отец тебя любит, и меня как будто тоже, но... в общем, придется кем-то пожертвовать.

Я вздохнула и еще с минуту жалостливо беседовала с Юлькой. После чего убрала сотовый, посмотрела на потолок и заявила:

— Ну, Багров...

Багров сидел на стуле у противоположной стены и выглядел обеспокоенным.

— Тебе плохо? — спросил он тревожно, припустившись навстречу.

— Если честно, то очень, — сказала я, припадая к его плечу.

Сашка до сих пор не удрал, значит, что-то его здесь держит, а что его может держать, раз денежки он получил и, как видно, изловчился пристроить их в укромном месте? Выходит, держу его я, а это, как ни крути, очень меня радовало. Сашка вор, болтун и жуткий обманщик, с этим ничего не поделаешь, а вот гнусные выходки ему спускать нельзя. Воспитывать надо человека. Этим и займемся.

— Поехали, — сказала я.

— Куда? — всполошился он. — Думаю, к тебе на квартиру теперь нельзя, лучше нам смыться из города.

— А как же отец?

— Придется позвонить анонимно и намекнуть на большую опасность, — глазом не моргнув, заявил Сашка. — Другого выхода я не вижу.

— Домой нам, пожалуй, в самом деле нельзя, — вынуждена была я согласиться. — Чувствую я себя неважно, папе придется объяснять, что со мной случилось, а он замучает вопросами. Вот что, поехали к Юльке на дачу. Вряд ли твои фээсбэшники смогут найти нас там. А папе я позвоню оттуда и скажу, что мы с тобой на недельку махнули на юг. Как считаешь?

— Хорошая идея, — подумав, кивнул Сашка, как видно смекнув, что в городе сейчас опасно и покинуть его будет непросто. — А где дача?

— Дача здесь, в городе. Это она так называется, а вообще-то никакая не дача, а коттедж в Лосинках. Там всего пять домов, рядом детский санаторий и парк, в самом деле, как на даче.

— Лосинки, это ж в трех шагах отсюда.

— Да, минут пятнадцать на машине, — кивнула я.

Через пятнадцать минут мы тормозили возле скромного двухэтажного домика за низким кованым заборчиком.

— Машину лучше загнать в гараж, — решила я, — чтоб она здесь глаза не мозолила. Сейчас открою калитку.

— А у тебя ключи есть? — додумался спросить Сашка.

— Конечно. У Юльки от моей квартиры, а у меня от ее. Так проще. Этот дом Юльке папа построил, но она здесь не жила ни дня, потому что живет с папой. А здесь вроде дачи, мы сюда часто приезжали, но потом появилась дача за городом, и эта оказалась без надобности. Папа продавать ее не хочет, потому что она Юлькина, а у папы принципы.

— Какие? — невероятно заинтересовался Сашка.

— Ну... его точка зрения примерно такая: у Юльки должен быть свой дом, свои деньги и своя работа. В этом случае папа может быть уверен, что она живет с ним потому, что ей так хочется, а вовсе не потому, что хочется денег, квартиры и чего-то там еще.

— Интересный человек твой отец. А давно они с Юлькой?

— Давно. Она всего на три года старше меня, и папу это немного смущало, теперь он, конечно, об этом просто не думает, радуется, что мы с нею дружим и вообще... У нас семья, понимаешь?

— Ага, — обрадовался Сашка. — Слушай, а мать у тебя есть?

— Есть, конечно, — пожала я плечами, и мы вошли в дом, то есть это я вошла, а Сашка вернулся к машине, чтобы загнать ее в гараж. Пока он отсутствовал, у него опять появились вопросы, и он стал их задавать.

— А почему отец не женится на твоей подруге?

Если честно, меня этот вопрос тоже интересовал, но задать его отцу я не решалась, Юлька же ухмыляется и заявляет, что не хочет ограничивать свободу моего отца.

— По-моему, они просто не придают таким вещам значения, — подумав, ответила я, а Сашка состроил премерзкую физиономию и стал бродить по дому, устроив себе что-то вроде экскурсии. Я вовремя вспомнила, что едва ли не смертельно больна, и устроилась на диване.

— Неплохой домик, — констатировал Сашка, сел рядом со мной и спросил: — Как себя чувствуешь?

— Нормально.

— Думаю, тебе лучше отдохнуть.

— А я что делаю?

Сашка считал, что отдыхать надо по всем правилам: то есть раздеться и лечь в постель. Капризничать я не стала. Багров уложил меня на кровать, а сам устроился на диване в моей спальной. Отдельное проживание объяснил тем, что просто так лежать рядом со мной ему неинтересно, а беспокоить меня нельзя. Причина такой заботы очень скоро стала мне понятна: проснувшись среди ночи, Сашку на диване я не обнаружила. Прогулялась по дому, чертыхнулась и пошла досыпать, еще раз пообещав себе, что в конце концов Багров лишится головы.

Однако утром, открыв глаза, я услышала возню на кухне, крикнула:

— Сашка! — И он заявился собственной персоной с подносом в руках, на котором стояла чашка кофе, блюдце с бутербродами и стакан апельсинового сока.

— Как спала? — лучисто улыбаясь, спросил он с некоторым подозрением.

— Крепко, — ответила я, позавтракала и задумалась, глядя в потолок.

— Я в магазин съездил, — кружа вокруг меня лисой из известной басни, сообщил мой непутевый возлюбленный. — Полный холодильник припасов. Можем выдержать небольшую осаду. В городе нам пока лучше не появляться. Будешь звонить отцу?

— Буду, — кивнула я.

Сашка принес телефон, я набрала номер, незаметно для него нажала рычаг, а потом скороговоркой протараторила: «Папа, я уехала на несколько дней. Не беспокойся. Буду звонить».

— Автоответчик, — пояснила я и отодвинула телефон. Сашка вроде бы остался доволен. Устроился рядом со мной и начисто забыл о том, что вчера рекомендовал мне абсолютный покой.

В полдень он отправился готовить обед, а я немного подышать свежим воздухом в саду, а главное: позвонить Юльке. В дом вернулась, когда меня позвал

Сашка. Обедали мы на веранде, Багров продолжал проявлять любопытство и задавал всевозможные вопросы.

— Что это за картины? — спросил он с некоторым недоумением, мотнув головой в сторону лестницы на второй этаж.

— Это работы Юлькиного знакомого.

— А где он сейчас? В сумасшедшем доме?

— Почему? — растерялась я.

— Потому что псих. Кто еще может нарисовать такое?

— Вот уж не знала, что ты знаток живописи.

— Я не знаток, но картину от мазни отличить способен.

— Серьезно? — хмыкнула я и потащила Сашку в гостиную, достала несколько книг по живописи двадцатого века и предложила Сашке отгадать, ткнув пальцем в иллюстрации, где здесь картины. Он сник, а когда я намекнула, сколько может стоить подобная «мазня», задумался.

— А эти картины дорогие? — мотнув головой в сторону лестницы, спросил он.

— Нет, — утешила я, опасаясь как бы Багров их не свистнул от избытка энтузиазма. — Это просто память.

— А куда подевался художник?

— Погиб, — помедлив, с неохотой ответила я.

Вот тут в гостиную и влетела Юлька, в тонком шарфе на голове, темных очках и голубом сарафане.

— Ты здесь? — спросила она недовольно, а я ответила:

— Здесь.

— Вроде бы твой отец говорил, что ты куда-то уехала?

— Уехала. На твою дачу.

— Ясно. — Юлька бросила ключи на стол, взяла сигарету, нервно закурила и только тогда соизволила заметить Багрова. — Привет, — кивнула она без намека на любезность. — У вас медовый месяц?

— Ты чего дерганая такая? — насторожилась я. — Случилось что?

— Случилось, — ответила она, прикрыв лицо ладонью, вроде бы заревела, потом вскинула голову и взвизгнула: — Твой папаша спятил!

— Что? — не поняла я.

— Он спятил, черт возьми!

— Вы поссорились? — растерялась я.

— Ага... поссорились. Он меня выгнал, вышвырнул, как кота блохастого... и ладно бы просто вышвырнул... он... спятил... точно.

— Что ты болтаешь? — попробовала я быть грозной, но получилось не очень.

— Ладно, — отмахнулась Юлька. — Я знаю, что ты скажешь... Ты всегда на его стороне. Всегда. А я... — Тут она вновь заревела, не снимая очков, а я окончательно перепугалась и кинулась к ней.

— Объяснишь ты мне...

— На, полюбуйся, — сказала Юлька и сдернула очки с носа. Нижняя челюсть у меня отвисла, а Багров в кресле громко свистнул. — Видишь, как он меня отделал... Говорю, твой папаша спятил.

— За что? — промямлила я. — Что ты такого опять натворила?

— Я? Он просто сукин сын и псих. Так поступить со мной...

— Прекрати и объясни толком! — собравшись с силами, приказала я.

Юлька вытерла слезы, высморкалась и уставилась в стол. Потом печально пролепетала:

— Нечего объяснять. Я вчера была у Никифоровых... ну, задержалась немного. Алик меня проводил... Слушай, ты не знаешь, где моя машина?

— Я? Не знаю. — Мы с Сашкой переглянулись, Юлька вздохнула и покусала губы.

— Еще машина пропала куда-то. Вот ведь... Я думала, может, ты взяла.

— Зачем мне твоя машина, у меня своя есть...

— Может, сломалась...

— Рассказывай про отца, — напомнила я.

— Ну... Алик меня привез, я вхожу в дом, а твой папаша точно с цепи сорвался: «Где была?!» Я попыталась рассказать, а он... сама видишь. Ты б еще послушала, что он орал при этом. Потом просто вышвырнул меня из дома и велел сказать тебе спасибо, что моя голова на плечах осталась... Спасибо, Машка. Как ты думаешь, он действительно спятил?

— Я не верю, что папа... — покачала я головой.

— Серьезно? А синяки у меня от долгого лежания на диване? Ты еще других частей моего туловища не видела. Это ж просто ужас, а главное: с чего он вдруг взбесился?

— Слушай, а ты... я имею в виду...

— Молчи лучше, — отмахнулась Юлька. — Твой папаша много чего нагородил, только я ничего не поняла. И говорю тебе совершенно определенно: пинать меня ногами не за что.

— Папа пинал тебя ногами? — вытаращила я глаза.

— Плохо ты своего папашу знаешь... Пинал, радость моя. И при этом приговаривал... — Юлька махнула рукой и вдруг заревела, очень горько. — Машка, он меня насовсем выгнал...

— Юлечка, — запричитала я, бросившись к любимой подруге и обнимая ее за плечи. — Успокойся... Это какое-то недоразумение... Я съезжу к папе, поговорю с ним. Все устроится...

— Ничего не устроится, — замотала головой Юлька. — Он у меня ресторан отобрал. Я у тебя ночевала, а утром на работу поехала. А мне Максим говорит: «Юлечка, извини, но ты здесь больше не хозяйка». — В этом месте подруга заорала медведем. Мы обнялись, я, конечно, тоже подвывала, а Сашка, весело поглядывая на нас, произнес:

— Семейное счастье не бывает совершенно безоблачным.

— Я сейчас поеду... — вскочила я. — Я поговорю...

Юлька ухватила меня за руку и с сомнением сказала:

— Машка, может, не стоит сейчас? Может, дать ему возможность успокоиться?

— Между прочим, подруга дело говорит, — влез Багров. — Торопиться в таких делах не следует. Дайте мужику все обдумать, вникнуть, а уж потом поговорите по душам.

— Но ведь как-то он все это объяснил? — развела я руками.

— Говорю точно, взбесился, — обиделась Юлька. — Орал, что я шкура продажная, что пригрел змею на груди, ну и еще, что я сдохну на панели... Слушай, может, это болезнь какая, а?

— Какая еще болезнь? — не поняла я.

— Ну... вроде бешенства... Может, его собака укусила?

Пока мы гадали, могла собака укусить отца или нет, Багров принес из холодильника бутылку водки и томатный сок, сурово проронил:

— Надо снять стресс, — и разлил по маленькой.

Стресс мы сняли, но лучше соображать от этого не стали. На Юльку водка действует расслабляюще, она становится жалостливой. Сегодня повод пожалеть себя у нее был отменный, и она сразу же заревела, громко, горько и обильно.

— Машка, у меня ж ни копейки за душой...

— Как ни копейки? — ахнула я. — А счет в банке?

Юлька рукой махнула.

— Какой к черту счет... Я Шагала купила... А он его отобрал. Еще хотел на куски разрезать...

— Тебя? — ахнула я.

— Хуже. Шагала. Потом, правда, опомнился. Спрятал в сейф.

— Кого он спрятал в сейф? — насторожился Багров.

— Шагала, — отмахнулась я, сосредоточившись на Юльке.

— А чего это такое? — не унимался Сашка. Юлька неожиданно разозлилась:

— Чего-чего... темнота... Картина. «Две девушки, летящие по ветру».

— По чему летящие? — округлил Сашка глаза.

— По ветру, — покачала я головой и сделала Сашке лицо, мол, понимать надо ситуацию и повременить с глупыми вопросами. Но две девушки его неожиданно озадачили.

— Это что же такое? — нахмурился он.

— Это картина, — вздохнула я. — Великого русского художника Марка Шагала. Если очень интересуешься, иди взгляни на репродукции, книга четвертая слева, на верхней полке, серая обложка.

Сашка моргнул, но никуда не ушел. Юлька между тем понемногу успокоилась, вытерла нос и спросила:

— Как думаешь, встанут у него мозги на место?

— У кого? — пребывая в задумчивости, не поняла я.

— У твоего отца.

— Мне кажется, для того, чтобы папа кого-то ударил, нужна очень веская причина. Мне следует съездить к нему и все обсудить.

— А он будет обсуждать? — Я вздохнула и пожала плечами. — То-то, — покачала головой Юлька. — Давай посидим здесь тихонько пару дней, авось папаша твой успокоится и... — Тут на Юлькиных глазах вновь выступили слезы, и она пролепетала: — А вдруг он меня из дома выгонит? Если уж он спятил, то такое вполне возможно. А у меня на этот дом последняя надежда. Продам его, куплю квартиру, а на оставшиеся деньги буду жить, пока не найду хорошую работу.

— Продавать дом папа не разрешит, — покачала я головой. — Он ему нравится.

— Что ж мне теперь? — заревела Юлька, широко открыв рот и прижимая к груди подушку с дивана.

— Юлечка, все образуется, — запричитала я, обнимая ее, а Сашка, видя такую нашу занятость, потихоньку удалился. — Ты чего сказала папе? — зашептала я Юльке на ухо, воспользовавшись тем, что мы одни.

— Что поехала к маме на дачу. Телефона там нет.

— А если папа решит тебя навестить?

— Нет. Он стесняется, ты же знаешь... Пять дней от силы у нас есть.

— А синяки? — всполошилась я, а Юлька надула губы.

— Синяки настоящие.

— Как это? — кажется, у меня глаза едва не выскочили из орбит.

— Тапком себя отхлестала. Было жутко больно и неприятно. — Я ахнула, а Юлька сурово добавила: — Мы у отца деньги свистнули, мы их и вернуть должны. Грим в таком деле не годился, все должно выглядеть натурально. Твой Багров — хитрая бестия. Черти-то в глазах так и пляшут.

— Ты заметила? — обрадовалась я. — Их у него полно, и все такие разные: есть покрупнее, помельче, а есть совсем махонькие, видно, дети... чертячьи. И без конца рожи строят. Просто беда.

— Машка, — спросила Юлька, пристально глядя на меня. — А ты каким местом об асфальт ударилась, лбом или затылком?

— А что?

— Ничего. Тебе постельный режим соблюдать надо. Идем, я тебя уложу, чайку заварю с лимончиком. Идем-идем...

Я устроилась в постели, Юлька сказала, что отправляется спать, потому что ничего умнее в голову не приходит, а Сашка лежал на полу в моей спальной и рассматривал альбом.

— Что-то я здесь никаких «летящих по ветру» не нашел, — заявил он ворчливо.

— А их здесь и не может быть, — на мгновение оторвавшись от книги, ответила я. — Когда составляют подобные альбомы, указывают, из собрания какого музея данные картины. Например, «Из собрания Русского музея». А картина, которую Юлька имеет в виду, из частного собрания... причем, не собрания даже, а... словом, это длинная история, — торопливо закончила я и вновь уткнулась в книгу.

— Расскажи, — попросил Сашка, устраиваясь на кровати рядом со мной и захлопнув мою книжку. — Много читать вредно, особенно после того, как головой тюкнулась, и когда рядом красавец-мужчина, то есть я. Лучше поговори со мной, расскажи что-нибудь, ну хоть про картины эти...

— Зачем тебе? — искренне удивилась я.

— Не зачем, а просто... Ты будешь говорить, а я тебя слушать. Мне нравится твой голос. Давай, рассказывай.

— Про Шагала, что ли?

— Ну, давай про него.

Я рассказала все, что могла припомнить, рассказ вышел не особенно длинным, но, как ни странно, и не рекордно коротким. Я поудивлялась своей памяти, после чего мы вместе с Сашкой стали рассматривать репродукции.

— Да... — вздохнул Багров и покачал головой. — И что, за такое еще деньги платят?

— Искусство тебе не дается, — засмеялась я. — Займись чем-нибудь другим.

— Нет, просто интересно... А где этот Шагал, к примеру, продается?

— За границей на специальных аукционах. А у нас... даже не знаю. Частные коллекционеры покупают, музеи, конечно, крупные, у которых деньги есть...

Честно говоря, я в этом тоже не очень разбираюсь. Сейчас картины из частных собраний если продаются, то в основном уходят за границу.

— А где его Юлька купила?

— Слушай, что это у тебя за неожиданная тяга к искусству? — насторожилась я.

— Нет у меня тяги, — обиделся Сашка. — Есть любопытство. Что в этом плохого?

— Ничего, — покаялась я. — Просто история эта... как бы тебе сказать... не совсем приятная...

— Да? Это еще интереснее, — хмыкнул Сашка, обнял меня, прижал к себе покрепче и заявил: — Давай, колись.

Я покосилась на дверь, опасаясь, как бы Юлька не услышала, что я выдаю ее тайну, и заговорщицки зашептала на ухо Багрову:

— У Юльки был друг. Художник. По-моему, страшный жулик, но Юлька считала его гением. Потому и картины его везде развесила. Страшная гадость, правда? Он был связан с коллекционерами, вечно чего-то продавал, покупал. Нашел какую-то старушку, вдову. Бабка была совсем старая и, по-моему, выжила из ума. Как у нее Виталик смог выпросить картину?.. Я думаю, он ее попросту украл, обманув старушку. Но у него была какая-то бумага, удостоверяющая куплю-продажу, и он таки заставил бабку поставить свою подпись. В общем, Шагал ему достался практически за бесценок. Он искал покупателя, а потом... у него начались неприятности, финансовые, и картину отобрали.

— Кто? — невинно поинтересовался Сашка.

— Один папин знакомый... Виталик хотел ее выкупить, но не успел.

— Неуж помер?

— Да. Что-то с ним произошло... видимо, дела были совсем плохи, и он... выбросился с шестого этажа. Ужасно... — В этом месте я вздохнула.

— Ясно, — в тон мне вздохнул Сашка. — А как все-таки она попала к Юльке?

— Этот человек, у которого оказалась картина, ее реальной ценности не знал, то есть он был в курсе, что она денег стоит, но если бы узнал каких, наверное бы, не поверил. От искусства он далек, а несведущему человеку разобраться...

— Да, — взглянув на репродукцию, с готовностью согласился Багров.

— Она висела у него в прихожей, — с ужасом добавила я. — Представляешь?

— Нет, — честно ответил Сашка, как видно, так и не подобрав подходящего места для такой картины даже в прихожей.

— А Юлька очень переживала, за картину и вообще... и мечтала ее выкупить. Вот и ухнула на нее все свои деньги...

— Зря она так, — покачал головой Сашка.

— Это же память о близком друге.

— А теперь выходит, ни картины, ни памяти.

— Да, — выразительно вздохнула я, печалясь о женской доле вообще и Юлькиной в частности.

— И сколько она за эту память отвалила?

— Не знаю. Виталик был должен пять тысяч долларов, это я хорошо помню. Юлька еще возмущалась, что за такие деньги и отобрать Шагала. Ну... проценты за год... У Юльки на книжке было тысяч десять, не больше, теперь говорит, что нет ни копейки.

Сашка сурово нахмурился и спросил:

— Вот такая мазня стоит десять тысяч баксов?

— Нет, конечно. Двести, триста, хотя точно не знаю. Я же не специалист и ценами на рынке не интересуюсь.

— Двести, триста, а она отдала десять тысяч? — Тут Сашка выпучил глаза и произнес с ужасом: — Двести тысяч долларов?

— Отвяжись, — нахмурилась я. — Может двести, может, сто восемьдесят, а может, пятьсот... Говорю, я не эксперт. Знаю, что стоит дорого... Странный у нас какой-то разговор. Или ты рассчитываешь, что отец даст мне Шагала в приданое? — кокетливо спросила я.

— Так этот Шагал вроде Юлькин? — удивился Сашка.

— Если все так, как Юлька рассказывает, боюсь, ей не только Шагала, но даже этого дома не увидеть.

— А кто-то намекал, что папа у нас большой доброты человек...

— Не добивай, мне и так тяжело. Папу я люблю больше всех на свете, а Юлька — моя лучшая подруга. Конечно, я переживаю и надеюсь их помирить. Только, если честно, я ей не очень верю. Папа человек уравновешенный, и такому невероятному поведению должна быть причина. Думаю, Юльке она хорошо известна. — Я вздохнула, пару минут разглядывала потолок, потом спросила: — С чего он мог так разозлиться?

— Не знаю, — очень натурально пожал плечами Багров. — Может, застал ее с кем?

— Что ты... Юлька не такая...

— Ага, — с готовностью кивнул Сашка, чертенок в его зрачке нагло ухмыльнулся, мол, все вы не такие, а дурите нашего брата будь здоров.

Утро началось с телефонного звонка. Юлька кинулась к телефону со всех ног, должно быть, питая надежду, что звонит раскаявшийся в своем чудовищном поступке отец. Схватила трубку, сказала:

— Да, — и тут же нахмурилась. Сообразив, что Юльку постигло разочарование, я вздохнула и пошла пить кофе. Разговор в гостиной вышел бурным, Юлька неожиданно крикнула: — Пошел ты! — грязно выругалась, а потом и вовсе произнесла нечто длинное, замысловатое и совершенно непечатное.

— Кто это? — пролепетала я, стрелой вернувшись с кухни.

— А... — Юлька махнула рукой. — Не обращай внимания.

Тут внизу появился Сашка, до этого момента он нагло подслушивал, стоя на лестнице.

— Машка, я отлучусь ненадолго, — и зашептал: — Предупрежу отца анонимным звонком и попробую узнать, чем занимаются эти гады...

— Какие? А... ФСБ?

— Вот именно. Из дома лучше не выходи... мало ли...

— Может, мне с тобой?

— Нет, у тебя постельный режим, отдыхай. Думаю, через пару часов вернусь.

Сашка стремительно удалился, а я положила на стол сотовый, и мы с Юлькой сели пить чай, не торопясь и удовлетворенно поглядывая друг на друга.

Звонок раздался через час.

— Порядок, — сказал Денис. — Он клюнул. Активно интересуется Виталием Сафроновым и его трагической гибелью. А также Шагалом. В музей решил зайти, — неожиданно хохотнул Денис.

— Ну надо же...

— Мы его сделаем, — хмыкнула Юлька с чувством глубокого удовлетворения, и мы пожали друг другу руки, хотя меня и грыз червь сомнения: с Сашкой никогда ничего не знаешь наверняка.

Багров появился где-то после обеда, сообщил с порога, предупреждая мои расспросы:

— Ничего нового, — и побрел на кухню, где съел все, что мы с Юлькой успели приготовить за полдня.

Я удовлетворенно кивнула: если у человека такой аппетит, значит, набегался он вволю. Села рядом с Сашкой, он меня обнял, а я прижалась к его плечу. Посмотрела на него с отчаянием и мысленно вздохнула: «Нет, такого, как Багров, не переделаешь... Ну и не надо», — тут же разозлилась и стала смотреть на Сашку с суровостью.

— Устал я чего-то, — хлопнув себя по коленкам, заявил он. — Пойду, бока поотлеживаю.

— А мне что делать? — поинтересовалась я.

— Можешь пристроиться рядом.

Бока мы отлеживали своеобразно. Я еще раз подумала: «Багрова не переделаешь, — и уже с печалью добавила: — Очень жаль». Жаль или нет, а начатое дело надо довести до конца. Как ни крути, деньги отца мы свистнули, их необходимо вернуть. Это можно сделать очень просто: позвонить папе и все рассказать. Однако Сашке моя откровенность выйдет боком, да и неинтересна мне такая простота. Деньги Багров должен принести сам, в противном случае, в сидении на даче нет никакого смысла. Радуя себя такими мыслями, я рассматривала потолок, а потом задремала рядом с громко сопящим Сашкой.

Разбудила нас Юлька. Влетела в комнату, забыв постучать, и с порога крикнула:

— Машка, у нас гости!

— Кто? — пытаясь решить, кого черт принес, вскочила я.

— Потом объясню... Слушай, не могу я с этим типом встречаться, когда я так изукрашена... Придется тебе.

— Встречаться? — растерялась я. — Зачем это?

— Да не встречаться... Иди, скажи, что меня нет дома. Придумай что-нибудь.

— Да кто хоть приехал?

— Потом объясню... Да шевелись ты, окаянная сила!

Я зашевелилась, то есть натянула на себя платье и скатилась по лестнице вниз. К этому моменту Багров тоже вскочил, выставив за дверь Юльку, и кинулся к окну. Там он мог увидеть (если, конечно, не считать переулка и деревьев напротив): шикарную машину белоснежного цвета, длинную, как трамвай, и двоих типов, которые сейчас направлялись к нашему крыльцу. Сашка, всегда страдавший любопытством, мигом оделся и спустился вслед за мной.

В дверь как раз позвонили, я торопливо расчесалась и пошла открывать. На пороге стояли двое мужчин в светлых костюмах. В одном наметанный русский глаз без труда мог опознать иностранца. Дядька выглядел очень респектабельно, голову держал на должной высоте, а глаза из-за стекол очков смотрели пронзительно, хотя их обладатель ласково улыбался мне. Второй был меньше ростом, посматривал на первого слегка заискивающе и особой солидностью похвастать не мог.

— Добрый день, — сказал он мне, я произнесла:

— Здрасьте. — А иностранец кивнул, продолжая улыбаться.

— Мы хотели бы увидеть Юлию Семеновну, это возможно?

— Нет, — мотнула я головой. Тип моргнул и вроде озадачился, иностранец перевел взгляд на него и улыбаться перестал.

— Почему? — растерялся дядька.

— Потому, что ее здесь нет, — на всякий случай нахмурилась я. Растерянности в нем прибавилось, он повернулся к своему спутнику и заговорил по-английски. Тот нахмурился и, глядя то на меня, то на переводчика, задал какой-то вопрос.

— Извините, — с ноткой истеричности в голосе обратился ко мне переводчик. — Мы договаривались с Юлией Семеновной о встрече.

— Возможно, — согласилась я, не желая ссориться с гостями. — Но... возникли непредвиденные дела, и она уехала.

Тип перевел, а иностранец нахмурился еще больше, затараторил по-своему, глядя на меня с обидой и подозрительностью. Еще минут пять мы выясняли отношения, стоя на пороге. Сашка, пританцовывая рядом, поглядывал на гостей с любопытством. Все это порядком меня утомило, и я заявила:

— Ее нет, и я понятия не имею, где она может быть.

— Но позвольте... — вдруг рассердился переводчик, а я попятилась и торопливо захлопнула дверь.

Поскучав на крыльце с минуту, гости направились к своей шикарной машине.

— Что за интурист? — спросил Сашка, перебравшись к окну.

— Откуда мне знать? Спрашивай у Юльки.

Тут появилась она сама, выглянула из-за двери с заметной опаской и поинтересовалась:

— Уехали?

— Уехали, — отрезала я. — Что за люди?

— Так... — отмахнулась Юлька. — Здорово злились?

— Как сказать... выглядели обманутыми в лучших ожиданиях.

— А-а... — Юлька подошла к буфету, извлекла бутылку мартини и лихо выпила полстакана. Затем повертела его в руках и констатировала: — Полное дерьмо...

— Мартини? — удивилась я.

— Нет. Жизнь.

— Вот что, моя дорогая, — начала я решительно. — Будь добра, объясни, что это за типы.

— Отстань, — разозлилась Юлька и добавила со вздохом: — Без тебя тошно.

Машина исчезла в переулке, а Сашка от окна перебрался на диван, при этом хитро поглядывая на нас.

— Интурист опечалился, — сказал он весело, оглядел Юльку с ног до головы и спросил: — Может, ты ему чего задолжала?

— Что ты имеешь в виду? — вскинулась моя подружка.

— Ну... Он спешил на свидание и вдруг такой облом...

Юлька полминуты соображала, потом уперла руки в бока и пошла на Багрова.

— Это что за намеки?

— Я к тому, может, ты знаешь, по какой причине разжилась синяками?

— А ну, убирайся вон из моего дома! — рявкнула Юлька, повернулась ко мне и добавила: — Что это он себе позволяет?

— Не обращай внимания, — заторопилась я.

Скандал не успел приобрести угрожающего размаха, потому что у нас вновь объявился гость. В дверь позвонили, а мы вздрогнули и посмотрели друг на друга с заметным испугом.

— Меня нет, — запаниковала Юлька и юркнула в дверь. Багров поднялся до середины лестницы на второй этаж и оттуда стал поглядывать на дверь. Выходило, что открывать придется мне и объясняться с незваными гостями тоже.

Энтузиазма это не вызвало, и я со вздохом шагнула к двери. Только я успела повернуть замок, как в дом ворвался совершенно немыслимый тип: маленький, юркий, весь какой-то непромытый и извивающийся ужом.

— Где эта стерва? — рявкнул он, не обращая внимания на мои вытаращенные глаза и робкое желание оттеснить его к двери.

— Какая? — ахнула я. Мужчина решительно отодвинул меня в сторону и залаял, задрав голову и адресуя свои слова потолку:

— Не дури, я знаю, что ты здесь. Я видел их машину.

Я тоже посмотрела на потолок, подождала, будет ли он отвечать, не дождалась и, переведя взгляд на гостя, пожала плечами.

Тут дверь хлопнула с чудовищной силой и влетела Юлька, кстати, очень разгневанная.

— Какого черта ты здесь орешь? — прошипела она, сверля коротышку гневным взглядом. — Вон из моего дома!

— Как бы не так, — хмыкнул тот и устроился в

кресле. Выглядел он при этом страшно нахально. — Я хочу получить свои деньги, — заявил он.

— Получишь, — отмахнулась Юлька.

— Когда, интересно?

— Скоро. Убирайся. Нет у меня настроения общаться с тобой.

— Серьезно? А у меня есть. — Он вскочил и, силясь выглядеть грозным, начал тыкать в Юльку пальцем. — Я хочу свои деньги. Или картину. И я отсюда не уйду, пока их не получу.

— Что? — сложив на груди руки, пропела Юлька. — Ты не угрожать ли мне собрался? Не советую. Выметайся... и лучше не показывайся мне на глаза, не то... — Юлька не успела закончить, коротышка засмеялся, надо заметить, смеялся он препротивно.

— Да неужели? Ох, как страшно... А ты ничего не забыла, дорогая? Твой любовничек тебя вышвырнул, отдубасив как следует. Думаешь, в городе это для кого-то секрет? И чем ты теперь меня испугаешь? Экс-шлюха несчастная, — презрительно закончил он.

— Скотина! — заорала Юлька и кинулась на обидчика, я тоже заорала и бросилась между ними, тут появился Багров, ухватил коротышку за шиворот и приткнул в кресло.

— Как ты себя ведешь в приличном доме? — спросил он укоризненно.

— А это еще что? — выпучил глаза наш гость, глядя на Сашку с досадой. Юлька, порадовавшись подмоге, указала на дверь и заявила:

— Убирайся!

— И не подумаю, — насупился коротышка, подозрительно приглядываясь к Сашке. Тот устроился с ним по соседству на ручке кресла и весело раскачивал ногой, проявляя к происходящему повышенный интерес.

— Убирайся, кому я сказала?! — топнула ногой Юлька.

— Прекрати вести себя как идиотка, — заметно

спокойнее сказал гость, пялясь на Юльку. — Да, дела у тебя неважные, — констатировал он, вдоволь насмотревшись на желто-зеленые разводы на ее физиономии. — Значит, так: пугать меня не советую, ты теперь не в том положении, чтоб кого-либо пугать... разве только мышей в кладовке, — хмыкнул он, радуясь своему остроумию. — Я точно знаю, с деньгами у тебя туго, значит, ты отдашь мне Шагала.

— Что? — презрительно скривилась подружка. — За десять тысяч баксов?

— Точно. Иначе за эти паршивые десять тысяч ты имеешь твердый шанс умереть в юном возрасте.

— Да ты мне грозишь? — не поверила она.

— Точно. У тебя есть картина, и я видел этого американца, думаю, вы договорились...

— Если договорились, откуда ж у меня картина? — презрительно спросила Юлька.

— Значит, есть деньги. В общем так: завтра я хочу получить свои деньги... или картину. У тебя ровно двадцать четыре часа. — Он поднялся и пошел к двери. Несмотря на явную комичность своей внешности, коротышка умудрился выглядеть очень впечатляюще. Дверь за ним закрылась, и в гостиной наступило зловещее молчание.

Юлька кусала губы, я пыталась хоть что-то понять, Сашка был занят тем же.

— Это что ж такое? — с трудом смогла вымолвить я, а Юлька заревела:

— Ты же слышала, он меня шантажирует.

— Я сейчас позвоню папе, — решила я прибегнуть к самому простому выходу из всех затруднительных положений.

— Нет! — взвилась Юлька. — С ума сошла, что ли?

Тут я разозлилась по-настоящему, сказала:

— Я ничего не понимаю. — Села в кресло и сурово добавила: — Немедленно объясни, что происходит. Не то... я просто черт знает что сделаю.

Юлька устроилась на диване, хотела зареветь, но передумала. Вытерла нос и сказала:

— Чего ж не понять: я должна этому гаду деньги. Раньше ласковый ходил, спрашивать не решался, а теперь стал отважный... У-у, вражина...

— О Господи, — порадовалась я, что начала хоть что-то понимать. — Дам я тебе деньги.

— У тебя есть десять тысяч? — с сомнением спросила подруга.

— У меня? Нет. Зачем мне такие деньги? Я спрошу у папы...

— Не выйдет, — сразу потеряв интерес, покачала головой Юлька. — Он не даст. — Я только собралась возразить, как Юлька добавила: — Твой отец не дурак и сразу поймет. Не даст ни копейки... После того, как он взбесился... Извини. В общем, мои неприятности греют ему душу. Денег он не даст, а если ты скажешь, что они нужны тебе для покупки машины и прочую ерунду выдумаешь, отец тебе машину подарит. Но налички ты не увидишь. Это я тебе без гадалки скажу...

— Как же тогда? — растерялась я, заподозрив, что в Юлькиных словах скрыта истина.

— Никак. Твой отец рассчитал все совершенно верно: без него жизнь у меня будет невеселой. Я тебе больше скажу: вряд ли она вообще меня порадует в ближайшее время.

Тут я подумала еще кое о чем, а подумав, спросила:

— Слушай, зачем тебе понадобилось занимать деньги у этого типа? Ты что, у отца спросить не могла?

— Не могла, — обрезала Юлька, кусая губы.

— Чего-то ты подруга не договариваешь. Допустим, на все свои сбережения ты купила Шагала, но этот долг, откуда он взялся?

— От верблюда... — хмуро ответила Юлька, отворачиваясь.

— Либо ты мне все расскажешь, либо...

— Что? — хмыкнула она.

— Либо я не буду тебе помогать.

— Ты и так не будешь, — горько вздохнула она, посмотрела маятно и наконец решилась: — Меня шантажировали. Деньги нужны были срочно, а отцу пришлось бы объяснять...

— Тебя шантажировали? — выпучила я глаза. — И ты ничего не рассказала отцу?

— Расскажи я ему, и он бы еще раньше украсил меня синяками.

Тут я наконец начала что-то понимать.

— Ты ему изменила, а кто-то об этом узнал и грозился донести отцу?

— Не изменяла я ему, — насупилась Юлька. — Все вовсе не так было... Пришли к друзьям, ну выпили... много, а там один парень возле меня крутился. Это я уж после поняла, что все было подстроено. В общем, сделали пару фотографий, я и этот сукин сын в обнимку, на диване. Конечно, все туфта чистой воды, но у твоего отца характер, он бы мои объяснения слушать не стал, а фотографии вышли препаршивые... я не качество имею в виду. Вот мне и предложили купить их за десять тысяч.

— Ясно, — сурово сказала я. — И ты еще удивляешься, что ходишь с синяками?

— Я не изменяла! — крикнула Юлька и заревела. Должно быть, с досады.

— Что ж теперь делать? — посидев немного и успокоившись, спросила я. Конечно, Юлька заслужила отцовское неудовольствие, но, в конце концов, она моя подруга, и я обязана ей помочь.

— Не знаю. Деньги возвращать.

— Где ж мы их возьмем?

— Спроси что-нибудь полегче, — поежилась она и затосковала.

— Слушай, я могу их занять, — озарило меня через несколько минут.

— У кого? У твоих личных друзей таких денег нет, а прочие донесут отцу, что ты по людям бегаешь и занимаешь деньги.

— Ну и что?

— Ничего. Отец скажет веское слово, и никто не даст ни копейки. И тебе достанется, чтоб мне не помогала. — Юлька мутно взглянула и нерешительно продолжила: — Хотя выход есть.

— Какой? — обрадовалась я.

— Шагал. Вот если б ты могла достать картину...

Сашка слабо шевельнулся в кресле и навострил уши.

— Зачем тебе картина? — нахмурилась я.

— Она, между прочим, больших денег стоит. Продала бы ее, долг вернула и сама жила припеваючи.

— До завтра картину не продашь... — усомнилась я.

— Еще как продашь. Иностранца этого видела? За ней приезжал. Приличные деньги платит.

— Постой, — вновь запуталась я. — Где ты откопала этого типа?

— Не я его откопала, а этот гад, что следом за ним прибегал и деньги требовал. Я ему про картину сказала, а он нашел покупателя.

— И когда это произошло? — начала свирепеть я.

— Ну... месяц назад примерно.

— Выходит, ты выкупила Шагала вовсе не для того, чтобы он украсил твою гостиную, а для того, чтобы перепродать?

— Ну и что? — обиделась Юлька. — Что, это преступление? Он больших денег стоит, а я обязана позаботиться о себе. Кому хочется всю жизнь зависеть от твоего отца? А с деньгами, что мне интурист заплатит, можно сто лет жить припеваючи и вообще ни о чем не беспокоиться.

— Надо же, — покачала я головой, сообразив, что плохо знала свою подружку и кое-какие тайники ее души, так неожиданно раскрывшиеся, явно мне не по вкусу. — Я думала, ты любишь живопись...

— Люблю я живопись. Только жить на что-то надо... Машка, если я деньги не верну, просто не знаю, что этот гад со мной сделает. Кто за меня вступится, зная, что папаша твой не возражает против лишения меня головы. Прикидываешь?

— Прикидываю, — вздохнула я. — Только в ум не идет, чем тут можно помочь.

— Шагал у отца в сейфе, — туманно заметила Юлька.

— Что ты этим хочешь сказать?

— Ты разве не знаешь шифр?

— Какой?.. О Господи, — наконец дошло до меня. — Ты хочешь, чтобы я его украла?

— Ну... — Юлька нахмурилась и пожала плечами. — Картина, вообще-то, моя. Я за нее деньги заплатила, а отец отобрал ее у меня, так что еще посмотреть, кто из нас вор... извини. А ты моя подруга, и я не знаю, кто еще смог бы мне помочь.

— Я твоя подруга, но воровать не буду. И шифра я не знаю, откуда? Так что говорить об этом нечего.

Юлька затихла, потом заплакала и, не глядя на меня, запричитала:

— Значит, пропала моя головушка. Приедет завтра этот хмырь и...

— Перестань, — оборвала я ее довольно резко. — Лучше давай подумаем, где достать десять тысяч.

— Нечего мне думать. Не знаю я...

Тут Сашка вновь ожил в кресле и спросил:

— А сколько интурист обещал отвалить за нее?

— Тебе какое дело? — неожиданно разозлилась Юлька.

— Ну... если деньги неплохие, то имеет смысл подсуетиться. Мы могли бы найти человека, который даст десять тысяч, чтобы потом получить гораздо больше.

— Десять тысяч за Шагала? — пошла пятнами Юлька. — Ты спятил, что ли? Вот ведь придурок... Десять тысяч. Не смеши меня...

— Как хочешь. Может, у тебя есть другой план на примете...

— Нет у меня плана.

— И Шагала тоже нет, — подсказала я. Все загрустили и уставились на меня.

— А вдруг меня правда убьют? — поежилась Юлька. — Как думаешь, Машка, могут эти олухи убить человека за десять тысяч?

— Могут и за тыщу, — обрадовал Сашка.

— Я поеду к папе и поговорю с ним. Хоть он и сердит на тебя...

— Только попробуй. Расскажешь ему о долге, он этого хмыря за шкирку возьмет и со своей дотошностью скоренько выяснит, на что я занимала денежки. А уж после этого сам оторвет мне голову, и завтрашнего дня дожидаться не придется.

— Других идей у меня нет, — расстроилась я. И пошла в кухню заваривать кофе.

— Ты мог бы ее уговорить, — тихо сказала Юлька, лишь только я удалилась.

— Я? — развеселился Сашка. — Уговорить обокрасть родного отца? Дура она, что ли? Да и мне с этого никакой пользы, одни угрызения совести.

— Если мы продадим картину, совесть твоя останется довольна.

— Если... — хмыкнул Сашка. — Картины у нас нет.

— Она есть, — зло зашипела Юлька. — И шифр Машка знает, это мне доподлинно известно. Съездит к папочке и возьмет картину. Мы толкнем ее иностранцу, а деньги поделим на троих. По пятьдесят тысяч. Совсем не плохо, а?

— Сколько? — озадачился Сашка.

— По пятьдесят тысяч на каждого. Машка влюблена в тебя, как кошка. Мужик ты или нет?

— Я не могу обманывать любимую женщину.

— За пятьдесят тысяч и не можешь? Плюс ее пятьдесят — и вы богатые люди.

— Какие пятьдесят тысяч? — спросила я, появляясь в дверях. — О чем вы?

— Так... мечтаем, — вздохнула Юлька.

В молчании выпив кофе, мы немного поскучали, и я, не придумав ничего лучшего, сославшись на головную боль, пошла спать. Однако уснуть не удалось. Багров пристроился рядом и стал увлеченно разглядывать потолок. Потом обнял меня, с чувством поцеловал и уставился уже в мое лицо.

— Ну и что? — не очень вежливо поинтересовалась я.

— Шифр ты, конечно, знаешь?

— Нет. И узнавать не буду.

— Она твоя подруга, и ей грозит опасность.

— Думаю, она преувеличивает. Как бы папа ни сердился, он никому не позволит пальцем тронуть Юльку.

— Но сам-то тронул, и даже не пальцем, а ногами. Если она не врет, конечно.

— Она сама виновата. Папу обманывала, и меня обманывала, хотя я ее лучшая подруга.

— Это обидно, — согласился Сашка. — Но девчонка попала в беду, и надо ей как-то помочь.

— С чего это вдруг такая забота о Юльке? — подозрительно спросила я.

— Никакой заботы, — потряс головой Сашка. — А если и есть, так только о твоем душевном благополучии. Не думаю, что тебя очень обрадует ее гибель.

— Я ей не верю, — вздохнула я. — На самом деле никто не собирается ее убивать. Она все драматизирует, чтобы заставить меня взять у отца картину. Ей нужны деньги, потому что жить она привыкла хорошо, а теперь, когда отец ее бросил, придется отвыкать от хорошего. Впрочем, Юлька красавица, и замену отцу найти ей будет нетрудно. Так что успокойся и не подбивай меня на гнусности.

— А ты злая, Машка, — заявил Багров, глядя на меня пристально и с осуждением. Это показалось обидным.

— Злая, потому что не хочу ограбить отца? Даже

ради любимой подруги, которая его обманула? Злая я, злая... А ты либо дай мне уснуть, либо убирайся отсюда.

— Юлька сказала, что мы можем получить по пятьдесят тысяч.

— Заткнись, свое мнение я уже высказала. К тому же деньги мне без надобности: у меня все есть. А если вдруг понадобятся, то я просто попрошу их у папы, а не стану его грабить.

— Ладно, чего ты, — вздохнул Багров. — Я просто хотел выяснить твою точку зрения на это дело.

— Выяснил? Теперь заткнись.

Я отвернулась от Сашки, задышала ровнее, делая вид, что засыпаю. Он потомился немного рядом, потом тихо вышел из комнаты. Подождав минут десять, я тоже вышла и пристроилась на лестнице.

— Багров, — позвала Юлька из своей комнаты. Он вошел к ней, оставив дверь открытой, и привалился к косяку. — Ну что? — шепотом поинтересовалась она, Сашка тоже понизил голос:

— Ничего. Не желает она батяню грабить.

— Ты что, не можешь ее уговорить?

— Не могу.

— И что ты за мужик после этого? Баба по нему с ума сходит, а он не может подбить ее на доброе дело. Пятьдесят тысяч баксов. Напрягись, Багров. Покажи, на что способен. Хочешь, научу, как это делается? — Юлька по-кошачьи скользнула с кровати и направилась к Сашке. Тот хмыкнул и вознамерился удрать в коридор. Но от Юльки просто так не сбежишь. Она повисла на его шее, прижалась покрепче и мурлыкнула: — Багров, он нам и двести заплатит, на двоих по сто штук. Берем бабки и сматываемся отсюда. На свете есть места получше, чем этот паршивый городишко.

Сашка ухватился за ее руки и попробовал высвободиться. Юлька засмеялась, а потом принялась его целовать. С моей точки зрения, сопротивлялся он вяло, сделал шаг, Юлька качнулась, оба потеряли равновесие, сделали несколько торопливых шажков и грохнулись на кровать. Багров своей тушей придавил Юльку, и она охнула. При желании это можно было истолковать как стон восторга и большой страсти. Я вошла в спальную и замерла на пороге, выпучив глаза. Юлька их тоже выпучила, потому что увидела меня, буркнула: «О, черт!» — и ослабила хватку. Багров приподнялся, радуясь такой удаче, но тут обернулся и увидел меня. Я закусила губу, слезы брызнули из глаз, а Юлька сказала:

— Только давай без трагедий, ничего с твоим Багровым не сделается.

Я развернулась на пятках и спешно покинула комнату, пылая праведным гневом.

Поднялась наверх и стала собирать свои вещи в сумку. Разбросаны они были в самых неожиданных местах, и это потребовало времени. Багров поднялся следом, встал у двери, сложил руки на груди и наблюдал. Потом спросил:

— Ну и что?

— Ну и ничего, — спокойно ответила я.

— Мне твоя Юлька даром не нужна, — сообщил он через пару минут.

— Да. Я видела.

— Ничего ты не видела, — разозлился Сашка. — Я понимаю, это выглядело подозрительно, но все было совсем не так... Сама посуди, каким дураком надо быть, чтобы не закрыть дверь по такому делу?

— Честно говоря, мне все это неинтересно.

Вещи я наконец собрала и направилась вниз. Багров схватил меня за руку, отобрал сумку, зашвырнул ее на диван и стал сверлить меня взглядом.

— Чего ты добиваешься таким идиотским поведением? — поинтересовалась я.

— Это ты ведешь себя как идиотка. Ни с того ни с сего...

— Серьезно? — обрадовалась я. — Теперь это так называется? Может, мне заняться ни тем ни сем, а ты постоишь в дверях? Жаль, не вижу подходящей кандидатуры, но ничего, не думаю, что это будет проблемой.

— Заткнись! — рявкнул Сашка, а я прошипела:

— Не смей на меня орать.

— Я не ору. — Сбавив обороты, он вздохнул и жалобно посмотрел, потихоньку оттирая меня от двери. — Послушай, как бы это ни выглядело, это... ну... одним словом, забудь.

— Тебя? — подняла я брови.

— Нет, — разозлился Сашка. — То, что видела.

— Пожалуй, я лучше забуду тебя. В противном случае, подозреваю, такие же сцены придется наблюдать частенько. А у меня недостаток: я ревнивая. — Решительно шагнув вперед, я попыталась выйти из комнаты, но Сашка выскочил первым и закрыл дверь перед моим носом. Я немного подергала ее: безрезультатно. — Идиот! — крикнула я и села на кровать.

Через минуту дверь распахнулась и появился Сашка, таща как на буксире Юльку. Та слабо сопротивлялась, а в дверь и вовсе входить не хотела. Для убыстрения процесса Сашка дал ей пинка.

— Придурок! — взвизгнула Юлька и устроилась в кресле. На меня не смотрела принципиально.

— Скажи ей, — рявкнул Багров.

— Чего? — съязвила она.

— Как все было.

— А как? — Юлька откровенно издевалась. Сашка замахнулся, с намерением влепить ей затрещину, а я поспешила вмешаться:

— Прекрати. Я верю своим глазам, так что можешь не стараться. — Отвернулась и стала смотреть в окно.

— Может, мне на колени встать или поклясться маминым здоровьем? — предложил Багров.

— Попробуй, — пожала я плечами. — Только это вряд ли поможет.

— Машка, — позвала подружка. — Я это... ну, он в самом деле ни при чем. Честно. Не знаю, что на меня нашло. Сама не своя последнее время... Я подумала, может, он тебя уговорит, ну, с картиной то есть.

— Не уговорит, — отрезала я, а Юлька заплакала:

— Помоги мне, а? Если не ты, кто мне поможет? Деньги нужны позарез.

— А тебе они тоже нужны? — презрительно спросила я Сашку, он сурово нахмурился, но ответить не решился.

— Отлично. Обворовывать отца я не собираюсь. А вы мне... как бы это выразиться, стали вдруг очень несимпатичны. И из этого дома я, пожалуй, никуда не пойду, это дом отца, и мне здесь нравится. А вы оба выметайтесь и где-нибудь в другом месте резвитесь на здоровье, мне наплевать.

— Машка, — заревела Юлька теперь уже по-настоящему. — Прости, а? У меня, кроме тебя, ни души... Сколько лет дружили, Машка... Не знаю, что на меня нашло.

Юльку сделалось жалко, несколько минут я пялилась в окно, а потом сказала:

— Хватит реветь.

— Ты меня простишь? — встрепенулась подружка.

— Прощу.

Юлька подскочила, и мы с ней обнялись, я с неохотой, а она с большим чувством.

— Вот и слава Богу, — заметила подруга с удовлетворением. — Идемте чай пить.

И мы пошли пить чай. Юлька много болтала и все косилась на меня, а мы с Багровым молчали, взаимно стараясь не встречаться взглядами.

— Вы помиритесь или нет? — насторожилась подружка.

— А мы не ругались, — ответила я. Чаепитие затягивалось, и Юлька начала томиться.

— Ты мне поможешь? — не выдержала она где-то через полчаса.

— Помогу. Завтра с утра объеду всех знакомых и соберу деньги.

Юлька стрельнула взглядом в сторону Сашки и заметно приуныла.

— Но это не решает мою проблему, — сказала она жалобно. — Машка, на что я жить буду?

— По этой причине я должна обокрасть родного отца?

— Почему обокрасть... ну, взять... О Господи... черт, это моя картина! — взвизгнула она. — И я хочу ее получить.

— Серьезно? — хмыкнула я в ответ. — Чего ж проще: иди и возьми.

— Стерва, — не выдержала Юлька. — Правильно твой Димка говорил: яблоко от яблони...

Я зло улыбнулась, стараясь не смотреть на Сашку, а потом заявила:

— Вам нужна картина — это ясно. Вы надеетесь разбогатеть, при этом всю грязную работу свалить на меня. Очень вам признательна.

— Можно подумать, тебя просят ограбить музей.

— Не в этом дело, — усмехнулась я. — С какой стати мне вам доверять? Ты меня за пару дней дважды удивила, а Багров и вовсе не внушает доверия. Для сотрудника ФСБ у него чересчур большая страсть к искусству. Предположим, я достану картину, где гарантия, что смогу получить свои пятьдесят тысяч?

— Получишь, — закивала Юлька. — Ты что, мне не веришь? С интуристом полный порядок, мы ему Шагала, он нам сто пятьдесят тысяч. Клянусь, я в тот же день уеду к маме и твоему Багрову никакого ущерба не нанесу.

— Не пойдет, — хмыкнула я. — И не сидите с постными лицами, вам меня не уговорить. Я была бы безмозглой дурой, если б вам поверила.

— Чем ты рискуешь? — влез Багров, выглядел он при этом очень рассудительным. — Ты позаимствуешь у отца картину...

— Ничего заимствовать я не буду, — перебила я. —

Проще прийти и сказать: «Папа, подари мне Шагала. Я повешу его в гостиной».

— Он решит, что мне... — влезла Юлька.

— Не решит, — хмыкнула я. — Объясню папе, что после вашего разрыва имела счастье узнать, что ты из себя представляешь.

— С ума сошла, — жалобно всхлипнула Юлька, а я презрительно улыбнулась:

— Картину я могу достать, а вот вам ее не отдам, потому что вы оба... не вызываете симпатии. К тому же это глупо: раз картина моя, зачем мне ее продавать за пятьдесят тысяч, если можно за сто пятьдесят?

— Сама ты ее продать не сможешь, — разозлилась Юлька. — Думаешь, это так просто? Интурист ждет именно меня, перемены его неприятно удивят и, скорее всего, спугнут. А другого покупателя найти сложно.

— Ну и что... зато у меня будет картина...

— А я? — изготовилась реветь Юлька. — Выходит, столько лет дружбы ничегошеньки не значат?

— Это мне говоришь ты? — удивилась я.

— Машка, отец считает, что за Шагала можно получить тысяч сорок — сорок пять. Если ты скажешь, что продала ее за пятьдесят, он только рад будет. Тебе самой эта картина без надобности. Слышь, Машка, продадим ее, и всем хорошо: и отцу, и тебе, и мне, и Сашке.

— Кстати, а за что давать пятьдесят тысяч Багрову? — озарило меня. Сашка обиделся:

— Без меня у вас все равно ничего не выйдет: в таких делах присутствие мужчины необходимо, не то вас облапошат. А если у вас другое мнение, так я Павлу Сергеевичу позвоню и расскажу, что вы тут затеяли.

— О Господи, — простонала Юлька. — Что за люди...

— Вот-вот, — обрадовалась я. — Я вам ни на грош не верю. Хотите получить картину, давайте мою долю.

— Ты ее получишь, — обрадовалась Юлька.

— Нет, ребята, картина против пятидесяти тысяч. По-другому я не согласна.

— Спятила? Где ж я возьму пятьдесят тысяч, если у меня и десяти-то нет?

— Спроси у интуриста.

— Дурак он, что ли, просто так за честное слово отдать такие деньги?

— Так выходит, я дура, отдам вам картину, а потом буду терпеливо ждать, когда вы надумаете поделиться со мной? В прошлый раз я тебя ждала год, — ехидно напомнила я Багрову. — И если б не случай, то еще вопрос: дождалась бы.

— Хорошо, — хмыкнул он. — У меня встречный вопрос, допустим, мы находим деньги, где гарантия, что ты отдашь картину, а не натравишь на нас своего папашу?

— Глупость, — удивилась я. — Зачем мне это? Если б я хотела с вами разделаться, так чего проще: позвонить отцу прямо сейчас. На самом деле мне очень хочется, чтобы вы убрались из моей жизни. Оба и навсегда, — отрезала я. — А если еще раз сунетесь, я точно натравлю на вас отца. Так как денег у вас все равно нет, болтовня наша носит чисто теоретический характер и мне уже до смерти надоела. Привет, ребята, надеюсь завтра Юльке свернут шею, и это послужит хорошим уроком: не изменяй отцу со всякой швалью, а ты несолоно хлебавши отправишься воевать с плохими фээсбэшниками. Я останусь с папой, Шагалом и надеждой, что встречу хорошего человека, а тебя через неделю забуду, — и я потопала наверх.

На этот раз отправиться за мной Сашка не рискнул и спать устроился на диване в гостиной.

Утром меня разбудила Юлька, Багров стоял в дверях и выглядел недовольным.

— Чего вам? — проворчала я.

— Поезжай к отцу за картиной.

— А деньги? — Я презрительно улыбнулась.

— Деньги будут, — сказала Юлька и недоверчиво посмотрела на Сашку, тот кивнул.

— Я вам вреда не желаю, хоть вы и свиньи, — заметила я. — Но должна предупредить: если я привезу картину, а денег у вас не окажется, и вы ее все-таки решите забрать... в общем, я стану кровожадной. В этом случае я вам не завидую.

— Деньги будут, — сказал Сашка, глядя на меня очень сурово.

— Хорошо, если так, — кивнула я, они вышли, а я стала одеваться.

Через полчаса встретились в холле. Я подошла к телефону и набрала номер отца, он был дома, трубку снял сразу.

— Пап, — позвала я. — Ты никуда не собираешься? Я хотела заехать.

— Приезжай, — весело сказал он. — Я тут тоску гоняю.

— Ну, вот, — повернувшись к Багрову, сказала я. — Отец дома, разговор с ним займет часа два, потому что, если я с порога начну выпрашивать картину, это папе вряд ли понравится. Лучше ненавязчиво коснуться этой темы в процессе душевного разговора. Встретимся через три часа. За это время вы должны раздобыть деньги.

— Где встретимся? — забеспокоилась Юлька.

— Мне все равно, куда скажете, туда и подъеду.

— Машка, поклянись, что не затеваешь гадости, — жалобно попросила она.

— Я, в отличие от некоторых, гадости не жалую. А вот когда вы на пару уберетесь из города, вздохну свободно... Куда подъехать?

— Стоянка универмага «Южный», — сказал Сашка.

— Хорошо, — кивнула я. Решено было, что я поеду на такси, а Юлька с Сашкой воспользуются моей машиной.

Папа был дома и ждал меня. Обнял, поцеловал в нос и сказал:

— Привет, Мальвинка, как отдохнула?

— Отлично, — подавив тяжкий вздох, ответила я. — Юлька не звонила?

— Звонила, — кивнул отец. — Сегодня должна приехать.

— А как дела у тебя?

— Что ты имеешь в виду? — слегка удивился отец.

— Юлька говорила, у тебя вроде бы какие-то неприятности?

— А... ерунда. Все нормально. Пошли чай пить. Я твой любимый торт купил.

И мы пошли пить чай.

— Слушай, может, ты переедешь к нам? — подозрительно робко спросил отец. — Дом большой, что мы тут, не разместимся? И мне спокойнее будет.

— Подумаю, — ответила я.

— Ага. — Отец начал шарить по моему лицу глазами, не выдержал и спросил: — Как оно вообще? Я имею в виду... как там Багров?

Врать отцу я никогда не умела и потому просто пожала плечами.

— Уехал? — спросил отец.

— Нет, еще. Но, наверное, уедет.

— У тебя глаза грустные.

— Все нормально, — заверила я.

— Машка, — помолчав немного, сказал папа. — Ты извини, что я не в свое дело вмешиваюсь, но когда я тебя с ним увидел... Ты моя дочь, и я тебя очень люблю, впрочем, чего это я, ты сама знаешь... в общем, я решил узнать, что за человек Багров...

— Ну и? — вздохнула я. Отец тоже вздохнул.

— Аферист он, Машка. — Вдруг совершенно неожиданно отец хохотнул и весело добавил: — Хотя парень занятный.

Отец поднялся, извлек из секретера пластиковую папку и протянул мне. В папке было досье на Сашку, страниц эдак на двадцать машинописного текста. Очень поучительное чтение, кстати. Я читала, потом мы еще немного поговорили о Сашке, я взглянула на часы и поднялась.

— Уходишь? — спросил папа.

— Да, надо на работу заехать. Максим, должно быть, сердится, что мы на него все дела бросили.

Перед тем, как покинуть дом отца, я поднялась в свою комнату. На столе лежал картонный футляр. Хмыкнув, я извлекла на свет Божий «Девушек, летящих по ветру». Взглянула, хохотнула, сказала, покачав головой: «Ну, артист», — и вновь убрала «девушек». Попрощалась с отцом и пошла ловить такси.

Въезжать на стоянку универмага не пришлось, свою машину я заприметила сразу в тихом переулке напротив стоянки. Место Сашка выбрал удачно: проходными дворами он смог бы удрать в любом направлении.

Я расплатилась и пошла к своей машине, держа футляр под мышкой. Села сзади, рядом с Юлькой.

— Принесла, — обрадовалась она, завороженно таращась на футляр.

— Деньги, — напомнила я.

Сашка извлек из-под переднего сиденья «дипломат» и протянул мне. Щелкнув замками, я открыла крышку, а потом, не спеша, проверила пачки долларов (от Сашки можно ждать любой пакости).

— Довольна? — спросил он, я кивнула, вновь щелкнула замками и отдала футляр Юльке. Дрожащими руками она извлекла картину, вздохнула с облегчением, а потом заулыбалась.

— Все в порядке? — задал Сашка очередной вопрос, Юлька кивнула.

— Выметайтесь, — устало проронила я, а Юлька затараторила:

— Машка, довези нас до гостиницы, я схожу к интуристу, а Сашка с картиной подождет в машине.

— Не выйдет, меня ваши лица утомили. До гостиницы довезу, а ждать не буду.

Мы поменялись с Сашкой местами, и я отвезла их к нужной гостинице. Юлька выпорхнула из машины, а Сашка чуть замешкался, взглянул на меня и ухмыльнулся. Здоровенный чертяка в его зрачке скривил мерзкую рожу, а Багров, сказав мне: «Пока», стал вслед за Юлькой подниматься по лестнице.

Я развернулась и поехала на работу. Войдя в свой кабинет, открыла сейф, убрала «дипломат» и стала ждать.

Юлька появилась через двадцать минут, едва сдерживаясь, чтобы не расхохотаться.

— Как там Багров? — спросила я.

— Должно быть, все еще сидит в холле.

Мы обнялись и стали смеяться. Только, если честно, мне было не так уж и весело.

Багров появился часов в восемь, я знала, что он страшно нахальный тип, потому не удивилась. Сашка стукнул в дверь моего кабинета, я сказала: «Да», дверь открылась, и он возник на пороге с сияющей улыбкой.

— Здрасьте, Марья Павловна, — произнес он дурашливо.

— Здравствуйте, Александр Степанович, — ответила я. Сашка поднял брови, улыбка приобрела некоторую ядовитость, и он заметил:

— Проявили интерес к моей скромной особе?

— Насчет скромной — явное преувеличение, — по возможности ласковее улыбнулась я. Сашка сел на стул верхом и уставился на меня, а я на него. — Ну и что? — не выдержала я. — Так и будешь сверлить меня глазами?

— Я соскучился.

— Ты имеешь в виду деньги?

— Нет. Я имею в виду тебя. Машка, ты разбила мне сердце. Кстати, подсылать ко мне Юльку, а потом обвинять в измене, было довольно подло, ты так не считаешь?

— Как тебе сказать... так сразу и не ответишь... К примеру, бросить меня, укатив с отцовскими деньгами, тоже было не совсем порядочно. Как считаешь?

Сашка развел руками, улыбаясь и глядя мне в глаза.

— Хочешь, чтобы я уехал?

Я пожала плечами.

— Зная тебя, логичнее предположить, что ты останешься, чтобы вернуть свои деньги.

— А ты хочешь, чтобы я остался?

— Счет 2:2, — усмехнулась я. — Он меня вполне устраивает. А играть в эти игры мне уже надоело.

— Никаких игр. Ты можешь просто сказать: останься.

— И ты останешься? — подивилась я.

— Конечно.

— Здорово. — Я неожиданно разозлилась: — Багров, я тебе говорила «Останься», говорила «Люблю», а также говорила «Саша, не обманывай меня, я для тебя и так все сделаю». Каждый раз — все было чистой правдой.

— Надеюсь, — хмыкнул Багров, весело поглядывая на меня.

Я поднялась, подошла к сейфу, достала «дипломат», который лежал сверху, извлекла из него пачку долларов и положила ее на стол.

— Я произвела подсчеты, — пояснила деловито. — Вышло, что я оттяпала у тебя лишних десять тысяч. Лишнего мне не надо, держи. На дорогу, думаю, хватит. Ну и на то, чтобы где-то устроиться.

— Спасибо, — с улыбкой ответил Багров, но веселья в его глазах убавилось. — Можно несколько вопросов, чтобы удовлетворить любопытство.

— Можно, — кивнула я.

— Те типы, что держали меня в бочке, ребята отца?

— Нет, охрана нашего заведения. Точнее, Денис — наш охранник и два его друга, тренеры из спортшколы.

— А интурист?

— Юлькин друг, преподает в университете. Переводчик самый настоящий — мой одноклассник. Рассерженный кредитор, мой старый знакомый, кстати, работает в театре. Он же и «Летящих по ветру» нарисовал. Талант у человека.

— Я справлялся в гостинице...

— Багров, — развела я руками. — Мы ведь знали, с кем имеем дело, и на это рассчитывали. Все почти правда. Кстати, настоящий Шагал висит у нас в гостиной. Юльке он действительно нравится. Еще вопросы есть?

— Полно, — сказал Багров, поднимаясь, и направился к двери. — У тебя еще есть время сказать мне: «Останься».

— Да пошел ты! — рявкнула я. — И не обольщайся: если ты сможешь прожить без меня, значит, и я без тебя смогу.

Он улыбнулся, сделал ручкой и исчез.

А я стала смотреть в окно. Вошла Юлька, обняла меня и сказала:

— Может, ты зря его выгнала?

— Ты не знаешь Багрова. Он так просто не уедет. И сюда явился для того, чтобы выяснить, где его денежки. Я ему показала: здесь, в моем сейфе. Значит, Багров не сегодня-завтра непременно объявится...

— Ты думаешь? — спросила Юлька, а я в ответ кивнула, извлекла из сейфа «дипломат» и сумку, переложила все деньги в «дипломат», а потом села за компьютер сочинять письмо.

Юлька устроилась рядом, поглядывая на меня с грустью. Потом мы позвонили отцу.

— Папа, — сказала я. — Тут какие-то типы принесли «дипломат», просили тебе передать. Типы очень вежливые, а «дипломат» тяжелый.

— Быстро все из ресторана! — крикнул отец. — Сейчас я подъеду...

Папа приехал через несколько минут и не один. «Дипломат» стоял в моем кабинете, а мы на улице, но очень скоро тоже переместились в кабинет. Деньги пересчитали, а папа стоял с отпечатанным на компьютере письмом в руках и диву давался. Письмо радовало лаконичностью: «Уважаемый Павел Сергеевич. Просим извинить за досадную ошибку».

— Да здесь денег почти вдвое больше, — озадачился отец.

— Должно быть, компенсация за моральный ущерб, — хохотнула Юлька. Папа, конечно, не мог знать, что к деньгам, которые у него увели совсем недавно, прибавились те, что Сашка свистнул в прошлом году.

— Чудеса, — хмыкнул отец, и они с Юлькой пошли к выходу, а я, взглянув на сейф, не удержалась и написала записку. Положила ее на полку, в пустом сейфе она выглядела сиротливо, потом со вздохом прикрыла дверцу и заперла ее. И пошла на улицу, где ждали меня отец и Юлька.

Вечером мы с подружкой смотрели телевизор, вдруг вошел папа и очень серьезно сказал мне:

— Маша, зайди в кабинет.

Мы с Юлькой испуганно переглянулись, я пошла за ним, а подружка за мной, подслушивать. Устроившись на диване, я спросила:

— Чего, папа?

— Давай-ка ты мне всё расскажешь, — вздохнув, проговорил он, устраиваясь рядом.

— Что? — не поняла я.

— Всё, — пожал он плечами. — Чувствую, у тебя от отца родного появилось много секретов, а я всегда считал, что мы друзья. Разве нет?

— Да брось ты, папа, — смутилась я. Отец поднялся, шагнул к столу.

— В «дипломате» на дне была записка. В ресторане, когда пересчитывали деньги, на нее не обратили внимания, потому что нижние пачки не вынимали. Хочешь взглянуть?

— Да... — пролепетала я, теряя уверенность. Папа протянул мне листок, и я прочитала: «Ты молодец, Машка». А потом заревела, горько-горько, потому что выходило, что, когда Сашка отдавал деньги, он уже знал, что я его обманываю, и в ресторан пришел вовсе не для того, чтобы увеличить счет в свою пользу. А я его выгнала... Отец меня обнял, а я завопила:

— Папочка, я так его люблю, а он опять удрал.

Сашку искали неделю, но он точно сквозь землю провалился. Устроили засаду в ресторане: я искренне надеялась, что Багров здесь появится. Не такой Сашка человек, чтобы после поражения, даже самого сокрушительного, собравшись с силами, не нанести ответный удар.

Но прошла еще неделя, а Багров по-прежнему не появлялся. Я сидела на работе, таращилась в окно и думала о нем. Вошла Юлька и села рядом.

— Вернется, — сказала она тихо. — Вот увидишь.

— Нет, — покачала я головой. — Он и в прошлый раз не хотел возвращаться, и сейчас... Я дура, должна была ему сказать... — В этом месте я разревелась так, что произносить слова стало затруднительно. Юлька тоже заревела, и мы еще минут пятнадцать орошали друг друга слезами. Потом высморкались и выпили чаю.

— Машка, — не глядя на меня, сказала Юлька. — Мы с твоим отцом решили расписаться. Он собирался с тобой поговорить... Ты не против?

— О Господи, конечно, нет. Я рада, честно. — И мы опять обнялись, Юлька меня поцеловала, тут дверь открылась, и вошел папа.

— Чего это у вас вид такой? — поднял он брови. — То ли ревели, то ли смеялись до слез...

— Папа, — сказала я, поднимаясь ему навстречу. — Я так рада за тебя. Поздравляю... — Я обняла его и поцеловала, а он смущенно ответил:

— Как думаешь, не смешно на старости лет?

— Не смешно, — покачала я головой. — Это здорово, честно. Я очень рада за вас, и вообще вы молодцы.

— Я очень люблю тебя, — сказал отец. — И честно скажу, немного боялся, что ты... не поймешь, что ли...

Я выдала улыбку и сказала, стараясь выглядеть независимой:

— А тебе не кажется, что мне давно пора перестать быть папиной дочкой?

Сидеть и смотреть в окно вскоре сделалось совершенно невыносимым, и я уехала в Италию. Юлька было собралась со мной, но я ее отговорила: нянька мне не нужна, а ей надо быть рядом с мужем. Они с папой пришли меня проводить, и я долго смотрела им вслед, не скрою, с завистью. Хорошо им...

Подружка с папой очень настойчиво звали меня переехать к ним, но я отказалась: у них семья, и слава Богу... хотя у меня тоже семья: отец, Юлька, еще есть друзья, работа... и вообще, у меня есть все...

С такими мыслями в Италию лучше не ездить, это я поняла очень быстро. Исправно пялясь на великие творения прошлого, я тихонько зевала и ждала, когда отправлюсь домой, а вернувшись, в первый же день вышла на работу, должно быть, для того, чтобы снова смотреть в окно.

Вошел Максим, мы немного поговорили, и он сказал, кивнув на бумаги:

— Убери в сейф.

Сейф по-прежнему был пуст, только записка, оставленная мной для Сашки, радовала глаз. Я взяла ее, хотела швырнуть в корзину и тут выпучила глаза. Моим почерком было написано: «Сашка, я тебя люблю», а внизу стояла приписка: «Я тебя тоже люблю». Я осела в кресло и вдруг завопила на весь ресторан:

— Ну, Багров!.. Я тебя убью, честное слово!

Он позвонил на следующий день. Сказал весело:

— Привет, Машка. Как отдохнула?

— Плохо.

— Что ж так? Италия страна неплохая.

— Неплохая, если б рядом был ты, а одной она мне не понравилась. Ничего там нет хорошего.

— Ну и правильно. Дома-то завсегда лучше... Я соскучился. Приходи на свидание, а?

— Приду. А куда надо идти?

— Да неподалеку от твоего дома. Кафе на Вяземского знаешь? Вот туда и приходи.

— Когда?

— Сейчас. Я тебя жду.

— Уже бегу, Сашенька, — обрадовалась я.

— Бежать не надо, — заявил он серьезно. — Я никуда не тороплюсь, готов ждать всю жизнь, если ты за полчаса доберешься.

Добралась я значительно быстрее. Стремительно вошла в кафе и с изумлением огляделась: кафе было почти пустым, трое молодых людей сидели в центре зала, да у окна, спиной ко мне, какой-то милиционер. Я слабо охнула и уже собралась реветь, тут милиционер оглянулся, а я слегка присела, потому что это был Багров. Он лучезарно улыбнулся и поднялся навстречу, и я на негнущихся ногах направилась к нему.

— Что это? — кивнула я на форму, лишь только смогла вернуть себе дар речи.

— Как, что? — удивился он. — Я ж тебе сколько раз говорил, что работаю в милиции.

— Перестань врать, — зашипела я. — Я все про тебя знаю. Зачем этот маскарад?

— Не маскарад вовсе, — обиделся Сашка, извлек из кармана удостоверение, и я выпучила глаза.

— Это подделка?

Сашка поморщился:

— Ну что ты в самом деле?

— Как же тебя взяли? Ты же жулик из жуликов.

— Кто это сказал? — удивился он.

— Ничего и говорить не надо, без того знаю, — нахмурилась я и тут услышала:

— Привет, — повернула голову и увидела Юльку.

— Привет, — ответила я с улыбкой и спросила: — Ты здесь какими судьбами?

Юлька растерянно посмотрела на меня, на Сашку, ткнула в него пальцем и сказала:

— Так ведь он звонил...

— Звонил, — кивнул Багров. — Садись...

Юлька села, а я нахмурилась.

— А чего это ты так вырядился? — додумалась спросить подружка.

— Дело есть, — тихо сказал Сашка, придвигаясь ближе к столу. Головы наши невольно сдвинулись ему навстречу. — Живет в вашем городе один дядя. Подпольный миллионер... — Сашка понизил голос до шепота, а мы навострили уши...

Через десять минут Сашка откинулся на стуле и посмотрел на нас с озорством.

— Как план? — спросил он весело.

— Блеск! — дружно выдохнули мы.

— Как видите, один не потяну. Есть вакансия на роль врача и медсестры. Что скажете?

Юлька посмотрела на меня с томлением и робко кашлянула.

— Отец нам голову оторвет, — покусав губу, заметила я.

— Да брось ты! — отмахнулась подружка. — Откуда он узнает?

СОДЕРЖАНИЕ

Литературно-художественное издание

Полякова Татьяна Викторовна

ЕЕ МАЛЕНЬКАЯ ТАЙНА

Редактор *В. Татаринов*
Художественный редактор *С. Курбатов*
Художник *С. Атрошенко*
Технические редакторы
Н. Носова, Г. Павлова
Корректор *В. Назарова*

Изд. лиц. № 065377 от 22.08.97.

Налоговая льгота — общероссийский классификатор продукции ОК-005-93, том 2; 953000 — книги, брошюры

Подписано в печать с готовых диапозитивов 16.09.98.
Формат $84 \times 108^1/_{32}$. Гарнитура «Таймс».
Печать офсетная. Усл. печ. л. 26,9. Уч.-изд. л. 22,3.
Тираж 55 000 экз. Заказ 1133

ЗАО «Издательство «ЭКСМО-Пресс»,
123298, Москва, ул. Народного Ополчения, 38.

Отпечатано в полном соответствии
с качеством предоставленных диапозитивов
в ОАО «Можайский полиграфический комбинат».
143200, г. Можайск, ул. Мира, 93.